文科省絶対不認可教科書

アリエナイ理科ノ大事典Ⅲ

The Encyclopedia of Mad-Science

introduction | はじめに

オイッスゥ！　そんなこんなで、『ｱﾘｴﾅｲ理科ﾉ大事典』もPart3でございますわ。

ｱﾘｴﾅｲ理科は、シリーズを通して、その情勢、表現規制の狭間で、それはそれは、ギリギリを考えて、
知的好奇心と面白さのバランスを取って、その内容を届けてきたつもりです。

しかし、それは中身をきちんと見ない人には伝わらず、火を恐れる猿のごとく、
「キケン、キケン」「規制しよう」「禁止、禁止、子供が悪用したら危ない」と、
青少年や子供を騙って、老人たちが独善的に有害図書に指定してきたという歴史があります。
まあ、そんなことは、本シリーズを通して散々書いてきたので、今さら騒ぎ立てることではないのですが、
科学というものに興味を持つことは、あらゆる間口を用意しておくべきだと自分は思っています。

だってオトコノコってカッコイイのが好きじゃないですか。
（もちろんオンナノコだって大歓迎ですよ？）

無味乾燥の中身の無い理科の教科書を朗読させられて、科学っ子が育つと思ってるんでしょうか？

本書は、有害図書に指定されようがされまいが、論点はそこではなく、
最初から「教育」にしか目を向けてません。

コレ、ぶっちゃけてしまうと白けるし、何をマッドサイエンス野郎が言ってるんだと、
酔狂な空気になってしまうんですが、科学の暗黒面まで語れる我々だからこそ、
その闇の部分といわれ忌み嫌われているものも、結局は科学という地平で、学問という回廊で、
すべてつながっているのだということを伝えられるんだろうと考えてます。
そして、そこにこそ熱狂というべき、面白さが詰まっているんです。

そういった露悪的な面以外から科学を好きになる、得意になる子はもちろんいると思いますが、
じゃあ露悪的な入り口は不要なのか？

その問いかけこそが、この本の本懐であり、そしてこのシリーズの部数でもあります。

ｱﾘｴﾅｲ理科シリーズは、2023年で累計50万部を超えました。
YouTubeなどでの活動をきっかけに、実際に大手化学企業にスポンサーについていただいたり、
その動画は実際に学校の授業で使われることもあり、
蟷螂の斧ではありますが、20年近く振り続けてきた結果が出ています。
一方、我々が問題提起してきた、受験教育は20年間で何か変わったのでしょうか？
何？　センター試験が「大学入学共通テスト」に名前が変わりました？　はぁ…
教科書が脱ゆとりで分厚くなりました？　ハァ…　なるほど…
まだミツバチのダンスの解読問題を出してるんですか…　アレいる？
古い情報、何もカットされてないじゃん…。

そもそもなんで、文科省が義務教育ではない高校の教科書を検定しとるんじゃい！

それで受験産業とベッタリで、税金がアホみたいによく分からん企業に流れ込み、
肝心の教師の待遇は良くなるどころかブラックまっしぐら。
なり手が減ったら減ったで、教師になるための教員免許を4年制大学でも最短2年で取得可能にしてみました？

チガウだろ…良い教師を増やすのが最優先で、ハードルを上げてその代わり手厚い待遇を用意する…じゃないのか？
どこのブラック企業の発想やねん。

マジ、こんなのが教育の旗を振り、何も変わらないどころか、年々悪化の一途を遂げて、
それでいて、科学立国を目指すって言ってるんだから、もう悪の組織が善行を働くレベルですよ。

というわけで、我々はここにいる。

そして、本書もゆくゆくは、どこかの役人の実績の肥やしとして、
有害指定の誹りを受けて、本来届くべき、若い世代には届きにくくなっていくのだろう。

そういうわけで、学びに貪欲な若い人よ！

科学には善も悪もナイ。

技術に良いも悪いもナイ。

役に立つ役に立たないもナイ。

人間とは文明を発展させなければ前に進めないのです。

そのためには、うわーーっといっぱいの科学の灯火が、みんな好き勝手に、
「オレの考えた最強の科学」を追求していくことこそが大事なのです。

そうしているうちに、それぞれの追求がつながって、また一つ、また一つと学問が生まれ、
森羅万象を紐解き、気が付けば、多くの現象を制御し、
過去に乗り越えることができなかった難題を乗り越えていく力となる。

科学はそうした先人の「これどうなってんだろう？」という、
知的好奇心の積み重ねで出来上がってきたものではないのでしょうか？

今、それが忘れられている気がしてなりません。

おっと、なんかシンミリとした空気になってしまいました。まだ本編が始まってもいないのに！

そんなこんなで『アリエナイ理科ノ大事典Ⅲ』、今回も珠玉の知識、ド派手な実験、そして面白い工作…などなど、
いろいろごった煮でお腹いっぱいになる、知的好奇心の玉手箱、用意させていただきました。

それでは授業を始めます。

総員命令！　これから科学の侵攻を開始する!!

薬理凶室

くられ

Topics

Biology【生物】

Chemistry【化学】

Physics【物理】

Supplementary class 【補講】

Appendices 【巻末付録】

attention!

※本書は2019～2023年の月刊『ラジオライフ』、Webサイト「ｱﾘｴﾅｲ理科ポータル」に掲載した記事を再編集し構成しています。そのため、現在は入手しにくい製品があるなど、状況が変化している場合がありますのでご了承下さい。

※薬は用法・用量を守って使用して下さい。処方された薬は医師や薬剤師の指示にきちんと従いましょう。何か異常に気づいたら、速やかに担当の医師や薬剤師に相談して下さい。

※実験はすべて私有地、または許可を得た管理区で行っています。なお、これらの記事は、再現性を保証するものではありません。記事内容を実行し事故やトラブルなどが起こっても、筆者及び編者部では責任を負いかねます。また、非合法な目的での記事の利用は堅くお断りします。

アリエナイ理科 シリーズ一覧

図解
アリエナイ理科ノ教科書

●定価：本体1,714円＋税
●2004年3月発行

デッドリーダイエット

●定価：本体1,429円＋税
●2005年9月発行

図解 アリエナイ理科ノ
教科書IIB

●定価：本体1,800円＋税
●2006年7月発行

図解 アリエナイ理科ノ
工作

●定価：本体1,800円＋税
●2007年8月発行

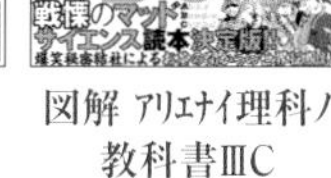

図解 アリエナイ理科ノ
教科書IIIC

●定価：本体1,886円＋税
●2009年6月発行

図解 アリエナイ理科ノ
実験室

●定価：本体1,886円＋税
●2011年7月発行

新版 アリエナイ理科

●定価：本体933円＋税
●2012年4月発行

図解 エクストリーム
工作ノ教科書

●定価：本体1,886円＋税
●2013年7月発行

図解 アリエナイ理科ノ
実験室2

●定価：本体1,833円＋税
●2015年8月発行

悪魔が教える
願いが叶う毒と薬

●定価：本体1,300円＋税
●2016年3月発行

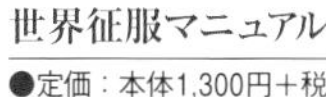

アリエナイ理科式
世界征服マニュアル

●定価：本体1,300円＋税
●2017年8月発行

アリエナイ理科ノ大事典

●定価：本体2,000円＋税
●2018年2月発行

アリエナイ理科ノ
大事典II

●定価：本体2,100円＋税
●2018年12月発行

アリエナイ理科ノ
大事典 改訂版

●定価：本体2,100円＋税
●2019年7月発行

アリエナイ医学事典

●定価：本体1,500円＋税
●2020年4月発行

アリエナイ工作事典

●定価：本体2,000円＋税
●2021年4月発行

アリエナイ毒性学事典

●定価：本体1,800円＋税
●2022年6月発行

シラノ
[物理・電子工学担当]
超理論派エンジニアで、数式で会話できるらしい。テスラコイルを極めた影響か、体は電気と一体化してしまった。甘い物がエネルギー源。
Joker
[情報セキュリティ担当]
「ア理科ポータル」の運営など、薬理凶室を影から支える凄腕SE。サイバーセキュリティが専門だが、物理セキュリティも守備範囲だ。
POKA
[機械工作担当]
ｱﾘｴﾅｲ工作を体現する、通称「機械王」。かつて開発したエグゾーストキャノンによって、多くの怪人を生み出した。ガイガーカウンターを片手に、素材探しがライフワーク。
くられ 薬理凶室 室長
[生物・化学担当]
目の無い狐面と、白衣に巨大なメスがトレードマークのヘルドクター。腐りきった日本の理科教育に喝を入れる、暗黒理科の伝道師。
Pylora Nyarogi
[機械工作担当]
エグゾーストキャノンの虜になった技術者。あの発明はどうやら若者を狂わせるらしい…。キャノンの新たな可能性を模索し、研究開発に勤しんでいる。
エメツ
[工作担当]
メインは機械工作だが、安全・便利・合法をモットーにした玩具も製作。パワーのためなら圧縮ガスや燃料などを使うため、大抵の作品は人に向けてはイケナイものになる…。
ツナっち
[化学・薬学担当]
薬理凶室のマスコットを演じているが、ジャージのチャックを上げるとヴィランモードへ…。化学と薬学を担当する講師に変身。動画の出演と編集をこなすマルチクリエイターでもある。

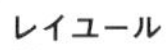

しろへび
[金属工学担当]
実戦冶金学を極めた刃物職人。メス型ナイフ「ノリップフロップ」シリーズの製作者。金属の声が聞ける。

レイユール
[化学担当]
有機化学で合成が専門の実験派ケミスト。名前の通り縞模様がモチーフで、炎が服をカッチリ着込んでるデザイン。真面目で堅実で天然。

淡島りりか
[化学・薬学担当]
有機・薬学系の超凄腕ケミスト。基礎から臨床まで、薬剤に関しての圧倒的な知識を持つ。英国贔屓のシャーロキアン。

倫獄
[刑法・コンプライアンス担当]
薬理凶室 法務部に所属する、刑法の専門家。コンプライアンスの獄卒であり、法律のスレスレを行く武闘派理科集団の行動に常に目を光らせている。ハチャメチャ集団のセーフティロック。

薬理凶室［講師陣］

ｱﾘｴﾅｲ理科の講師陣は、日本全国から召喚された暗黒理科のプロフェッショナル。表の世界では各専門分野の第一線で活躍しているが、怪人としてエキサイティングな特別講義を行う。理科の面白さの真髄がここにある!

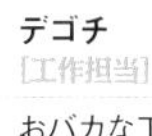

yasu
[物理・機械工作担当]
エグゾーストキャノンに魅せられた挙げ句、取り憑かれてしまったエンジニア。機能美と造形美に狂おしいほどのこだわりを持つアーティストでもある。

デゴチ
[工作担当]
おバカな工作ばかりをしていたら、怪人になっていた機械グマ。クマというアバターが愛されることを発見し、多少やり過ぎてもこの姿ならごまかせると思っている。

Liar K
[機械・電子工作担当]
薬理凶室育ちで、Pylora Nyarogi氏と研鑽を積んだ。旋盤工作が得意のメカニックだが、凶電工作やWebサイトの構築にも精通。

亜留間次郎
[全分野担当]
下ネタから医学、核物理学までオールジャンルをカバーする歩く暗黒百科事典。倫理観が人間とはかけ離れているため、下ネタを振ってはイケナイ。

地獄の苦しみのその先を目指す

罰ゲーム汁の科学

苦みや辛みを突き詰めて、より味覚にダメージを与えるための悪魔の研究がYouTubeチャンネル内で秘かに進んでいる。その動画の裏側について、科学的側面から解説しよう。 text by くられ

はい！　というわけで、罰ゲーム研究所のお時間です。

とまぁ、YouTuberありがちな出だしで、始まりました。本書の執筆者の一部は、YouTubeチャンネル「科学はすべてを解決する！」でいろいろやっているのですが、そこで「罰ゲーム研究所」というコンテンツがあります。何をやっているかというと、その名の通り、さまざまな罰ゲームの研究開発です。

そうした中で「罰ゲーム汁」なる、味覚系の素材を作りました[※1]。これは物理的に何かで叩いたり殴るとかというものではないため誰もケガをせず、しかしただただツライだけというもので、過剰にコンプラを重視する現代社会では、なかなかイイ線をいってる罰ゲームだと思います。たった1滴で、トラウマ級の地獄の苦しみを与えられるのです…。

この罰ゲーム汁は、苦み、甘み、酸味、辛み、そしてマズ味という5つのバリエーションをまず作りました。そこから、より最悪を求めるレシピが生まれてきたので、ここではその罰ゲーム研究における、最悪の再現方法について解説しましょう。

「科学はすべてを解決する!」
誰も生き残れない!獄・激辛汁!!【罰ゲーム研究所】

苦み

最近はテレビ番組などでも、たまに見かけるようになった、苦い成分「デナトニウム」。これは本来、わざと食べられなくするための食品添加物という立ち位置の薬剤で、幼児向け玩具やシャンプーなど、人間やペットの誤飲防止に使われてきました。強烈な苦みを持った物質で、特に舌に存在するTAS2R受容体を刺激します。

デナトニウムは、歯の麻酔などでよく使われるリドカインをベースに、分子を装飾したものです。このリドカイン自体もかなり苦い物質であることが知られていますが、それをはるかに上回る苦みだけを手に入れたものになります（麻酔性は無い）。

このデナトニウムは、安息香酸との塩で安定した状態で使われることが多いのですが、水溶液中にサッカリンが存在すると、数倍苦みが増すという謎の相乗効果があるとされており、罰ゲーム汁では、このデナトニウム安息香酸塩の水溶液に、サッカリンを入れて苦みを数倍に増す工夫をしている。

ちらっと上述した苦味受容体（TAS2R）は、本来、毒性のあるものを見つけて、吐き出させる

Memo: ※1　味覚とは、口に入ったいろいろな化学物質が舌を中心とした味覚細胞と反応した時に生まれる知覚のこと。味神経に電気的インパルスが生じ、それが大脳に送られて味を認識する。57ページの「オイシイは科学」も併せてチェック。

苦味のベース

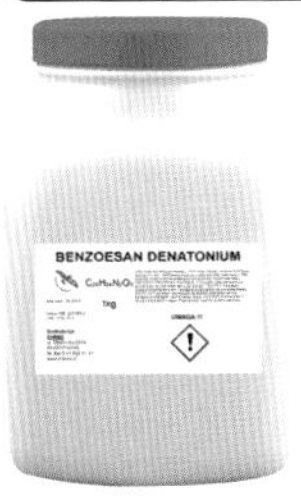

デナトニウム

化学式	$C_{28}H_{34}N_{2}O_{3}$

甘みのベース

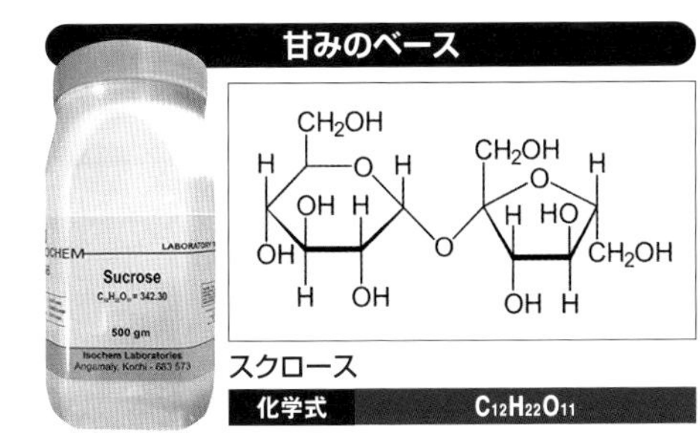

スクロース

化学式	$C_{12}H_{22}O_{11}$

ための機能なので、非常に多種多様な苦みを持つ分子に対応しています。ヒトゲノム解読により26種類のTAS2R遺伝子が存在していることが分かっており、各々が異なる苦味物質の認識が可能となっているのです。

ゆえに、デナトニウムとサッカリンだけの苦みアプローチより、さらなる地獄を目指すために、ベクトルの違う苦み成分を配合することで全方位の苦みへのアプローチが進みました。苦みもタイプ別に受容体が異なるため、デナトニウムだけでなく、カフェインやマグネシウム塩を配合することで、より不快感を高めた、苦み液を作ることに成功したのです。しかし、まだ26種類全方位で対応する苦みには達していない感じがあり、まだ伸びしろがあると推定されます。

ただ苦みの感じ方にも、人間の色覚異常のように特定の味に対する不感性や味盲性を持っている人もおり、特に苦みに関しては白人では30%、アジア人でも15%が感受性が弱いようです。こういった人は、この苦みに特化した汁はあまり有効ではないものの、他の味を混合すれば、しっかりと対応させることが可能でしょう。

甘み

甘みは、人類が食べ物に対して栄養があると認識するためのレセプターで、そうした物質は糖類を含んでいるため、基本的に糖類の分子構造に適合しています。この甘味を需要する甘味細胞には2つのタンパク質があり、TAS1R2とTAS1R3という名前です。この2つが合わさってヘテロ二量体を構成し、甘味受容体として機能しています。この2つのどちらか欠損しているマウスを使った実験では、甘みが感受できないことが判明しているのです。

この甘味受容体は、糖類に対して分析することに特化しており、甘い味を知覚して、その情報を脳に伝えると、脳は「おいしい、もっと食え」という命令を出してきます。ゆえに甘いものを食べると胃が膨らんで、食後にデザートが入るわけです。「甘いものは別腹」とは、本当にあるということです。

この甘味受容体は、甘さを受容するための分析器官なので、甘さの質をかなり高精細に分析できます。そのため、人工甘味料はこの受容体を刺激するものの、「なんか違う…」を誘発することに。また、この受容体は興奮を一定以上伝える能力が乏しく、甘さを感じる上限は比較的低いことが知られています。それゆえ、罰ゲーム用に「甘さ」に特化するには、スクロース（ショ糖）の600倍ともいわれるスクラロースを多めに入れるなどを基本に、追加でサッカリンやアセスルファムKなどの人工甘味料を併せて「違和感ある」甘みを強く提供することしかできなかったのです。

そこで、別のアプローチを試すことにしました。食用の界面活性剤によって作られたシャボン液に、スクラロースを溶かし、それをシャボン玉として提供するといった方法です。これにより、低濃度で強烈な甘さを感じられることを発見しました。

まだ憶測の域を出ていないが、恐らく甘味受容体は舌のみでなく、鼻の奥や咽頭などにも存在する可能性があり、シャボン玉の破裂とその界面活性成分により、隅々まで甘味受容体にアプローチできているのでは…？　今後、それらの部位の違う受容体ごとに強く感じる甘味を見つけることができれば、甘さに特化した罰ゲームをさらに進化させられる可能性があります。

参考文献など

●畜産産業振興機構

「分子レベルで明らかになってきた舌で甘さを感じるしくみ」

酸味をブースト

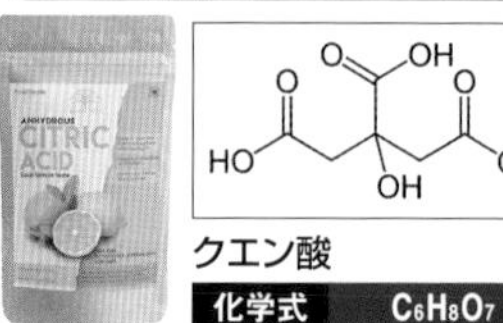

クエン酸

化学式　$C_6H_8O_7$

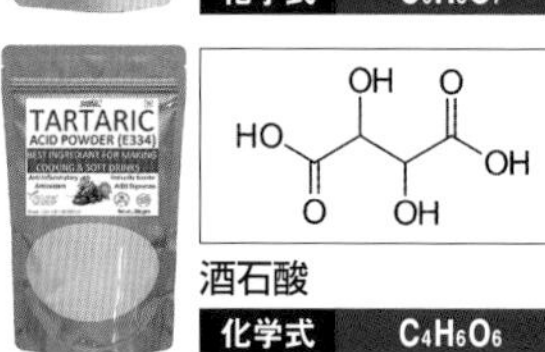

酒石酸

化学式　$C_4H_6O_6$

カプサイシン

化学式　$C_{18}H_{27}NO_3$

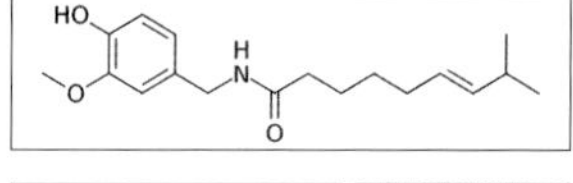

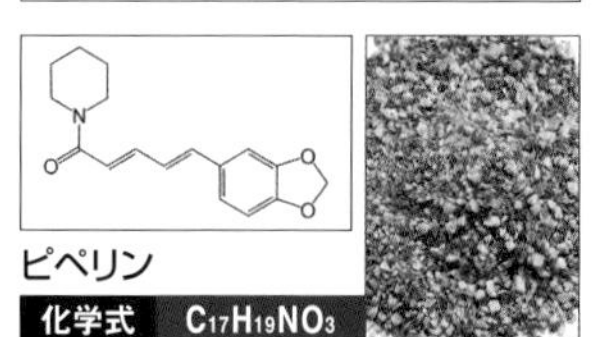

ピペリン

化学式　$C_{17}H_{19}NO_3$

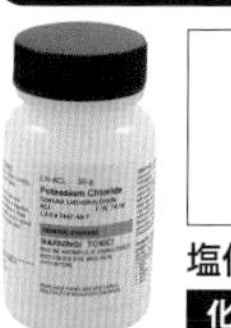

塩化カリウム

化学式　KCl

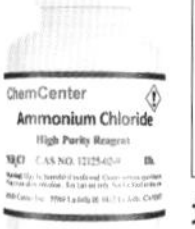

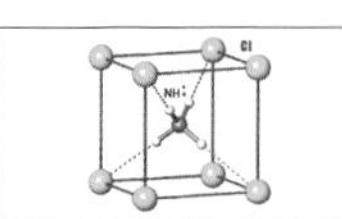

塩化アンモニウム

化学式　NH4Cl

ちなみに、食品添加物では現在、スクロースから作られたスクラロースが最強として君臨しているのですが、少量で甘さを感じるという点で、食品添加物以外だと、α-L-アスパルチルアミノマロン酸フェンチルメチルエステルというペプチドエステルでは、スクロースの2万～3万倍の甘さがあり、なおかつ苦みを生じさせないことが発見されています。分子が複雑になると安定化させる必要があり、長期保存に向かないことやコスト的な問題で実用化はまだされていないらしい。また、タンパク質では、タウマチン（ソーチマン）やモネリンは約10万倍の甘さです。

ただ、これらの甘さというのは砂糖の分量に対して薄めても甘さを感じるという意味であって、口の中を何百倍も刺激するという意味ではありません。基本的に甘さ自体は、スクロースで飽和している時より体感的な上限はないので、罰ゲームという点ではやっぱりあまり使い勝手は良くないかもしれない。

酸味

酸味は、食べ物の酸の含有量を知ると同時に、それが腐敗しているかどうかの判別にも使われる、快と不快にも触れるパラメーターを持った味です。そして、日本の研究により、酸味受容体として、PKD1L3とPKD2L1というタンパク質が発見されています。

酸味は、味覚の中で酸である水素イオン濃度を見ているだけかと思いきや、結構複雑に検知している可能性があるようです。特にPKD1L3は、舌の奥にあるボコボコした有郭乳頭（ゆうかくにゅうとう）、舌の横側の葉状乳頭（ようじょうにゅうとう）、舌全体にある茸状乳頭（じじょうにゅうとう）と、幅広く分布しており、この広域で酸味を分析して、違いを感じ取っていると考えられています。

酸味を強めるには、有機酸を高濃度に食べるだけで、梅干しをはるかに超える酸っぱさを感じ、痛みさえ知覚するぐらいなので、それだけでも十分面白いのですが、食品添加物のクエン酸・リンゴ酸・酒石酸などを混合すると、より強烈に酸味を感じさせることが可能。これは、酸の分子自体の水素イオンの解離定数の違いや、まだ見つかっていない受容体などでの複雑な分解能があり、酸によって同じpHに調整したものでも味が異なるからです。なので、いろんな種類を乱暴に入れると、舌の酸味受容体を広域に刺激できて、より罰ゲームとして素晴らしくなります。

有機酸は基本的に無制限に水に溶解するのですが、あまりに高濃度過ぎると舌の上の水分を奪い、逆に感受性が下がりがちになる…。なので、水溶媒に対して10%前後の重量となるように溶かしたものが、最も苦痛を感じる酸味であろうと推察しています。

近年、この酸味に、タンニン酸などを含む渋みを足すことで、なぜか酸味が増強されるというエンハンス効果が発見され、罰ゲーム汁に導入されました。

マジすっぱい。

Memo:

辛み

辛みといえば、唐辛子。このトウガラシに含まれている辛み成分がカプサイシンという物質で、催涙スプレーにも使われている、言わずと知れた辛さの正体…と思われているが、品種改良された唐辛子の中には、異常な辛みを持つものもあり、カプサイシン誘導体が複合することで辛さがより強く感じられることが経験的に知られています。

特にカプサイシンと同じアミド類である、ピペリンやシャビシンは、カプサイシンの辛みを拡張する代表的な成分で、その効果を利用し、一味唐辛子とコショウを混ぜてアルコールで数回ろ過抽出するだけという雑な手順でさえ、筆舌に尽くしがたい辛い液の生成が可能です。

これを罰ゲーム初代辛み液としたのですが、この辛さの根源であるカプサイシン自体を合成品の99%以上の純度のもの、ピペリンをコショウより精製したものをアルコールに溶かし合わせることで、前代未聞の辛さに到達。さらに、キャロライナ・リーパーなどの激辛品種の粉末を配合して誘導体の含有量が上がることで、もはや催涙剤を上回る刺激性液体を錬成するに至りました。

これより辛いものは存在しないので、辛い罰ゲーム研究はこれで終わり…そうなのですが、実は辛さを構成する分子の種類は、他に大きく4種類のジャンルが残されています。つまり、激辛研究はまだアミド類で一定の成果を上げただけであり、辛子系のイソチオシアネート類、タマネギなどのスルフィド類、ジンゲロンやショウガオールといったショウガ系のバニリルケトン類というジャンルがあり、まだ探求は1/4であり、さらにそれぞれの混合という点で、まだまだはるか高みがある。

現在最も頂上に達していない罰ゲームが、実は文字通り辛い(つらい)辛い(からい)なのは、一体どういうことなのだろうか…。

ちなみに、食用を無視した最強に辛い成分では、トウダイグサ科のサボテン様植物「ハッカクキリン(Euphorbia resinifera:ユーフォルビア・レシニフェラ)」に含まれるレシニフェラトキシンといわれています。カプサイシンの16,000倍もの辛さで、もはや痛みを通り越して神経が死ぬため、一周回って鎮痛剤になるほどです。当然、素人が手を出して無事に済むレベルではないので、園芸店で見かけても絶対に口に入れないで下さい。

マズ味

罰ゲーム汁は人間の5つの味覚を攻めるため、本来はそこにうま味が入るわけですが、このうま味を濃くしてもただただおいしくないだけで、罰ゲームにはなりません※2。そこで、うま味ではなく「マズ味」として、人間が口にした時に、これは食べてはイケナイものであると認識する刺激を追求していくことに…、これがマズ味という地獄の始まりです。

検討を重ねた結果、マズ味を感じさせる液体の構成成分は、塩化カリウム、塩化アンモニウム、そして過多なうま味調味料という配合が、ひとまずヒドい味となることを発見しました。その後、ブースターとして苦み成分をほんの少し入れるだけで、もはや嚥下不可能な最悪の味になることが判明しています。

そして、その先は…恐らく…尿素…。研究は今のところここで止まっている。

■食用を無視した最強最悪の辛さ

ハッカクキリン

Euphorbia resinifera

猛烈な辛味成分であるレシニフェラトキシンを含む。痛覚神経が死ぬほどで、その特性を活かし鎮静剤として研究されている

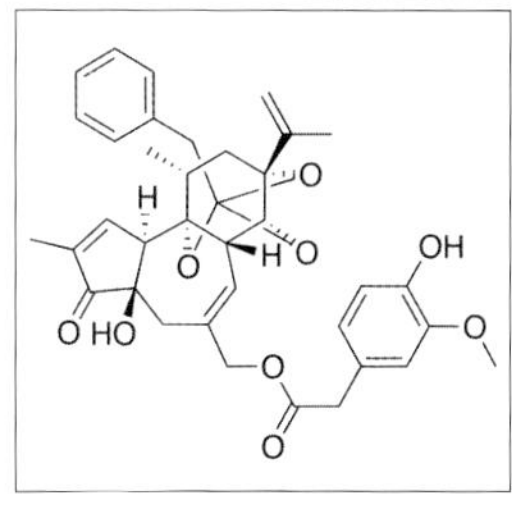

レシニフェラトキシン

化学式	$C_{37}H_{40}O_9$

まとめ

というわけで、これまで開発してきた罰ゲーム汁を振り返ってみたところ、まだまだ未解決問題が山盛りであり、まだ全然完成の領域ではないということが残念ながら判明しました。現在2周目の罰ゲーム汁研究を行っていますが、これは3周目もアリエルかもしれません…。

※2 うま味とは、昆布だしのグルタミン酸やカツオ出汁のイノシン酸など、食塩と混ざることで、味に深みを与える働きのある味のこと。

自由研究にピッタリな映える実験

カラフル葉脈標本の作り方

夏休みの自由研究などに最適なのが、葉脈標本作りだ。ネットにはさまざまな情報が出てくるが、より美しく安全に作る方法をレクチャーしよう。

text by レイユール

葉脈標本は、葉脈と呼ばれる水分などを運ぶ管だけを取り出したもの。「標本」と呼ばれてはいますが、本当の意味での学術的な標本として作成されることはあまりないようです。どちらかといえば、ハーバリウムやアート作品、栞などのクラフト用途で製造・流通しています。

葉脈は人間でいうところの血管に相当する組織で、植物内では水分や養分の運搬を行っているほか、葉の形を保つ構造としての役割も担っているのです。そのため、葉脈は葉肉とは少々組成の異なる頑丈な繊維からできていて、薬品による腐食にも比較的抵抗力を持っているのが特徴。この差を利用することで、葉肉のみを除去して、葉脈の標本が作れるのです。材料も容易に入手できるので、庭で採れた植物などでチャレンジしてみてはいかがでしょうか。

実験❶:基本の作り方

❶10%水酸化ナトリウム水溶液200mLを500mLのビーカーに入れて、沸騰させる。
❷適当な葉を入れて、葉肉がボロボロになるまで煮込む(3～5分)。
❸溶液から取出したら十分に水洗いして、歯ブラシで葉肉を洗い落す。
❹再度水洗いして、キッチンペーパーなどで水気を拭き取る。

この方法は最も一般的な葉脈標本の作り方で、水酸化ナトリウムの腐食性を利用して葉肉を分解します。ただ、すべての葉肉を分解するまで薬品で処理をしてしまうと、さすがの葉脈もダメージを受けてボロボロに…。そこで、ある程度分解が進んだ後は水洗いをして、歯ブラシなどで葉肉を取り除きます。薬品から引き揚げるタイミングは葉の種類によって変わるので、何度か試して最適なタイミング見つけましょう。

実験❷:アルカリ剤を用いる

標本の作り方自体は非常に簡単ですが、問題になるのはやはり水酸化ナトリウムの入手だと思います。10%を超えて含有する製剤は劇物指定を受けるため、容易に入手できません。ネットで葉脈標本の作り方を検索すると重曹を使った方法がヒットしますが、これではキレイな標本を作るのはとても難しいです。そこで、市販されているさまざまなアルカリ剤を試した結果、「パイプユニッシュ」などのパイプ用洗剤が適していることが分かりました。水酸化ナト

実験1も2も工程はほぼ同じ。溶液で煮込んだら、バットに水を張って、その中で優しく歯ブラシを当てる。優しく擦って少しづつ葉肉を落とすとキレイに仕上がる

Memo:

パイプ洗浄剤にも含まれる水酸化ナトリウムは金属を痛めるため、湯煎を用いて加熱する。液体を湯煎で加熱する時は、必ず水から行おう

実験前のヒイラギの葉

使用する葉はヒイラギがオススメ。葉脈が強く、入手しやすい

水酸化ナトリウムを用いた葉脈標本

未処理の状態だと、枯葉のような茶色い色合いになる

漂白した葉脈標本

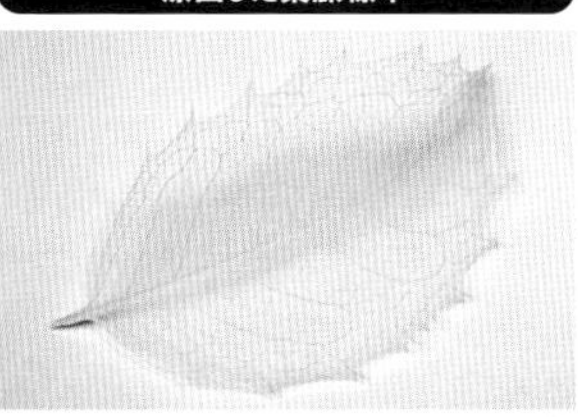

塩素系漂白剤で1時間処理すると、色が抜けて透明感が出た

染色した葉脈標本

100円ショップのプリンター詰め替えインクで染色

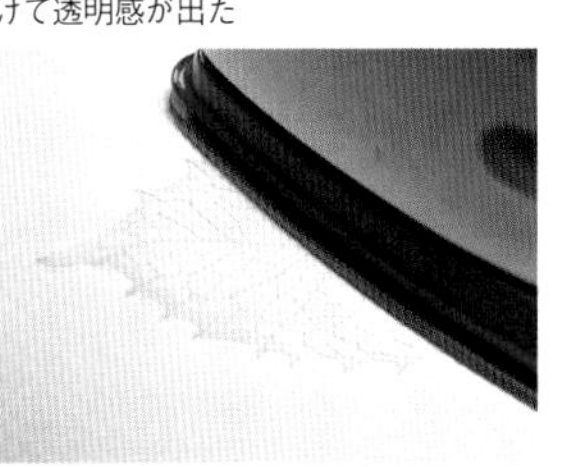

アイロンの温度は「中」が最適。葉脈が重ならないように慎重に延ばそう

完成した葉脈標本を学名と一緒にラミネートして、栞にしてみた。葉脈標本は完全に乾燥させてからラミネートしよう

リウムが自宅に無い方は、以下の方法を試してみましょう。

❶パイプ洗浄剤をガラス瓶に入れて、湯煎にかける※。
❷葉を入れて煮込む。水酸化ナトリウム溶液より反応が遅いので5〜10分程度。
❸溶液から取り出したら十分に水洗いをして、歯ブラシで葉肉を洗い落す。
❹再度水洗いして、キッチンペーパーなどで水気を拭き取る。

基本的には、使用する溶液を水酸化ナトリウム溶液からパイプ用洗剤に変えるだけ。多少反応性は落ちるので、少し長めに加熱するのがポイントです。

脱色や染色も可能

実験1と実験2で完成した葉脈標本は、黄色っぽくなりますが、これを漂白するしたり染色することで、市販品のように仕上げることが可能です。

漂白にはアルコールやアセトンなどの有機溶剤を使って色素を溶かし出す方法や、オキシドールや過炭酸ナトリウムの飽和溶液などの酸素系漂白剤を使う方法、塩素系漂白剤の原液を使う方法などがあります。最も強力に脱色できるのは塩素系の漂白剤ですが、やはり標本に相応のダメージを与えてしまうので、薄い葉や弱い標本には酸素系漂白を試してみるといいでしょう。塩素系漂白剤の場合は、原液に1時間ほど浸漬するとキレイに脱色できました。処理後は漂白成分が残らないように、十分に水洗いするのを忘れずに。

染色したい場合には、かなり濃いインクが必要です。食紅程度ではなかなか染まらないので、プリンターの詰め替えインクがオススメ。油性や顔料系は相性が悪いので、水性のインクを選んで下さい。漂白を済ませた標本にインクを筆などで満遍なく塗り込み、サッと水洗いすればキレイに染まるでしょう。洗うまでの時間が長いほど強く染まるため、好みの濃さになるまで調整してみて下さい。

完成した標本は少し湿っているうちにアイロンで平らに延ばして、よく乾燥させてから少量のシリカゲルなどの乾燥剤と共に保存しましょう。こうすれば長期間形状を保てて、さまざまな種類の葉を葉脈標本としてコレクションできますよ。

※パイプ用洗剤には漂白成分が含まれるので、刺激的なニオイのある煙が出ます。実験は屋外か換気扇の下で行いましょう。また、使用する容器は必ずガラスか陶器製のものを選んで下さい。アルミ鍋などは水酸化ナトリウムと反応して水素ガスを出すので、爆発の危険があります。

100均で買える調味料の瓶と着火剤で実験が可能!

おうちで再現できるパルスジェットエンジン

パパパパパッパ パワァー! パワー系実験といえばジェットエンジンだが、いきなりマネするのは難しい。そこで、雰囲気だけは味わえるパルスジェットエンジンの実験を超簡易化してみたぞ。 text by POKA

ジェットエンジンの中で最もシンプルな機構を持っているのが「パルスジェットエンジン」。断続(パルス)的に燃焼を繰り返すことで推力を発生させています。この機構を簡易的に再現する実験として、フタ付きの瓶とアルコールを使った方法が有名ですが、ダイソーに売っているアイテムを組み合わせることで簡易的に再現できることが分かりました。使うのは調味料の瓶と着火剤。切ったり削ったりといった加工は一切不要で、その方法は非常に簡単です。

一味唐からしの瓶がベスト

100均やスーパーで普通に売ってる、エスビー食品の「一味唐からし」。この瓶のサイズ感が理想的です。なぜなら、パルスジェットエンジンは燃焼ガスの出入りのタイミングがとても大事で、“最適な穴の直径”というものが存在します。一味唐からしの瓶の場合、五円玉の穴のサイズが最適なんですが、この五円玉が内蓋にシンデレラフィットするんです。余計な加工など不要で、内蓋に五円玉をはめた状態で瓶に装着できます。なお、先に申し上げておくと、燃焼時間は非常に短いため、五円玉は熱で変形したり、溶けたりすることはありません※。

ということで、まずは中に入ってる唐辛子は不要なので別の容器に移し、瓶の内部をきれいに洗ってよく乾かしましょう。燃焼具合がよく見えるようにするためラベルも剥がして下さい。

一味唐からし 110円

100均やスーパーで買える定番の調味料。大容量の28gサイズもあるが、この15gの容器がベストサイズだった

バーベキュー用着火剤 110円

ゲルタイプなので扱いやすい。主成分のメタノールは毒性が強いので、直接触わらないように。ダイソーで入手できる

ちなみに、今のところ一味唐からしの瓶以外の選択肢は見つかっていませんが、他にも適したアイテムはあるかもしれません。材質はプラスチックだと熱で変形してしまうので、ガラスか金属から探してみて下さい。

エンジンの燃料の種類

ダイソーにある液状の可燃物としては、ライターオイル、マニキュア除光液、消毒用アルコールなどいろいろな種類がありますが、燃えれば何でもいいというわけではありません。瓶のサイズや穴の多きさなど、さまざまな条件が整わないと使えないので、最適な組み合わせを探していく必要があります。

一味唐からしの内蓋に、五円玉がピッタリはまる。真ん中の穴のサイズもほぼ同じだ

着火剤を直接注ぐ。1回に使う量は小指の先くらい。多過ぎてもうまくいかない

Memo: ※「貨幣損傷等取締法」によって、日本では貨幣を損傷したり鋳つぶすことが禁じられている。今回の実験はごく短時間であり、五円玉にダメージはない。ただ、心配なら他の最適なパーツを探してみるといいだろう。

一味唐からしの瓶に燃料を入れて点火!

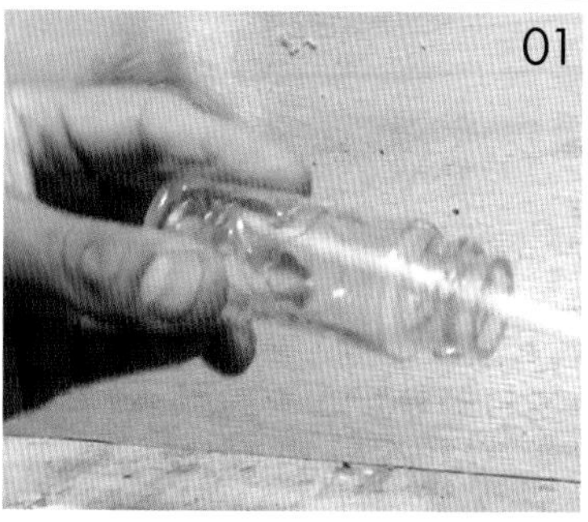

03

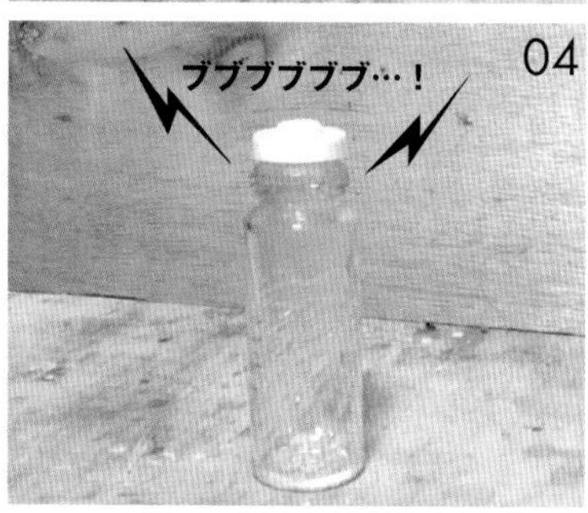

01：瓶に着火剤を流し込んで、割り箸などで内部に塗り広げる。もっとスマートな塗り方はありそうだが、ダイソーですべて揃えたセットアップなので仕方ない(笑)　**02**：五円玉をはめ込んだ内蓋を瓶に戻す　**03**：内蓋の穴に火をかざす。強い高温のジェットが吹き出るので、ライターではなくチャッカマンのような先の長い点火器具を使おう　**04**：噴射燃焼成功！　炎に色が無いので分かりづらいが、ブブブブ…と激しく燃焼していること分かる

Twitter

検証の結果、エスビーの一味唐からしの瓶に適合した燃料は、「バーベキュー用着火剤」のみでした。この着火剤の主成分はメタノールで、他の燃料と比べて爆発限界が広く、燃焼動作条件範囲に入りやすいと考えられます。ゲル状なので、実験中に万が一瓶が倒れても燃料が流れ出にくく、延焼を防ぐことができるのも安心です。

ただし、ゲル状だと燃料の揮発が遅かったり、炎がほぼ無色で燃えているのが分かりにくいという欠点もあります。

ジェットエンジン始動！

大まかな手順は、着火剤を瓶の中に塗り込み、五円玉をはめた内蓋をセットして、穴にチャッカマンの火をかざすだけです。

ポイントは、着火剤を広範囲に塗り広げること。ゲル状の着火剤は蒸発が遅く、高速ジェット動作において供給が追いつきません。そこで瓶の内側に広く塗り広げて表面積を大きくすることで、燃料の供給率を上げるのです。

火のつけ方は簡単で、内蓋の穴付近に火を近づけるだけでOK。ただし、一発目で着火に成功することは少ないでしょう。火がつかない場合は息を吹きかけて、内部に新鮮な空気を供給してみて下さい。そして瓶の中のメタノールと空気の混合比率が最適になると、爆発的な燃焼が起きて、噴射燃焼が始まります。間欠燃焼条件が揃っている限り、「噴射で内部の圧力が下がる→空気を吸引→炎の一部を吸引→爆発燃焼」といったサイクルを繰り返すことになるのです。私の実験では5秒ほどの動作に成功しました。

その成功例の動画はTwitterに投稿してあるので、上記のQRコードからチェックしてみて下さい。燃料の量や塗り広げ方、その日の気温などさまざまな条件が存在し、ある程度のリトライは必要です。1秒ほどの「ブブブブ…」といった燃焼は簡単に再現できるので、いかに燃焼を維持できるか、挑戦してみると面白いと思います。

見た目と実用性を強化して世紀末仕様に!

コスプレマスク&ゴーグル改造指南

某流行り病の感染対策にマスクは必須だが、工作においてもマスクやゴーグルなどの保護具は欠かせない。着け心地を犠牲にしてでも、カッコイイものを身に着けたい!

text by Pylora Nyarogi

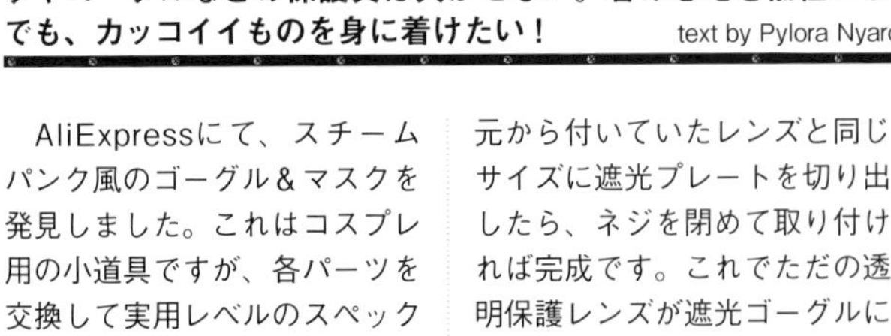

AliExpressにて、スチームパンク風のゴーグル&マスクを発見しました。これはコスプレ用の小道具ですが、各パーツを交換して実用レベルのスペックを付加させてみましょう。

❶溶接もできるゴーグルに

ゴーグルの改造は、レンズを溶接用ゴーグルに使われている遮光プレートに換装するだけ。遮光プレートにはガラスとポリカーボネートの2種類がありますが、加工が簡単なポリカーボネートを採用しました。今回使用した素体は、ネジを除去するだけでレンズが簡単に外れたので作業工程は非常にシンプル。元から付いていたレンズと同じサイズに遮光プレートを切り出したら、ネジを閉めて取り付ければ完成です。これでただの透明保護レンズが遮光ゴーグルになりました。

❷マスクに防塵フィルター

マスクを分解し、市販の交換用フィルターを取り付けて防塵化します。この改造のポイントは、ベースのマスクにピッタリ収まる寸法のフィルターを調達すること。分解してサイズを確認した上で、フィルターを探し購入しましょう。

レンズ同様、マスク部もネジを外せば簡単に分解できる構造でした。今回はここに重松製作所の直径70mmの防塵フィルターをセットします。当然保証外の使い方なので規格通りのフィルター効果が得られるかどうかは未知数ですが、すき間なく装着すればそれなりの効果はあるでしょう。この素体はフィルターが2つあり、何と吸排気の弁まも付いていたのでフィルター交換後も特に息苦しさは感じませんでした。

❸アイアン風にマスクを塗装

以上で実用機能の付加は完了しましたが、さらにもう1工程。見た目のクオリティもアップしましょう。このゴーグルとマス

改造ポイント

❶レンズを遮光レンズ化

❷マスクを防塵仕様にする

❸アイアン塗装で鉄っぽく仕上げる

❹ゴムベルトを革に変更する

主な材料

コスプレ用ゴーグル&マスク　遮光プレート:スター電器/ 349円(ポリカーボネート製)　防塵マスク用フィルター:重松製作所「予備フィルターR1」/10個入りで1,990円　アイアンペイント:ターナー色彩/1,320円　レザークラフト用の革ベルトとリベット類:100円ショップで調達

ベースとしたのは、AliExpressで購入したスチームパンク風のゴーグルとマスクのセット。価格は4,534円。これに機能性を持たるとともに、ビジュアルのクオリティアップを目指した

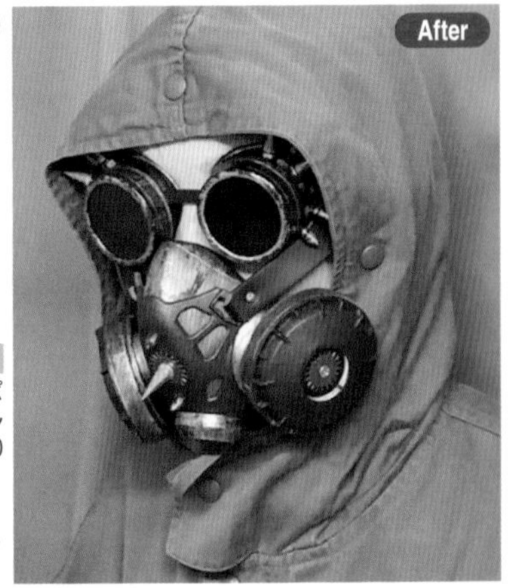

Memo:

01：付属レンズはネジで簡単に取り外せる。改造してくれといわんばかりの手軽さだ　**02**：レンズには交換用に売られている遮光プレートを使う。2枚入りで349円と意外と安い　**03**：遮光プレートはホットナイフを使うと簡単に切れる。細かい微調整も容易だ　**04**：レンズ用にカットした遮光プレート。多少のガタ付きがあっても、ゴーグルにセットすればフチは隠れるので問題なし　**05**：防塵フィルターは表と裏がある。製品の取扱説明書で向きを確認してセットしよう　**06**：アイアン塗装は、刷毛よりもスポンジを使った方が効果的。茶色系のカラーを使えばサビ表現も可能だ　**07**：ポンチ・ベルト・リベットは100円ショップで入手できる

クは全体に真鍮を意識した塗装が施されていますが、マスク前面の大きな部品とフィルターのカバーはいかにもという感じのプラスチック。これを交換すると大変なので、塗装して質感の改善を狙います。

使用したのは、ザラザラとした質感に仕上がるアイアン塗料。プライマーで下地を作った後、スポンジを使って2回重ね塗りするとプラスチックのツルツル感が消えて、鋳鉄のような雰囲気になりました。

❹合皮のベルトに交換

塗装によってだいぶ質感が向上しましたが、やはり中華製の格安コスプレ用品。ゴーグルもマスクもバンドが安っぽいゴムで何とも味気ないので、レザーに変更します。

手軽な素材として幅の狭い合皮ベルトを採用しました。ゴムバンドを取り外したら、そこにベルトを通してポンチで穴をあけ、レザークラフト用のリベットで固定します。必要に応じて長さ調整用の穴も追加しておきましょう。安い合皮のベルトでも、金属のバックルが付いているだけでそれっぽく仕上がります。

これで改造は完了。実際に装着してみると、案の定、着け心地は最悪です。フィット感が皆無で無限にズレる上に、表情筋を動かすと硬いベルトが顔に食い込みます。しかし、私が優先した見た目と実用的な機能。着け心地は二の次です。ともかく、簡単な改造でそれっぽく仕上がるので、ぜひやってみて下さい。それでは皆様、世紀末をご安全に!!!

DIY初心者でもできそうな簡単な改造のみでしたが、吸缶対応のネジを3Dプリンターなどで製作すれば、防毒マスクとしての運用も可能になりそうです。他にも切削加工したトゲトゲの部品を付けたり、ムダに歯車やチェーンを組み込んだりするなどいろいろと応用は可能でしょう。

オシャレでカッコ良くて…そして不便

注射器ハンドを作ろう

指先に注射器が付いた『アリエナイ毒性学事典』の表紙イラスト。需要があるか分からないけど、この注射器ハンドの作り方を解説しよう。注射器の中身の液体は、透明フィルムで再現！ text by くられ

異世界のキャラクターにはいろいろな姿がありますが、その中に異様に指が長いというものがあり、それを3Dプリンターを駆使して再現しているアーティストがいます。その元祖ともいうべきがオーストラリアのゲイリー・フェイという人物で、その作品はクオリティが高くネット上でバズりました。その後、多くの3D作家がこうしたツメを作るようになり、自分もその中の1つを手に入れて、現在に至るわけですが、さらにその後、パチモノを作らせたら右に出る者はいない中国の通販サイトで激安品がハロウィンに合わせて売られ始めます。価格は1/10くらいでした。現在はパチモノのパチモノが出回り、その動作の仕組みがより低価格用に簡略化されたものや、オリジナリティのあるものが販売され始めているカオスな状況です。で、そうした商品は、安いので改造のベースには適しています。

本家のメカハンドは、指先に細かい動きを伝えるためにテグスがかなり複雑に入り込んでおり、かなり機敏な動きが可能です。一方のパチモノは、すべてがプラスチックやゴムの部品で構成されており、繊細な動きはできません。動作の解像度が非常に低いのが特徴です。ゆえに演劇やコスプレなどで動きを必要とする場合は、オリジナルの方がいいのですが、今回は写真映えのためのものなので、かろうじて動けばいいか程度…なので、パチモノを選んでいます。まさに妥協の産物w

パチモノをベースにした今回の注射器ハンドは、『アリエナイ毒性学事典』の表紙絵をモチーフにしています。トークイベントなどで、それに準じたオモチャがあったら面白いな…ということで作ることにしました。とはいえ、先端に付ける注射器はガラス製にしたいな…と思ったあたりから、工作がなかなか大変になることが判明したので、その辺の苦労話を交えつつ、実際に

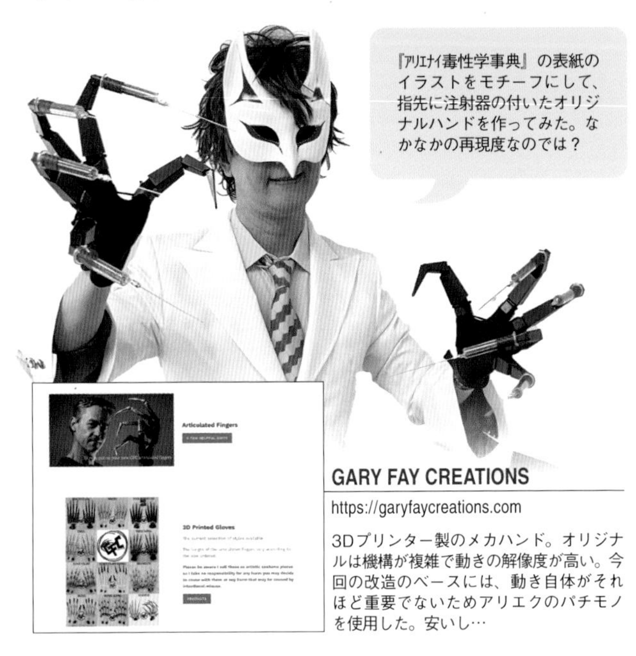

GARY FAY CREATIONS
https://garyfaycreations.com
3Dプリンター製のメカハンド。オリジナルは機構が複雑で動きの解像度が高い。今回の改造のベースには、動き自体がそれほど重要でないためアリエクのパチモノを使用した。安いし…

Memo:

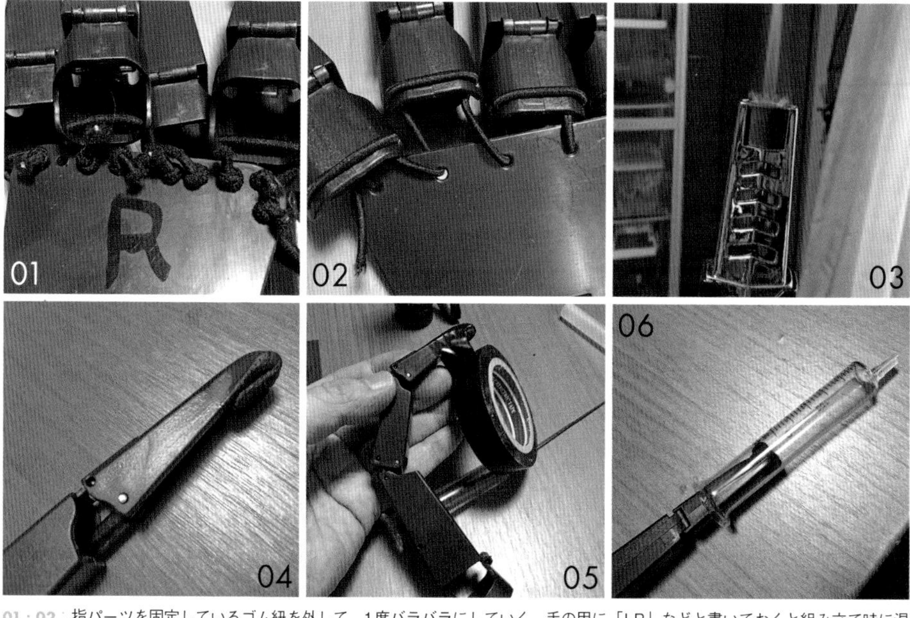

01・02：指パーツを固定しているゴム紐を外して、1度バラバラにしていく。手の甲に「LR」などと書いておくと組み立て時に混乱しないだろう　03：30秒で燃料が終わるターボ過ぎるライター。指先を曲げるのに使用する　04・05：加熱してペンチで先端を折りたたむように曲げたら、ビニールテープを巻く　06：シリンジに入れて固定できているか確認。ガタつくようなら、ビニールテープをもう少し巻いて調整する

作ってみたい人向けに作り方のポイントを解説します。

主な材料は、ベースとするメカハンドとシリンジ＆針。注射器の中身を再現するために透明の折り紙。あとはプラスチックを熱で変型させるための、ターボライターのような熱源があるといいです。

製作手順は、このメカハンドを強化するところから始まります。この強化改造をしないと、指先に付けるガラス製のシリンジの重さで指が逆パカしてしまい、無様なので、ここをきちんと保持できるように先に改造しておく必要があるのです。

❶指パーツをバラす

指パーツと腕に固定するパーツを一旦分離。指パーツをガッチリ固定するために強いゴム紐で付け直すので、それを通す穴をドリルで増設します。左右が分かりにくくなるので、片方ずつ作業するか、手の甲パーツの裏面にLRを書いておくと事故りにくいでしょう。

❷指先を曲げる

ターボライターなどを使って熱し、指パーツの先端を強引に曲げます。シリンジの半分くらいまで押し込んで入るように熱変形させます。適当に加熱して、適当にペンチでグニっと曲げればOKです。あとは適当にビニールテープなどを巻いて、シリンジが落ちない太さに調整すればOKです。

❸指のテンションを上げる

このメカハンドは、ゴムで根元のテンションを先端に伝えている構造なので、このゴム自体が伸びると指が逆パカしてしまいます。そこで、ゴム穴自体を下にずらして、ゴムを無理やり伸ばした状態で本体に固定。これで常に張力がかかった状態になり、動きは悪くなりますが、逆パカは抑えられます。

❹注射器を作る

ピストンを抜き取って、シリンジ部分に透明なフィルム（ダイソーの透明折り紙）を適当に切って入れます。これだけとシリンジの立体面や細かい部分に、色の付いてないところが出るので、それを隠すために、紫外線

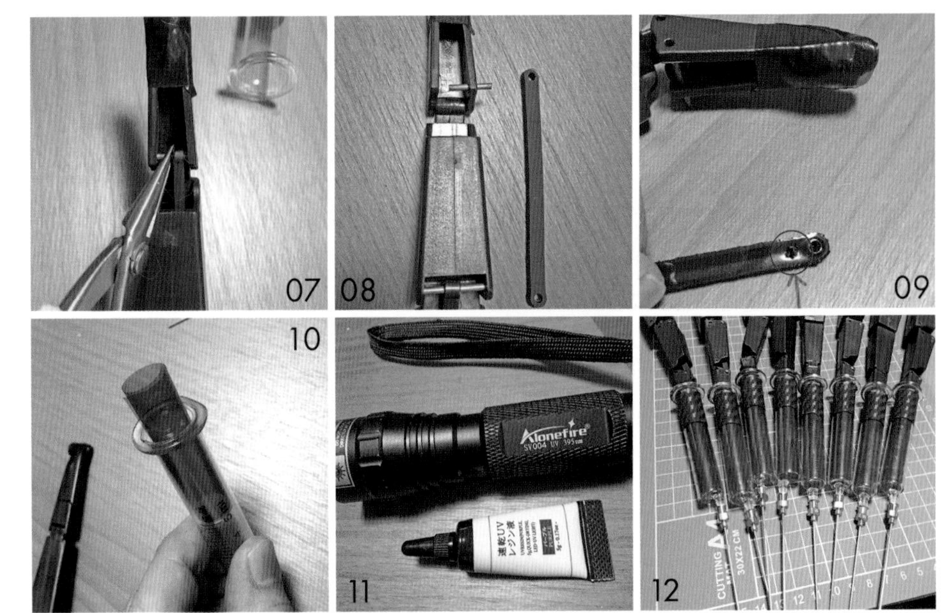

07・08・09：指関節の根元のゴムを取り外す。ゴム穴を少し下の位置に別途設けて、ゴムを伸ばした状態で本体に固定し直す　10：ダイソーの透明フィルムをシリンジにサイズに合わせてカットし、くるっと丸めて入れる　11：UVレジンで透明フィルムを固定するなどして微調整　12：シリンジの先端に、針先をカットした注射針を取り付けて完成。これを指8本分作る

硬化樹脂（UVレジン）を少量入れてブラックライトで固めました。…ま、別にやんなくてもOKでしょう。あとは、長い注射針をシリンジの先端に付ければ概ね完成です。なお、メカハンドの指をシリンジに突っ込んでいる部分が丸分かりだとダサいので、模様入りのテープをグルりと貼って隠しましょう。これを今回は、親指以外の指用として8本作りました。

仕上げに、手の甲パーツにゴム紐で固定していきます。この時にゴムの突っ張りがかなり強めでないと、まともに動かないので、ゴム紐の長さは丁寧に調整していきましょう。最後に黒い手袋の上に取り付ければ、良い感じになりました！

主な材料

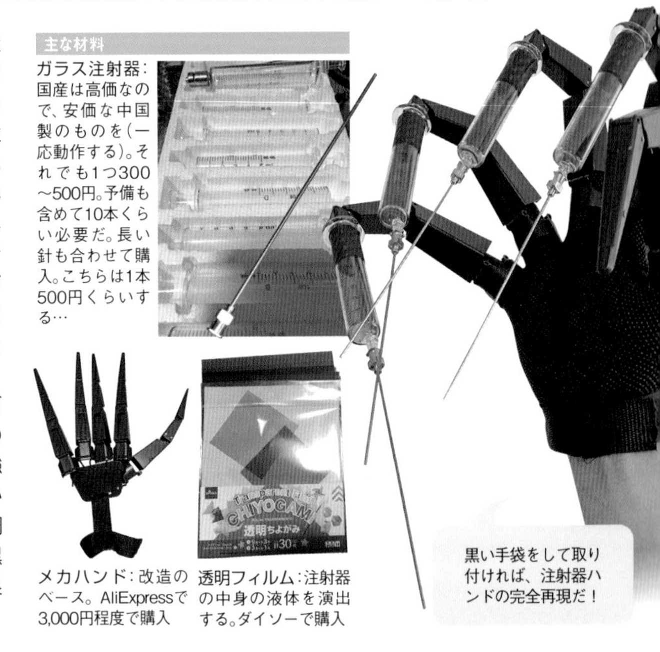

ガラス注射器：国産は高価なので、安価な中国製のものを(一応動作する)。それでも1つ300～500円。予備も含めて10本くらい必要だ。長い針も合わせて購入。こちらは1本500円くらいする…

メカハンド：改造のベース。AliExpressで3,000円程度で購入

透明フィルム：注射器の中身の液体を演出する。ダイソーで購入

黒い手袋をして取り付ければ、注射器ハンドの完全再現だ！

Memo:

子宮頸がんを予防するためにできること
HPVワクチンの話

20〜30代の女性に発症することが多いため、「マザーキラー」とも呼ばれる子宮頸がん。日本では反ワク運動の影響で、HPVワクチンの接種率が著しく低い。正しい知識を持とう。 text by 淡島りりか

2021年の終わり、ワトソン君も読んでるし、ドイル先生も投稿している世界的な医学雑誌『The Lancet』に、HPV（Human papillomavirus）ワクチンによりイングランドで「子宮頸がん」がほぼ根絶されるって内容の記事が載りましたね。イングランドでは2008年9月1日から2価ワクチン（サーバリックス）によるHPVワクチン接種が導入され、12・13歳のお嬢さんに定期接種が行われるようになりました（2008〜2010年には、僅差でその年齢に打てなかった14〜18歳女子を対象にキャッチアッププログラムが実施された）。これにより、子宮頸がんと前がん病変グレード3に相当するものがどう変化するか解析した結果、12・13歳でワクチンを打ったお嬢さんたちが25歳のレディになった段階で子宮頸がんが87%、グレード3の病変が97%減少し、1995年9月1日以降に生まれた女性における子宮頸がんをほぼ根絶することに成功した、というものです。現在、英国では12・13歳で2回接種を行っており、25歳までならNHS（National Health Service 国民保健サービス）で無料で接種を受けられます。

日本でもつい先日、2022年4月から定期接種の積極的勧奨が再開されましたね。接種の対象は、小学校6年生から高校1年生のお嬢さんたち（1997年4月2日〜2006年4月1日生まれの女子に対してのキャッチアップも行われており、2022年4月から2025年3月までは無料で接種できる。また、2022年3月までに自費で接種した人に対しては接種費用の払い戻しをしてもらえる制度もある）。諸々詳細はぜひともお住まいの各自治体にご確認を。ちなみに、今打つとなるとコロナワクチンとの兼ね合いが気になるところですが、2週間開ければOKだったりします。

子宮頸がんとHPV

さて。そもそも「子宮頸がん」ってなんぞや？って話をしましょう。読んで字のごとく、子宮の入り口部分である子宮頸部に発生するがん（癌）のことです。20〜40代で発症することが多く、25〜35歳のお若いレディの悪性腫瘍では子宮頸がんが最多となっています。なので、「マザーキラー」ともいわれていますね。年間約11,000人が罹患して、約2,900人が亡くなっているのです（30代までにがんの治療で子宮を失う人が、年間約1,000人いる）。

子宮頸がんの発生には、性行為によるヒトパピローマウイルス（Human papillomavirus/HPV）の持続感染が深く関わっています。HPVはイボの原因となるウイルスで180種類以上の型があって、その型によってどこにできるかや発がんリスクに違いがあります。ヒトの性器に感染するHPVは約30種類あり、16・18・31・33・35・45・52・58型の8種類が子宮頸がんのリスクが高いです（特に16・18型がリスキー）。で、HPVワクチンを接種することで、この16・18型の感染を100%近く防げるといわれています。スゴい！

HPVワクチンの種類

現在、日本では2価・4価・9価の3種類のHPVワクチンが承認されています。上の表の通りです。現在、公費（無料）で受けられるのはサーバリックスとガーダシル。シルガード9は全額自己負担です。今のとこ

参考文献など
● 「The effects of the national HPV vaccination programme in England, UK, on cervical cancer and grade 3 cervical intraepithelial neoplasia incidence: a register-based observational study」https://www.thelancet.com/journals/lancet/article/PIIS0140-6736(21)02178-4/fulltext

商品名	サーバリックス（グラクソ・スミスクライン）	ガーダシル（MSD）	シルガード9（MSD）
予防可能な型	16、18（2価）	6、11、16、18（4価）	6、11、16、18、31 33、45、52、58（9価）
接種回数	3回	3回	3回
対象者	10歳以上の女性	9歳以上の男女	9歳以上の女性
費用	小6～高1女子＝0円 （キャッチアップあり）	小6～高1女子＝0円 （キャッチアップあり） 男子＝5万～6万円/3回	全額自己負担＝10万円/3回
日本発売	2009年	2011年	2021年
予防効果	子宮頸がんの60～70%	子宮頸がんの60～70%	子宮頸がんの90%以上

HPVワクチンの比較：6・11型は子宮頸がんの原因にはならないが、尖形コンジローマの原因となる

ろ。ちなみに、淡島のお世話になってる病院では、シルガード9は30,000円/回でした。日本では3回接種ですのでざっくり100,000円ってとこですね。

日本のHPVワクチン事情

英国では、2008年から定期接種が始まったって話をしました。一方、日本では、2022年4月に定期接種を再開したって説明したように思います。では

Wellcome Ccollection
https://wellcomecollection.org/

この間、日本は一体何してたんだ？って話になりますよね。

ロンドンにはフレミングがペニシリンを発見した研究室がそのままミュージアムになっていたり、ホームズの時代に使われていた手術室が見学できたりするような医療系の博物館が数多く存在しています。その中の1つである「ウェルカム・コレクション（Wellcome Collection）」に、大変不名誉な展示がありましてね。「これは日本で起きたことです」って、日本がHPVワクチンを承認してから積極的勧奨接種しないことになるまでの経過が示されてるんですよ。もう、あーねーって感じ。目も当てられない。

そう。かつて積極的勧奨接種してたんですよ、日本。2013年までは。でも、残念なことに日本のメディアがHPVワクチンの信頼性を大きく損ねるような報道をしてしまったがために、国も「打つべし！」って強く言えなくなってしまったのです。WHOにも「日本じゃ副反応で慢性疼痛がーって言ってるけど、他国じゃ同様の兆候は見られないよ？　HPVワクチンが原因とするには根拠に乏しくない??」って疑問視されながらも、積極的に打つの止めてしまったという経緯があります。

で、かつて70%以上あった接種率が1%切ってたという。直近までそんな感じ（ここ2・3年で微増）。まー、いろんな意見をお持ちの方がいるでしょうから??（F-word!!!）…ただその結果、子宮頸がんを22,081人が超過罹患し、5,490人超過死亡するという試算があります（キャッチアップや検診受診率が上昇しなければ）。不必要に危険をあおった結果ですから、いかに罪深いことをしたのか自

Memo: ●「HPVワクチン接種率の激減による2000年度生まれの子宮頸がん検診細胞診異常率の上昇」
https://resou.osaka-u.ac.jp/ja/research/2021/20211220_1

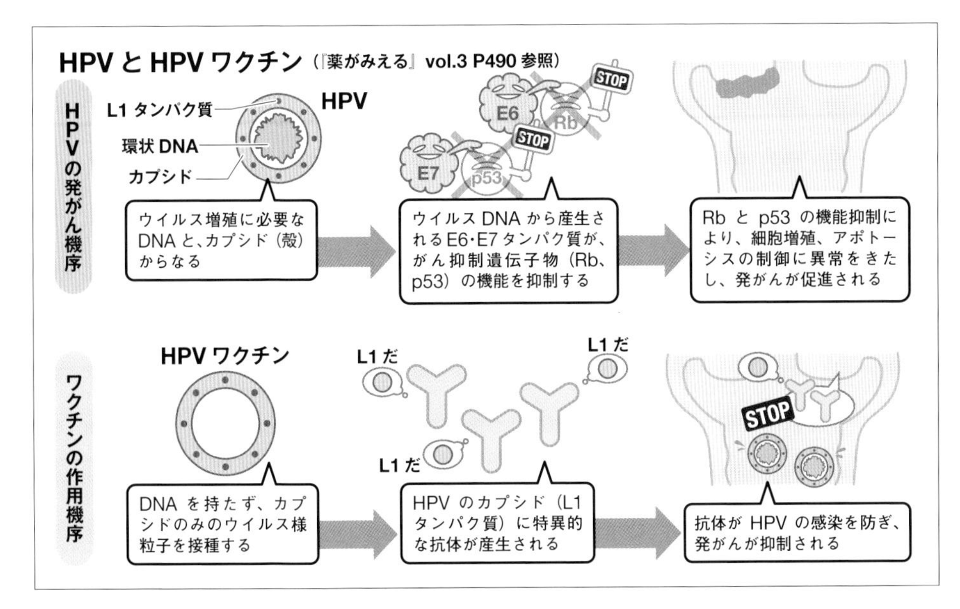

覚してほしいものですね。

ジェントルメンも対象

お若いレディの皆さんがHPVワクチン打つことが大事であることはお分かりになったかと思うのですが、レディだけでなくお若いジェントルマンの皆さんにもワクチン打ってもらいたく思います。2020年にガーダシルの適応が男性にも追加されたので（とはいえ自費で、5万〜6万円/3回するのだけど）。

自分自身をHPVに起因する中咽頭がんや肛門がん、尖形コンジローマなどから守ることができますし、HPV感染は性感染症ですので自分が感染しないことによりパートナーを守ることにもなります。ジェントルマンたるもの、ぜひ打っていただきたいものです。オーラル含め初めての性行為までにね。

初めての性行為までに接種ってもう手遅れだよ？って人も諦めることなかれ。まだ感染していない型の予防には有効なので。米国では、45歳までの男女に接種ってことになっています。

子宮頸がん定期検診

定期的に子宮頸がん検診を受けることで、死亡率を8割減らすことができます。ワクチン打ったから安心と思わずに、検診もしっかり受けるようにしましょう。欧米では7割程度の受診率ですが、対して日本。4割程度です。ワクチンは打てていないわ、検診も受けれてないわ散々なものです。…なんというか、本当に先進国なのか疑わしく感じてしまいますね。どういう教育してるんだか。特に若い層での受診率が低いのですが、25歳を超えると子宮頸がんになるリスクが増えるので、20歳を超えたらせめて2年に1回は検診を受けるようにしたいものです。健康診断ではオプションになっている会社もあるかとは思いますが、乳がん検診と併せてぜひ受けて下さいませ。

ちなみに、淡島はどっちも毎年受けています。昨年子宮頸がん検診で異形成疑惑で引っかかってあ…ってなりましたが、その後、HPV検査の結果異常なし、異形成じゃないしウイルスもいないよって結論に。良かった。今年も無事でした。私のお若い後輩も前がん状態で経過観察してますし、若いから大丈夫って思わないで下さい。他人事じゃないのです。レディの皆さまにはぜひとも自分の身は自分で守っていただきたいと思います。どうか健康で楽しく幸せに生きて下さい。

●「子宮頸がん検診受診率」https://www.gankenshin50.mhlw.go.jp/campaign_2021/outline/low.html
●『薬がみえる vol.3』医療情報科学研究所

普通の使い捨てと医療用とでは何が違う?

マスクの機能と使い方

新型コロナ対策として必携アイテムといえばマスクだが、その構造や役割をきちんと理解している人は意外と少ないのでは？ 機能を知って、正しい感染症対策に役立てよう。

text by 亜留間次郎

花粉症用などの一般的な使い捨てマスクに使われている布は「不織布（ふしょくふ）」といって、文字通り「織られていない布」です。なぜ不織布が使われているのかというと、布で病原体から防護するためには、糸の目を微粒子レベルまで細かくする必要があり、ものすごく細い糸をものすごい密度で織るのは作業量的に考えて非現実的だから。「織れないなら織らないで作ればいいじゃないか」ということで、繊維を固めた不織布によるマスクが誕生したというわけです。

しかし物理的限界から、ウイルスより目の細かいフィルターは作れません。最も細かい繊維のフィルターですら10〜30μm※1もすき間が空いています。ウイルスは、人間の体液に含まれた形で空気中に飛んでおり、最も小さいエアロゾルで1μm程度。そして、咳などで吐き出される飛沫は5μm以上なので、不織布マスクの編目を通過してしまいます。じゃあ無意味なのかというとそうではなく、マスク着用者の吐く息から運動エネルギーを奪って飛沫の飛翔距離を大幅に短くする役割があります。汚染範囲を小さくすることで、感染拡大を防ぐのです。WHOによれば、咳を1回すると約3万個の飛沫が飛び、普通に5分間話すだけでも約3万個の飛沫が2〜3mも飛ぶとされています。そしてこれを数十cm以下に抑制してくれるのが布マスクや不織布マスクで、全員に着用させると汚染拡大を防止できるのです。かつて“アベノマスク”を国民全員に配布したのも、公共の汚染拡大抑制という意味では正しいのです。

ただ、布マスクや不織布マスクを着用するだけでは、自己中心に考えると他人の感染リスクを減らしてあげているだけで、自分の感染リスクは減らせません。だから医療従事者はフツーのマスクではダメで、「サージカルマスク」や「N95マスク」など、より高性能なマスクが必要になるわけです。

超電石マスクとは

医療従事者向けには高性能なマスクが必要だからといって、ウイルスすら通さないほどの網目にすると空気も通せなくなり、呼吸ができません。医療用マスクを使うと呼吸が苦しいのは、物理的限界まで繊維のすき間を小さくした不織布で作られているからです。逆にいえば、呼吸が苦しくないマスクは繊維のすき間が大きいので気休めということになります。昔のフィルター式マスクはここまでが限界で、これ以上の防御力を要求する場合には、宇宙服みたいに完全に外界と遮断された防護服を着て酸素ボンベを背負うしかありませんでした。

この難題を解決したのが、1980年に誕生した「エレクトレット不織布」です。エレクトレットは1919年に日本で理化学研究所の江口元太郎博士が発見して、1924年には世界で初めてその製造に成功しています。ブラジル産のカルナウバ蝋に松脂を混ぜたものを溶融して、直流高電圧を印加しながら徐々に冷却固化するという方法でした。戦後には、オランダ応用科学研究機構が、ポリプロピレンフィルムを熱板上で延伸しながらコロナ荷電によってエレクトレット化し、カッターで細く割繊した集合体をフィルターにしたエレクトレット不織布を発明しました。これに目を付けたのが、アメリカで医療・保険・

Memo: ※1 μm（マイクロメートル）＝10の－6乗メートル
nm（ナノメートル）＝10の－9乗メートル

ヘルスケア製品を開発生産している3M（スリーエム）。1980年代始めに、エレクトレット不織布を使ったN95マスクを開発したのです。

この「エレクトレット」とは、物質そのものが恒久的に電気分極を保持し、周囲に対して電界を形成している物質のことをいいます。磁力を持つ石を磁石と呼ぶのに対して、電界を持つ石という意味で日本語で「電石」と命名されました。磁石と電石の大きな違いは、磁石が金属元素の塊でできているのに対して、電石は合成炭素でできていることです。「コンデンサマイク」などとも呼ばれ、現代でも携帯電話をはじめ、多くの小型マイクに使われています。

また、磁石がS極とN極の磁力で物をくっ付けるのに対して、電石は＋極と－極の静電気で微小塵を吸着してキャッチします。医療用のサージカルマスクを上回るN95マスクは、エレクトレット不織布の電荷が強力なものを二重にしているので、1μm以下の繊維のすき間よりも小さな微粒子でも95%以上除去可能。ゆえに、繊維のすき間よりも小さいウイルスでも、静電気の力で引き寄せて捕まえることで防御できるというわけです。

布マスク

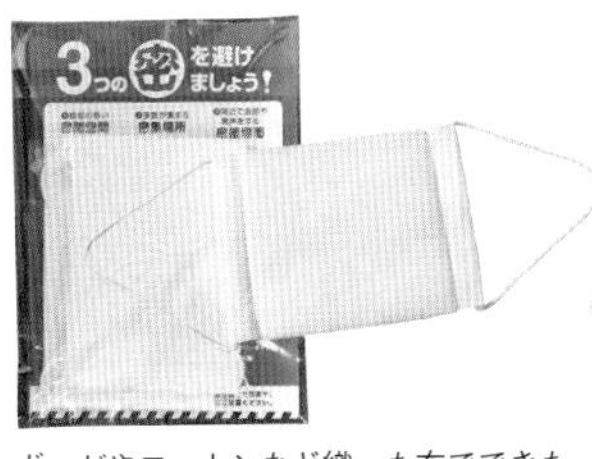

ガーゼやコットンなど織った布でできたマスク。いわゆる「アベノマスク」は、15枚重ねになっている。ちなみに、100年前のスペイン風邪はウイルスが小さ過ぎたため、布マスクでは防ぐことができなかった

不織布マスク

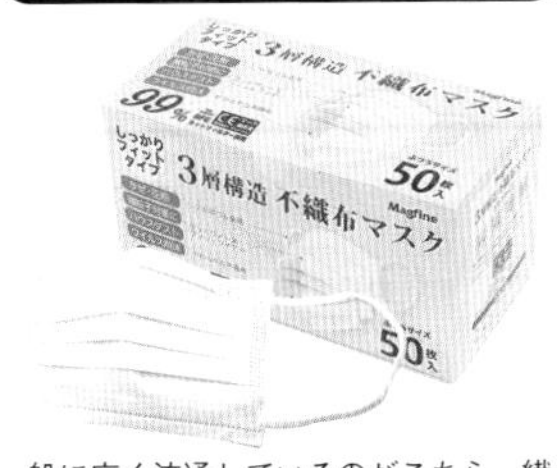

一般に広く流通しているのがこちら。繊維を結合させてシート状にした不織布を使用しており、多くは使い捨てとなる。布マスクが平型なのに対して、不織布マスクはプリーツ状や立体型など顔の凹凸に沿った形状をしている

サージカルマスク

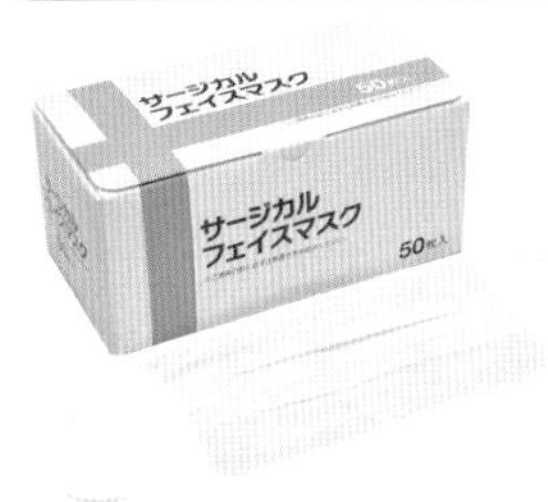

医療機関で利用されている不織布マスク。一般的な不織布マスクよりも目が細かく作られており、息苦しさを感じることも。中には耐水効果が施されているものもある。着用者の飛沫を防ぐ目的で利用され、微粒子を捕集する効果はない

N95マスク

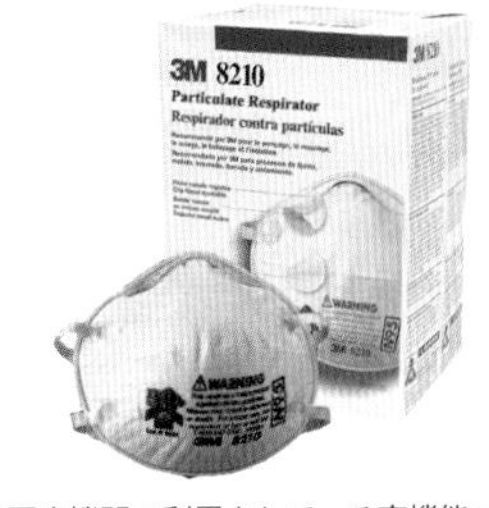

医療機関で利用されている高機能マスクで、米国郎党安全研究所（NIOSH）が認定した呼吸器防護具を指す。検査基準は、0.3μmの粒子を95%捕集できる性能を備え、マスク装着者自身の空気感染を防ぐことができる

マスク不足の理由と弱点

新型コロナウイルスが蔓延し始めた時、医療用マスクが不足した理由は、エレクトレット不織布の生産能力不足にあります。エレクトレット不織布の作り方は、不織布の巨大ロールに、コロナ荷電（コロナはラテン語で王冠という意味）をして電石化する装置にかけるというもの。普通の不織布を電石化することによって、50倍以上にパワーアップさせられるのですが、問題はコロナ荷電する装置が急に増やせない大掛かりな設備であることです。

エレクトレット不織布は何もしなくても自身の静電気で空気中の微小なホコリを吸着してしまうために、クリーンルームの中でしか扱えません。磁石を地面に置いたら砂鉄が付着するのと同じですね。1度電石化したらマスクに加工して袋に密閉されるまで、クリーンルームの中で作業します。このクリーンルームの工場を建てるには数か月かかるため、すぐには生産できなかったというわけです。完成した頃にはコロナ禍が終息しているかも…という、シミュレーションもあったかもしれません。

生産が追いつかないなら消毒して再利用すればよかったのでは？と思うかもしれませんが、静電気という特性上それは不可能です。静電気は湿度と密接な関係があり、濡れてしまうと効

果を発揮しなくなります。そのため、エレクトレット不織布の外側と内側は、湿気を通さない不織布で挟まれた3枚重ねの構造をしています。さらにレベルの高いマスクになると、エレクトレット不織布を二重にして、4〜5枚重ねの構造を持つものもあるほどです。

血液も同様にマスクの敵で、マスクの能力を表す指標の一つに「血液不浸透性」なるものもあります。これはマスクの表面に血液など人間の体液が付着した場合に、内側に染み込むのを防ぐ基準です（単位はmmHg）。間に挟まっているエレクトレット不織布が濡れると効果を失ってしまうために、このような指標が設けられています。医療現場では液体防御性能が無い製品は、病原体から身を守るPPE（個人防護服）としての役割を果たしません。よく「マスクの内側のフィルターによって、口の中の乾燥を防げる」などとパッケージに書かれていることがありますが、本当はエレクトレット不織布の能力を破壊しないように、人間が吐いた湿気をガードしているからです。吐いた湿気を放出できずに口元に溜まってしまうことを、あたかも良い効果であるかのように言い換えているだけです。

水に弱いという話からも分かる通り、エレクトレット不織布は、水で洗ったりアルコールに漬けたり、加熱殺菌すると、表面電荷が消失してただの不織布になってしまいます。磁石になったドライバーなどを逆方向に磁石でこすると磁石の力が無くなるようなものですね。電石は乾燥放置すると次第に回復する性質がありますが、マスク用に高い電荷を与えられているエレクトレット不織布は、劣化を避けられません。エレクトレット不織布がただの不織布になってしまったら、それはもうウイルスを防げないただのマスク。これが、サージカルマスクやN95マスクが再利用できない最大の理由です。

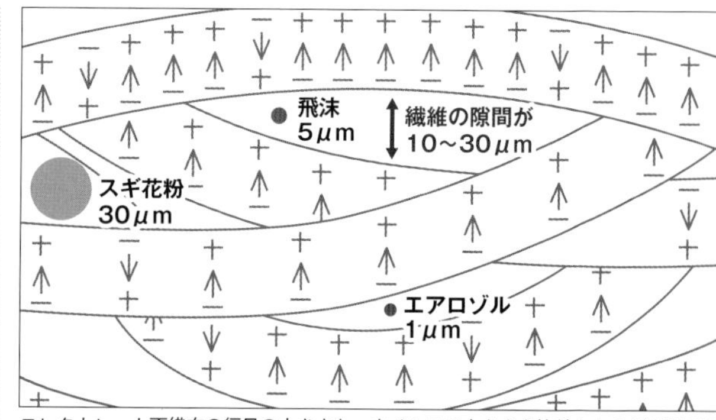

エレクトレット不織布の編目の大きさと、ウイルスの大きさを比較したのが上記の図※2。物理的に製造可能な最も細かい繊維のフィルターですら、10〜30μmも隙間が空いている。普通の布やガーゼはこの10倍以上の隙間がある。0.038〜0.2μmのウイルスは、この縮尺では小さ過ぎて見えない

ウイルスの大きさと防御力の比較

気休め		
織布の網目＝100μm（0.1ミリm）以上		
花粉用	医療用	
不織布の網目＝20〜50μm	サージカルマスクの網目＝10〜30μm	
スギ花粉＝30μm以上	真菌＝10μm	飛沫＝5μm以上

N95マスク	
PM2.5＝2.5μm	コロナウイルス＝0.2μm
エアロゾル＝1μm	ノロウイルス＝0.038μm

なんとか電石力を失わせないようにリサイクルできないかと研究をして、厚生労働省が再生法のマニュアルを作ったりもしましたが、手順の難易度が高くて現実的な解決策は見つかっていません。ならば、マスクがどの程度の電石力を保持しているのかを測定できれば、本物か偽物を識別できるし、洗った後や長期使用した後にどの程度の力が残っているかも分かります。しかし、検査するためにはマスクを分解して、中身を取り出して、ものすごい高価な研究用の表面電位計で調べる必要があります。そもそも検査したマスクは破壊されて使えなくなるので、意味がありません。

医療従事者の装備レベル

日本の医療従事者が装備している新型コロナウイルス対応の個人用防護具（PPE）は、アメリカ軍の基準でいえば、A〜DのうちCレベル装備に相当し

Memo: 参考資料・出典画像など

※2「静電気学会誌」1994年　http://www.iesj.org/content/files/pdf/papers/18/18-2-119.pdf

※3　Wikipedia commons、Wikipedia「化学防護服」

軍隊基準のバイオ兵器防護対策装備として、防護服はA～Dの4段階でレベル分けされている。日本の医療従事者は新型コロナウイルス対策として、レベルCの防護服を着用している。決して十分とはいえないだろう※3

ます。A・Bレベルはウイルスをマスクやフィルターで防ぐことが不可能という前提で、酸素ボンベを背負ったり清浄な空気を製造する装置を背負ったりして活動するもの。防護具を脱ぐ時も大変で、脱ぐ前に全身消毒をします。酸素ボンベを背負っているため、消毒される本人が消毒液で死ぬ心配が無いので容赦なく強力殺菌できるのです。

細菌兵器よりも、空気感染するウイルス兵器が怖いのは、一般の兵士に支給されているNBC対応ガスマスクでは防げないからです。一般兵士に支給されているNBC対応ガスマスクは、最低のDレベルの装備に過ぎません。そして、軍艦などのNBC防御は、外部からの侵入を防いで艦内を清浄に保つ防御システムなので、艦内にウイルスのクラスターがいると何の効果もありません。だから「機械のすき間で人間が生活している」といわれるほどの三密状態にある各国の軍艦が、新型コロナウイルスにより壊滅状態に陥ったのです。

新型コロナウイルスは中国が意図的に作り出した人工ウイルスだなんてことがささやかれていますが、それは違うでしょう。もしも空気感染ウイルスのバイオ兵器が実在するなら、自分たちを守るワクチンが必ず必要で、ワクチンを軍人だけでなく自国民すべてに打つ必要があります。生物兵器の生産よりも、自分たちを防護するコストが異常に高く、軍組織だけではなく保健機関まで総動員しなければならず、いつ攻撃に使うのか分からない兵器のためにワクチンを国民全員に支給し続けることに。コストが割に合わないのに加えて、ワクチンで確実に防御できる保証もありません。

ウイルスに敵味方の識別能力が無い上に、国家元首も兵士も区別なく平等に襲ってくるバイオ兵器は、使い物にならないので誰も手を出しません。第二次世界大戦で毒ガスが使用されなかったのは、毒ガスが際限なく使用された第一次世界大戦から21年後に起きたため、前線で毒ガスを体験した参戦国の青年将校が軍幹部になっていたからです。ナチスドイツにいたっては、国家元首が体験者だったりします。

そういうことを考えると、過去に何度もパンデミックを経験してきた中国が、敵より先に自滅する可能性のあるウイルス兵器に手を出すとは考えにくいのです。アメリカが中国の生物兵器説の陰謀論を持ち出すのは、生物兵器だった場合は自然災害ではなく中国政府の過失事故になるので、損害賠償責任を追及できるからでしょう。証拠も自白も必要ありません。とにかく国民が陰謀論を信じてくれさえすれば、選挙でパンデミックの責任を中国政府になすりつけてごまかせます。別に中国政府が過失責任を認めて賠償してくれることを期待しているわけではありません。アメリカではさまざまな制限に我慢できなくなった人たちが、COVID-19ウイルスなど存在しないという陰謀論にまで走っています。次なる陰謀論は何が出てくるのでしょうか？　パンデミックから身を守る最大の武器は、陰謀論を見破る正しい知識なのです。

●「オランダ応用科学研究機構」 NEDERLANDSE ORGANISATIE VOOR TOEGEPAST NATUURWETENSCHAPPELIJK ONDERZOEK
●WHOの資料　https://www.who.int/water_sanitation_health/publications/natural_ventilation.pdf

眠気をハックする身近な物質

カフェインってどうして効くの？

試験や仕事に追われ、眠気と戦わなければならない時がある。極力その戦いは避けたいものだが、残された時間次第ではカフェインの出番。効能を知って正しく利用しよう。

text by 淡島りりか

毎朝、コーヒーの香りが漂う中、気分良く目覚めたいって思いながら生きているので、タイマー付きの全自動コーヒーメーカーの購入を真剣に検討している淡島です。ご機嫌よう。…ちなみに、どれを買うか決めかねて今に至ります。コーヒー党の家庭で育ったもので物心つく頃には既にカフェオレを飲んでいたわけですが、そのまま順調に成長しコーヒー（ないし紅茶）が手放せない大人になりました。私は起きている間中、あまり時間を気にせずコーヒーとか紅茶を飲むのですが、周りの友人は遅い時間に飲むと眠れなくなるから夕方頃までしか飲まないようにしているそうです。

試験前や提出物の締め切り前の眠気覚ましに、コーヒーやエナジードリンクの力を借りたことがある人は多いのではないでしょうか？　ここでは、それらに含まれているカフェインで目が覚める話をします。

コーヒー

エナジードリンク

眠気防止薬

Q.1 そもそもカフェインってどんなもの？

カフェインは、プリン骨格を持つアルカロイドの一種です。アルカロイドのは多くは植物由来の窒素を含む塩基(アルカリ)性の物質で、動物に対してさまざまな生理活性を持っています。大体のものが苦いです。自由に動けない植物がアルカロイドを含有してるのって、単に苦味を持たせて自由に動ける虫とか動物に食べられないようにするためだけじゃなくて、さらに食べた奴らは苦しんで報いを受けろってことなのかな？　まあ、いろんな説はありますが。植物、実にいい根性してますよね(笑)。彼らは決しておとなしいわけではないのです。

で、人類も人類でそのアルカロイドの持つ生理活性を、毒や薬として利用してきたという歴史があります。アルカロイドはそれ自体が塩基性であることが多いため、酸やら塩基に液性を変えることで割と簡単に抽出できたからというのも理由の一つでしょう。鎮痛剤のモルヒネとかマラリアの薬であるキニーネとか、古くから用いられている医薬品の多くはアルカロイドです。効果も種類もいろいろです。

カフェインもそのアルカロイドの一種で、中枢神経興奮作用を持っています。つまり、目が覚めるってこと。ちなみに、添付文書上の効能・効果は「ねむけ、倦怠感、血管拡張性及び脳圧亢進性頭痛(片頭痛、高血圧性頭痛、カフェイン禁断性頭痛など)」となっています。摂取後1時間以内に効果が発現し出して、半減期は3～6時間ほど。

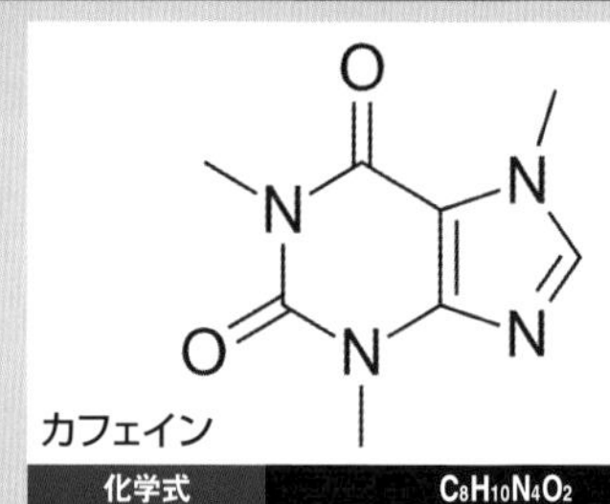

カフェイン

化学式	$C_8H_{10}N_4O_2$

アルカロイドの一種で、コーヒーやお茶に含まれる

V．治療に関する項目
1．効能又は効果
ねむけ、倦怠感、血管拡張性及び脳圧亢進性頭痛（片頭痛、高血圧性頭痛、カフェイン禁断性頭痛など）

2．用法及び用量
通常、成人1回0.1～0.3gを1日2～3回経口投与する。なお、年齢、症状により適宜増減する。

3．臨床成績
(1) 臨床データパッケージ
該当しない
(2) 臨床効果
該当資料なし
(3) 臨床薬理試験：忍容性試験

カフェイン水和物原末「マルイシ」

Memo: 参考文献など
●カフェイン水和物原末「マルイシ」インタビューフォーム
https://med.nipro.co.jp/servlet/servlet.FileDownload?file=0151000000276uKAAQ

Q.2 なんでカフェインで目が覚めるの？

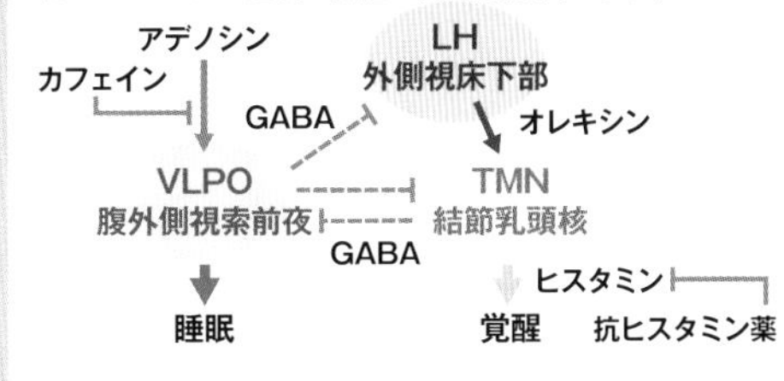

我々の脳内には、「起きている状態」を作り出している物質がいくつかあります。ヒスタミン、オレキシン、セロトニン、ノルアドレナリンなどがそうですね。脳内でこれらの物質が多く作られている間は、「起きている状態」ってことです。例えば、古いタイプの鼻水やくしゃみ、痒みなんかに効くアレルギーの薬・抗ヒスタミン薬を飲むと眠くなることが知られていますよね？　本来、ヒスタミンが作用するはずのヒスタミン受容体にくっ付いて、ヒスタミンの働きを妨げる薬です。体の方ではそれによってアレルギーの症状が改善するのでちゃんと用を成しているわけですが、これが脳内で起こるとヒスタミンによる「起きてるよ」って信号がストップしてしまうので眠くなるわけです。副作用っていわれているあれです。

我々は眠ることによって疲れた状態から回復しています。疲労が溜まるに従い、エネルギー源として利用しているアデノシン三リン酸（ATP）が分解されてできるアデノシンという物質が脳内で蓄積し、それは睡眠を摂ることで減少するのです。アデノシンはヒスタミンの放出を抑制します。つまり、疲れたら眠くなるってわけです。で、ようやくカフェインですね。カフェインはアデノシン受容体に結合することによりアデノシンの働きを阻害します。それにより、ヒスタミンの放出は抑制されずに「起きている状態」が維持されるわけです。これでカフェイン摂取すると、眠くなくなる理由が分かりましたね。

ちなみに、どの程度効果があるのかというと、夜間高速道路を運転するドライバーを被験者にしてカフェイン入りのコーヒー、デカフェのコーヒー、仮眠30分の3つの条件で運転精度を比較したところ、カフェインを200mg摂取することで仮眠30分よりも効果的だったという報告があったりします。

Q.3 カフェインは何に入ってるの？

カフェインといえばコーヒーに含まれていることは、名前からも分かるでしょう。ドイツの化学者フリードリープ・フェルディナント・ルンゲが、ゲーテに唆されて1819年にコーヒーから単離しました。コーヒー自体は9世紀頃（?）、コーヒーの実をヤギが食べて跳ね回っているのをカルディという山羊飼いの青年が目にして、その後、眠気覚ましとして用いられるようになった…という説があります。身近なコーヒーショップの名前がなぜカルディなのか、そしてそのカルディのキャラクターがヤギべえである理由は、そんなところからきていたわけです。

カフェインは、他に茶の木やカカオなどにも含まれています。お茶に関してはコーヒーよりもっと歴史が古くて紀元前2700年ごろ神農（古代中国の皇帝、薬と農業の神様）によって薬として用いられていたようです。どっちも最初は抽出するのではなく、実なり葉なりそのものが薬として利用されていたみたい。Anyway、これらから作られる緑茶、紅茶、チョコレート、ココアなどにもカフェインは入っています。ただ、お茶に含まれるカフェインはタンニンと結合するのでカフェインの効果は減弱します。また、カフェインは水よりもお湯に溶けやすいので、カフェインが必要な場合は水出しではなくお湯を用いた方が効率的です。

植物のカフェイン生合成

植物はこのようにカフェインを合成している模様。キサントシンをメチル化することでカフェインが作られている

- カカオマスの多いミルクチョコレート 25g
  ➡カフェイン 7mg
- ハイカカオチョコレート（カカオマス70%） 25g
  ➡カフェイン 21mg

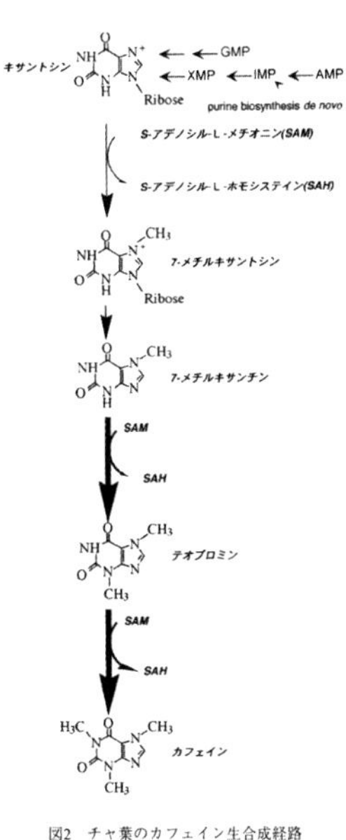

図2　チャ葉のカフェイン生合成経路
カフェインシンターゼは太字で示した2段階のメチル化反応を行う。

●レム・ノンレム睡眠と覚醒の制御機構　https://chronobiology.jp/journal/JSC2016-2-061.pdf　●『コーヒーの科学』（旦部幸博／講談社）
●植物のカフェイン生合成　https://www.jstage.jst.go.jp/article/radioisotopes1952/50/8/50_8_377/_pdf

Q.4 カフェイン含有の商品は?

カフェインはコーラ、エナジードリンク、栄養ドリンクなどのドリンク類。そして、「エスタロンモカ」(錠剤:200mg/2錠/回、液:150mg/本/回)や、「カフェロップ」(飴:125mg/4粒/回)といった市販の眠気防止薬に配合されており、眠気や怠さの改善に用いられています。含量は製品によってさまざまなので、パッケージに記載されている量を確認してみて下さい。

ねむけ・だるさに エスタロンモカ12 第3類医薬品
〔効能・効果〕 睡気(ねむけ)・倦怠感の除去
〔用法・用量〕 成人(15才以上)1回2錠、1日2回を限度として服用してください。服用間隔は6時間以上おいてください。
●かまずに、水又はぬるま湯で服用してください。
〔成　分〕 2錠中　無水カフェイン 200mg、チアミン硝化物(ビタミンB1硝酸塩) 5mg、ピリドキシン塩酸塩(ビタミンB6) 5mg、シアノコバラミン(ビタミンB12) 7.5μg

食品名	カフェイン濃度	備考
コーヒー	60 mg/100 ml	浸出方法:コーヒー粉末 10 g/熱湯 150 ml[3]
インスタントコーヒー(顆粒製品)	57 mg/100 ml	浸出方法:インスタントコーヒー2g/熱湯 140 ml[3]
玉露	160 mg/100 ml	浸出方法:茶葉 10 g/60 ℃の湯 60 ml、2.5 分[3]
紅茶	30 mg/100 ml	浸出方法:茶 5 g/熱湯 360 ml、1.5〜4 分[3]
せん茶	20 mg/100 ml	浸出方法:茶 10 g/90 ℃430 ml、1 分[3]
ウーロン茶	20 mg/100 ml	浸出方法:茶 15 g/90 ℃の湯 650 ml、0.5 分[3]
エナジードリンク又は眠気覚まし用飲料(清涼飲料水)	32〜300 mg/100 ml(製品 1 本当たりでは、36〜150 mg)	製品によって、カフェイン濃度及び内容量が異なる[4]

参考)抹茶 1 杯当たり:抹茶 1.5 g(カフェイン含有量 48 mg)/70〜80 ℃の湯 70 ml(抹茶のカフェイン含有量 3.2 g/100g)[3,29]

Q.5 1日の適量はどのくらい?

カフェインの許容一日摂取量(ADI、Acceptable Daily Intake)は、個人差が大きいため設定されていません。ADIとは、人が毎日その物質を摂取し続けたとしても健康に悪影響がないと推定される1日あたりの摂取量のこと。適量を摂れば眠気を覚ます効果が期待できますが、摂り過ぎると眠れない以外にもドキドキする、手が震える、イライラする、吐き気がするなどといった良くない反応が出る場合があります。過剰接種による死亡例もあるので、眠気が解消されないからといってくれぐれも摂り過ぎないように。

インタビューフォームを見ると、急性致死量は約5〜10gで、有害な反応は1gを超えるとみられることがあるとのことです。上限値の目安は、食品安全委員会が海外機関における指標をまとめてくれているので参考にするといいでしょう。ちなみに、健康な成人だと400mg/日が上限のようです。マグカップ3杯程度のコーヒーに相当します。…まぁ、とはいえカフェインに対する感受性に関しては個人差が大きいので摂取して不愉快な症状が出ない量なら大丈夫でしょう。ただ、妊婦さんが過剰に摂取すると、低体重児の出生や流産の可能性が増加するという報告もあります。母乳中にも移行するので、授乳中の方も注意が必要です。

海外の主なリスク評価・管理機関等の状況をまとめると、下表のようになります。

悪影響のない最大摂取量		飲料換算	機関名
妊婦	300 mg/日		世界保健機関(WHO)[9]
	200 mg/日		欧州食品安全機関(EFSA)[11,12]
	300 mg/日	コーヒー マグカップ 2 杯(237 ml/杯)	カナダ保健省[19,20,21,22]
授乳中の女性	200 mg/日(注 1)		欧州食品安全機関(EFSA)[11,12]
健康な子供及び青少年	3 mg/kg 体重/日		欧州食品安全機関(EFSA)[11,12]
	2.5 mg/kg 体重/日	・コーラ 1 缶(355 ml)当たりのカフェイン含有量 36〜46 mg ・エナジードリンク 1 缶(250 ml)当たりのカフェイン含有量約 80 mg	カナダ保健省[19,20,21,22]
子供(4〜6 歳)	45 mg/日		
子供(7〜9 歳)	62.5 mg/日		
子供(10〜12 歳)	85 mg/日		
13 歳以上の青少年	2.5 mg/kg 体重/日		
健康な成人	400 mg/日(3 mg/kg 体重/1 回(注 2))		欧州食品安全機関(EFSA)[11,12]
	400 mg/日	コーヒーマグカップ 3 杯(237 ml/杯)	カナダ保健省[19,20,21,22]

(注 1) 乳児に健康リスクは生じない。
(注 2) 1 回当たり摂取量約 3 mg/kg 体重以下(例:体重 70 kg の成人で約 200 mg 以下)であれば急性毒性の懸念は生じない。

Memo: ●食品安全委員会「食品中のカフェイン」 http://www.fsc.go.jp/factsheets/index.data/factsheets_caffeine.pdf
●日本チョコレート・ココア協会「チョコレート・ココア健康講座」 http://www.chocolate-cocoa.com/lecture/q12

Q.6 カフェイン中毒とは?

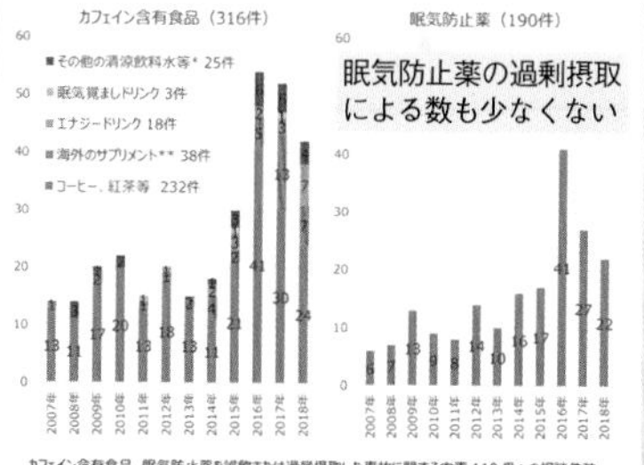

カフェイン含有食品、眠気防止薬を誤飲または過量摂取した事故に関する中毒110番への相談件数
*その他の清涼飲料水等：食品に分類されるドリンク、菓子。指定医薬部外品のドリンク剤は含まない。
**海外のサプリメント：インターネットで販売されている海外のビタミン・サプリメント類

短時間で大量にカフェインを摂取した場合、不愉快な症状が現れることがあります。これが「カフェイン中毒」です。多くの場合は時間の経過とともに回復しますが、救急搬送されたり、死亡するケースもあります。カフェイン中毒に関しては、市販の眠気防止薬によるものが少なくありません。通常のコーヒーやお茶などで中毒症状が出る量となるとかなり気合い入れて飲まないといけませんが、眠気防止薬やエナジードリンクは摂取量が多くなり過ぎることがあるので気を付けましょう。

中毒症状は摂取量が1gを超えると現れる可能性がありますが、これは眠気防止薬だと10錠程度(急性致死量でも50〜100錠程度)。ドラッグストアなどで手軽に購入できるため、自殺にも用いられることがあります。カフェイン中毒時に現れる各種不愉快な症状は、以下の表の通りです。カフェインと同じくキサンチン誘導体であるテオフィリンやテオブロミンとそれぞれ作用の出方を比べると、大体こんな感じになります。

作用	要点
中枢興奮作用 ➡興奮、イライラ、不眠、ふるえ、めまい	●少量で大脳皮質に作用し、増量すると延髄まで作用が達し、中毒量では脊髄を含む中枢神経系がすべて興奮し、全身けいれんを起こす。 **作用の強さ：カフェイン＞テオフィリン＞テオブロミン(ほとんどない)**
強心作用 ➡ドキドキ、心拍数増加	●心筋におけるcAMPの分解抑制(ホスホジエステラーゼ阻害)による。 ATP —アデニル酸シクラーゼ→ cAMP —ホスホジエステラーゼ→ AMP（↑阻害） **作用の強さ：テオフィリン＞テオブロミン＞カフェイン**
平滑筋弛緩作用 ➡気管支拡張	●ホスホジエステラーゼを阻害し、cAMP濃度を上昇させることにより発現する。 **作用の強さ：テオフィリン＞テオブロミン＞カフェイン**
利尿作用 ➡トイレが近くなる	●尿細管でのNa^+の再吸収を抑制する。 ●腎血管拡張と腎血流量の増加によって、糸球体ろ過量を上昇させる。 **作用の強さ：テオフィリン＞テオブロミン＞カフェイン**
その他の作用	●胃酸分泌促進作用(特にカフェイン)➡胃もたれ、胃痛

(黒本「医療薬学Ⅰ」参照)

Q.7 喫煙と代謝酵素の関係は?

カフェインはシトクロムP450 1A2(CYP1A2)という酵素で代謝されます。コーヒーにはタバコ…ということで、日常的にタバコを吸っている人は、酵素誘導によりこのCYP1A2が多く存在していて、カフェインの代謝が早まり作用が減弱してしまいます。そして、禁煙すると酵素量が元に戻るため禁煙前と同じ調子でカフェインを摂取していると効果が強く出てしまう可能性があるのです。また、加齢によりCYP1A2は減少するので高齢になるほど、カフェインの効果は強く出る傾向にあります。

Q.8 カフェインの依存性って?

日常的にカフェイン含有のサムシングを摂取する人々(1日に400mg以上摂取している場合に多い)において、半日から2日程度カフェインを摂らないと頭痛や怠さ、集中力の低下が見られることがあります。これはカフェインの離脱症状で、特に頭痛が顕著です。カフェインを摂取すると治りますし、放っておいても 1〜4日程度で気にならなくなります。身体的にも精神的にも依存性が無くはないですが、短期的でなおかつウィルパワーでコントロール可能な範囲のものです。アルコールやタバコにおける依存性の比ではありません。

ここまでカフェインを摂取することで眠気と戦う話をしてきましたが、睡眠とカフェインは置き換わるものではありません。いずれは眠らないといけないのです。超短期的ならまぁ良いでしょうが、睡眠不足は心身共に悪影響を及ぼします。ミスも増えて、それをカバーするのが大変になるし。カフェインとはぼちぼち仲良くしつつも、眠気との戦いはほどほどに…。眠らなければパフォーマンスが落ちてしまう不便な体とうまく付き合っていって下さい。Good Luck!!!!!

●日本中毒情報センター「カフェインを含む食品や眠気防止薬の過量摂取に注意しましょう」
https://www.j-poison-ic.jp/wordpress/wp-content/uploads/Caffeine202002.pdf

アートのような美しい反応を観察しよう

BZ反応完全ガイド

同心円状に縞模様が広がったり、周期的に色が変わる不思議な反応がBZ反応だ。実際にパターンを観察し、原理やメカニズムを知ることで化学の面白さを学んでいこう。

text by レイユール

皆さんは「BZ反応」をご存じでしょうか。美しい同心円状のパターンを作ることで知られ、それゆえYouTubeや理系書籍でよく取り上げられます。しかし、その原理やメカニズムが紹介される機会はとても少ないようなので、今回は観察法から原理までを解説していきましょう。

BZ反応は、1951年にソ連の科学者であるベロウゾフが生物の代謝に近い反応を模索している実験中に偶然発見しました。しかし、化学反応が周期的に発生することは当時知られていなかったため、その発表はすぐに受け入れられず、1960年代に同じロシア人科学者であるジャボチンスキーがこの反応を再発見して再検討を行い、正しいことが証明されるまで10年以上の年月を要しました。そして、この両人の名前からBelousov-Zhabotinsky（ベロウゾフ・ジャボチンスキー）反応、略してBZ反応と呼ばれるようになったのです。

BZ反応の観察方法

原理などを説明する前に、まずは反応を観察してみましょう。以下の通りに試薬を溶解して、溶液を準備して下さい。

- A液：100mLの純水に臭素酸ナトリウム12.5 gを溶かす
- B液：100mLの純水に臭化ナトリウム2.50gを溶かす
- C液：100mLの純水にマロン酸2.50gを溶かす
- D液：濃硫酸17.0mLを純水で100mLに薄める
- E液：100mLの純水に1,10フェナントロリン一水和物1.49gと、硫酸鉄(Ⅱ)7水和物0.70gを溶かす※

※フェナントロリン無水物を使用する場合は1.35gとする。

❶振動反応の観察

BZ反応を確認する方法はいくつもありますが、まずは発見された時に近い、溶液の色が一定時間ごとに変化する「振動反応」を観察してみましょう。変色の瞬間は一瞬ですが、反応周

同心円状パターン
最もベーシックなパターン。溶液を雑に混ぜるとよく現れる

波状パターン
シャーレの壁面から発生したもの。同心円の模様の亜種といえる

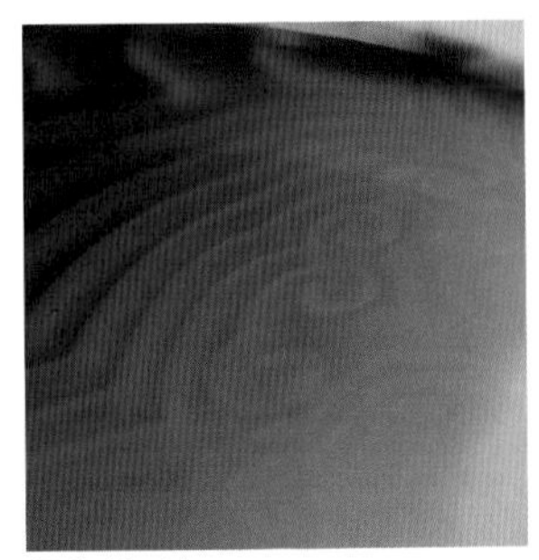

螺旋状パターン
同心円状のパターンを針で乱すなどすると現れる

Memo:

振動反応
発見当時に近い観察法。溶液の色が、赤茶色と青色に周期的に変化する様子が見られる。E液は、色の濃さを見ながら少しずつ加えていくのがコツだ

期は長いので、目を離さないよう気長に観察して下さい。溶液の色が、赤茶色と青色に周期的に変化する様子を見ることができます。なお、実験中は臭素の蒸気が微量発生するので、換気の良い場所で行って下さい。しばらく観察していると、溶液中の成分を使い果たして色の変化は停止します。

100mLのフラスコにA液20mL、B液10mL、C液20mL、D液10mLずつ加えてスターラーで混合する。溶液が黄色から無色に変化したら、E液数mLを加える。撹拌しながら溶液の色の変化を観察する。

❷パターンの観察

次は、BZ反応の代表的な観察法であるシャーレを使った実験です。こちらは反応が極めてゆっくりなので、スマホのタイムラプス機能などを用いて撮影するといいでしょう。この実験も、換気に注意して行って下さい。また、こちらの反応は振動を与えるとパターンが乱れてしまうので、揺らしたりせず静かに観察すること。なお、パターンが混み合ってきたら溶液を揺り動かして、リセットすればOKです。

直径6〜8cm程度のシャーレにA液2mL、B液1mL、C液2mL、D液1mLを加え、シャーレを揺するようにしてよくかき混ぜる。溶液が黄色から無色に変化したら、E液2mLを加え再びよくかき混ぜると赤色→青色→茶色の順で変化する。あとは自発的にパターンが現れるのを待ち、振動を与えないように静かに観察する。波状や同心円状のパターンを確認できる。

❸別パターンの観察

溶液に刺激を与えることで、違うバリエーションのパターンも観察できます。同心円状のパターンのリングの一部を切断するように針で水面に刺激を与えると、その部分から螺旋状のパターンになります。

2の要領でシャーレに溶液を準備する。反応が始まったら、同心円のパターンを針で掻く。

BZ反応は発見されてから50年以上の歴史があるため、これまでにさまざま組み合せが試されてきました。蛍光を発するものや光感受性を持つものなど、今回紹介した以外のレシピも存在しているので、興味がある方は「BZ反応　実験」などで検索し、各自で自習を進めて下さい。

さて、実際の反応を観察することで、具体的にイメージしやすくなったと思うので、ここからは原理などを学んで理解を深めていきましょう。

BZ反応の発見

冒頭で簡単に説明した通り、BZ反応はベロウゾフが生体内の代謝回路である、クエン酸回路を再現しようとして発見したものです。クエン酸回路は、酸素を吸って生きる生物が皆持っている体内代謝の回路で、クエン酸を中心に循環していることからこの名前があります。クエン酸回路の詳細については今回は割愛しますが、当時非常に注目を集めていたホットな研究テーマでした。ベロウゾフは、フラスコ内で同様の反応を起こしたいと考え、さまざまな試薬を

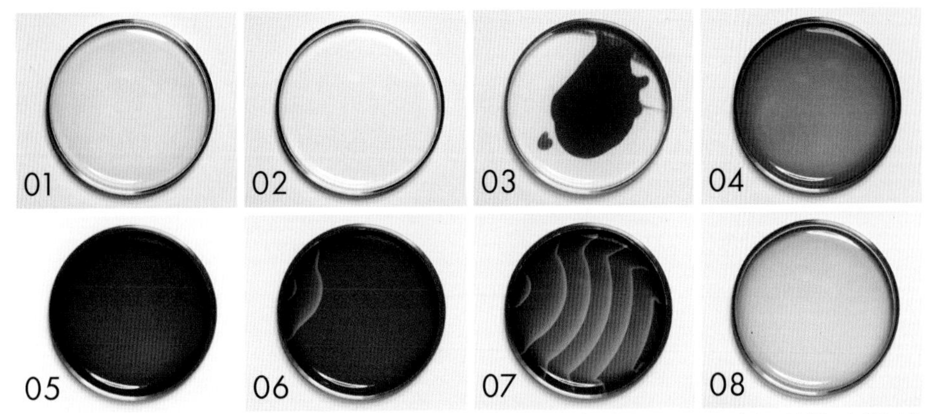

[パターンの観察] 01：A〜D混合液。AからD液までを混合すると黄色(臭素由来)の溶液になる　02：安定した溶液。しばらく放置すると溶液は無色になり安定する　03：E液(赤色)を加えた直後　04：酸化状態の溶液。溶液全体を混合すると、溶液は赤色から青色に変化する　05：反応が始まる直前。青色の溶液は徐々に茶色に変化し、反応が始まる　06：反応始まり　07：反応の最盛期　08：反応が終わった後の溶液。これが反応の始まりから終わりまでの流れだ

混合してクエン酸回路のような反応を目指していたところ、硫酸溶液中でクエン酸・臭素酸カリウム・硫酸セリウム・マロン酸などを混合すると、溶液が無色と黄色（セリウム由来）の間を振動する、「振動反応」が発生することを発見。しかし当時は、振動反応は他に知られておらず、化学反応は常に始まりから終わりの一方向にしか進まないと考えられていたため、この発表は認められませんでした。

その後、1960年代にこの反応を再発見したジャボチンスキーが追試を行い、その結果を学会で発表したことでようやく認められるようになったのです。それ以来、多くの科学者らが研究を行ってきました。組成や指示薬も改良され、シャーレの中で美しいパターンを描くことが発見されたのは、1970年頃といわれています。BZ反応は現在でも研究されている反応で、代謝経路や振動反応のモデルとして使われています。また、反応速度の理解のために教育現場でも、演示実験としてしばしば行われているようです。

BZ反応の原理

ここからは原理について紹介していきます。

発色に関わる成分は、発見当時はセリウム化合物が用いられていましたが、今回はより分かりやすい色彩を持つ、フェロインを使いました。フェロインは硫酸鉄（Ⅱ）の水溶液に1,10フェナントロリンを溶解することで作られる赤色の鉄錯体で、酸化されたり還元されることで色が変わります。これは、鉄がFe^{2+}（還元型,赤色）の状態とFe^{3+}（酸化型,青色）の状態で吸収する光の波長が変わるためです。つまり、BZ反応は、酸化と還元が交互に繰り返されることでフェロインがFe^{2+}とFe^{3+}の間を行き来し、その状態が見た目に現れたものといえます。

一般的に化学反応は一旦始まると一直線に進んで完了するのが普通で、このように行ったり来たりする振動反応は珍しい現象です。この振動を起こす原理は非常に複雑なのですが、簡単にまとめると39ページの図のようになります。この図を見ながら振動するメカニズムの流れを追ってみましょう。

振動するメカニズム

❶溶液がすべて混合されると、硫酸の働きかけで臭素酸ナトリウムから臭素酸イオン（BrO_3^-）、臭化ナトリウムから臭素イオン（Br^-）が発生する。

❷臭素酸イオンは強い酸化力を持っており、この2つのイオンが反応して臭素イオンを単体の臭素まで酸化（臭素酸イオン自体は還元され、次亜臭素酸イオン$HOBr^-$となり消費される）。

❸この段階では酸化反応が優先

Memo:

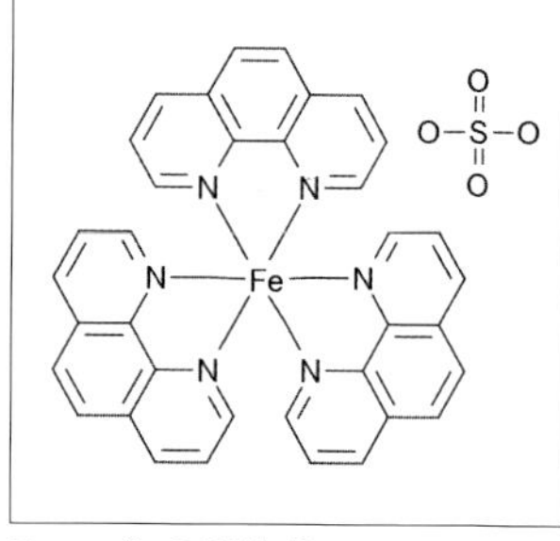

フェロインの構造式
普段は分析試薬として利用される

BrO_3^- HOBr
Fe^{2+} Br^- Br_2 Fe^{3+}
ギ酸 マロン酸

BZ反応の模式図
かなり簡略化した図だが、各成分の関わり合いを表している。目に見える反応は、フェロインの赤と青を行き来する部分のみだが、溶液中では常に複数の反応が進行している

的に進んでいる状態なので、指示薬として加えたフェロインは酸化されて青色になる。
❹この反応が続いていくと、臭素イオンは消費され濃度が減少し、逆に臭素の濃度はどんどん増えていく。
❺原料が少なくなった酸化反応は徐々に鎮静化していき、それにつれて臭素とよく反応するマロン酸が臭素を吸収し始める。
❻マロン酸は臭素を吸収すると、ギ酸と炭酸ガスと臭素イオンに分解して消費される。
❼この過程では、臭素を臭素イオンに戻しているので還元反応になる。つまり、その作用でフェロインは青色から赤色に戻される。
❽この反応が進んでいくと、臭素イオンが増して臭素は減少するので、再び臭素酸イオンによる臭素イオンの酸化反応が起こり始める。

振動反応は、このように酸化と還元を交互に繰り返すのです。

反応速度と濃度

BZ反応の原理はお分かりいただけたと思いますが、少し疑問が残ります。それは、酸化反応と還元反応が同時に発生すれば振動しないのではないかということです。つまり、酸化によって生じた臭素が速やかにマロン酸に吸収されてしまえば非常に速いスピードでサイクルが回り、酸化状態と還元状態が明確に表れないはず…。しかし、実際には穏やかに行ったり来たりするので、そこに何らかのトリックがあるはずです。

化学反応は反応速度というものを持っていて、温度・濃度・圧力・攪拌・触媒の有無などさまざまな要因によって左右されます。すべてを考えるのは難しいので、今回は濃度に着目してみましょう。

化学反応は、分子と分子が出会うことで初めて反応が発生するので、濃度が高ければ高いほど分子同士が出会う確率は高くなり、反応速度は上昇します。そこで、酸化反応が臭素イオンを臭素に変換する過程を見てみると、反応が進むにつれて臭素イオンの濃度は減少していきます。すると、臭素酸イオンと臭素イオンの出会う確率が下がり、結果として反応はどんどん遅くなることが分かるでしょう。逆に臭素が増えているので、マロン酸と臭素が出会う確率は高くなり、こちらの反応が優勢になっていきます。この反応は酸化と還元を繰り返すと同時に、溶液中の分子の濃度も振動しているので、活発な反応とそうでない反応が明確に分かれるのです。

反応が再活性化

BZ反応は今回の実験でも分かる通り、ある程度の時間で反応が起こるとパターンが生じなくなり停止します。これまではここが反応の終点であると考えられてきましたが、2008年に茨城県にある水戸第二高等学校の部活動でBZ反応の実験を行った際に、使用済み溶液を放置していたところ、数時間〜数十時間後、突如として反応が再開することが発見されました。現在では限定的な濃度でしか起こらない反応ということが分かっていますが、偶然発見されたBZ反応が、半世紀以上の時を経て再び偶然によって進展したことは非常に興味深いと思います。

3色の信号反応をカラフルに進化させる!

魅惑のゲーミング反応

黄色・赤・緑とまさしく信号のように色が変わる反応は、サイエンスショーやマジックショーでネタにされる。しかし、一部の材料を置き換えることでよりカラフルに進化する！ text by レイユール

「信号反応」とは、色の付いた溶液を振ると黄色→赤色→緑色に溶液が変色し、放置しておくと逆の順序で色が戻るというものです。似たような反応の「ブルーボトル」は、無色の溶液を振ると青色に変化するもの。共に原理は同じですが、用いる色素が異なります。原理は非常にシンプルで、放置している間は還元剤により色素が還元されていき、振ることで空気中の酸素が溶け込み、色素を再酸化します。酸化型の色素と還元型の色素が違う色をしているので、私たちには色の変化として見えるわけです。

この信号反応は、サイエンスショーや教育現場などでよく使われているので、どこかしらで見たことがある人も多いでしょう。発見されて以降、多少の改良はあったもののほとんど同じレシピが使われ続け、これといった変化はありませんでした。しかしここ数年で、3色以上に変化させることができるという情報がネット上で出回るようになったのです。色の変化がよりカラフルらしいので、私はこれを勝手に「ゲーミング反応」と呼んでいます。これが次世代の信号反応となり得るのか、実際に検証してみましょう。

材料を3つ準備

実験に用いる材料は従来の信号反応同様、塩基と還元剤と色素の3つです。通常の信号反応であれば、塩基に水酸化ナトリウムを使います。しかし、これが日本国内では劇物に当たるため入手が困難です。しかし、ゲーミング反応は水酸化ナトリウムの代わりに「炭酸ナトリウム」を使うので、材料の入手性は向上しているといえます※1。

また、還元剤のグルコース（ぶどう糖）と色素のインジゴカルミンは、どちらも食品添加物としてネット通販などで購入可能です。インジゴカルミンは通称「青色2号」と呼ばれていて、業務用の食品着色料として販売されています。一部、安定化された着色料である「アルミニウムレーキ」のかたちでも売られているので、間違えないようにして下さい。

実験で反応を観察

材料が入手できたら、早速実験してみましょう。

ゲーミング反応の変色 実際にはグラデーション状に変色していくので、色の差に敏感な色覚を持っていればさらに多くの色に見える。放置すると右向きに、振ると左向きに変色する※2

Memo: ※1 重曹（炭酸水素ナトリウム）とは異なる。
炭酸ナトリウムの化学式：Na_2CO_3
炭酸水素ナトリウムの化学式：$NaHCO_3$

実験:ゲーミング反応
(炭酸ナトリウム法)

試薬：炭酸ナトリウム、グルコース、インジゴカルミン

❶インジゴカルミン0.05gを水10mLに溶解する（インジゴカルミン0.5%溶液）
❷100mLの共栓フラスコに水80mLを入れる
❸②に炭酸ナトリウム4gを溶解する
❹炭酸ナトリウムがが完全に溶解したら、グルコース1.2gを溶解する
❺④の溶液を水浴かヒートガンで、60℃まで加熱
❻⑤の溶液に①の溶液を数mL加えて着色する
❼溶液が黄色に戻るまで放置
❽溶液を振ってターコイズブルーになることを確認
❾⑦の溶液を放置し、再び黄色に戻ることを確認する

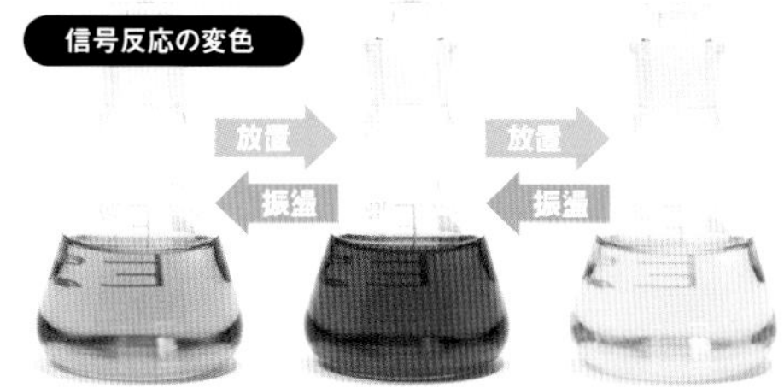

よく見られる信号反応の例。色素にインジゴカルミンを使って、還元剤と空気酸化で色が変化する。容器を振ると、黄色→赤→緑に変わる

既存の信号反応と大きく変わったのは、水酸化ナトリウムを炭酸ナトリウムで置き換えたことと、溶液の温度を60℃に加熱している点です。実験の結果、10色程度まで増えることが分かりました。その変化の写真を40・41ページの下段に並べています。色は、緑色が消えて、代わりに紫や青が増えました。信号反応の場合3色がクッキリと分かれているのに対し、ゲーミング反応ではグラデーション状に変化しているように見えます。

ゲーミング反応の原理

見ているだけで楽しいのですが、ここからはこの原理を考察してみましょう。私の知る限り、ゲーミング反応の原理について化学的に解説している文献は見つけることができませんでした。そこで、原理解明のためにさまざまな条件下で実験を続け、その結果を元に考察していきます。

実験から得られた結論として、ゲーミング反応はある一定の範囲のpHでしか観察されないこと、塩基の種類は関係ないことが判明しました。インジゴカルミンは、pHが11.4よりも低い溶液では青色、11.4〜13.0の溶液中では緑色、13.0以上ある強塩基溶液中では黄色を呈することが知られており、この緑色を示すpHの範囲ではゲーミング反応、黄色を示す範囲では信号反応を示すようです。信号反応やゲーミング反応の変色は、色素の酸化状態によるものですが、信号反応とゲーミング反応ではpHによる発色の違いもあるということになります。

インジゴカルミンは、変色点であるpH11.4と13.0を境にして3色に変化しますが、これは酸化型の色素の場合。還元型や中間型にもpHごとの構造が存在するはずです。構造ごとの色がどのようになっているかを分析するのは極めて困難なので、実際に何色に変化するのかは不明ではありますが、少なくともpHを変化させるだけでカラー

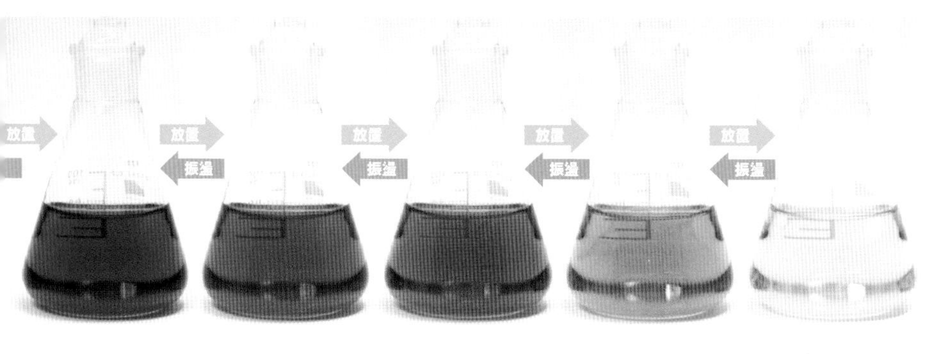

※2 この反応はYouTubeの動画で確認できる。
科学はすべてを解決する! [くられ with 薬理凶室]
「色が次々変わる超映え実験 実は誰でもできるんです！【ガチ実験シリーズ】」

バリエーションが増えることは間違いありません。

その他の性質

ゲーミング反応では、従来の信号反応に見られない特異的な反応がいくつかあります。その中でも顕著な以下の3項目について、引き続きこれらも考察してみましょう。

1：グラデーション状に色が変化する

見かけ上の色数が増えているわけですが、実際には、信号反応もゲーミング反応も1色につき1つの構造を持っているわけではなく、違う構造が混ざり合っていてその割合（平衡）が変化しているに過ぎません。ゲーミング反応の場合には、pHが信号反応に比べて低くなることで、混ざり合う違う構造が増え、しかも割合（平衡）の変化がゆっくりになったため、変色の明確さが減ってグラデーション状になったと考えられます。

2：繰り返し変色させると全体の色調が変わる

これは還元剤が酸化されて生じるグルコン酸が、塩基を消費してpHが変化してくるためだと思われます。信号反応では、強塩基の水酸化ナトリウムを用いているので、比較的pHの変化は抑えられますが、ゲーミング反応では、弱塩基を使うため、pHの変化が信号反応に比べて顕著に現れると考えられます。

3：時間と共に溶液の色が薄くなっていく

溶液が退色していくのは、温度が原因と推察。インジゴカルミンは塩基性の溶液中では不安定なので、信号反応でも徐々に退色していきます。しかし、ゲーミング反応では、60℃という比較的高い温度で反応させるため、色素の分解が加速したと考えられるわけです。

より安定した反応を求めて

信号反応も思いの外シビアな調整が必要になることもあり、あまり安定しているとはいえませんが、ゲーミング反応はそれにも増して不安定です。そこで、より安定して、より温度の低い条件で観察できる方法を探してみました。その結果、水酸化ナトリウムを低濃度で使うことで、20℃下げた40℃でも安定したゲーミング反応を起こすことができたので紹介しましょう。

実験:ゲーミング反応（水酸化ナトリウム法）

試薬：水酸化ナトリウム、グルコース、インジゴカルミン

❶インジゴカルミン0.05gを水10mLに溶解する（インジゴカルミン0.5%溶液）
❷100mLビーカーに水40mLと、水酸化ナトリウム1.6gを入れて溶解する
❸②の溶液をメスシリンダー（メスフラスコが望ましい）で50mLにメスアップする
❹100mLの共栓フラスコに水70mLを入れる
❺④にグルコース1.2gを投入して溶解する
❻⑤の溶液に③の溶液10mLを加えて攪拌する
❼④の溶液を水浴かヒートガンで40℃まで加熱
❽⑤の溶液に①の溶液を数mL加えて着色する
❾溶液が赤色を経て黄色に戻るまで放置する
❿溶液を振ると赤色を経て、ターコイズブルーになる
⓫この溶液を放置し、再び赤色を経て黄色に戻ることを確認

微量の水酸化ナトリウムを秤量するのは難しいので、5倍量を水に溶かしてその1/5を加えることで容易に計量できるようにしています。分析のような精密な溶液を作る必要はないので、メスアップはメスシリンダーでも十分です。

反応の挙動は炭酸ナトリウムとほぼ変わりませんが、温度が低くてもよく反応が進みます。その他、色の移り変わりが若干ゆっくりになるので、より多くの色調の観察が可能です。色素は徐々に退色してしまうので、薄くなった場合には0.5%のインジゴカルミン溶液を数滴追加すると、しばらくの間反応をモニターできます。

pH～11.4　　pH13.0～

インジゴカルミンの変色
インジゴカルミン溶液のpHごとの色イメージ。11.4以下で青色、13.0以上で黄色、その中間は緑色～黄緑色のグラデーションとなる

Memo:

column ▶ 激しい火花を散らしながら燃えていく

発火石で作るシン・線香花火

text by POKA

オイルライターの着火に使われる「発火石」は、強烈な火花を発生させながら燃えるという特徴があります。これだけの火花を発生させられるのは、軽金属と酸化剤と混合した火薬類くらいですが、発火石は個体酸化剤を使うことなく、空気中の酸素のみで激しい燃焼を起こせる独特な素材です。そんな発火石の特徴を活かして、限界を突破した線香花火を作ってみます。

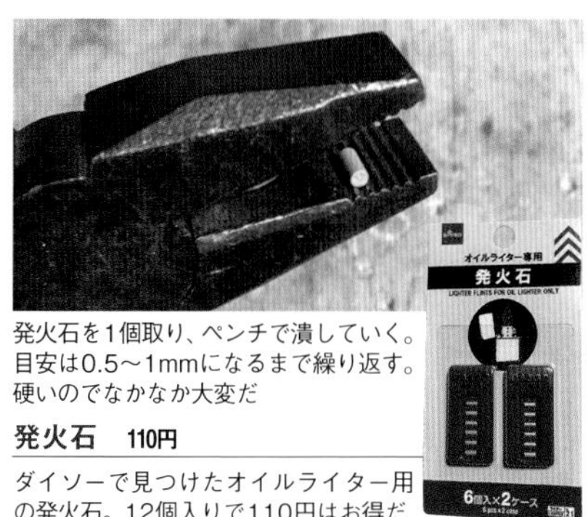

発火石を1個取り、ペンチで潰していく。目安は0.5〜1mmになるまで繰り返す。硬いのでなかなか大変だ

発火石　110円

ダイソーで見つけたオイルライター用の発火石。12個入りで110円はお得だ

発火石の成分とは？

発火石は鉄とセリウムの合金で、「フェロセリウム」と呼ばれているものです。セリウムはレアアースで希少金属ですが、オイルライターには直径2mm、長さ4mm程度の細い石が使われています。セリウムは150℃程度で発火する性質を持っていて、鉄と適度な合金となることで空気中で安定し、ライターの回転ヤスリを擦った際の摩擦で粉になると同時に、高温を得るように工夫されています。ヤスリで擦られた粉状のセリウムが、ヤスリとの摩擦・切削熱で発火し、成分中の鉄も一緒に燃やす…といった具合です。細かい粉が一瞬燃えただけで数千℃の高温を発生させて、ガスを発火させられるわけです。

発火石を粉砕する

発火石で線香花火を作るとなると、ライターのように削ることなく、単体で燃えるようにしなくてはいけません。そのままでは簡単に燃えないので、粒状にして表面積を高める必要があります。とはいえ、発火石は鉄との合金なので硬く、簡単には潰せません。身近なツールでやるなら、ペンチの根本の最もテコの力が掛かる部分で押し潰すように砕いていき、細かい粒にしていくのがベターでしょう。目安としては0.5〜1mmくらい。乳鉢で磨り潰してパウダー状にできると理想的ですが、途中で発火して全部燃えてしまったら最悪なのでやめておきました。

細かい粒になったフェロセリウムを、細長く切ったキッチンペーパーなどの上にまんべんなく広げ、こより状にねじって成形します。あとは、手で持っている部分まで火が回らないように上部だけ水で濡らせば、発火石製の「シン・線香花火」の完成です。フェロセリウムの粒は火薬ではないので爆発性はなく、単に激しく燃えるだけ。発火石は1個でもそこそこ派手に燃えてくれますが、数を増やせば簡単にパワーアップできます。

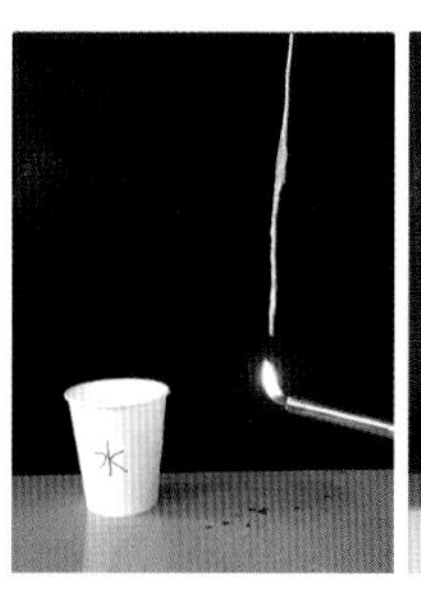

細長く切ったキッチンペーパーを縦に折って、砕いた発火石(フェロセリウムの粒)を均等に載せていく。こより状にねじり、持ち手の方に火が回らないように水で濡らせば、オリジナルの線香花火の完成だ。線香花火の限界を突破し、かなり激しく火花を散らして燃えていく※

Memo: ※フェロセリウムは粒が大きいと、着火して床などに落ちた時に、そのまま床上でしばらく燃えてしまう。コンクリートの上など、焦がしても問題のない場所で実験しよう。

ロマンのために超高精度加工に挑む!

爆誕! シン・フルメタルエグゾーストキャノン

超空気砲であるエグゾーストキャノンは、環状のゴムパッキンであるOリングや樹脂を組み合わせて製作するのが一般的だ。しかし、すべてのパーツを金属で作れないだろうか?

text by Liar K

「フルメタルエグゾーストキャノン」は、今日のキャノンメーカーたちの憧れ。製作難易度はかなり高いのですが、圧倒的な威力と強いロマンがそこにはあります。ゆえに、これまで多くのメイカーが開発に挑んできたものの、厳密にいえばそれらは“ほぼ”フルメタルでした。シーリングはOリングだったり、軽量化のため樹脂を用いている部品もあります。そこで、全パーツを金属で作る真の「フルメタル」製に挑みます。何のために…? ロマンのためです!

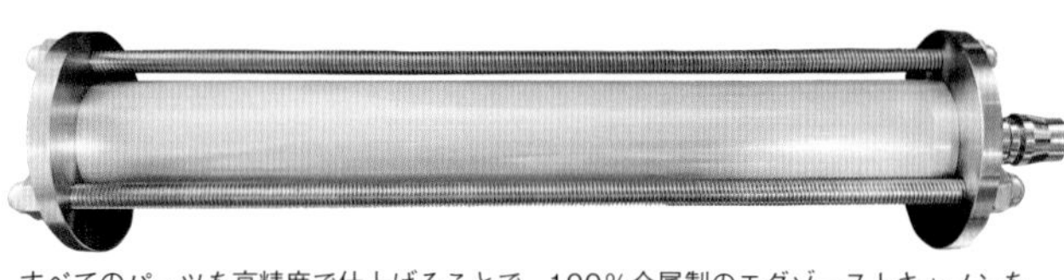

すべてのパーツを高精度で仕上げることで、100%金属製のエグゾーストキャノンを作ることに成功した。重厚感が半端ない

金属丸棒から部品を作る

既製品を使ってフルメタル化するのは難しいので、シリンダー以外の部品は金属丸棒から削り出して製作します。そのため、旋盤と各種バイトは必須。また、フルメタルキャノンは1μmの精度を狙う必要があるため、測定器を揃えなければ製作は困難を極めます。

今回のキャノンの全貌は図面の通り。同程度のサイズで製作する場合、それぞれメス側とオス側の寸法差を参考にして設計してみて下さい。試作しながらベストな寸法を割り出すのが近道だと思います。

ノズルとプラグの製作

シリンダーに挿入される部分のノズル外径は、シリンダー内径に対して−0.01mmの精度で製作。ノズルは中心穴にピストンが通るため、内径φ22.003mmで仕上げ、外径との同軸度の狂いは同軸加工を施してゼロにします。

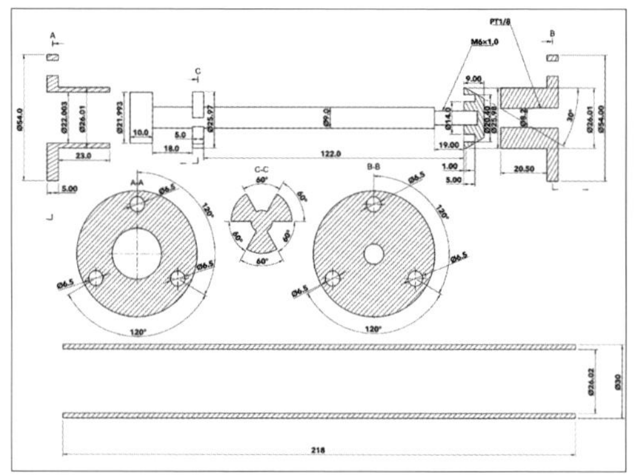

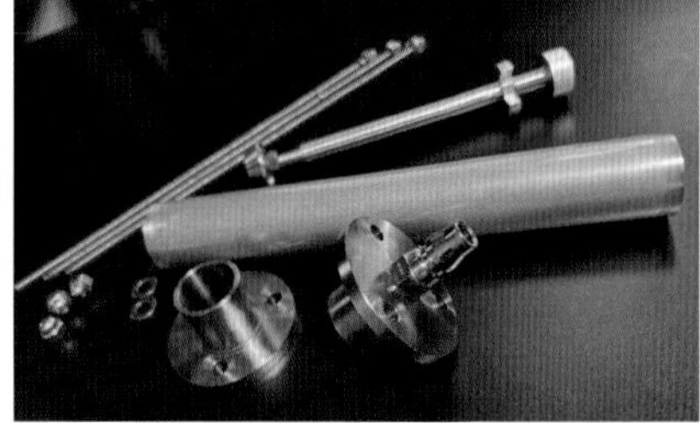

⬆ノズルとプラグの素材は「15-5PH」、ピストンは「A6061」「A7075」を使用。基本的にはすべて2017(アルミニウム合金のジュラルミン)で問題ないだろう

⬅フルメタルエグゾーストキャノンの図面。幾何公差については省略したが、すべて0を狙って製作したい

Memo:

シリンダーと接する面は平面度、面粗度を出すことでシール性を向上させます。そのため、ノズルとプラグの締結方法は、端面を押し付けるネジ支柱締め付けを採用しました。外径にボルト穴を設ける必要がなくなり、大口径に仕上げることも可能になります。ただし、パーツに大きな力が加わって変形しやすくなるというデメリットも。ピストンが通らなくなることもあるので、歪まない程度に締結する必要があります。

シリンダーは真円度が重要

シリンダーは内径φ26.02mmのシームレスのアルミパイプを使いました（真円度0.005mm）。金属はOリングやプラスチックのようにシリンダー内面になじんでくれないので、内径の真円度の狂いを0.01mm以内に抑えたパイプが適しています。

面粗度はRa1.6以内がベスト。両端は端面引きを行って平面出しをして、内径軸との直角度も出しています。これにより、ノズルとプラグの端面とビタッとくっ付くようになるのです。

ピストンは一体成形に

試行錯誤した結果、ピストンは一体成形で作るのが無難という結論に至りました。

ノズルシール側のピストンは、ノズルに対して−0.01mmに設計。テーパーによるシーリングも考えましたが、面でシールを効かせると密着し過ぎてピストンが動かなくなってしまうので、クリアランスによる調整でシーリングを行います。

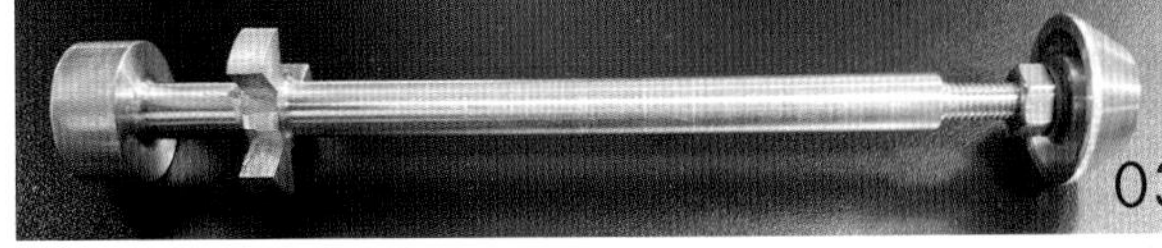

01：シームレスのアルミパイプは幾何公差の狂いも少なく、精度の高いものが多い。シリンダーゲージで精度を測定しよう　02：ノズルプラグからエアが漏れることは許されない。寸法・面粗度は特に慎重に　03：ピストンはバラバラに作ろうとすると、どうしても各パーツの芯にズレが生じて、組み立て時に調整を要してしまう　04：ピストン保持具の変形によって、保持具とシリンダが傷ついた　05：逆止弁。金属は樹脂やゴムと違って変形しにくいので、クリアランスのみで逆止効果も持たせるのは難しい

ピストン保持具もピストンとシリンダーの軸ズレをなくすため、精度が必要な部分です。今回はピストン保持具がストッパーを兼ねていますが、わずかな変形も許されず、0.8MPaでは圧力に押される変形により動作しなくなってしまいました。ストッパーは別に作った方がベターでしょう。

逆止ピストンの設計

逆止ピストンは、yasu氏の原案を元に製作しました。リップシールの機構を応用しています。外径はシリンダー内径に対して−0.04mmに仕上げていますが、それだけでは全くエアが流れず、メインピストンより前方にエアを充填することができません。そこでピストンの外側を薄肉でつなぐような形状にし、エアの圧力で変形して、わずかにすき間ができるようにしました。圧力がかからなくなると弾性で元の形状に戻り、エアを通さなくなります。メタルシール機構として完璧に動作していますね。

以上により、全パーツの完全フルメタル化に成功しました。機能面に関して特に優れているとはいえませんが、高精度に作ればゴムが不要になる点や、逆止機構は今後のキャノン製作に活かせる要素かもしれません。

エグゾーストキャノンの応用実験

ファイアキャノンへの道

ステンレス製のエグゾーストキャノンに燃料を仕込めば、ファイア化も可能だ。動画撮影の裏側として、安全に実現するための実験ノウハウをまとめた。

text by POKA

『アリエナイ工作事典』では、オールステンレス製のエグゾーストキャノンを作りました。加工難易度は高いものの、美しいビジュアルに仕上がる上、サビにくくてタフ。内側に筒を内蔵した二重筒式なので、ガソリンなどの燃料も入れられます。となれば試したいのが、火を吹くファイアキャノン化。どんな燃料が適しているのか、火種は何がベストなのか、ステンレス製エグゾーストキャノンをファイアキャノン化するためのノウハウをまとめました。

燃料の選び方

燃料にはガソリンや灯油などさまざまな選択肢がありますが、よく燃えればいいというわけでもなく、扱いやすさや残量物の有無など、精査すべき点がいくつかあります。1つずつ見ていきましょう。

❶レギュラーガソリン

定番の燃料といえば、クルマのレギュラーガソリン。「赤ガス」とも呼ばれています。安価で着火性も良好ですが、近年の放火事件などから、燃料缶で買いにくくなっています。また、クルマの燃料として改善用の添加物が大量に含まれており、ファイアキャノン用の燃料としてはあまり好ましくありません。燃料缶に長期間保存すると劣化して、いわゆる腐ったガソリンとなり、有機酸などが生じて有毒性が増します。それに、ガソリン成分が揮発した後にガム分と呼ばれる残粘性物質が残ってしまうのも厄介です。

❷ホワイトガソリン

レギュラーガソリンが「赤ガス」なら、こちらは「白ガス」。ナフサ、石油エーテル、ベンジンなどとも呼ばれていて、キャンプ用燃料や洗浄用溶剤に使われています。燃えやすいという点においてはレギュラーガソリンと同じですが、ホワイトガソリンは揮発成分のみなので、乾かした後にガム分が残りません。乾燥しやすく後始末が容易なのも良いところ。クリーンな燃料なのです。ただし、価格はレギュラーガソリンの5～10倍程度なので、大量に使うにはコスパ

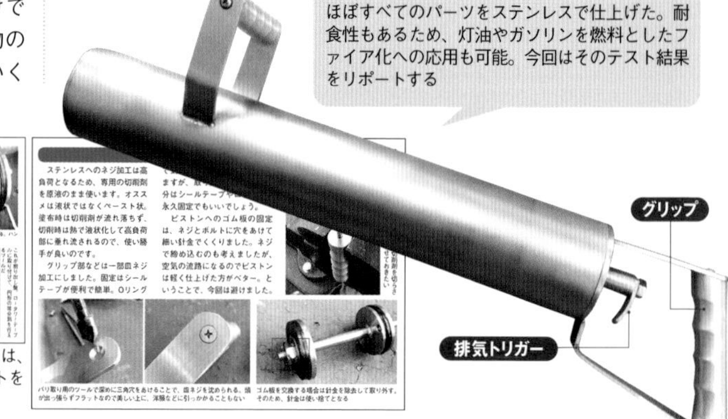

ほぼすべてのパーツをステンレスで仕上げた。耐食性もあるため、灯油やガソリンを燃料としたファイア化への応用も可能。今回はそのテスト結果をリポートする

ステンレス製エグゾーストキャノンは、『アリエナイ工作事典』にて製作のポイントを解説した

Memo:

ステンレス製エグゾーストキャノンは、トリガーを引くことで燃料が発射される仕組み。なお、このグリップはアルミ製。波打つ形状なのでしっかり握りやすい

鉄を溶接して保管時用の台座も作った。ただし、燃料が入った状態でこのように置くと漏れてしまう。燃料を入れたら発射口を上にすること

の面で不利。また、レギュラーガソリンと同じく金属製の缶で保管します。

❸アルコール

一般的に調達しやすいのは、エタノール、メタノール、イソプロピルアルコールですが、後者2つは炎が目視しづらいので、ファイアキャノンで使うならエタノールが候補になるでしょう。しかし、そもそもアルコールは発熱量が少なく、不完全燃焼に伴う炭素の放出も少ないので、炎噴出時のインパクトはどうしても弱くなってしまいます。また、アルコールは大量に購入できないため、コスパもイマイチです。水で消火できるのは、ガソリンや灯油にはない大きなメリットなのですが。

ちなみに、メタノールは炎がほとんど見えませんが、炎色反応を示す化合物（ホウ酸や銅化合物）を溶かし込んで、色付きのファイアを放出するという方法もあります。この手の化合物は一般的にサビを呼ぶのですが、ステンレス製のキャノンなら問題なし。使い終わった後はしっかり水洗いをして、残った燃料を洗い流せばOKです。

❹合成灯油

その昔、「エコ灯油」という名前で売られていました。ニオイはほとんどなく、ファイアキャノン用燃料としては理想的です。ただし、価格がやや高いのと、近年は取り扱いがなくなったようで調達が難しくなっています。

❺灯油

ストーブの燃料として使われる灯油。レギュラーガソリンよりも安く、ポリ容器で保存できる手軽さが◎。ガソリンはちょっとした火種があると派手に燃え上がってしまいますが、灯油は簡単には燃え上がらないので、取り扱いの面でも安心です。かといって引火に苦労するのかというとそうではなく、エグゾーストキャノンのような強力な噴射で細かいミスト状になった時に派手に燃えます。つまり、エグゾーストキャノンをファイア化するには理想的な燃料といえるでしょう。欠点は、臭いことと、揮発性が悪くてキャノン内部に灯油が残ると洗浄に一苦労することくらいです。ということで、今回の実験では灯油を使用します。

火種の工夫

ファイアキャノンでは、強い火種を用意したいところ。ガスバーナーのような弱い火種を用いた場合、ガソリンや灯油を高圧で噴射すると、その勢いで吹き消されてしまうことがあります。燃えやすいガソリンであっても、燃え広がるよりも先に火を吹き消してしまうのです。そこで、灯油を染み込ませたガラス繊維やアラミド繊維の布地が理想。サスマタ形状に加工した鉄棒に巻き付けて用意しておきます。

安全対策は必須

ファイアキャノンの実験において、安全対策は必須。広大な私有地や許可された管理区で行うことは大前提で、仮に炎が燃え広がった場合と、自分に火が燃え移った場合に備えて準備しておきましょう。

エグゾーストキャノンにエアと灯油を注入し、鉄棒に巻き付けた火種に向けて噴射！　ミスト状に灯油が拡散し巨大な炎が一瞬で出来上がり、すぐに消えた。ちなみに、この実験場所はYouTube動画でもおなじみの許可を得ている採石場だ

灯油の燃焼は初期段階なら叩き消すこともできるので、そういう意味でも燃料には灯油が理想なのです。そして、消火器も用意しておくこと。中の薬剤はいくつか種類があり、粉末タイプだと粉まみれになって後片付けに苦労するので、炭酸ガスのものを選んで下さい。

ちなみに、ガソリンの燃焼は大変強く、空気を完全に遮断して窒息消火する必要があります。手っ取り早い方法としては、水を染み込ませた毛布を火に被せるというのが一般的です。何かガソリンを使った実験をしたり、事故が起きた場合に備えて覚えておいて下さい。

発射の下準備

燃料を注入してからエアを注入するのは難しいので、先にエアを入れておきます。エアはそのタイミングで使える空気ポンプやコンプレッサーなどの能力限界値まで入れておいて下さい。通常は0.8MPa程度になるでしょう。この時に注入圧力が不足していると燃料のミスト化が不十分になり、燃え残ったり燃えたまま炎が降ってきたりして大変危険です。強めのパワーで噴射して全量をミスト化し、空中で完全燃焼させるのが理想。ミスト状態でうまく火がつけば、燃焼による強力な上昇気流でファイアボールは立ち上っていきます。

続いて、具体的な燃料の注入方法について。二重筒式のエグゾーストキャノンは噴射口までの距離が近いので、燃料が垂れて手に付着しないように気を付けたいところです。満タンまで入れるとあふれ出してしまうので、70％くらいがいいでしょう。また、傾けると燃料があふれてしまうので、台座などを用意して常に噴射口が上になるように置いておきます。横撃ちで発射する場合は、燃料があふれないように、ゴム栓やラップなどで噴射口を覆っておくなどの対策が必要です。

ファイア発射テスト

火種と離れ過ぎると着火に失敗してしまい、近過ぎると噴射の勢いで火が消えてしまう可能性があるため、火種から1m前後の距離が目安になります。エグゾーストキャノンを動作させて燃料を噴射すると、瞬間的に5m程度のファイアボールが出現！　すぐに消えてしまいましたが、まさに究極のロマン武器といったところ…。

噴射後、エグゾーストキャノンをチェックしてみると、結構な割合で燃料が残りました。灯油を使っている分には火が戻って燃えることはほとんど起こりませんが、もしガソリンを使った場合はキャノン先端が燃えている場合があります。その時は落ち着いて、濡れた毛布などを被せて適切に消火しましょう。

なお、残った燃料はキャノン内部まで入り込む場合があるので、パーツクリーナーなどで洗浄してしっかり乾かして下さい。

Memo:

新型エグゾーストキャノン ファイアガゼット【試作機】

消火器をベースとした初代ファイアガゼットは約20mもの炎が燃え上がった。スキューバダイビング用の空気タンクを使うことで大容量化した、今回の試作機の性能はいかほどか…!?

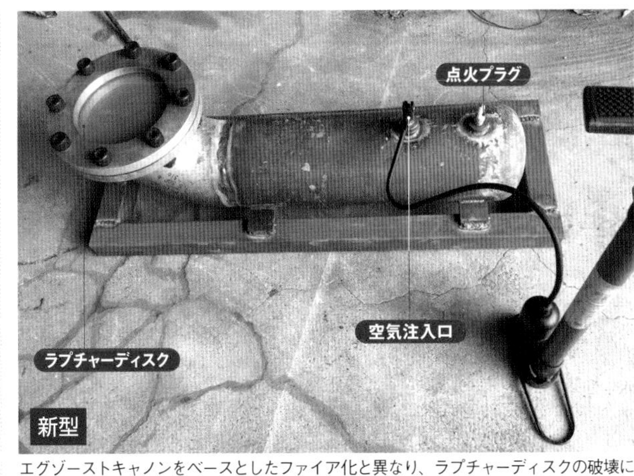

エグゾーストキャノンをベースとしたファイア化と異なり、ラプチャーディスクの破壊によって動作する。そのため、大変強力で立ち上がりがスピーディーな放出が可能となる

『アリエナイ理科ノ大事典Ⅱ』で披露した「エグゾーストキャノン ファイアガゼット」。特撮レベルの約20mの巨大炎を噴出する、据え置き型です。消火器をベースに作りましたが、現在、スキューバダイビング用の空気タンクを使った新型を試作中です。さらなる大出力を実現できるハズ…。ということで、製作ポイントを解説していきましょう。

燃料の種類

液体ではなくガスを使い、プロパンやブタンなどの化石燃料が候補になります※。プロパンの場合は24倍量の空気が必要になるので、圧力メーターで計量してチャンバーに注入。圧力メーターは、通常ブルドン計を使う場合が多いです。高い圧力方向はそこそこ精度が出ますが、低い圧力側は精度が怪しめ。プロパンの目盛り位置と空気の目盛り位置は、経験則的に最適な場所を確認しておくとベターでしょう。目安は、0.02〜0.03MPaに対して空気を0.6MPa入れます。基本的に爆発限界に入っていればOKなので、厳密性は要求されません。

ラプチャーディスク

新型ファイアガゼットはコスパの良さが利点なので、ラプチャー素材は安ければ安いほど良いといえます。コスパと強度を考えた結果、高強度のポリプロピレン板に行き着きました。ラプチャーディスクを装着して加圧すると、凸レンズのように膨らんでいきます。なかなか恐ろしい光景です（笑）。この膜が破壊されると、燃料の燃焼を伴わなくとも凄まじい爆音が発生します。試験的にエアーコンプレッサーの最大圧力を加えて、ラプチャーディスクが破壊されないことを確認しておくといいでしょう。

点火方法とメンテナンス性

クルマの点火プラグで点火するのが確実です。ファイアガゼットのパワーは相当に強力ですが、燃焼圧力はエンジンの爆発燃焼に比べると低いので、スパークプラグでも十分な強度を確保できます。

ラプチャー式のファイアガゼットはスパークプラグが煤で導通（＝カブる）するようなことがなく、燃料混合比が適切であれば確実に動作するシステムです。エグゾーストキャノンのようなメカニカルな機構ではないため、動作信頼性は高いといえます。スパークプラグに火花が飛ぶように正しくメンテナンスしておけば、トラブルはほとんど起こらないでしょう。発射後は、スパークプラグを抜いて清掃し、よく乾かしておけば大丈夫です。

さて、この新型ファイアガゼットはどれほどの炎を排出できるのか。続報をお楽しみに！

※化石燃料以外には「純酸素」や電気分解により発生する「酸素・水素燃料」もいいだろう。純酸素は5倍のパワーが期待できる。また、酸素・水素燃料は発熱量や燃焼速度が非常に優秀だ。

自転車用空気入れで作るスイカ割り用玩具

ジェネリック・ワスプナイフ見参!

対サメ用に設計されたという、高圧ガス内蔵のロマン武器が「ワスプナイフ」。CO2ボンベと3Dプリンターで簡易版を自作して、サメ退治の代わりにスイカ割りをしてみたヨ。

text by エメツ

WaspKnife　https://www.waspknife.com/

かつてダイバーやハンター向けに販売されていた、WaspKnifeの「ワスプ・インジェクションナイフ」。海外の武器マニアなどが多数の検証動画をアップしている。反りの辺りに穴があいていて、ここからCO_2ガスが射出する仕組みと分かる。なお、価格は500ドル程度だった模様

（GY6vids／YouTube）

主な材料

- CO_2ボンベ(ボタン式)
- アルミ板
- 細いパイプ
- 金属用接着剤

Memo:

STEP01 高圧ガス注入コアを作る

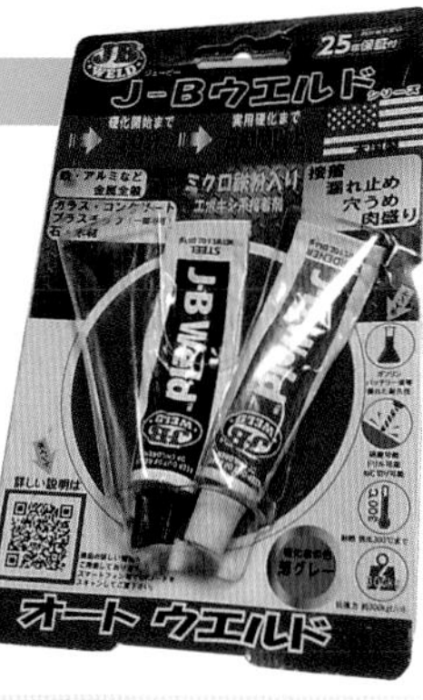

◀自転車に空気を入れるCO₂ボンベ。イッキにガスを解放できるよう、ダイヤルではなくレバーやボタン式のものを選ぼう

▶少々値が張っても、金属用で耐久性が高い接着剤を使う。ここでは、工作の世界では定番であるエポキシ系の「J-Bオートウエルド」を使用した

CO_2ボンベの加工。自転車バルブとの接続部は不要なのでカットする。また、ガスを射出するためのパイプ用の穴をあける。加工時に切り粉が内部に入らないよう、丁寧に作業しよう

設けた穴にパイプを入れて接着する

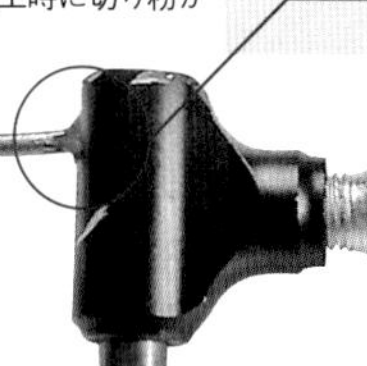

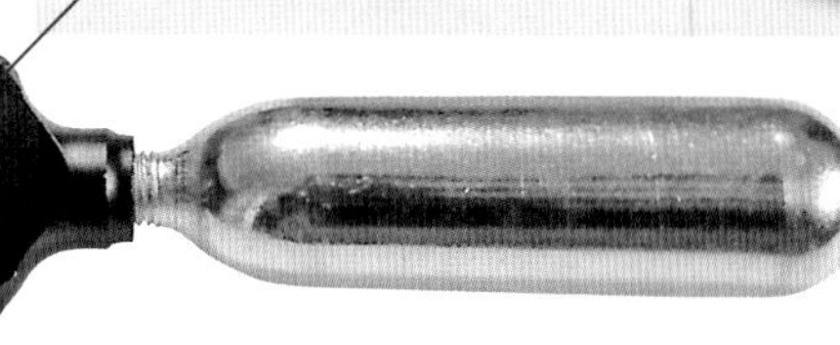

注入コア全体図

CO_2ボンベを装着するとこんな感じ。ガスの注入機能はこの部品だけで完結している。CO_2ボンベの入れ替えを考慮し、できるだけシンプルな仕組みとした

海水浴やダイビング中に襲ってきたサメと戦うこと、よくありますよね。そういったタフな状況のために開発されたのが、「ワスプ・インジェクションナイフ（WASP Injection Knife）」。見た目は普通のナイフですが、グリップには小型の二酸化炭素ボンベが仕込まれており、刺した対象に高圧ガスを一気に注入して内部から冷却破壊するという恐ろしい装置です。

公式には水中でサメにCO_2ガスを注入し、浮かせて行動不能にする…との触れ込みですが、YouTubeで見つかる使用例はスイカやトマトなどを爆散させる動画がほとんど。実際のスペックに謎なところはあるものの、刃物から高圧ガスを噴射することを禁じる法律は存在しないため、今のところ日本国内でも所持は可能なはず…！　ロマン武器であるこのナイフをぜひとも欲しいと思いましたが、残念ながら開発メーカーは既に販売を終了しているようです。よって、身近な高圧パーツなどを流用して自作してみることにしました。

注入コアの製作

今回の工作では高圧の二酸化炭素ボンベを扱うため、バルブなどを完全自作するのは非常に困難です。そのため、ガスルートには自転車用の空気入れである、いわゆるCO_2ボンベを流用します。CO_2ボンベの内部構造を大体確認したら、機能を殺さないようにしつつ外装に収まるよう適当に切断。本家のワスプ

STEP02 ブレードと外装の製作

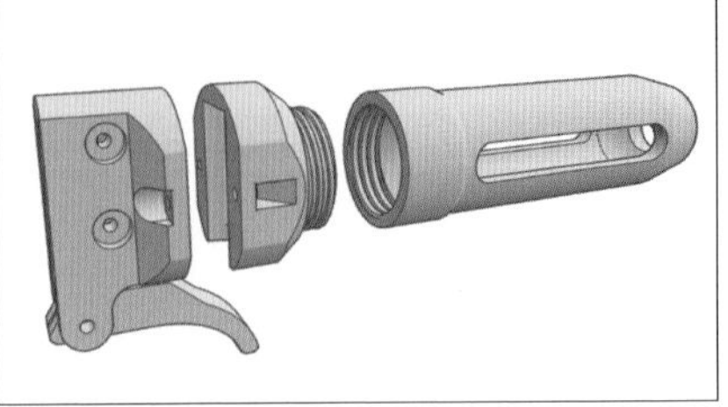

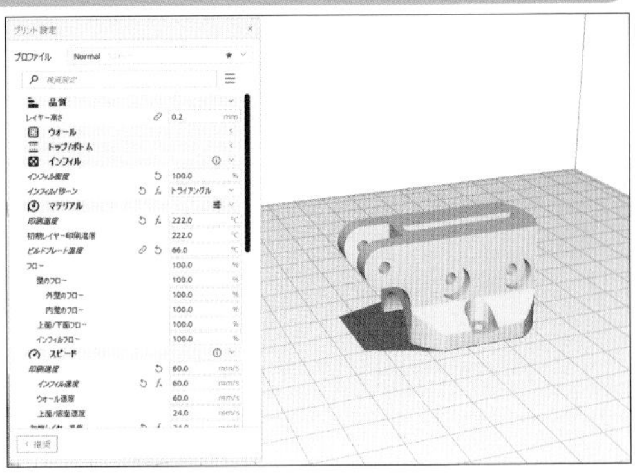

3Dモデリングソフトの「Tinkercad」で、フレームデータを作る。あとはこれを3Dプリンターで出力するのだが、積層方向や各種設定には工夫が必要だ。インフィル密度は100%、ノズル温度は222℃、プリントベッド温度は66℃、プリント速度は60mm/s…などとした

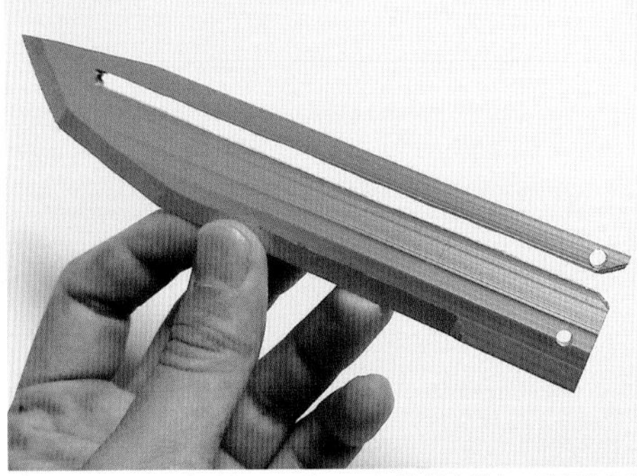

ブレードはアルミ板を加工。ガスパイプを通す溝と、固定用の穴を設ける。あとは、刃先や切っ先をそれっぽく整える

パーツがすべて揃ったら組み立てて、ジェネリック・ワスプナイフの完成だ。高圧ガスが流れるのは注入コア内だけなので、外装の強度はそこそこで大丈夫

ナイフでは刀身内部に長い穴をあけていますが、加工難易度が高いので細いパイプを刀身に埋め込むことにします。

バルブと干渉しない位置に穴をあけて細いパイプを挿し込み、金属用接着剤で固定・密封。本来、自転車のバルブと接続するノズルも埋めてしまいましょう。可動部分に接着剤が付着すると動作不良や破裂の原因になり危険なので、接着剤が固まってもいきなりCO_2ボンベを接続せずに、水やエアダスターなどでバルブの作動を確認して下さい。接着試験が終了したら、ガスの注入機構は完成です。

ブレード・外装

お好みの鋼材を切り出し、ガスパイプを収める溝と固定用の穴を設けて好きな形に成形します。今回は諸事情からブレードにアルミを使用していますが、刃物鋼材でも十分に加工可能でしょう。ブレードの加工が済んだら、注入コアと一緒にフレームに組み込みます。

このフレームは、家庭用3Dプリンター「ANYCUBIC Mega S」で出力しました。使用材料はPAなので強度に不安が残りますが、インフィル（内部の充填密度）を100%にして積層方向も考慮すれば刺突するのに十分な強度を確保できます。ノズル温度は222℃、プリントベッド温度は66℃、プリント速度は60 mm/sで1部品ずつ分けて造形。全部で3つの部品からなり、すべてプリントするには合計で7時間ほどかかりました。なお、注入ボタンが押しにくかったので、トリガー状のレバーも付けています。これでひと通りの部

Memo:

STEP03 スイカ割り試技

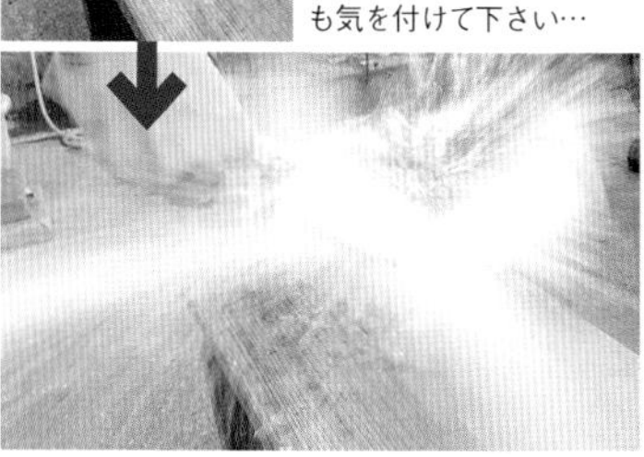

⬅追加実験としてペットボトルに突き刺し、トリガーを引くと…。水がド派手に爆散した。外で実験する場合、私有地など許可を得た場所じゃないと、メンドウなことになりそうなので、くれぐれも気を付けて下さい…

⬆ジェネリック・ワスプナイフをスイカにぶっ刺したら、思い切りトリガーを引く。高圧ガスがイッキに噴射され、スイカは内部から破壊するように割れた。もちろんこの後、スタッフがおいしくいただいた

品が揃いました。ブレードと組み合わせたら完成です。

スイカ割り試技

CO_2ボンベをセットしたグリップをネジ込んだら装填完了。海外の動画と同じようにスイカを標的にして、その威力を試してみましょう。ガスパイプの先端がスイカの中心に来るようにブレードを突き刺し、思いっきりトリガーを引くと…高圧ガスが勢いよく噴射され、スイカを内部から引き裂きました。完全に真っ二つとはいきませんでしたが、無残に割れて皮一枚でつながっている感じです。

使用した後のCO_2ボンベは非常に低温になり、バルブも凍ったためトリガーを戻してもしばらくガス漏れが続きます。触れなければ大丈夫ですが、密室では窒息の恐れがあるため、くれぐれも気を付けて下さい。換気しながら実験しましょう。

まとめ

自転車用のCO_2ボンベを流用することで、いつでも高圧ガスを注入できるジェネリック・ワスプナイフが出来上がりました。今回はブレードをCO_2ボンベのサイズに合わせたため幅広となりましたが、細身にすれば刺し傷からガスが逃げづらくなるためより破壊力が増すと考えられます。

なお、このワスプナイフの製作に挑戦する場合は、ブレードの形状や所持・携帯について銃刀法などをよく調べて理解してからにしましょう。そして実験は、必ず私有地で行って下さい。また、海水浴はなるべくサメのいない地域を選びましょう。

指の動きで動作する暗殺用武器を再現!

合法アサシンブレード

指輪を引くとブレードがシャキーンと飛び出す、暗殺者御用達の武器が「アサシンブレード」。3Dプリンターで機構を再現しつつ、銃刀法に配慮した合法バージョンを作ってみよう。 text by エメツ

「アサシンブレード」とは、UBIソフトの人気ゲーム『アサシンクリード』シリーズに登場する仕込みナイフです。指輪につなげた紐を引くと前腕に装着した籠手から刃が飛び出し、仕事が終わったらもう1度紐を引くだけで刃がシャッと収納される…。というように、通常の飛び出しナイフと異なり刃を押し戻す必要がなく、手首の動きだけで刃を出し入れできるのが特徴の暗器です。必要最低限の動きで刃を振るい任務を遂行するアサシン…憧れますよね。そんなアサシンブレードを現実世界で再現してみよう!というのが、今回の記事です。

では早速…と製作を始めたいところですが、その前に法律を考慮しなければなりません。ブレード部分を金属で作ると、銃刀法などで飛び出しナイフに該当するため違法となり、そして容易に金属ブレードに換装できるような構造も違法となる可能性があるのです。ゆえに、今回の製作では3Dプリンターを用いてブレードを含むほとんどの部品をプラチック製にするとともに、金属製ブレードへの換装が困難な設計にしてあります。

また、今回紹介するのは薬指を切断する必要のないタイプなので、この記事を参考に自作する際は、どうか早まらないようお願い申し上げます。

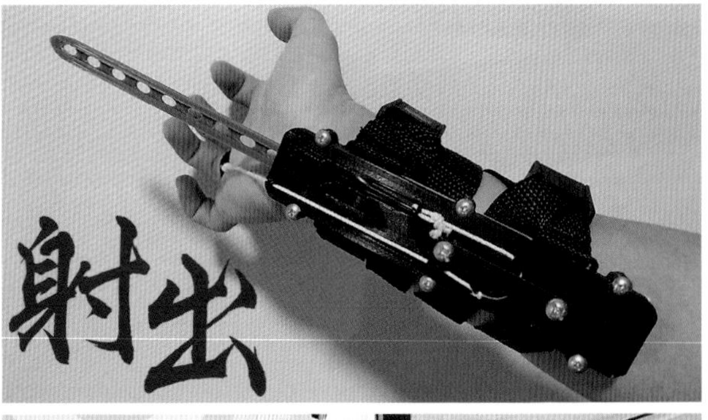

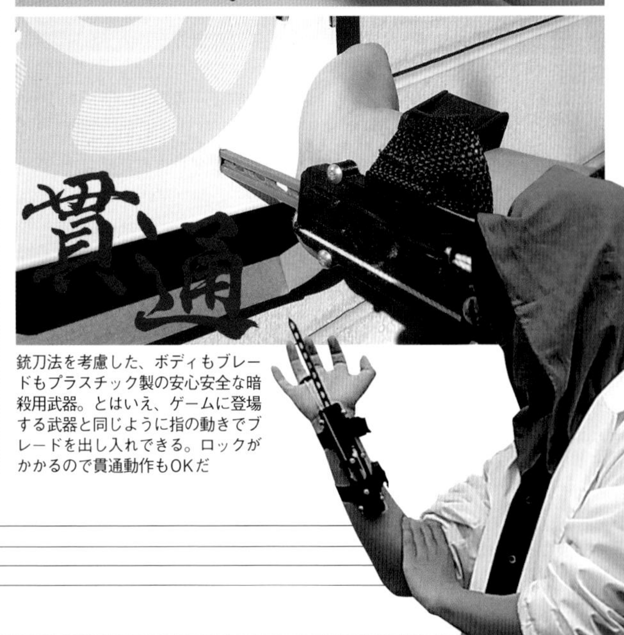

銃刀法を考慮した、ボディもブレードもプラスチック製の安心安全な暗殺用武器。とはいえ、ゲームに登場する武器と同じように指の動きでブレードを出し入れできる。ロックがかかるので貫通動作もOKだ

展開・収納の動作原理

原作通りの動作が可能なアサシンブレードを再現するには、マジックハンドやラックアンド

Memo:

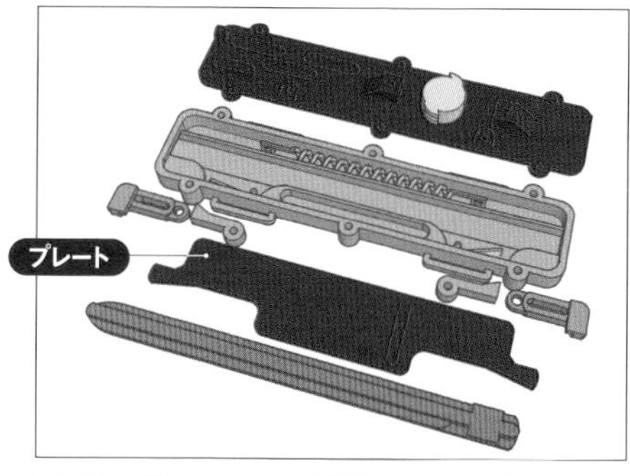

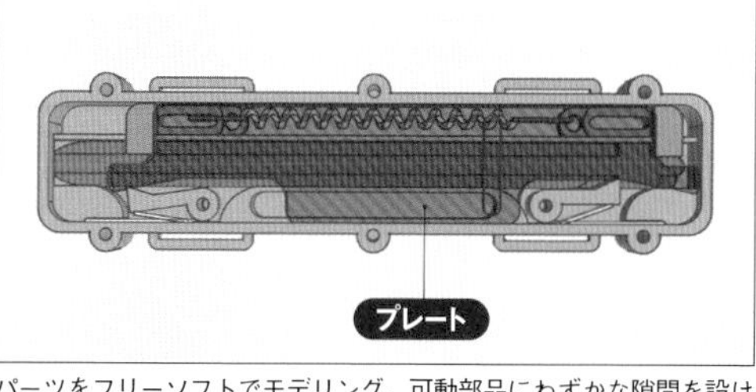

パーツをフリーソフトでモデリング。可動部品にわずかな隙間を設けたり、角を丸くするなどの工夫を施している。上は、パーツを収めたところのイメージ(プレートを透過)

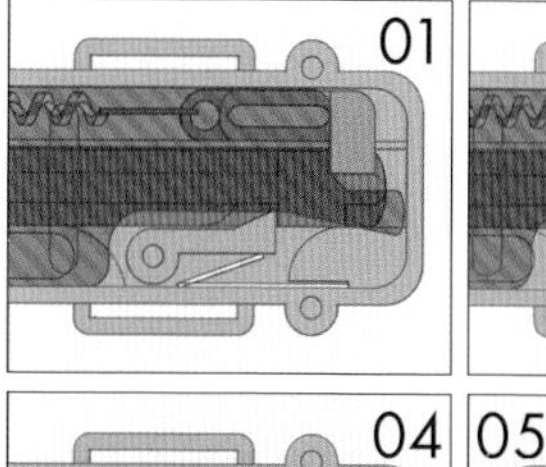

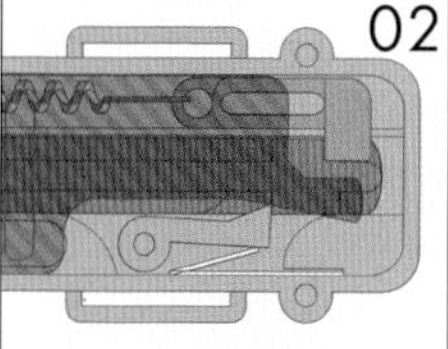

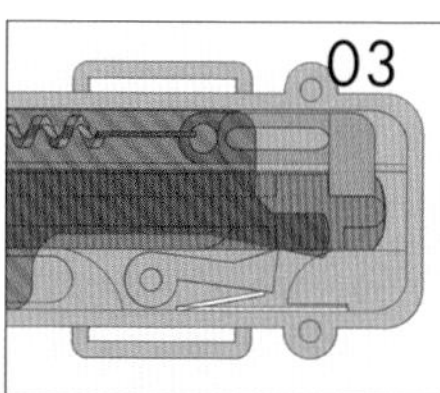

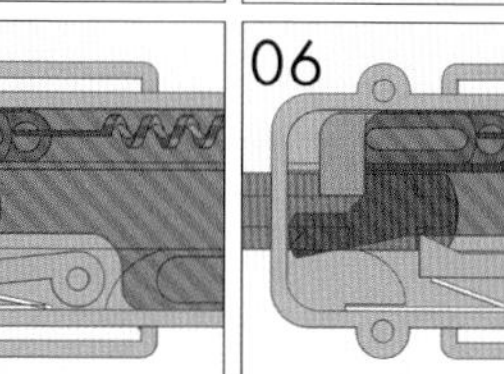

ブレード発射の仕組み

01：初期状態。オレンジのブレードは、水色のトリガーと灰色のスライダーに挟まれている。トリガーには、白い板バネのテンションがかかっている　02：プレートを動かすと、反対側のスライダーが押されて黄色のバネが伸び、射出の動力となる　03：プレートの傾斜に押されて、トリガーが解放される　04：スライダーに押されてブレードが加速し、そのまま慣性力で飛び出す　05：射出側の様子　06：飛び出したブレードが反対側のスライダーで止まり、ロックがかかる

ピニオンなどいくつかありますが、今回は最も広く普及している（と思われる）バネと慣性でブレードを出し入れするOTF機構を採用することにしました。なお、このOTFとはOut The Frontの略で、スイッチを押すと柄から刃が垂直に飛び出すナイフを指します。銃刀法の関係から日本での所持はNGですが、刃ではなく櫛を備えたものならネット通販で入手可能です。

ブレードを収納した状態の装置の全体図と、ブレードが飛び出す動きの詳細は図版をご確認下さい。指輪を引くとプレートが動き、バネにテンションがかかり、スライダーが押されてバネが伸び、トリガーが解放されてブレードが射出に至る…といった仕組みです。また、収納時にはプレートを逆に動かします。以上の機構により、プレートを数cmほど前後させることで、ブレードの展開と収納をコントロールできるようにしました。ちなみに今回は、突起の付いた円盤を回転させてプレートを操作しています。

設計のポイント

このアサシンブレードはさまざまなパーツと連動して動くため、適当に作るとまともに動くまで無限にヤスリをかけ続けることになります。今回は3Dプリンターで製作するため、可動部品に0.数mmのクリアランスを設けたり鋭角部分を丸めて角のふくらみを防ぐなどの設定をして、ヤスリがけの手間を大幅に軽減するとともに、何度も分解して調整できるように接着剤を使わずネジで固定する設計にしました。また、腕に固定する際にケースが歪むと動作不良につながるので、強度に余裕を持たせて作るなど、装着方法も工夫が必要です。

パーツの組み立て

ということでモデリングしたデータを3Dプリントしたら、組み立てていきます。内部にはバ

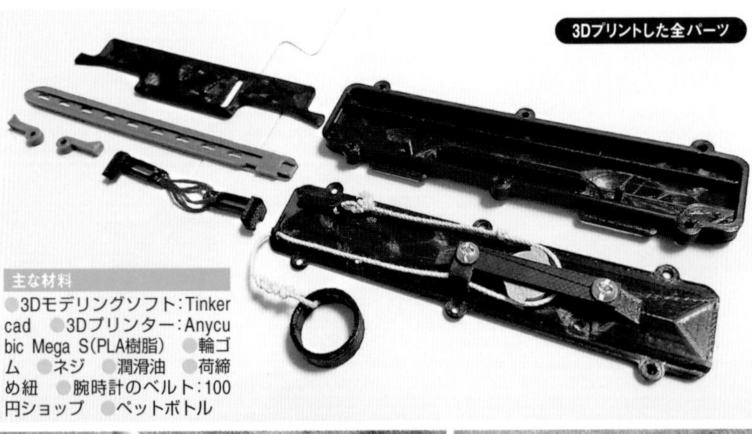

すべてのパーツは10点ほどと、それほど多くない。それらが連動して動作するギミックがポイントだ。主なパーツは3Dプリンターで出力し、あとは100均を利用するなど身近なアイテムを使っている

動作をニコニコ動画でチェック

主な材料

●3Dモデリングソフト：Tinkercad ●3Dプリンター：Anycubic Mega S（PLA樹脂） ●輪ゴム ●ネジ ●潤滑油 ●荷締め紐 ●腕時計のベルト：100円ショップ ●ペットボトル

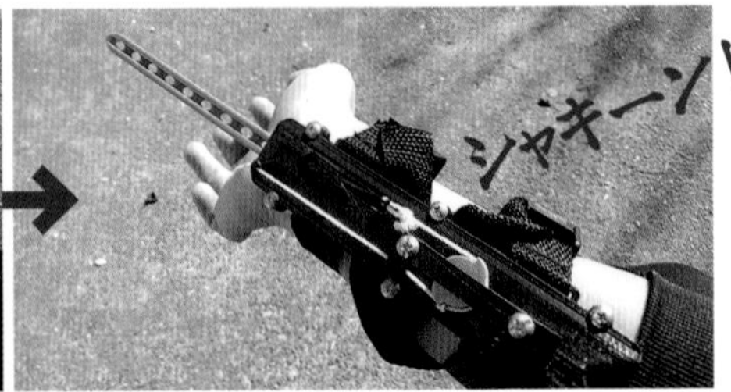

腕に装着し、指にはめた指輪を引くとブレードが飛び出す。再度、指輪を引くと収納される。ロマン武器の完成である！

ネのテンションがかかった部品が複数存在するため、弾け飛ばないように慎重に。バネは消耗品かつ張力が動作性に大きく影響するので、ブレードの射出バネには輪ゴム、トリガーのバネにはペットボトルを小さく切ったものといったように、入手しやすく調節の容易なもの採用しました。スライドパーツを組み込んで適当な潤滑油を塗布したら、カバーをネジ止めし、100円ショップの荷締め紐や腕時計のベルトを通して完成です。

腕に装着して試用テスト

腕にしっかりと固定したら準備完了。指輪を引くと…、ブレードが勢いよく飛び出してきました！　ブレードにはしっかりとロックがかかっており、プラスチック製の刃でも段ボールくらいなら突き刺せます。事が済んだらもう1度指輪を引くと、ブレードがケースにスッと吸い込まれました。どの方向に向けても問題なくブレードを展開・収納できます。完璧に動作している…!!　実際の動作を確認できる動画を用意したので、そちらも併せてチェックして下さい。

まとめ

原作通りに動作しつつも、銃刀法をクリアした安全な（!?）アサシンブレードを作成できました。この方式は慣性でブレードを展開するため信頼性は高くありませんが、構造がシンプルなため動作原理を理解さえすればベニヤ板などでも作れます。アサシンブレードの英語名である「hidden blade」でWeb検索すると詳しい製作方法を紹介した動画が多数ヒットします。これらも参考にしつつ、皆さんも自分だけのアサシンブレードを作って、ガチャガチャしながらニヤニヤしましょう！

なお、繰り返しにはなりますが、アサシンブレードの製作は一歩間違えれば触法行為となります。「真実は無く、許されぬことなど無い」のはゲームの中だけのハナシなので、くれぐれも良識を持って武器製作を楽しんで下さいね。

Memo:

味覚をハックして料理を制する

オイシイは科学!

12ページからの「罰ゲーム汁の科学」では、ヒドい味の研究成果をリポートしたが、ここでは味覚自体にフォーカス。おいしさをどのように感じるのかが分かれば、より研究が進む…。 text by くられ

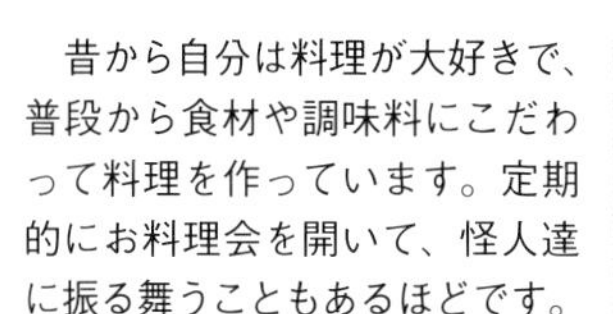

昔から自分は料理が大好きで、普段から食材や調味料にこだわって料理を作っています。定期的にお料理会を開いて、怪人達に振る舞うこともあるほどです。

科学技術を駆使した料理は、「分子ガストロノミー」などと御大層な名前を付けられ、海外ではワンランク上の料理のようにもてはやされ、ミシュランに紹介されたレストランは1年先まで予約が埋まっているとか…。

科学で料理をハックするためには科学的に料理…、いやそれを味わう我々の生理学にまで知見を広げる必要があります。というわけで、ここではおいしいの前段階である「味覚」にフォーカスしてみましょう。

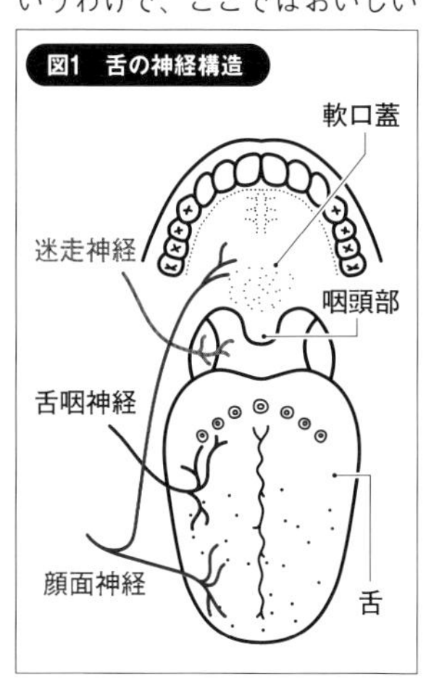

図1 舌の神経構造

「おいしい」って何だろう?

そもそも「おいしい」とは、何でしょう? また「味」とは何でしょう? 味とは、食物に含まれる水溶性成分が口腔内にある味蕾（みらい）に入り、それぞれの物質が受容体によって処理されるメカニズムです。味蕾には数十の味細胞（みさいぼう）があり、現在ではそれらが大きく4つに分類されています。いわゆる五基本味の4つです。味蕾は舌だけでなく、軟口蓋や喉頭蓋にもあり、これらはビールや蕎麦の“のどごしのウマさ”なんてものにも関係しています。つまり、味は舌だけでなく口腔内全体で感じているわけです。こうした受容体には、いまだに発見されていないものもあり、いずれは五基本味も6つや7つに増える可能性があります。

ともあれ、味蕾に入った物質は受容体で電気刺激に変換され、感覚神経を刺激し、脳に情報が伝送されます。舌先は鼓索神経という顔面神経系でつながっており、舌根は舌咽神経、咽頭喉頭蓋は上喉頭神経（迷走神経系）と、味覚は3種類の経路で脳に入るため、それぞれ処理のされ方に差があります【図1】。ざる蕎麦などはぶっちゃけ味はしないのですが、「なんか知らんけどおいしい…」というのは、喉頭蓋で複合的にうま味を感じていると考えられています。ビールも苦いはずですが、のどごしがおいしいから好まれるのです。ちなみに、カレーがおいしいのは口腔内ほぼすべての受容体をフルに刺激するから。これを考えの起点すると、「最高においしいカレー」につながってくるわけです。

それぞれ異なる受容体の構造

味細胞の受容体は五基本味で、構造が異なります。図2にあるように5つの基本味は、「Gタンパク質共役型受容体」と「イオンチャネル型受容体」に分けられます。Gタンパク質共役型受容体（GPCR）は、細胞の表面の膜（細胞膜）を縫うように配置されたタンパク質で、その細胞から出っ張った部分で特定の物質のみを引っかけて、その刺激を細胞内に感受するのです。

イオンチャネル型はもっと単純で、ナトリウムイオンを感じ

図2　味覚受容体の構造（化学受容の科学（化学同人）5章参照）

Gタンパク質共役型受容体			イオンチャネル型受容体			
甘味	うま味	苦味	塩味		酸味	
T1R2/T1R3	T1R1/T1R3	T2Rs	ENaC	TRPV1	PKDs	ASICs
			Na^+（アミロライド）	Na^+	cation H^+	cation H^+

細胞膜

ギムネマ
（キョウチクトウ科ホウライアオカズラ）

ると「あ、塩気来てるわー」と塩味を感受し、さらにカリウムやマグネシウム、まさかのアンモニウムイオンまで感受することが知られています。酸味は、指標である水素イオンが来たら即反応…と、さらに単純です。

これらの受容体の働きを知れば、ハックも可能。苦みや辛み、そしてとにかく不快なマズさを極めた味を錬成することができます。それが罰ゲーム汁なわけですが…。詳しくは本誌12ページからの「罰ゲーム汁の科学」を読んでいただくとして、ここでは「マズ味」について少し補足しておきましょう。

マズさとは、別の受容体を複合的に攻めることで得られます。カレーのおいしさは多種多様な受容体を刺激して、なおかつ脂味やのどごしまで総合的に凄まじい情報量で「おいしい」と強制的に感じさせる味覚のハックに近いものです。つまり、その逆をいくものを考えていくと…それは腐敗物です。

苦みは警告的な指標ですが、本当の腐敗物にはアミンなどが含まれており、それが最悪な味を醸し出します。しかし、アミンの類いは基本的に毒であり、発がん性があるためさすがに食べ物には入れられません。無害で最強最悪にまずいものを作るためには、塩味受容体を攻める必要があります。塩味受容体は多種多様な陽イオンを感知しますが、食べ物の腐敗を見極める能力も…。つまり、腐敗で生じる代表的な成分であるアンモニアを感受でき、それが水に溶けるとアンモニウムイオンになり、無害なアンモニウムイオン…そう、塩化アンモニウムです。塩化アンモニウムは実際に口に入れると、えもいわれぬヤバい味がします。苦味ではなく嘔吐感を感じる味です。そんなわけで、マズ味を感じさせる液体の構成成分の一つとして塩化アンモニウムを抜擢しています。

「科学はすべてを解決する！」【罰ゲーム研究所】罰ゲーム汁恐怖の第5号！激マズ液!!

味覚の乗っ取りはカンタン？

次に味覚の乗っ取りです。まずは麻痺。味覚は麻酔か冷温で、簡単に麻痺します。特に温度の影響は大きく、冷たいほど鈍感になるため、アイスキャンディーなどを溶かすと甘過ぎて食べられなくなるのはそのためです。ちなみに、キシロカインなどの表面麻酔薬で舌を麻痺させると苦み＞塩味＞酸味＞甘みの順番で感度が下がることが知られており、クスリの副作用で口が苦い場合などにまれに使われます。緩い麻酔によって、苦みだけを薄めることが期待できるわけです。

また、甘みだけを麻痺させるという変な物質もあります。ギムネマという植物に含まれるギムネマ酸は、甘み受容体を塞ぐ働きがあり、糖だけでなく人工甘味料の甘みや、グリシンといった甘いアミノ酸の甘ささえ完

Memo:

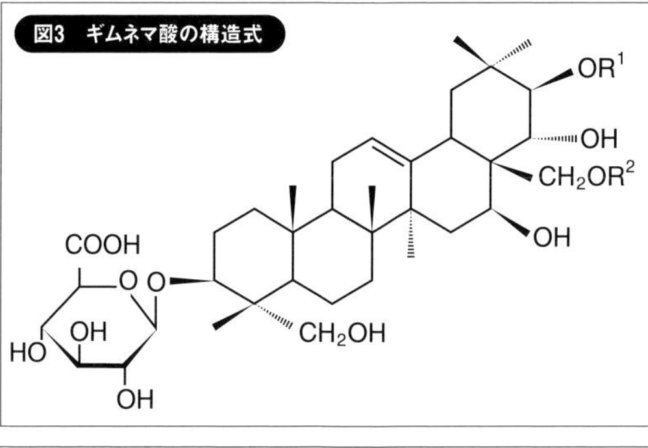

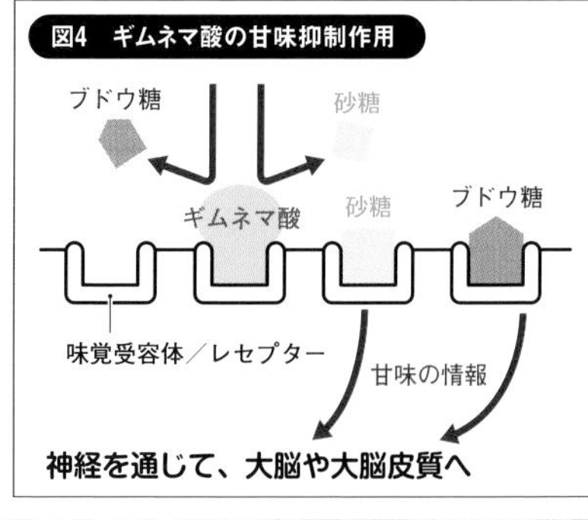

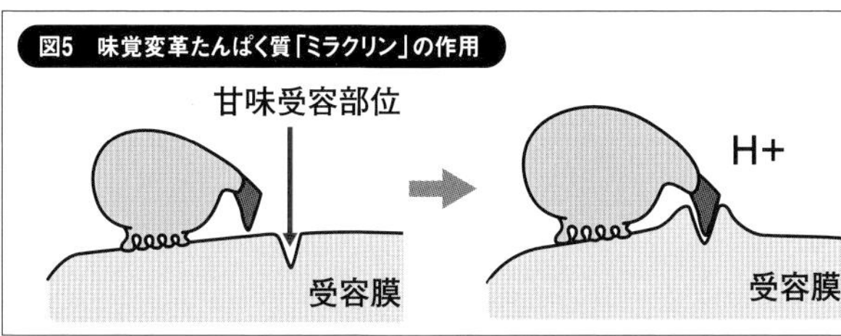

アーティチョーク(和名：チョウセンアザミ)は、地中海沿岸が原産のキク科の植物。欧米では食材として一般化しており、フライや煮込みにして食べられることが多い

全にマスクしてしまいます【図3・4】。砂糖は砂を食べているような味になり、チョコレートは油の塊に…ケーキはもはや地獄です。甘味受容体自体に結合してしばらく居座るため30分～1時間ほどは、甘みを全く感じられなくなります。

甘み受容体をムダに刺激する物質もあり、よく知られているのはミラクルフルーツに含まれるミラクリンというタンパク質。これは水素イオンが足りない人工甘味料といった構造で、水素イオン（酸味）が入ってくるとそれを甘みに変換して、受容体を刺激することで強い甘みを感じさせるのです【図5】。このタンパク質は、酸味をマスクするわけではなく酸味の一部を甘みに変換しているので、ミラクリンが舌に付着した状態でレモンなどの果物を食べると、強い甘みと強い酸味を同時に感じて「めちゃめちゃ味の濃い甘い果物」と認識します。

この「めちゃめちゃ味の濃いおいしいレモン」はミラクリンを使わなくても、アセスルファムKやスクラロースといった、砂糖の数十倍、数百倍の強さを持った人工甘味料をレモンにふりかけることでも再現可能。未知といっても過言ではない濃い味の果物に変貌するので、レモンだけでなく、酸っぱいサクランボやイチゴなどでも劇的なおいしさを演出できるのです。

アーティチョークに含まれるシナリンは、甘味受容体の部分的ブロッカーとして知られています。アーティチョークを食べた後は甘みが抑えられますが、水やワインで簡単に剥離するため､今度はマスクされていた分、明白に甘みを感じるようになるという面白い性質がゆえに、味覚トリックに使われます。実際に料理にアーティチョークを使った前菜を出し、肉料理などは甘みを抑えて味わってもらい、飲み物で流した後にスイーツを出すことで強い甘みを感じてもらうというコース料理も提案されています。また中華料理、特に四川料理に多く使われる「花椒」という山椒の仲間にも、複雑な味覚変化が知られており、水を酸っぱく、ないしは塩辛く感じるという不思議な味覚の変化があり面白いです。

味覚のハックだけでもこれだけの広がりがあります。つまり、料理を制すると生理学をも制するのです!!

チョコに込めた愛がドカーンと爆発!?

手榴弾型チョコレートのレシピ

手榴弾の形に型取りしたチョコの中に炭酸ガスを仕込んで、爆発するチョコを考案。実際にはなかなか難しいことが分かったので、得られた知見をまとめておこう。やっぱり爆竹か…。 text by デゴチ

爆発するチョコという、意味不明な工作をします[※1]。バレンタインデーのプレゼントのチョコは、ハート型や動物の形、さらに工具のスパナを模したりと実にさまざまな形のものが売られています。そんなチョコの形で、美少女フィギュアの形をしたものがあったら面白いのでは…と、ふと思いつきました。とはいえ、美少女フィギュアの型を食品用シリコーンゴムで作っただけではひねりがありません。美少女フィギュアであれば人類の大半は、本能的にひっくり返してパンツを確認すると思うので、そのような愚かな行為にお仕置きをするために、そうだ、チョコを爆発させよう…と考えたわけです。

チョコはご存じの通り低い温度では固体ですが、温めると柔らかくなり、溶けてしまいます。固体の状態では力を加えると脆性破壊、つまり曲がることなくパキッと割れます。この高い脆性を利用して、例えば薄い密閉したカプセル状のチョコの中にガスが発生する材料を入れておけば、ドカンと爆発させることができるのでは？…と推察しました。食品添加物のクエン酸と重曹を混ぜると炭酸ガスが発生するので、これを利用する構想で進めます。

いきなり美少女フィギュアを作るのはハードルが高いので、まずは爆発してもおかしくない、手榴弾の形をした爆発するチョコを試作してみましょう。

手榴弾チョコの型作り

100円ショップで売っていた手榴弾の形をしたプラスチック製の水鉄砲を、チョコの原型として利用します。事前の準備として、この「手榴弾型水鉄砲」の余計な出っぱりをカッターナイフで削り取り、逆に細過ぎてチョコにした際に折れそうな部分は石粉粘土で分厚くなるように盛り付けて、全体的な形状を調整しました。

チョコの型は食品用シリコーン樹脂を使います。A液とB液を混ぜ合わせると硬化が始まる2液混合タイプで、1kgが3,000円程度です。手榴弾の原型は半分にカットして、半面ずつ型を取っていきます。シリコーン樹脂のA液とB液を同量混ぜたら、ヘラなどで原型の表面にまんべんなく垂らして塗ります。こうすることで原型の表面すべてにシリコーン樹脂が気泡なく密着するので、きれいな型取りができるのです。

その原型を型枠の紙筒に入れて、残りのシリコーン樹脂を注いで充填します。混合したシリコーン樹脂の硬化が始まるまでは20分程度あるので、焦らなくてダイジョーブ。余裕をもって作業ができます。常温25℃程度で8時間経つと、シリコー

デゴチ
@degochi

あ、いいこと思いついた。爆発するチョコ作ろう。横に倒すと爆発するトラップを内蔵した美少女フィギュアにして、美少女フィギュアを手に取った人が必ず取る行動であるパンツ確認でチョコを逆さにすると内圧が高くなって爆発、という微笑ましい感じ。

午前11:40 · 2016年2月13日 · Twitter for iPhone

「いいこと思いついた」という意味不明なツイート。とにかくこれが発端である

主な材料

手榴弾型水鉄砲／110円　石粉粘土／110円　食品用シリコーンゴム：HTV-4000／1kg約3,000円　チョコ：100g程度／約300円　バターまたはマーガリンなど：剥離剤代わり　食品用クエン酸　食品用重曹

Memo: ※1　日本でバレンタインデーといえばチョコレート。チョコを使った工作をして、日本人が最も興奮する「食べ物で遊ぶな！」という流れでバズるはずだったが、少し時期が外れてしまった。次のバレンタインデーのために、今から準備しておこう。

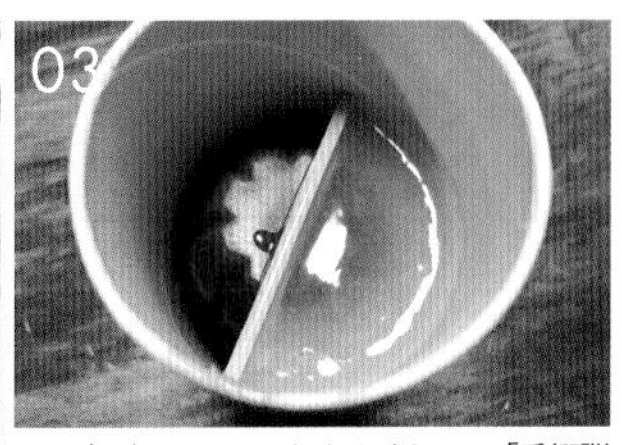

01：左がベースにしたオリジナルの「手榴弾型水鉄砲」。右はカッターや粘土で成型して、チョコの原型にした状態。これを半分にカットして型取りする　02：シリコーン型に気泡ができないよう、事前に原型表面にシリコーン樹脂を塗る　03：原型を型枠に入れて、シリコーン樹脂を充填して型を作る　04：シリコーン樹脂は8時間で硬化する　05：はめ合わせるシリコーン型を作るため、既にできた型の半面に剥離剤としてバターを塗る

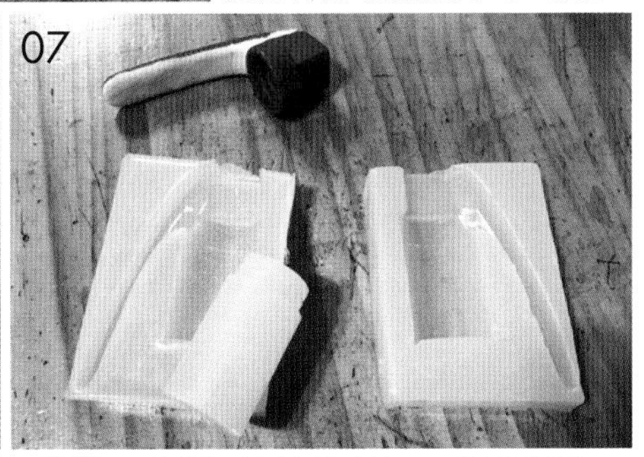

06：手榴弾チョコの本体側のシリコーン型が完成　07：フタとなる手榴弾のレバー側も、同じようにシリコーン型を作成する

ン樹脂は硬化完了です。続いてもう半面を作るため、先ほどできたシリコーン型に原型の手榴弾をはめて、シリコーン同士が接着しないようシリコーン型表面に剥離剤代わりにバター（油剤）を塗り、型枠にセットしてシリコーン樹脂を充填します。

もう半面が硬化したら、手榴弾の形をしたチョコ型の出来上がりです。あとは、フタとなる手榴弾のレバーの部分もシリコーン型を作ります。手順は本体と同様に、型枠にセットし、片面ずつシリコーン樹脂を充填していけばOKです。

爆発の仕組みを検討

クエン酸と重曹を混ぜて発生した炭酸ガスで密閉したものが破裂するかは、プラスチック製のカプセルでテストしました。クエン酸と重曹をカプセルに投入し、水を入れてすぐにカプセルのフタをはめて密閉。すると発生した炭酸ガスによりカプセルの内圧が高まり、フタが外れて分離しました。これを応用してみましょう。

チョコの本体を作成する際に、内部でクエン酸と重曹が混ざらないように隔壁を作るか、水を別容器に入れて傾くと水がこぼれて粉末のクエン酸と重曹を反応させるかの工夫が必要です。当初は、後者の水をかけて反応させる方を考えて検討しましたが、これがまた作るのがメンドウそう…　。理想は高く、でも自分にはチョコのように甘くという心のゆとりは大切なので、比較的簡単なチョコ本体内部に隔壁を作るだけという楽な方法を採ることにしました。

手榴弾チョコの製作

本体となる型に溶かしたチョコを塗り付け、2つの本体型を合

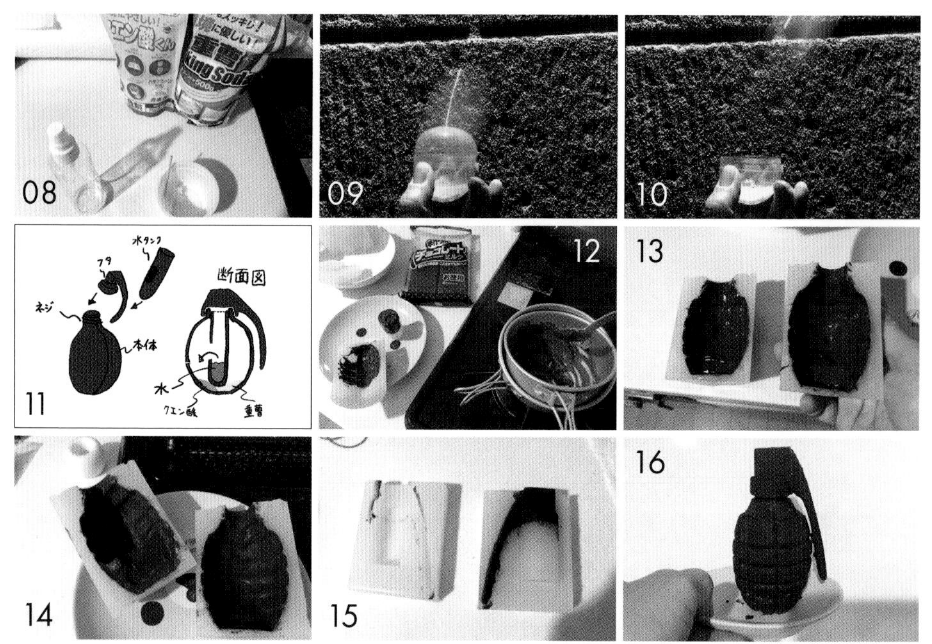

08-10：カプセルトイのケースにクエン酸と重曹、水を入れて密閉。しばらくすると炭酸ガスが発生して、ポンとカプセルの上蓋が弾けた※2　11：水がこぼれてクエン酸と重曹を反応し炭酸ガスが発生。チョコが爆発する…という内部構造のイメージだが、今回は別案でいくことにする　12：チョコを細かく刻んだら、50℃のお湯で湯煎して溶かす　13：シリコーン型にチョコを注いで、冷やして固める　14：クッキーやポテトチップスなどで、チョコ本体側に隔壁を作る。この隔壁によって、クエン酸と重曹を分ける仕組み。これで本体側の完成　15：手榴弾のレバー側も、溶かしたチョコを注いで冷やす　16：レバー側は型にネジが切ってあるので、そのまま本体側にフタできる

わせて空洞のあるチョコ手榴弾を作っていきます。チョコは刻んで鍋に入れ、50℃のお湯を沸かした別の鍋に浸し湯煎して温めます。直火や電子レンジで加熱すると、温度調整がうまくできずチョコがボソボソになったりしてマズくなるのでNGです。

もう少し説明すると、チョコに光沢を出しておいしく滑らかな口当たりになるよう加工するには、テンパリングという工程があります。チョコを50℃程度の湯煎で温めて溶かした後、26℃ぐらいまでチョコを冷まして、その後、30℃程度まで再び静かに混ぜながら温めるというのが一般的な手法とのこと。チョコの油脂の状態がこれで変化するようですが、結晶構造が変わるのか、メカニズムを筆者は理解できていません（今回はそんな丁寧な処理はしていない）。身近なチョコレートも科学的に調べると奥深いので、そのうち他の怪人先生に解説してもらいましょう。とりあえずは、各位の自習にお任せします。

話を戻して…。シリコーン型を用いてチョコを成型する場合は、チョコに少量の植物油を入れるのがポイントです。滑らかになりうまく型に流し込めるようになります。手榴弾チョコ型の本体側に溶かしたチョコを塗り付けたら、その2つの型を合体させるのですが、その前にクッキーやポテトチップスなど、適当な大きさに整えたものを挟み、内部に簡易的な隔壁を作成。これで壁を挟んでクエン酸と重曹を配置できることになり、フタをしてひっくり返すまでは2つの薬品が反応しないようになりました。

フタとなる手榴弾のレバー部分も、シリコーン型にチョコを流し込んで作ります。チョコが冷えて固まったところで本体側にはめれば、手榴弾型チョコの完成です。

Memo:　※2　カプセルがポンと弾け飛ぶ、炭酸ガス発生テスト動画のQRコード（Twitter）

検証　手榴弾チョコの爆破テスト

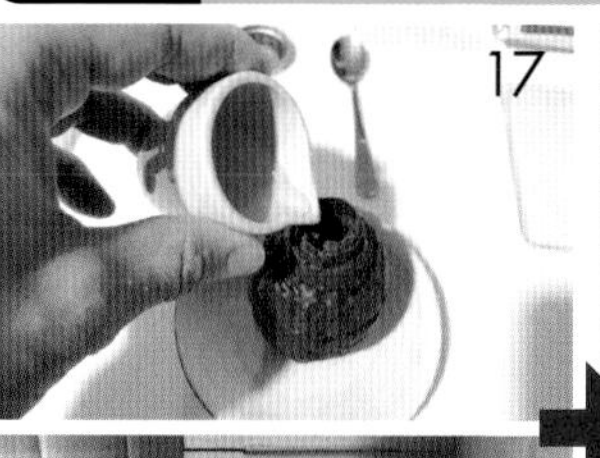

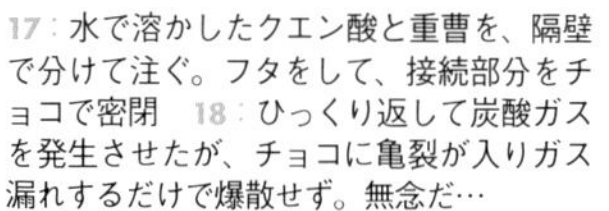

17：水で溶かしたクエン酸と重曹を、隔壁で分けて注ぐ。フタをして、接続部分をチョコで密閉　18：ひっくり返して炭酸ガスを発生させたが、チョコに亀裂が入りガス漏れするだけで爆散せず。無念だ…

19：爆発しなければ爆破すればいいじゃない。チョコはちゃんとすればちゃんと爆破できるかを爆竹を仕込んで実験　20：うん、良い爆破　21：適切な圧力がかかれば、チョコもバラバラに爆破できることが分かった※3

意中の相手にはこのままプレゼントすれば平和的なんですが、むしろここからが本番…。爆破テストです。クエン酸と重曹はそれぞれ5gずつ使って10mL程度の水に混ぜて水溶液を作り、それをチョコ内部の隔壁を挟むように注ぎ入れます。

あとはレバーの形をしたフタをねじ込み、溶かしたチョコでつなぎ目を溶接したら準備完了です。安全に配慮して、破片が飛び散らないように箱を作り、撮影面を透明なアクリル板でカバーした実験チャンバーを作りました。手榴弾型チョコをひっくり返して内部のクエン酸と重曹の水溶液を混合したら、素早く実験チャンバー内に置いて様子を見ます。しばらくすると、チョコに亀裂が入り、シューシューと音がして炭酸ガスが漏れ始めました…。どうやら炭酸ガスの発生は緩やかであるため、チョコの内圧が高まり、緩やかにチョコを変形させて亀裂が生じ、そこからガスが漏れてしまい、爆発のような破裂には至らなかったようです。炭酸ガスを用いて爆発のような破裂を起こすためには、内圧が十分高くなるまで圧力に耐えて、一定の圧力で勢いよく分解する、プラスチック製のカプセルなどを内蔵する必要がありそうです。今回のこの手榴弾型チョコでは、「炭酸ガスで爆破」というミッションはクリアできませんでした。残念です。

爆破をシミュレート

これでは終われません。手榴弾型チョコがどのように爆発四散するかを確認するため、チョコの底部に小さな穴をあけて、市販の爆竹をセット。やっていることが昭和の子供のようですが、これもチョコという素材の脆性破壊を知るための重要な実験なのです。結果としては、「そうそう、これが見たかった！」という映像が記録できました。Twitterに爆破の動画をアップしたので、ご確認下さい。

検証のまとめ

実験の結果、炭酸ガスによるチョコの爆破は、内部にプラスチック製カプセルを内蔵するなど構造上の改善が必要であることが分かりました。ただし、プラスチックとはいえ、そこそこ固い物を内部に配置してそれを爆破するとケガや事故の危険性はあります。もう少し安全に再現できるようになるまで研究を続けますので、読者の皆さんは爆発する機構については、安易にマネしないようにして下さい。

※3　チョコ爆破の実験動画のQRコード（Twitter）。
なお、このチョコは、スタッフがおいしくいただきました。

もうだめぽ…を避けよう

工作・実験ガチ勢のための法律指南

工作・実験を行うにあたり、気にしておきたいコンプライアンス。気づかぬうちに法律に違反し、ある日突然警察官がやって来て…なんてことがないよう、法律の知識を身につけよう。 text by 倫獄

避けては通れない法律問題。とはいえ、2,000件近い法律がある日本で、そのすべてに違反しないことを確認するのは非常に大変です。本稿では、実際に摘発例のある罰則を中心に、特に気を付けておきたい法律について解説していきます。

銃砲刀剣類所持等取締法

銃刀法というと、拳銃とか日本刀とか、愛好家でなければ縁のない物品をイメージしがちですが、実はそれ以外にもさまざまな規制があります。2021年、クロスボウの規制が追加されたことでも注目されました。それぞれの規制物品について、一つ一つ見ていきましょう。

●刀剣類などの所持と携帯

刃物を作る工作を楽しむ方や、工作に刃物を使う人はたくさんいるでしょう。その際、どのような刃物の「所持」が禁止されていて、どのような刃物は「所持」はいいけど「携帯」がダメなのか、きちんと理解しておく必要があります。

銃刀法で規制される刃物類は、「刀剣類」「模造刀剣類」「刃物」の3つで、刀剣類は許可なく「所持」することを、また、模造刀剣類と刃物は、業務その他正当な理由による場合を除いては「携帯」することが禁じられています。

所持とは、「そのものを自己の支配し得べき状態に置くこと」。携帯とは、屋内・屋外を問わず、所持者が手に持ったり、身につけたり、その他それに近い状態で現に携えていると認められる場合をいいます。運転中の車内に置くのも「携帯」となる点が、日常用語と違うので覚えておきたいところです。日常生活を営む自宅や自室に置いている分には、「携帯」とはみなされません。

銃刀法上は、6cmを超えない刃物であれば携帯可能なようにも思えますが、後述する軽犯罪法において凶器の携帯が規制されている点に注意。また、銃刀法にも、「警察官は、（中略）銃砲刀剣類等であると疑われる物を提示させ、又はそれが隠されていると疑われる物を開示させて調べることができる」という規定があり、これは刃体の長さとは無関係なので、携帯しているだけで職務質問をされ、所持品検査をされる可能性があることを意味します。

●銃・空気銃・クロスボウ

銃砲類の所持の禁止については、64ページ下の表にまとめたのでご確認下さい。

なお、ホビーショップなどで売っているエアソフトガンは、人にほとんど傷害を与えない威

刀剣類	模造刀剣類	刃物
●刀・槍・なぎなたで刃渡り15cm以上のもの ●剣で刃渡り5.5cm以上のもの ●あいくち※ ●45°以上に自動的に開刃する装置を有する飛び出しナイフ	金属製であって、刀・剣・槍・なぎなたもしくはあいくちに著しく類似する形態を有するもの、または飛び出しナイフに著しく類似する形態及び構造を有するもの	人畜を殺傷する能力を持つ片刃または両刃の鋼質性の用具で刀剣類以外のもの
所持が禁止（公務、承認を受けた刀剣類の製作業者とその委託を受けた輸出業者、都道府県公安委員会で許可を得た者を除く）	正当な理由のない携帯が禁止	刃体の長さが6cmを超えるものは正当な理由のない携帯が禁止

※「あいくち」は刃渡り15cm以下という限定がなく、どんなに短くてもダメであることに注意が必要

Memo:

力（3.5J/cm²未満）のもので、銃刀法の対象外となっています。ここで示されている威力についての測定方法は、内閣府令で定められているため、独自の測定でギリギリを狙うのは非常に危険です。

装薬銃砲や空気銃は許可さえあれば所持が可能なのに、準空気銃は所持すら許されないのは、前者には狩猟やスポーツなどの社会的有用性があるのに対して、準空気銃にはそのような社会的有用性が認められないからであると説明されています。なんだか納得いくようないかないような説明ですね。クロスボウの定義が、「引いた弦を固定し、これを解放することによって矢を発射する機構を有する弓」となっているのも、弓道やアーチェリーの弓にまで規制を及ぼさないようにするためです。

爆発物取締罰則

この罰則、実は国会を通って可決した法律ではありません。大日本帝国憲法※が可決する前、まだ議会すらまともに存在しない時代に作られた「太政官布告」というものなのですが、いまだに法律としての効力を有しています。実際、2000年代に入ってからも適用例がちゃんとあるのです。

基本的には爆発物で治安を妨げたり人を害したりすることを処罰する法律で、第6条に「爆発物ヲ製造輸入所持シ又ハ注文ヲ為シタル者第一条ニ記載シタル犯罪ノ目的ニアラサルコトヲ証明スルコト能ハサル時ハ六月以上五年以下ノ懲役ニ処ス」という規定があります。

日本語なのに何言ってるかさっぱり分かりませんね。簡単な現代語にすると、「爆発物を製造、所持などをしながら、悪用する目的でないことを証明できなかったヤツは処罰します」…という条文です。「疑わしきは被告人の利益に」という原則が徹底される刑事法の世界で、立証責任が爆発物を所持している側に転換するという、珍しい法律になっています。爆発物を所持する時は、悪用目的ではないことを自ら証明できるようにしておくことが大事です。

ちなみに、ここにいう「爆発物」は、「理化学上の爆発現象を惹起するような不安定な平衡状態において、薬品その他の資材が結合する物体であって、その爆発作用そのものによって公共の安全をみだし、または人の身体財産を害するに足る破壊力を有するもの」と最高裁が定義しています。定義上、爆燃と爆轟は区別されておらず、爆発的反応を起こすものであれば該当してしまうことになります。

爆発はロマン！…ではありますが、法律にはくれぐれも気を付けて下さい。

軽犯罪法

軽犯罪法の規定は多岐にわたるため、ここでは凶器の携帯に限って話をしましょう。軽犯罪法1条2号は、凶器携帯の罪を規定しており、「正当な理由がなくて刃物、鉄棒その他人の生命を害し、又は人の身体に重大な害を加えるのに使用されるような器具を隠して携帯していた者」が処罰の対象とされています。銃刀法と異なり、人の生命や身体を害しうる器具であれば、何でも本罪の対象となる点が特徴です。

2000年代には、東京・秋葉原などで警察官が検挙数を稼ぐため、地味な服装のおとなしそうな男性に職務質問をしまくり、カッターナイフや工具などの所持を理由に「任意出頭」させる事例が散見され、これが「オタク狩り」などと揶揄されたこともありました。そんな中で2010年に、2枚の刃が付いた万能工具（マルチツール）を携帯していて職務質問を受けた男性が軽犯罪法違反容疑で書類送検され、起訴猶予になった事件

	動力	発射物	種類	威力	規制方法
装薬銃砲	火薬、爆薬など	金属製弾丸	拳銃、小銃、機関銃、砲、猟銃	－	所持許可制
空気銃	圧縮した気体	弾丸	エアライフル、エアピストル	20J/cm²以上	所持許可制
準空気銃	圧縮した気体	弾丸	エアソフトガン	3.5J/cm²以上 20J/cm²未満	所持禁止
クロスボウ	引いた弦を解放する	矢	クロスボウ、ピストルクロスボウ	6.0J以上	所持許可制

※明治時代に公布・施行された憲法。

2021年に銃刀法の一部が改正され、2022年3月に施行。現在、クロスボウの所持は原則禁止となっている。事件や事故などの影響を受けて、法律は常に改正され変わっていくので(基本厳しくなる)、情報のアップデートは必要だ

実験や工作は安全を考慮した上で、適切な場所で行うのがお約束。私有地や許可された管理区で、万全を期してテストしよう。大きな音や炎が出るような派手な実験を、その辺の公園で…などはダメ。ゼッタイ。

において、男性が「異常な行動をしていたとは言えない」として、職務質問と所持品検査を違法とし、3年後の2013年、都に対して5万円の支払いを命じる判決が出ています。

さらに2009年、催涙スプレーを路上で隠匿携帯した行為について正当な理由を認め、無罪判決とした最高裁の判断が出ており、その後も「正当な理由」を広く認める裁判例が続けざまに出ていることから、状況は変わりつつあるといえるでしょう。ただし、催涙スプレーの事件については、男性が多額の現金などをカバンに入れて運搬する職務に就いていたことや、夜2時にサイクリングに出かけるにあたり、万一の護身用に本件スプレーを携帯していたことなどが評価されたものであり、護身用に催涙スプレーを携帯することが常に認められるようになったとは必ずしもいえません。正当な目的を説明できることが重要なのです。

電波法

電波法は、電波の公平かつ能率的な利用を確保することによって、公共の福祉を増進することを目的とする法律です。その規制内容は多岐にわたり、インターネット接続に関する「通信の秘密」で問題になったり、不法無線局の開設を規制したりしているのですが、おうちでの実験で特に注意したいのは、高周波利用設備の設置です。

電波法100条は、「十キロヘルツ以上の高周波電流を利用するもののうち、総務省令で定めるもの」の設置を規制しています。そして、この総務省令を確認してみると、規制対象は、医療用設備、工業用加熱設備、各種設備となっていて、「各種設備」という、何でも入る受け皿があることによって規制対象を個別に定める意義がほとんどなくなっています。対象外となるのは、無線通信などへの影響が少ないと判断される設備です。具体的には、通信設備以外の高周波利用設備であって、その高周波エネルギーが50W以下のものなどになります。

その他に注意すべき法律

爆発物に関わるものとして、火薬類取締法、武器等製造法、火炎瓶処罰法などがあります。武器等製造法は、銃刀法違反の中でも特に悪質な事件について適用される傾向があり、2015年にも、塩化ビニール製パイプなどを銃口にして、可燃性ガスを爆発させて弾丸を発射させる機構の「バズーカ砲」を製造した高校生が、武器等製造法違反(無許可鉄砲製造)の容疑で逮捕されています。

化学実験絡みでは、定番ですが毒劇物取締法や消防法の危険物に関わる知識があると便利ですね。どちらも、安全に実験を行うにあたっても有用な知識がありますし、付随する国家資格もあるので、勉強する価値は十分にあります。

Memo:

Chapter 01 Biology [生物]

身近な風邪薬から花粉症薬までジャッジ！

運転OK・NGの市販薬

眠気や目のかすみを誘う成分を含有する薬を運転時に服用するのは危険だ。服用OKな市販薬とNGの市販薬を、現役薬剤師がしっかりお教えしよう！

text by 淡島りりか

薬局や病院で花粉症の薬を出してもらう時に、「この薬を飲んだら運転はしないようにして下さいね」という説明を受けたことがあるかと思います。「はいはーい」ってふんわり返事をしつつ、ドアを出た瞬間に忘れちゃったりしてませんか？「いやいやいやいやアルコールじゃあるまいし、薬飲むくらい運転に支障ないだろ」って、強い意志を持ってクルマに乗っちゃったりしてませんか？　ありがちー。

「何人も、過労、病気、薬物の影響その他の理由により、正常な運転ができない恐れがある状態で車両等を運転してはならない」という文言が、道路交通法第66条として存在しています。でも、薬を出してもらう時に、運転に関する注意を受けないこともありますでしょ？　何を根拠に、正常な運転ができる・できないを判断しているのでしょうか？

2013年、総務省は厚生労働省に薬の服用に関する改訂を通達しました。それは「服用中に意識レベルの低下や意識消失、突発的睡眠などの副作用がある薬に関しては、運転や機械の操作などで他者にも危害を加える可能性があるから添付文書（医療用医薬品の説明書）改訂してね！」というもの。それを受けて厚労省は、添付文書の改訂を製薬会社に指示するとともに、医師や薬剤師に対しては「添付文書の使用上の注意に、自動車運転等の禁止等の記載がある医薬品を処方又は調剤する際は、医師又は薬剤師から患者に対する注意喚起の説明を徹底させること」というおふれを出しました。病院や薬局で言われる「この薬を飲んだら運転しないように」は、この通達を受けてのもの。なので、その根拠は添付文書ということになります※1。

でもまあ、それらの薬を飲んでいるからといって、絶対に運転をしちゃいけないのかというと、そうでもありません。医療用の薬で、定期的に医療従事者の目が入る場合、服用開始後や増量後に眠気や作業効率の低下などの副作用が出ないか様子を見て、運転に支障がないようなら、注意しながら運転再開というケースも多々あります。

運転に支障を来す薬は、抗ヒスタミン薬・抗不安薬・睡眠薬・抗てんかん薬・抗パーキンソン病薬・糖尿病薬など、多岐にわたります。医療用医薬品は挙げ出すと収集がつかなくなるので、そちらはかかりつけの医療機関にご相談を。まともな医療従事者なら、運転と薬に関してしっかり考えて答えを出してくれると思います。多分。

これからお話するのは、市販薬についてです。運転する時に飲んでいい薬と飲んではいけない薬を、ジャンルごとに仕分けしたので、参考にしてみて下さい。市販薬の場合はご自身の判断で服用するものになるので、説明書きにある注意事項はしっかり守って飲むようにして下さいね。また、市販薬はしれっと中身の成分が変わることがあるので、都度都度確認しましょう※2。

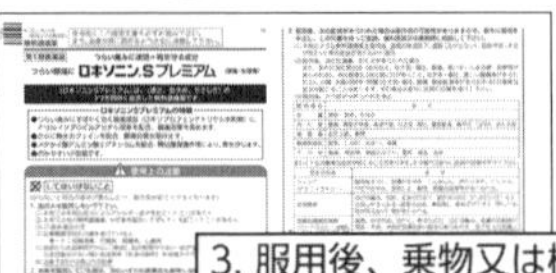

3. 服用後、乗物又は機械類の運転操作をしないで下さい。
（眠気等があらわれることがあります）

運転NGの場合、市販薬の添付文書に書かれているので服用前に必ずチェックしよう

Memo:
※1　市販薬は説明書を確認。「服用後、乗り物や機械などの運転操作をしないこと」というような記載があるものに関しては、運転を避ける必要があります。
※2　この話を書いている2020年3月末現在の内容です。

花粉症の薬

「市販の花粉症薬って、どれも眠くなるし、口もカピカピになるじゃない?」という時代は終わり、眠くなりにくく口も乾きにくい市販薬が相次いで発売されています。有名どころだと「アレグラ」「アレジオン20」。そのプライベートブランド版なんかもあり、運転時服用できるものも出てきました。

運転OK

久光製薬
アレグラFX（フェキソフェナジン）
実勢価格2,074円（28錠）
その他：「クラリチン」「小青竜湯」など

運転NG

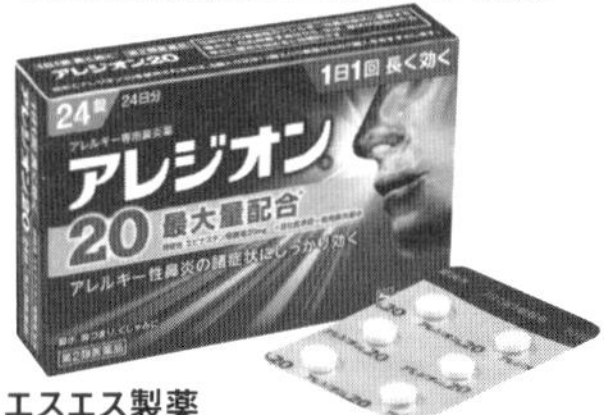

エスエス製薬
アレジオン20（エピナスチン）
実勢価格3,939円（24錠）
その他：ジフェンヒドラミンやクロルフェニラミン含有のものなど

点鼻薬

花粉症や鼻炎などで点鼻薬を併用しているケースもあると思いますが、これもモノによっては眠気が出てしまうので運転時には使えません。飲み薬じゃないから大丈夫ってわけではないんですね。

アレルギー症状に対する目薬や洗眼液は、含有成分がジフェンヒドラミンやクロルフェニラミンであったとしても、「点鼻薬と併用する場合には、使用後、乗物又は機械類の運転操作をしないで下さい」という文言だけ。基本、問題にはならないようだ。

運転OK

グラクソ・スミスクライン・CHJ
フルナーゼ点鼻薬
実勢価格1,738円（8mL）

その他：「コールタイジン点鼻薬a」や「ナザールαAR」などのステロイド単体のもの

運転NG

佐藤製薬
ナザールスプレー（クロルフェニラミン）
実勢価格896円（30mL）

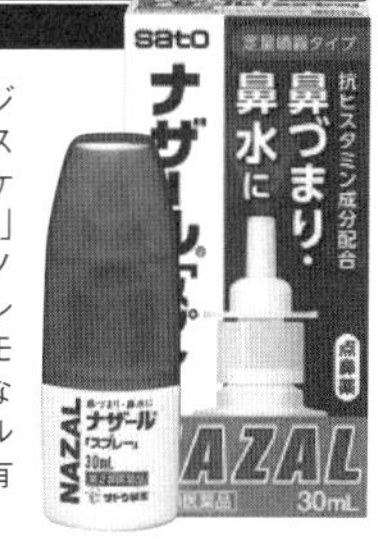

その他：「ザジテンAL点鼻スプレーα（ケトチフェン）」「エージーノーズアルカレットC（クロモグリク酸）」など、抗アレルギー成分含有のもの

酔い止め

自分の運転で車酔いするのはなかなかレアケースな気がしますが、酔い止めに関しては運転時に服用できる市販薬がありません。眠気で吐き気をごまかすようなかたちになるので…。その成分にプラスでスコポラミンが入ったものもありますが、それに関しては目の調整機能に影響するので、さらにダメですね。

どうしても必要な場合は、受診して吐き気止めを処方してもらって下さい。もちろん先生には、運転することを必ず伝えましょう。

運転OK

該当ナシ

必要なら病院を受診すること

運転NG

エーザイ
トラベルミン（ジフェンヒドラミン）
実勢価格660円（6錠）
その他：クロルフェニラミン、スコポラミン含有のものなど

風邪薬

医療用の場合、風邪症状に処方されるものは、基本的には1種類につき1成分入っている薬が多いのですが（PL顆粒などを除く）、それは患者の症状や状況に合わせて調整をかけやすいから。こんなにたくさんの種類を飲むの!?と驚くこともあるでしょうが、つまりはそういうことなんです。

対して市販の風邪薬は、「これだけ飲んでおけば一般的な風邪で出てくる症状は一通りカバーできるよね？」ってことで、1種類の薬の中に複数の成分をちゃんぽんで入れています。飲むべき錠数は少なくて済みますが、引き算が困難というデメリットも。「運転するから眠気が出たら困る」「別に熱も痛みもないんだけど」という制限が生じた途端、選択肢が激減します。運転するなら、眠気が出る鼻水やくしゃみの薬、咳止めが入っているものなどは避けて下さい。

運転OK

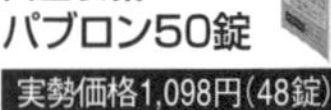

大正製薬
パブロン50錠

実勢価格1,098円（48錠）

その他：「葛根湯」「麻黄湯」など

運転NG

エスエス製薬
エスタックEXネオ

実勢価格1,628円（12錠）

その他：「ルル」「ストナ」「PL」などの総合感冒薬には、ジフェンヒドラミン・クロルフェニラミン・メキタジンなどを含有しており運転不可。「パブロン50」以外のパブロンもNG

鎮咳去痰薬

鎮咳去痰薬の中には、クロルフェニラミンやジフェンヒドラミンなど、アレルギーの薬が一緒に入っているものが多く、それらは眠気が出るので避けましょう。また、せき止めの成分であるデキストロメトルファンやリン酸コデインも眠気が出ることがあるため、運転時の服用を避けるよう指示があります。

運転OK

佐藤製薬
ストナ去たんカプセル

実勢価格1,002円（18カプセル）

その他：「龍角散ダイレクト」「浅田飴せきどめ」「麦門冬湯」「桔梗湯」など

運転NG

グラクソ・スミスクライン・CHJ
新コンタックせき止めW持続性

実勢価格2,384円（24カプセル）

その他：「アネトンせき止め」「パブロンSせき止め」など

睡眠改善剤

眠れなくて「ドリエル」を飲んでいる方はご注意。服用後にうっかり用事を思い出して運転…などはもちろんですが、翌日以降も眠気が続くようなら運転は控えましょう。対してドリエルと同様に眠れない症状に用いられる「柴胡加竜骨牡蛎湯」と「抑肝散」には、添付文書上に運転に関する記載はありません。

運転OK

ツムラ漢方
TSUMURA KAMPO
12
柴胡加竜骨牡蛎湯
さいこかりゅうこつぼれいとう

ツムラ
柴胡加竜骨牡蛎湯エキス顆粒

実勢価格2,418円（20包）

その他：「抑肝散」など

運転NG

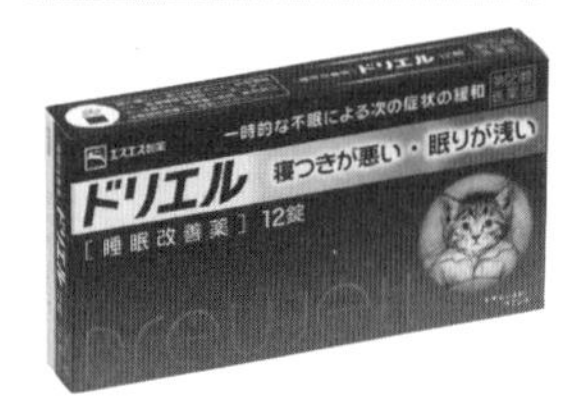

エスエス製薬 ドリエル

実勢価格1,958円（12錠）

その他：ジフェンヒドラミン、クロルフェニラミン含有のものなど

Memo:

解熱鎮痛剤

他の鎮痛剤に比べて効果が高い上、胃腸への副作用も少ない「ロキソニン」。元々は医療用薬でしたが、2011年に市販薬として発売されるようになりました。第一三共ヘルスケアでは、医療用と同成分の「ロキソニンS」に加え、ピンク箱の「プラス」、金箱の「プレミアム」とシリーズ展開しています。これらには一層余計な成分が追加されており、金箱は痛みを眠気でごまかすためか、アリルイソプロピルアセチル尿素という眠気の出る成分が入っています。クルマに乗る際は、青かピンク箱を選びましょう。同じブランドでもバージョンによって含有成分が異なるのです。

運転OK

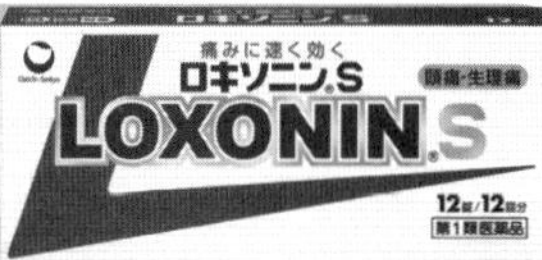

第一三共ヘルスケア
ロキソニンS
実勢価格712円(12錠)

その他:「ロキソニンSプラス」「バファリンA」「タイレノール」「イブ」など

運転NG

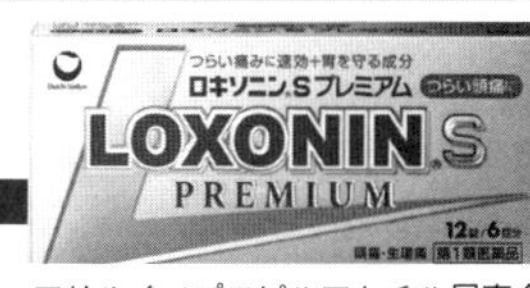

第一三共ヘルスケア
ロキソニンS
プレミアム
実勢価格767円(12錠)

その他:「イブA」など、アリルイソプロピルアセチル尿素含有のもの、ブロムワレリル尿素含有のものなど

鎮痙剤・下痢止め

けいれんや下痢を抑えるためのスコポラミンやロートエキスという成分は、目のかすみやまぶしさなど、目の調節障害を起こすことがあります。また、ロペラミドという下痢止めの成分は眠気が出ることがあるため、服用する場合は運転を避けるようにという指示があります。

運転OK

その他:「ザ・ガード」「太田胃酸整腸薬」など各種整腸剤

大正製薬
新ビオフェルミンS
実勢価格1,118円(130錠)

運転NG

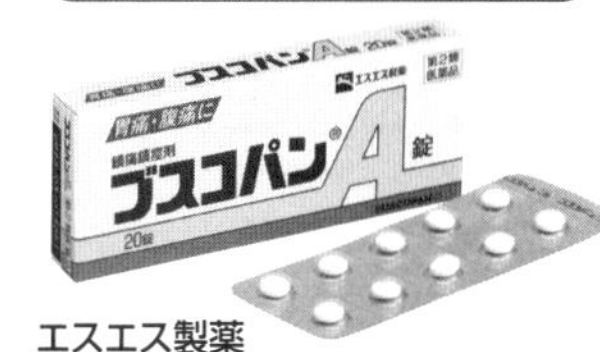

エスエス製薬
ブスコパンA錠(スコポラミン)
実勢価格1,320円(20錠)

その他:「ストッパ下痢止め(ロートエキス)」「トメダインコーワ(ロペラミド)」など

じんましんの薬

じんましんの飲み薬として市販されているのは、クロルフェニラミンやジフェンヒドラミン、メキタジンなどの眠気が出る成分のみです。残念。

運転OK

該当ナシ

運転NG

ロート製薬
ジンマート錠
実勢価格1,644円(14錠)

その他:「アレルギール」「レスタミンコーワ」「レスタミンUコーワ」※3

薬用酒

名前の通り、お酒です。アルコールが入ってるので、薬だからといって運転時は飲んではいけません。「養命酒」に関しては何気にワインと同じくらいの、14%ほどの度数があったりします。

運転OK

該当ナシ

運転NG

アルコール含有のものすべて

※3 現状「アレグラ」や「クラリチン」は、花粉やハウスダストによるくしゃみ・鼻水・鼻詰まりの薬なので、説明書上はじんましんには使えない設定になっています。もちろん飲めば痒みは治りますが。

少量のアレルゲンを投与して身体を慣れさせる

オフシーズンに始める花粉症の治療薬

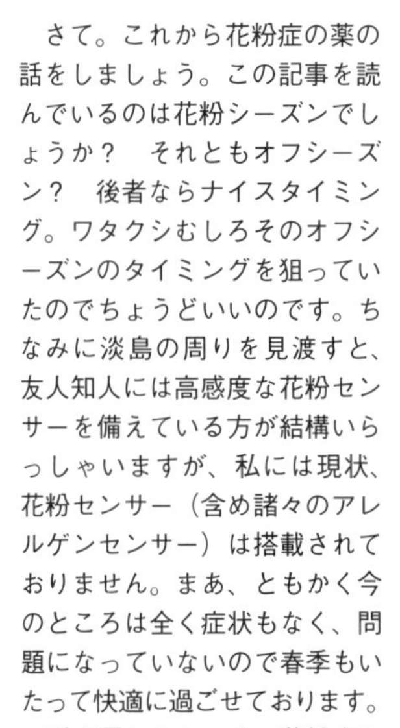

花粉症持ちにとって、春は地獄の到来。鼻水、くしゃみ、目の痒みのオンパレードで、不快極まりない…。しかし、オフシーズンに「減感作療法」を行うことで改善が見込めるかも！ text by 淡島りりか

さて。これから花粉症の薬の話をしましょう。この記事を読んでいるのは花粉シーズンでしょうか？　それともオフシーズン？　後者ならナイスタイミング。ワタクシむしろそのオフシーズンのタイミングを狙っていたのでちょうどいいのです。ちなみに淡島の周りを見渡すと、友人知人には高感度な花粉センサーを備えている方が結構いらっしゃいますが、私には現状、花粉センサー（含め諸々のアレルゲンセンサー）は搭載されておりません。まあ、ともかく今のところは全く症状もなく、問題になっていないので春季もいたって快適に過ごせております。

話を戻しましょう。花粉症の薬というと、ありがちな抗ヒスタミン剤の話でもするんでしょ⁇って思われるかもしれませんが、花粉症をお持ちの皆様におかれましては毎年のことですし、もう耳にタコができてますでしょ。なので、今回、私はあえてその話をスルーします。来シーズン以降を快適に過ごすための話をしていきます。この治療法は花粉の時期が終わらないと始められないので、オフシーズンがベストなのです。

抗ヒスタミン剤の影響

OTC（市販薬）には第1世代の眠くなる抗ヒスタミン剤しかないという時代も終わり、現在、日本のドラッグストアの棚にはアレグラ/フェキソフェナジンやアレジオン/エピナスチン、クラリチン/ロラタジンといった眠くなりにくい第2世代抗ヒスタミン剤が並ぶようになりました。アレグラとか米国ではパイロットでも飲めるような薬なんですが、くられ先生が「眠くはないけどぼんやりするし仕事の能率も落ちる～」っておっしゃってますように、やはり中枢への影響がゼロってことはないようです。

抗ヒスタミン剤の中枢への影響を受けやすい人と受けにくい人がいますが、これは遺伝子中の核酸塩基1つの違いが影響していたりします。こちら、今回は関係ないので省略いたしますね。またそのうち機会があれば。じゃあ一体何の話をするんだ？ってことですが、今回は「減感作療法」に関してです。

減感作療法とは？

アレルギー反応とは、本来は体の中に細菌だとかウイルスといった外敵が侵入すると起こる、それらを排除するために必要不可欠なくしゃみや鼻水など体を守るための生理現象です。めっちゃ不愉快な現象ですが、体を守るためにはやむを得ません。ただ、花粉は人体に害をなす外敵というわけではないので、それにまで反応するのは、いうなれば誤作動です。で、その花粉などスルーすべきもので誤作動を起こさないようにするのが減感作療法なのです。

花粉症などアレルギーを持っている人に、アレルギー症状が出ない程度のごく少量のアレルゲンを繰り返し投与します。これにより身体を慣れさせて、本来スルーすべきものをきちんとスルーできるようにすることで、徐々にアレルギー症状を軽減させていく治療法です。今出ている症状に対して抗ヒスタミン剤などを使う「対症療法」に対して、減感作療法は症状が発現する原因そのものを取り除く「原因療法」になります。

この減感作療法を続けることにより花粉が飛ぶシーズンにも症状が出にくくなり、いつも飲んでいる薬の量が減ったり、そ

Memo:

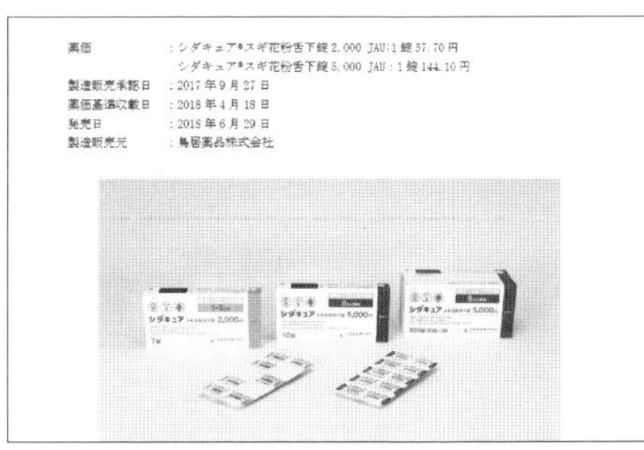

シダキュア（鳥居薬品）

https://www.torii.co.jp/release/2018/20180524_1.pdf

スギ花粉の減感作療法に用いられている舌下錠。舌の下で1分間保持してから飲み込む

トリーさんのアレルゲン免疫療法ナビ

https://www.torii-alg.jp/

減感作療法で舌下錠を処方可能な登録医師を検索できる。住所や駅名からサーチしよう

もそも必要なくなったりします。新しい治療法かといえばそんなことはなく、100年くらいの歴史ある治療法です。イギリス・ロンドンの淡島家のご近所、パディントン駅前にあるSt. Mary's Hospitalの予防注射科の医師、レオパルド・ヌーンが、1911年に医学雑誌『The Lancet』に発表した「Prophylactic Inoculation Against Hay Fever（花粉症に対する予防接種）」に出てくる、カモガヤアレルギーに対しての治療が最初の減感作療法のようです。ヌーン先生はその研究を通して、「花粉症は時に治ることがある」とおっしゃっています。その後の研究もあり、1930年代頃にはメジャーな花粉症治療になったようです。抗ヒスタミン薬の登場はもう少し後で1942年（最初の抗ヒスタミン剤フェンベンザミンが発売）とかですから、ある意味古くて新しい方法というわけですね。

ちなみに日本では、1960年代に鳥居薬品からハウスダストやスギ花粉などの各種アレルゲンエキスが発売されました。しかしアレルゲンエキスの標準化が難しく、医師が患者個々に合わせて投与量を調整する必要もあったりして、使用が大変だったためにあまり普及しなかったようです。

アレルゲンを投与する方法は、ヌーン先生が論文中に示している皮下投与だけでなく舌下・経口・経皮投与などがあり、現在は皮下や舌下がよく使われています。日本では、スギ花粉の減感作療法の標準化アレルゲンとして、2014年に「シダトレン」（舌下液/冷所保存：2021年3月末に販売中止、薬価基準削除予定）が、2018年には「シダキュア」（舌下錠/室温保存）が鳥居薬品から発売になりました。これらは頻繁に病院に通って注射を打ってもらう必要もないですし、月に1回程度の受診で自宅にいながら使用可能です。特に、冷蔵庫に入れとかなくてOKな錠剤タイプのシダキュアの登場により、スギ花粉の減感作療法を受ける人が増えたように思います。シダトレン発売時に初めてデータを見た時は、えー微妙じゃない？などと思っていましたが、実際に減感作療法を複数年続けてる患者さんを見ていると、薬の量が減った人のみならず飲まなくてよくなったという人もぼちぼち目にするので、しっかり効果はあるようです。

現在、日本国内で舌下の標準アレルゲンとして存在しているのは上述したシダトレンとシダキュア、そしてダニアレルギーに対しての「アシテア」（塩野義製薬）、「ミティキュア」（鳥居薬品）です。欧米ではもっと多種多様な標準アレルゲンが発売されており、スギ以外にも各種植物の花粉（舌下用だと「Grazax」「Oralair」「Ragwitek」など）、猫、蜂などのものが存在するようです。スギ以外の花粉症をお持ちの方、日本でも発売になるといいですね。

どうやって始めるの？

2020年春時点での、日本での話をします。このスギとかダニの減感作療法舌下錠を処方できるのは、e-ラーニングを受けてe-テストをパスした登録医師だけです。なので、そうじゃない先生は処方できません。じゃあどうやって、登録医師のいる医療機関を調べたらいいんだ?ってことになりますよね。一般向けの検索ツールとしては、鳥居薬品の「トリーさんのアレルゲン免疫療法ナビ」を利用しましょう。減感作療法舌下錠を処方できる登録医師を、住所やエリアなどから絞り込んで検索可能です。

…ちなみに、登録医師じゃない先生に処方箋を切ってもらった場合は、薬局でそれらの薬を出してもらうことができません(難ありな薬局に行った場合を除く)。確実に止められます。先生との協議の結果、処方削除になるか内容が変わって抗ヒスタミン剤をもらって帰ってくることに…。どっちになるかはケースバイケースですけど、うれしくない未来が待っていることは確かでしょう。なので、登録医師かどうかはちゃんと確認してから受診することを強くお勧めします。

花粉の減感作療法の場合、花粉飛散時期は花粉センサーが過敏になっている場合が多いため新たに始めることができません。初めての場合は、オフシーズンに受診するようにしましょう。ダニの方は通年大丈夫なのでいつでもどうぞ。

…で、検索した上で登録医師の元にたどり着きましたよね?「減感作療法受けたい」って伝えたら、初回はきっと問診と血液を採って何に対してアレルギーを持っているのか検査することになると思います。通常なら1週間程度で結果が返ってくるので、それを見てどうするかということに。スギないしダニに応答があった場合は、恐らく薬が出ることになるでしょう。先生とよくお話して下さい。舌下各種が出た場合、初回投与は先生の目の届くところでだと思われます。30分程度は病院で経過観察になるので、2回目の受診時は後に急ぎの予定を入れず時間に余裕を持っておくのがベターです。そして、初回投与の日を含めて7日後あたりが3度目の受診になるのが一般的。なぜならそれで特に問題が出なければ、服用8日目からアレルゲンが増量になるからです。それが維持量なので、その後は先生の方針にもよりますが1か月後とかの受診に落ち着くことになるでしょう。

スギ&ダニともアレルギーがあることが分かった場合は、両方のアレルゲンの使用が可能です。一緒に治療すればいいんじゃないかな。ただまあ、何事も

■フレミング研究室を見学できる!

レオパルド・ヌーンが勤務していた、イギリス・ロンドンのSt. Mary's Hospital。ペニシリンを発見した細菌学者であるアレキサンダー・フレミングも同時期にこの病院に勤務しており、現在もその研究室が残っている。ガイドさんの解説とともに研究室の見学が可能だ。Pread St沿いの病院壁面にあるブループラークを見つけたら、その下側のドアにあるインターホン鳴らして「見学希望!」と伝えると、カギが開いて中を案内してもらえる。ロンドンには面白い展示のある医療系博物館がたくさん存在するので、観光の際はぜひ立ち寄っていただきたい。

Alexander Fleming Laboratory Museum
(アレクサンダー・フレミング研究室博物館)
https://www.imperial.nhs.uk/about-us/who-we-are/fleming-museum

Memo:

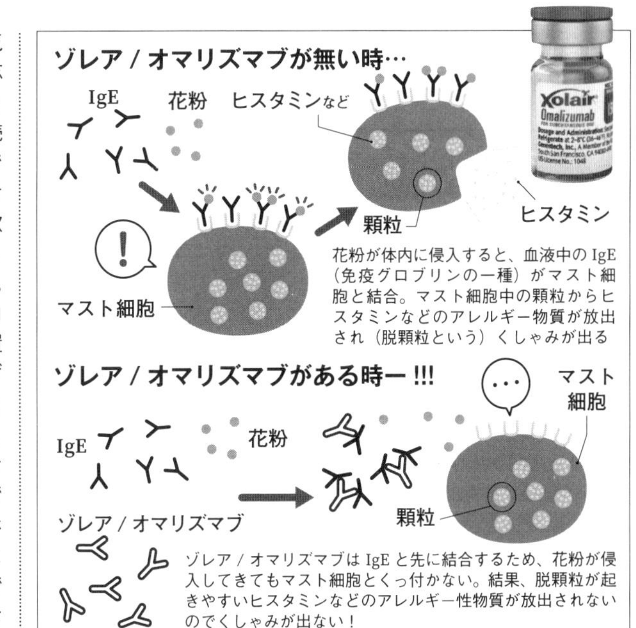

継続するということは相当な気合と根性が必要となることは忘れないで下さいね。1粒の薬を毎日きっちり忘れずに服用し続けるのは、本当に難しいことです。できる人はなかなかいません。特に今まで習慣的に薬を飲んだことがない人にとっては、ものすごく大変だと思います。なので、忘れずに飲むためのコツとして薬を目につく場所に置いて下さい。その上で毎日必ず行う動作、例えば食事のタイミング、化粧をするタイミング、就寝前の歯磨きのタイミングなどと関連づけておくといいです。もしくは服用時間にスマホのアラームをセットしておくとか。せっかく良い薬があるのですから、きっちり続けて快適な生活を手に入れて下さいね。Good Luck!!

ちなみに、シダキュア（ミティキュアも）維持量だと3割負担で、病院薬局併せて1か月あたり3,000円程度のコストになるんじゃないかな、多分。

抗体医薬品の活用

これは減感作療法ではありませんが、花粉症へのアプローチとしては今までにない新しい選択肢です。2019年12月、ゾレア/オマリズマブ（ノヴァルティス）という抗体医薬品に、季節性アレルギー性鼻炎、つまり花粉症の適応が追加されました。そもそも「抗体医薬って何なん？」って話ですが、ざっくり説明すると悪さをしている特定のモノ（抗原という）にくっ付いて、無効化させる薬といったところでしょうか。抗体とは本来、体を守るために侵入してきた細菌やウイルスなどの異物（抗原）を排除すべく体内で作られるものです。そのシステムを利用したのが抗体医薬品というわけです。

抗体はそれに対応する特定の抗原にしか結合しません。なので抗体医薬品は、いわゆる医薬品とは異なりめっちゃ選択性が高いのです。ターゲットをピンポイントで狙い撃ちできるので、副作用が少なく効果も高いものとなります。花粉症の場合は花粉（うっかり異物認識されちゃっている）が体内に侵入することで、血中のIgEがマスト細胞や好塩基球と結合し、それらの細胞からアレルギー症状を引き起こすヒスタミンなどの物質が放出されることにより鼻水やくしゃみなどの不快な症状が発現します。ゾレア/オマリズマブはIgEに結合するように設計された抗体なので、投与すると血中のIgEと結合し無力化します。そのため花粉が侵入してきても、IgEがマスト細胞や好塩基球と結合することなくヒスタミンなども放出されないので、アレルギー症状は発現しません。ヒスタミン受容体をブロックするわけではないため、眠気も出ません。素晴らしい！ ただし、（抗体医薬品全般にいえることですが）よく効く良い薬ではあるものの、タンパク質でできているため、現状は経口投与は不可です。消化されちゃいますからね（笑）。必然的に注射での投与となります。あと最大の問題が超絶お高いってことでしょうか。1か月あたり40万円弱とか…わぁ……。

日本の過酷な夏を生き延びよう…！

熱中症の予防と水分補給の話

熱中症に適し過ぎている、高温多湿な日本の夏。室内にいてもかかることはあるし、重症化すると死に至ることも…。たかが熱中症、されど熱中症なのだ。正しい知識を身につけて予防しよう。 text by 淡島りりか

冷房がほぼほぼ存在していなくても、おおむね死なない英国の夏（…まあ、ロンドンでも冷房が装備されていない一部の地下鉄に乗るとうんざりするけどね）。対して、外に出るともれなく湿気がまとわりついてくるし、ジリジリ太陽にも炙られて、やる気も行方不明だし、ぼちぼち捜索願い出さなきゃなーって感じの日本の夏。hot and humid過ぎて少なくとも私には向いてないのですが、皆さまはいかがでしょうか？　私は夏になると毎日空調がしっかり効いた場所でほぼ1日を終える生活をしているんですが、それでも気を抜いてはいけない、だからこそ気を抜いてはいけない熱中症のお話をしましょう。

熱中症の基礎知識

そもそも「熱中症」とは何ぞや？ってところからですね。我々ヒューマンビーイングは、いわゆる恒温動物です。遠い昔、はるか彼方の銀河系で「生物」の時間に、恒温動物と変温動物の定義を学びましたよね。とりあえず我々人類は、周りの環境が暑かろうが寒かろうが、外気温に大きく左右されることなく体温はおおむね一定です。最近至る所で体温測られまくっていることでしょうし、よーくご存じだと思います。

人間は生きている限り、熱を生み出しています。食べた物を代謝することでエネルギーを作り出したり、筋肉を動かしたりすることによって。ただ、熱を作るだけだと熱くなる一方なので、大気中に熱を捨てたり、汗をかきそれを蒸発させることで体温を下げています。しかし、熱は高きから低きに移動するので我々の体温と気温の間に開きがないとうまく熱を捨てることができませんし、日本の夏のようにこうも湿度が高いと汗もなかなか蒸発しません。Superdry極度乾燥（しなさい）！

…Anyway，そのように高温多湿条件下で水分や電解質のバランスが崩れ、体温調節に不具合が起き体内に熱がこもってしまっている状態のことを「熱中症」といっています。高温多湿な日本の夏は、熱中症が起こりやすい条件にバッチリ該当しているんですね。この熱中症、適切な処置が受けられない場合、最悪、後遺症が残ったり亡くなってしまうケースもあるので予防することが大切です。実際、総務省によると2022年5月から9月で80人の死亡者が確認されています。

どんな症状が出るの？

熱中症では基本的に3段階「熱けいれん」「熱疲労」「熱射病」に分類でき、最悪の場合、死に至ることも…。応急処置の方法も簡単に示しておきますが、詳しくは環境省や厚生労働省などによる「熱中症の応急処置」【01】を参考にして下さい。

軽 ↕ 重

熱けいれん

たくさん汗をかいて水分と塩分が失われた後、水分を大量に摂取し体内の塩分濃度が薄まることで腕や足などの筋肉に強い収縮が起きる。

➡涼しい環境で休むと共に、塩分＆水分摂取。

熱疲労

たくさん汗をかいて水分と塩分が失われ、体内の血液量が減少することで、めまい・失神・頭痛・吐き気・筋肉痛・倦怠感などの症状が現れる。

➡涼しい環境で休むと共に、塩分＆水分摂取。そして体を冷やす。

熱射病

体温が異常に上昇し（40℃を超える）、脳を始めさまざまな臓器に影響が出る。早急に治療しなければ後遺症が残ったり、死に至ることも…。

➡救急車を呼ぶ。到着までの間に服を緩めて冷水に浸したり、それが難しい場合は霧吹きで水を吹きかけて風を当てるなどして、とにかく体を冷やすこと。なお、炎症による発熱ではないのでNSAIDsなどの解熱剤は効果がない。

Memo:

傾向と対策

ここではどういった場合に熱中症になりやすく、また熱中症にならないためにはどうしたらいいのかお話ししましょう。

まず、熱中症が起こりやすい環境条件に関して。高温＆多湿。日本の夏、ダメですね。適し過ぎています。そんな過酷な環境で生活しているのだということを、理解しておいて下さいね。太陽ギラギラの日中ではなく、可能であれば時間をずらして活動しましょう。風の無い日だとか、急に暑くなった日だとかも要注意です。そんなわけで、意外と夏の初めとかにも熱中症が多かったりします。

次に個人差について。熱中症になりやすい人と、そうではない人が存在しています。

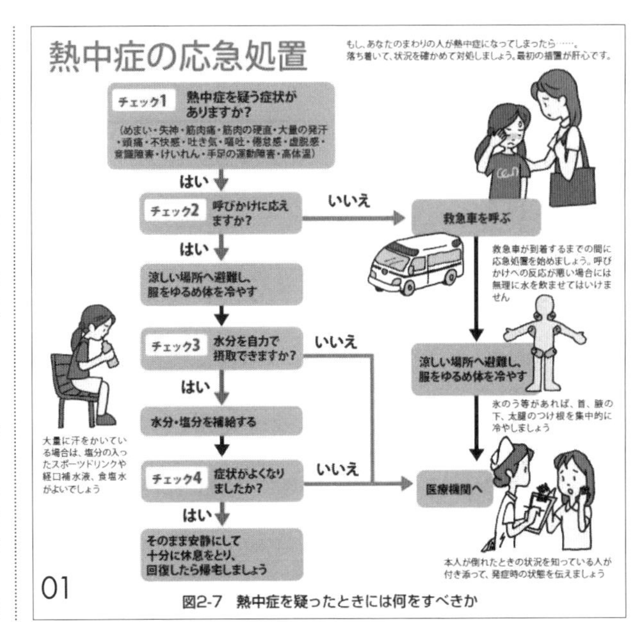

図2-7　熱中症を疑ったときには何をすべきか

環境省「熱中症環境保健マニュアル2018」

❶お年寄り

体の水分量が元々少ないです。歳を取ると水分の割合が減り（体重あたり50％程度になる）、脂分の割合が増えます。人間誰しも年齢を重ねると、瑞々しさが失われていくんです。このことは熱中症のなりやすさにも影響します。また、加齢に伴い感覚が鈍くなるので、暑いことや喉が渇いたことに気づきにくくなるんですね。体温調節機能も低下してきます。空調の効いた部屋にいるし大丈夫大丈夫！など と、どうかエアコンを過信しないで下さい。熱中症でお亡くなりになる方の多くは、お年寄りなのです。

❷幼児

水分割合はなんと成人より多く、体重あたり70％ぐらい。ピチピチですね。ただし、汗腺が未発達で体温調節は下手くそです。自ら進んで水分を摂ったり涼しい場所で過ごすことが難しい場合もあるので、周りの大人が気を付けて下さい。

❸病気を持っている方

皮膚疾患のある人も、汗をかきづらかったりする場合があります。あとは、発汗が抑制される抗コリン作用のある薬などを飲んでいる人。市販の風邪薬などにも入っているような古い世代の抗ヒスタミン剤、メンタル系の薬、尿意切迫の薬…などなど飲んでいる人もご注意下さい。通常よりも汗をかきづらくなっています。

そして肥満の人。脂肪がバリアになって熱の放散が妨げられがちです。

❹暑さに慣れていない人

私のように終日屋内の涼しい環境で過ごし、そもそも暑さに慣れていない人。週末に「わーい海だー」「BBQだー！」などとはしゃぐ場合、重々気を付けて下さい。あなたの体は暑さに適応していません。

特に最近は、マスクがドレスコードになっている影響で、熱中症のリスクが高まっています。熱を捨てづらくなったり、脱水の状態に気づきにくくなっていて、体温調節をしづらくなるためです。上記の条件に該当しない方もご注意を。

では、どうやって熱中症を防げばいいのでしょうか？　日陰を活用し、こまめに水分や休憩を取り、暑い時は無理をしない。

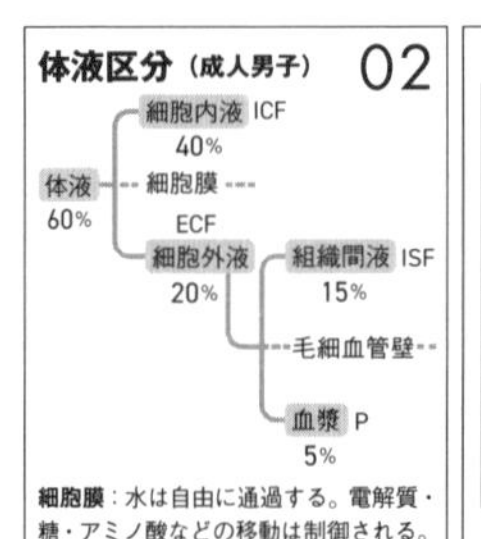

細胞膜：水は自由に通過する。電解質・糖・アミノ酸などの移動は制御される。
毛細血管壁：タンパク質以外はほぼ自由に通過する。

各体液区分中の電解質組成

	mEq/L	細胞外液		細胞内液
		血漿	組織間液	
陽イオン	Na^+	142	144	15
	K^+	4	4	150
	Ca^{2+}	5	2.5	2
	Mg^{2+}	3	1.5	27
	計	154	152	194
陰イオン	Cl^-	103	114	1
	HCO_3^-	27	30	10
	HPO_4^-	2	2	100
	SO_4^{2-}	1	1	20
	有機酸	5	5	
	タンパク質	16	0	63
	計	154	152	194

細胞内液：ICF（intra-cellular fluid）
細胞外液：ECF（extra-cellular fluid）
組織間液：ISF（interstitial fluid）
血漿：P（plasma）

03

不感蒸泄と発汗（成人）

04

条件	水分喪失量（mL）	NaCl喪失量（g）
平熱、発汗（ー） 室温 28℃以下（不感蒸泄）	900	0
発熱（38℃以上） 軽度発汗 室温 28〜32℃	1,000〜1,500	10〜20
中程度発汗（反復〜持続） 室温 32℃以上	1,500〜3,000	20〜40
高度発汗 室温著しく高い	3,000以上	40以上

・発熱時の対応が1℃上昇ごとに15%、外気温が30℃から1℃上昇ごとに15%増加する。
・不感蒸泄量は、成人では15mL×体重、15歳以下では（30ー年齢）mL×体重という概算式より求めることができる。

服装は締め付けの少ない涼しいものを選ぶ。日傘や帽子も活用する。…ごくごく当たり前のことではありますが、これらをまず意識して下さい。

どうしても高温多湿環境で活動をしなければならない場合は、徐々に体を慣らしていく必要があります。「暑熱順化」といい、これは数日から2週間程度かかります。皮膚の血流量が増え熱を捨てやすくなり、汗に含まれる塩分が少なくなる（塩分の再吸収が起こるようになる）ことで、熱中症になりにくくなるのです。とはいえ、順化できたとしても、ほんの数日快適な環境で過ごすと元に戻るので、お盆ホリデーなどで長期休んだ後はお気を付け下さい。

そんな過酷な環境で活動しないよって場合でも、日頃から暑さに体を慣らしておくことは熱中症対策として有効です。ウォーキングやジョギングなどの有酸素運動が良いといわれていますが、運動はちょっと…という場合は湯船にお湯を張って入浴するのもアリだそう。ぜひお試しあれ。水分＆塩分摂取もお忘れなく。

日々、キンキンに冷房の効いた環境で過ごすのも良くないので、厚着しなくていいくらいの少し高めの温度に設定しておきましょう。

何を飲んだらいいの？

汗かいた分だけ水分補給したらいいんでしょ？って、ペットボトルの水を持ってるそこのあなた、待たれい待たれい。アイスコーヒーとか缶ビール持ってる人もめっちゃ待ってほしい。とりあえずコーヒーには利尿作用があるから良くないし、アルコールも体内で分解される時に水が使われるので良くないです。まあ、それは理解できるとして、では汗をかいた後になぜ水そのものを飲むだけじゃダメで、塩分も一緒に摂取しないといけないのでしょうか？

年齢や体型などによって異なりますが、一般的に紳士では約60%、淑女では約55%が体重に占める水分量です。結構、瑞々しいですね人類。内訳は、細胞の中に存在してる液体とか血液とかそんなんです【02】。そしてその体内の水分には、ナトリウムとかカリウムとか塩化物とか…何やらかんやら電解質が溶け込んでいて【03】、その濃さやバランスが重要なのです。ちなみに、体内の水分量が減少する以外に、脳の受容体が感知する浸透圧（電解質の濃度）が2%濃くなるだけで喉が渇いて飲み物が欲しくなるといわれています。例えば、寿司を食べると喉が渇くのがまさにこれが理由なのです。

ナトリウムは水と一緒に動く性質があるため、汗をかくと水だけではなく塩分も一緒に体の外に出て行きます【04】。汗、しょっぱいでしょ？　汗をかいて体の水分が減ったところに、失われた汗の分、もしくはそれ以上ただの水を飲むと、汗と共に塩分も失われているので体液の濃度が薄くなります。薄くなってしまった体液濃度を戻すべく、余分な水分は尿として体外に排出されるので、結局、失われた塩分の分だけ体液が少ない状態に戻るのです【05】。たくさん汗かいた後、水を飲んだだけじゃ水分不足が改善されない理由がお分かりいただけましたか？　なので、脱水状態を改善するためには、水と同時に適度

Memo: 参考文献・画像出典など
●総務省「令和4年（5月から9月）の熱中症による救急搬送状況」
●厚生労働省「熱中症が疑われる人を見かけたら」 https://www.mhlw.go.jp/seisakunitsuite/bunya/kenkou_iryou/kenkou/nettyuu/nettyuu_taisaku/happen.html

05

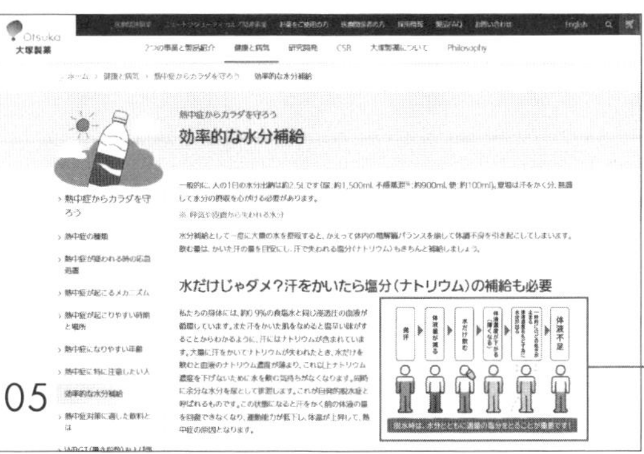

発汗
体液量が減る
水だけ飲む
体液濃度が下がる（薄くなる）
一時的にのどの渇きが止まる 体液濃度をもどす為に水分が出る
体液不足
脱水時は、水分とともに適量の塩分をとることが重要です！

大塚製薬「効率的な水分補給」
汗をかくと水と一緒にナトリウムも失われる。水を飲むだけだと体液の濃度が下がり、バランスを取るために尿として水分を排出する。結果、体液は減ったままの状態になる。水分と併せて塩分の摂取も大事なのだ

06 水分補給に適した飲み物の分類と塩分・糖質濃度

分類	商品名(メーカー)	食塩換算	糖質
スポーツドリンク(アイソトニック)	ポカリスウェット(大塚製薬)	0.12%	6.20%
	アクエリアス(コカ・コーラ)	0.10%	4.70%
スポーツドリンク(ハイポトニック)	イオンウォーター(大塚製薬)	0.10%	2.70%
	アクアソリタ(味の素)	0.20%	1.90%
経口補水液(ハイポトニック)	OS-1(大塚製薬)	0.29%	2.50%
	アクアサポート(明治)	0.29%	2.30%

な塩分摂取が必要なのです。なお、この時に糖分も併せて摂ることにより吸収が早まります。腸管のSGLT1っていうトランスポーターによって、塩分と糖と水が一緒に運ばれるので。

ということで、何を飲むべきかですが、スポーツドリンクや経口補水液はおおむね以下の3種類に分類されるので、状況によって使い分けて下さい。メジャーな各飲料の塩分・糖質の濃度もまとめたので、【06】の表もご参考に。ここに記載したドリンク以外も成分表を見れば（一部線引きが難しいものもあるけど）、大体どれに該当するか識別可能と思います。

❶ スポーツドリンク（アイソトニック）

「スポーツドリンク」という名前の通り、運動や肉体労働でエネルギーを使うことが前提の飲み物です。食塩換算の塩分濃度は0.1％程度で、糖質が4～8％と多めに入っています。人間の通常の浸透圧と同じ（等張、iso tonic）飲み物。1時間以上がっつり運動や労働する場合、喉が渇く前に少しずつこまめに飲みます。水分以上にエネルギーを補給する意味合いが強いので、運動も労働もしない人が日常的に飲むには明らかに糖質が過剰です。ペットボトル症候群に気を付けて。

❷ スポーツドリンク（ハイポトニック）

塩分濃度は0.1％程度ですが、糖質は低めで2～3％程度です。人間の通常の浸透圧より低い（低張、hypotonic）飲み物。汗をたくさんかく場合の水分＆塩分補給に適しています。熱中症の予防に用いるなら、これが良いのでは？　熱中症のリスクが高くなる夏の時期は、長時間の運動や労働をする場合もアイソトニックのものよりもハイポトニックのものを選び、エネルギーよりも水分補給を優先する方がベターかもしれません。

❸ 経口補水液（ハイポトニック）

糖質はスポーツドリンク（ハイポトニック）同様2％程度と低めだけど、塩分濃度が0.3％程度とやや高め。汗をたくさんかく場合や熱中症時の水分＆塩分補給に適しています。

皆さまどうかこれらのことに気を付けつつ、無事に過酷な日本の夏をサバイブして下さい。毎年4月下旬頃から環境省では日々「暑さ指数」という熱中症予防の指標を発表しているので、こちらも参考にしつつ…。ではではごきげんよう。

●『やさしく学ぶための輸液・栄養の第一歩』（第二版／大塚製薬）
●大塚製薬「効率的な水分補給」 https://www.otsuka.co.jp/health-and-illness/heat-disorders/replenish/
●環境省「暑さ指数について」「全国の暑さ指数」 https://www.wbgt.env.go.jp/wbgt_data.php

睡眠薬ってなんか怖い…と思っているアナタへ

不眠に効く薬

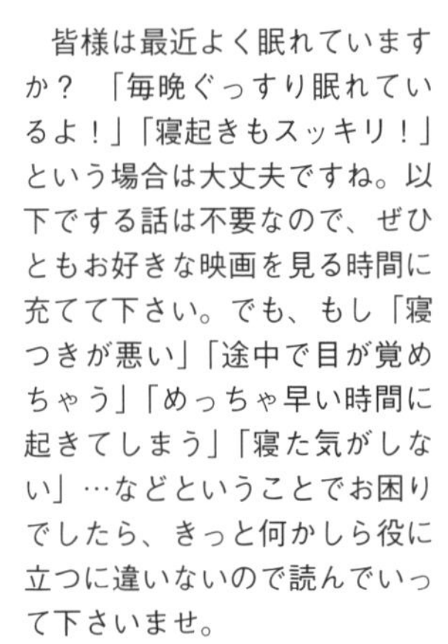

日本の成人の5人に1人は不眠症状があって、20人に1人が睡眠薬を飲んでいるそう。「不眠」は身近な症状なのだ。不眠の正体や治療薬を知って、改善への一歩を踏み出そう！　text by 淡島りりか

皆様は最近よく眠れていますか？　「毎晩ぐっすり眠れているよ！」「寝起きもスッキリ！」という場合は大丈夫ですね。以下でする話は不要なので、ぜひともお好きな映画を見る時間に充てて下さい。でも、もし「寝つきが悪い」「途中で目が覚めちゃう」「めっちゃ早い時間に起きてしまう」「寝た気がしない」…などということでお困りでしたら、きっと何かしら役に立つに違いないので読んでいって下さいませ。

人間は多くの場合、ぐっすり眠って、バランスが取れたおいしい食事をして、ちゃんと体を動かせば、心身共に健康体でいられます。つまり、心身共に健康であるためには睡眠は物凄く大事。ということで、厚生労働省が睡眠に関するお触れ書きを出しています（下表）。結構重要なことが書いてあって、最も知ってほしいのは12番目の項目。「眠れないとか些末なことだし…」などと決して思わないで下さい。なんかおかしいかもと思ったら、早めに受診しましょう。仕事や勉強などにおいても眠れないことによって被る不利益はとても大きいのです。しっかり睡眠を取って、QOLを上げていきましょう!!

健康づくりのための睡眠指針2014～睡眠12箇条～

1. 良い睡眠で、からだもこころも健康に。
2. 適度な運動、しっかり朝食、ねむりとめざめのメリハリを。
3. 良い睡眠は、生活習慣病予防につながります。
4. 睡眠による休養感は、こころの健康に重要です。
5. 年齢や季節に応じて、ひるまの眠気で困らない程度の睡眠を。
6. 良い睡眠のためには、環境づくりも重要です。
7. 若年世代は夜更かし避けて、体内時計のリズムを保つ。
8. 勤労世代の疲労回復・能率アップに、毎日十分な睡眠を。
9. 熟年世代は朝晩メリハリ、ひるまに適度な運動で良い睡眠。
10. 眠くなってから寝床に入り、起きる時刻は遅らせない。
11. いつもと違う睡眠には、要注意。
12. 眠れない、その苦しみをかかえずに、専門家に相談を。

（厚生労働省健康局が2014年に公開した「健康づくりのための睡眠指針2014」参照）

■加齢とともに適切な睡眠時間が減少する

必要な睡眠時間は人によって異なるが、年齢でも変化していく。左の図の通り、年代ごとに適切な睡眠時間は異なり、歳を取るほど短くなるのが分かる。ご参考までに。

参照／Ohayon MM et al.：Meta-analysis of quantitative sleep parameters from childhood to old age in healthy individuals：developing normative sleep values across the human lifespan：Sleep 27：1255-1273,2004（引用改変）

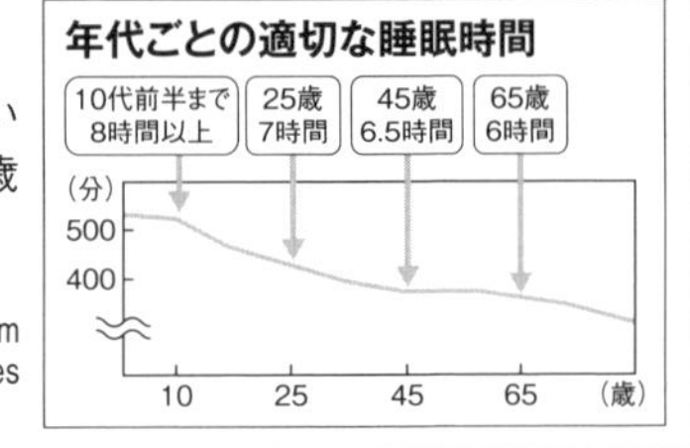

Memo：参考文献など
●『薬がみえる』Vol.1（医療情報科学研究所）

不眠には4つのタイプがある

不眠症とは、睡眠の質が低かったり、睡眠の時間が足りていないことが1か月以上続き、それによって日中に眠気やだるさ、集中力の低下などといった不都合が出ている状態のことをいいます。不眠症は下のイラストのように4つのタイプに分類され、このタイプに合わせて薬が選択されるのです。なお、症状は混在しているケースもあります。

また、人によって必要な睡眠時間には差があるので、たとえ適切とされる睡眠時間より短くても日中の活動に支障が出ていないようなら問題はないでしょう。

不眠症の種類

入眠障害

寝つきが悪い

ギ

中途覚醒

早朝覚醒

熟睡困難

安眠を妨害するファクター

不眠の原因はさまざまですが、寝る前に飲んでいるドリンクや他の疾患が原因で不眠に陥っていることもあるので、まずはそれらをなんとかしましょう。

よくやりがちなのが、カフェイン入りのドリンクやお酒を摂取すること。皆さん、胸に手を当てて、ご自身の行動を振り返ってみて下さい。もし思いあたることがあり、満足な睡眠が取れていないなら、これらの睡眠を妨げる原因となるものを寝る前に摂取するのは避けるようにしましょう。

また同様に、普段飲んでいる薬によっては、不眠の副作用が出現するものもあります。モノはいろいろありますので、ぜひかかりつけの医療機関でご確認を。そして、睡眠の状況を併せて伝えるようにして下さい。何かしら手を打ってくれると思いますよ。

Case1 摂取する物質が影響している

寝る前にコーヒーや紅茶を飲むのは、カフェインが入っているからNG。これについてはご存じの方も多いでしょう。でもそれだけじゃありません。今日も1日頑張ったからなどと栄養ドリンクを飲んだり、リラックスするためにココアを飲むのもダメ。どちらもカフェイン入ってますから！　あとコーラもね。

そして、寝つけないしナイトキャップを…とおやすみ前にアルコールを摂取してたりしません？　確かにその時は寝つきが良くなるかもしれませんが、睡眠が浅くなってしまい、途中で起きてしまったり寝た気がしないといった原因になりえます。寝酒は繰り返すことにより効果も薄まりますしね。

Case2 他の症状・疾患が不眠を招いている

経験ある方も結構いらっしゃることだと思いますが、痒みや痛みが睡眠に支障をきたすことがあります。夜中、寝ている間に度々トイレに行きたくなる(2回以上は治療対象となることが多い)のも睡眠の妨げになるのです。この場合は痒みや痛み、頻尿といった根本の問題を解決することで、不眠を改善できることがあります。

他にも、レストレスレッグス症候群(じっとしていると足がムズムズして眠れない)や、閉塞性睡眠時無呼吸症候群(寝てる間に呼吸が止まっている)といった症状を抱えている方。また、うつ病や不安障害といった精神的な疾患も不眠の原因となります。この場合も、疾患の治療を進めましょう。

不眠症と治療薬

「睡眠薬とか危なくない？　やっぱり飲まない方がいいんじゃない？」とお思いの方も多いのではなかろうかと思います。実際のところ、現在よく使われている薬は、きちんと使えば安全で効果的ですし、症状を診てもらい適切な薬を適切な量で使うと問題になることは少ないです。病院で処方される睡眠の薬は「抑肝散」「加味逍遙散」「黄連解毒湯」などの漢方薬が使われることもありますが、おおむね以下の4種類に分類されます。

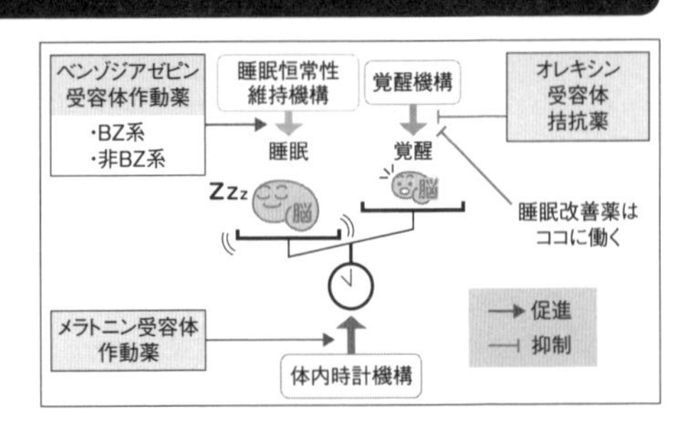

ベンゾジアゼピン系睡眠薬

薬の構造にベンゾジアゼピンという構造を持つため、この名前で呼ばれている。GABAA受容体という睡眠や鎮静に働く受容体に結合することで眠くなる。最もよく使われている睡眠薬で、副作用が少なく、依存や耐性を生じにくい。作用時間はさまざまで、半減期によって超短時間型・短時間型・中時間型・長時間型に分類され、症状により使い分けられている。

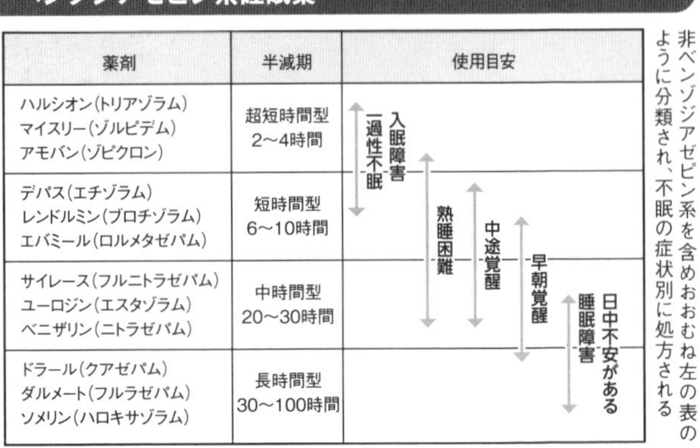

薬剤	半減期	使用目安
ハルシオン（トリアゾラム） マイスリー（ゾルピデム） アモバン（ゾピクロン）	超短時間型 2～4時間	入眠障害 一過性不眠
デパス（エチゾラム） レンドルミン（ブロチゾラム） エバミール（ロルメタゼパム）	短時間型 6～10時間	熟睡困難 中途覚醒 早朝覚醒
サイレース（フルニトラゼパム） ユーロジン（エスタゾラム） ベニザリン（ニトラゼパム）	中時間型 20～30時間	日中不安がある睡眠障害
ドラール（クアゼパム） ダルメート（フルラゼパム） ソメリン（ハロキサゾラム）	長時間型 30～100時間	

非ベンゾジアゼピン系を含めおおむね左の表のように分類され、不眠の症状別に処方される

非ベンゾジアゼピン系睡眠薬

ベンゾジアゼピン系と構造は異なるものの、ベンゾジアゼピン系の薬と同じく、GABAA受容体に作用し効果が出る。いずれも超短時間型。

主な薬　マイスリー（ゾルピデム）、アモバン（ゾピクロン）、ルネスタ（エスゾピクロン）

オレキシン受容体拮抗薬

「起きている」状態を保つオレキシンという脳内物質を感知するのが、オレキシン受容体。これをブロックすることで眠くなる。

主な薬　ベルソムラ（スボレキサント）、デエビゴ（レンボレキサント）

メラトニン受容体作動薬

メラトニンは我々の体内で分泌される睡眠と覚醒を司るホルモン。日中光を浴びることで減少し（→覚醒）、夜暗くなると増加する（→睡眠）ことでサーカディアンリズム（体内時計）を調整している。メラトニン受容体作動薬はメラトニンと同じように働き、睡眠を促す。

主な薬　ロゼレム（ラメルテオン）、メラトベル（メラトニン）

海外ではメラトニンそのものがサプリメントとして販売されており、私はそれをサーカディアンリズムのズレにより生じる時差ぼけ対策に用いている。日本でもメラトニンが2020年に処方箋医薬品（メラトニン受容体作動性入眠改善薬）として承認されたが、適応となるのは「小児期の神経発達症に伴う入眠困難の改善」で、顆粒タイプのみ…。

Memo:

ドラッグストアの睡眠改善薬は効くの?

「ドラッグストアでも市販薬として睡眠改善薬が販売されているけど、あれってどうなの?」と気になっている方もおられると思うので、市販薬に関してもお話ししておきましょう。

ドラッグストアに行くと「ドリエル」「リポスミン」「ウット」「ネオデイ」など、さまざまな睡眠改善薬が棚に並んでいますが、これらはいずれもジフェンヒドラミンという成分のもの。いわゆる抗ヒスタミン薬と呼ばれる、アレルギーの薬ですね。最近では、「アレグラ」「アレジオン」「クラリチン」など、第2世代の抗ヒスタミン薬が市販薬として販売されていて、これらは中枢に移行しにくく、眠くなりにくいのがウリ。一方、睡眠改善薬に使われている抗ヒスタミン薬はもう少し古くからある第1世代で、副作用に眠気があります。つまり、睡眠改善薬はこの副作用を逆手に取っているわけ。ヒスタミンも脳内ではオレキシン同様に「起きている」状態を保つのに使われている物質です。そのため、中枢に移行しやすい第1世代抗ヒスタミン薬がズビズビで困ってる鼻だけじゃなく、脳内でもヒスタミン受容体をブロックすることで眠気が生じます。

なお、箱や取扱説明書に記載してあるように、これらは「一時的な」不眠に対して使うものであって、常用するものではありません。たまたま心配事があるとか、旅先で枕が変わると眠れないとか、そういう一時的なやつの対処のためです。不眠の症状が続くようなら、受診して下さい。たとえ使用が短期間であれ、催眠・鎮静作用が結構強いので、翌日に眠気が持ち越したり、自分で眠気は感じてなくとも集中力・判断力・作業効率が下がっていることがそこそこあるのでご注意を。

市販薬は自分で棚から選んでして購入することが多い(もちろん購入にあたって薬剤師や登録販売者に相談することはできるが)ため、注意が必要。例えば、第1世代の抗ヒスタミン薬であるジフェンヒドラミンは、緑内障や前立腺肥大といった持病がある人はその症状を悪化させることがあるためNG。くれぐれもお気を付け下さい

また、この眠気の作用は現れやすい人と現れにくい人がいます。持っているCYP2D6という抗ヒスタミン薬を分解する酵素の働きの違いによって、効果の出方に差が生じます。飲んでもいま一つ効果が感じられない場合、その効果が現れにくい体質の可能性があります。そんな感じなので、どっちにしたって眠れないという症状で使うのはあまりお勧めはしません。

そして、普段病院でベンゾジアゼピン系、非ベンゾジアゼピン系の睡眠薬を処方されている人が、手持ちが無くなってしまったからといって間に合わせにこれらの睡眠改善薬を服用した場合、もしくは病院に行くのが面倒だからと睡眠改善薬に切り替えた場合、効果は正直微妙なだと思います。早急にいつも通りの薬を出してもらわれることを強くお勧めします。

また、ジフェンヒドラミンのほか、ツムラやクラシエシリーズ、小林製薬の「ナイトミン」、全薬工業の「アロパノール」など不眠に対する漢方薬が販売されています。いずれにせよ、症状が続くようなら病院に行きましょう。

さて、睡眠の重要性について理解していただけたでしょうか? 睡眠の状態が微妙な方は、この機会にぜひとも医療機関でご相談下さいませ。さあさあ、思い立ったが吉日ですよ。ぐっすり眠れてしっかり疲れが取れる上質な生活を手に入れて下さい。日中のパフォーマンスも上がること請け合いです。

新しい肥満改善薬の効果と副作用

オルリスタットのヤバい話

楽してやせたいという人類の願望を叶えるため、本物のやせ薬が薬局で買えるようになる。しかし、看過できないリスクがあることを覚えておこう。あーこぼれちゃう…。

text by くられ

抗肥満薬「オルリスタット」が、2023年3月からOTCとして薬局で販売が開始されるようです。この薬剤は、拙著『デッドリーダイエット』など含め過去に何度か取り上げており、今回はその抜粋や最新の情報を併せてまとめておくことにします。デッドリーダイエットが発売された2005年当時は、それほど知られておらず、入手も難しかったため、ロクな紹介ができていなかったという事情もあります。その後、自分も個人輸入し、飲んでみたら恐ろしい目にあったという実体験があり、それが近日、薬剤師からの対面販売とはいえ処方箋不要でホイホイ買えるようになってしまうことに対して、予備知識を持っておく必要があるなと…と思ったわけです。

結論からいうと、誰でも気軽に飲んでいいかといわれると、社会的リスクが伴う危険性があることを、まず知っておくべきだと思います。オナラと一緒に油状便を漏らす可能性が高くなるからです。お腹がガスでパンパンになり、うっかりオナラをすると、凄まじく臭い油をお尻からノンストップで漏らすことになる…という薬剤なのです。その理由と仕組み、実際の効果について説明していきましょう。

本物のダイエット薬

使用実績としては非常に長い薬で、2005年時点で149か国で認可され、欧米で6千万人近い処方例もあり、現在も広く使われています。薬剤の効果としては、油の吸収を阻害するという内容ですが、血中に入ってそこから作用を及ぼす薬ではなく（最高血中濃度は数μg/Lと極めて低い）、ほぼ吸収されずに消化管を通り便として、食べ物と一緒に出て行く素通り薬剤です。その素通りの道すがら、油を消化吸収するための消化酵素であるリパーゼ（胃リパーゼ、膵リパーゼ）が油を分解する作用を可逆的に阻害し、油自体を体に吸収させずに便中にそのまま出したれという働きをします。カロリー爆弾である油の吸収を邪魔してしまえば、カロリーゼロじゃん!?という感じの思想体系の薬といえるでしょう。実際、ゼロにはなりませんけど。

血中に入らないということは、油の分解阻害は体内の起きてはいけない場所で起こることはな

読売新聞 オンライン

「抗肥満薬」オルリスタット、処方箋なしに薬局で購入可能に…ネット販売は不可

厚生労働省の専門家部会は２８日、大正製薬が販売する抗肥満薬「アライ（一般名・オルリスタット）」を、医師の処方箋なしで薬局で買える薬として承認することを了承した。来年３月にも正式に承認される見込みだ。厚労省によると、日本人を対象にした臨床試験で、内臓脂肪や腹囲の減少効果が確認された市販薬となる。

アライは、脂肪の吸収を抑制する薬で、対象は、高血圧や脂質異常症などの健康障害を伴わない肥満（男性は腹囲８５センチ以上、女性は同９０センチ以上）の１８歳以上。食事や運動など生活習慣改善の取り組みと併せて補助的な

読売新聞オンライン2022年11月28日

2009/8/24	・Xenical (orlistat 120 mg) ・Alli (orlistat 60 mg)	抗肥満薬	FDA(米国食品医薬品局)は当該製品に関連して32例の肝障害が報告されていることを公表した。FDAでは今後、当該製品の安全性に関する評価を継続する。消費者には、当該製品使用する際若しくは肝機能に異変を感じた際は医療関係者に相談することを勧めている。
2009/6/16	・Zicam Cold Remedy Nasal Gel ・Zicam Cold Remedy Nasal Swabs ・Zicam Cold Remedy Nasal Swabs,Kids Size	風邪薬	FDA(米国食品医薬品局)は、当該製品に関連して130例を超える嗅覚障害が報告されていることから、消費者に対して直ちに使用を中止するよう警告を行っている。

厚生労働省

2023年3月から抗肥満薬の「オルリスタット」が、薬剤師がいる薬局で買えるようになると報道された。過去には厚生労働省が「個人輸入において注意すべき医薬品等について」として注意喚起していた薬品だけに、効果と併せてそのリスクも知っておくべきだろう

Memo: 参考文献・画像参照など

●読売新聞オンライン2022年11月28日

●厚生労働省「個人輸入において注意すべき医薬品等について」https://www.mhlw.go.jp

いため、毒性学的な視点で見れば、極めて安全な薬剤といえるのです。社会的には致命的な副作用を持っていますが…（笑）。

ここまでの説明で、既にドラッグストアに並んでいるダイエットサプリメントと同じような印象を持つかもしれません。「食べた油なかったことに!?」などと標榜しているサプリメントの肝は、キチンキトサンなどの成分です。油とサプリをビーカーで混ぜると油を吸い取って膨らむため、吸収阻害をすると優良誤認させているに過ぎません。体内では胃酸や消化酵素、蠕動運動などの化学的物理的処理がなされるので、この効果は全く関係なくカロリーオフにはつながらないのです。

そんなインチキサプリメントが成しえなかった夢を叶えたのが、このオルリスタットというわけです（最近はさらに効果の高い「セチリスタット」もある）。オルリスタットの服用のみで、2年間の長期服用の結果、体重の10%前後を自然に下げられると紹介されていることも…。ただしこれは、日本人の感覚でいうとかなりの肥満体の話であり、ちょいポチャくらいの人がスリム体型になるような減量効果ではありません。

オルリスタットは、腸内のリパーゼ吸収を選択的に阻害する薬で、脂肪の分解を抑制します。結果、脂肪が腸管から吸収されず体外に排出されるため、食べた油の30〜40%を「食べていない」ことにできるのです。他の臓器への負担も少なく、かなり安全に脂肪吸収を阻害できる

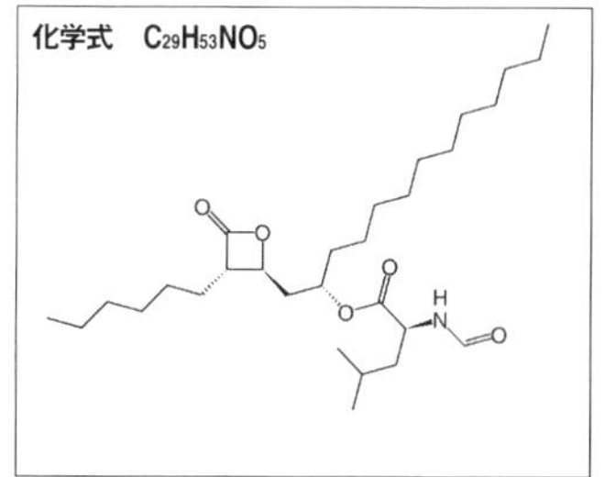

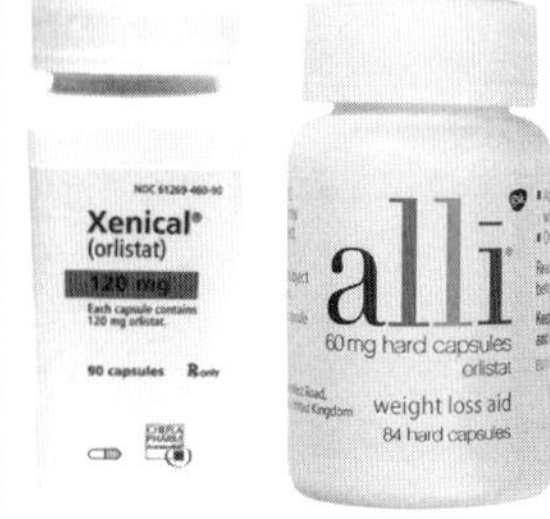

オルリスタット（Orlistat/Ro 18-0647）
スイスのロシュ社が開発した抗肥満薬。ロシュからは「Xenical」、グラクソ・スミスクラインからは「alli」として販売されており、日本では大正製薬が製造販売する。脂質分解酵素のリパーゼに作用し、食事に含まれる油の吸収を抑えることで減量につなげるのだが、消化管で吸収されなかった油は便として排出されるため、オナラと一緒に漏らす恐れがある…

といえます。

86ページのグラフは、2年間にわたり、オリルスタットの減量効果を688人の肥満患者で観察したものです。プラセボ（偽薬）に比べて明らかに高い効果を発揮しています。また、偽薬投与患者の半数とオリルスタット投与患者を1年で交代させたところ、オルリスタットの方が高い減量効果が出ています。

さらに、これらの患者のほぼすべてが最大20%ものコレステロール値が下がったことも分かっており、脂肪だけでなくコレステロールの吸収も阻害していると考えられています。BMIが25を超えてる人が、体重の10%前後を時間をかけて落とす場合に最適の薬といえるでしょう。

と、ここまで見ると、めっちゃ最高のやせ薬じゃん、早く飲まないと！　これで爆食してもOKだぜ！…と思うのは早合点です。このグラフには、重要な前提があります。

多くの論文や研究データで、こうした目覚ましい減量効果が出ているものは、低カロリー食などの根本的な減量療法が行われている中、ダメ押しでオルリスタットが使われた場合です。その際は有意な減量効果が見られますが、普通の食事では効果が見られません。そして有意といっても、10〜20%程度というのが結論です。

社会的に死ぬ副作用

要するに、普通にカロリー制限をしないで、この薬さえ飲んでいれば、油の吸収が阻害されて、楽々ダイエットできてハッピー！…ということにはなりません。そして、最大の問題はこの先。「社会的に死ぬ副作用」があることです。冒頭では少し軽い感じで述べただけですが、かなりの確率で発現することが知られています。

油が未消化のまま便として排出されるとは、ウンチと油が一緒に出るということです。トイレに真っ赤な油（胆汁が溶けているため赤っぽい）がウンチと一緒に浮き、凄まじい悪臭を放ちます。絵的には、便器にラー油をぶちまけた感じ。当然油な

ので水に浮き、簡単には流れません。また、便器にしつこく貼り付き、掃除の頻度を増やさないと衛生的に保てなくなります。

そして、本来腸内にあるべきでない量の油が存在することになり、腸内バランスが崩れ、オナラの量が増え、その結果、オナラの圧力で、油が潤滑剤となって便失禁や切迫性便失禁が起こりやすくなります。日常生活において突如、大量の悪臭を放つ油が肛門からあふれ出る…、それはつまり、社会的に終わるといっても過言ではないでしょう。オルリスタットを服用したかなり多くの利用者の間で、この現象が報告されています。

こうした副作用は通常3か月以内に消失するとされていますが、その便失禁の恐怖に負けて服用を止めてしまう人が多いのが実際のところです。繰り返しになりますが、そもそもこの薬が効果を発揮するには、根本的な摂取カロリーや栄養のコントロールがマストであり、その上でダメ押し的に使う薬剤であることを考えると、カジュアルに薬局でホイホイ買うようなものではないと思います。

ちなみに、油自体を消化（吸収）できない油にしてしまえばいいんじゃね!?という発想で、アメリカのP＆Gが食品添加物として、「オレストラ」という人工代替油脂を開発しています。1996年に食品への使用が許可され、この油を使ったポテトチップは“カロリーゼロ”としてすごく売れたのですが、その後、吸収できない油は下痢や腹痛を起こして便中に出るという、ヤバいお菓子である話が速やかに広まり、数年で売り上げは激減したという歴史があります。

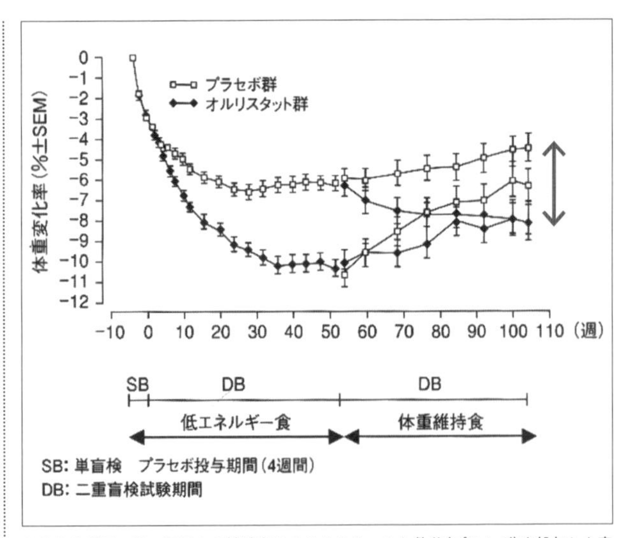

こちらのグラフは、688人の被験者にオルリスタットと偽薬（プラセボ）を投与した実験データをまとめた、とある資料の引用。ネットの広告で宣伝されるようなサプリとは異なる本物のダイエット薬だが、きちんとした効果を得るには、カロリー制限などが必要であることが分かる

油を体内に吸収させずにカロリーオフするという考えは、どうも健康的な減量にはなかなか反りが合わないようです。

他にもあるぞ…抗肥満薬

さて、夢の無い現実の話をしましたが、やせ薬は本当に存在しないのでしょうか？

こちらも結論からいっておくと、現在、パパッと飲むだけで安全にカロリーがオフになったり、脂肪組織から脂肪をもりもり削り取って健康的にスリムになるなんて薬物は存在しません。ただ相応の副作用や危険性を伴うものは一応あり、また、吸収阻害系の薬もいくつかバリエーションが出てきているので、駆け足で紹介しておきましょう。

マジンドール

肥満治療の薬としては最も古く、実際に肥満症への適用処方がなされています。作用的には視床下部にある摂食中枢に働きかけることで摂食抑制（食欲を下げる）、消化吸収抑制（胃腸の動きを悪くする）ほか、消費エネルギーを増やすことで脂肪を熱として使いやすくする…というものです。

成分的に覚醒剤と近いことをしており、精神障害や精神依存、飲んでいない時の脱力感や無力感などが起こり、使用には医師の適切なコントロールが必須。アメリカではこの「マジンドール」の他に、「フェンテルミン」などが使われており、同様の作用と副作用があります。

Memo:

主なGLP1受容体作動薬の種類			
成分名	商品名	製造・販売	備考
トルリシティ	デュラグルチド	イーライリリー	説明書には痩身効果の記載ナシ
リラグルチド	ビクトーザ	ノボルディスクファーマ	2010年6月、日本発売
	サクセンダ		アメリカでの名称
エキセナチド	バイエッタ	ブリストル・マイヤーズ	2010年12月、日本発売
	ビデュリオン	アストラゼネカ	2022年5月、販売中止。バイエッタを代替品として案内
リキシセナチド	リキスミア	サノフィ	2013年10月、日本発売
セマグルチド	リベルサス錠	ノボノルディスクファーマ	2020年6月に国内で承認され、2021年2月発売。世界初の経口薬。効果が高いが、価格も高い
	オゼンピック		2020年6月、発売開始。週1回の注射薬で、期待値は現在最強

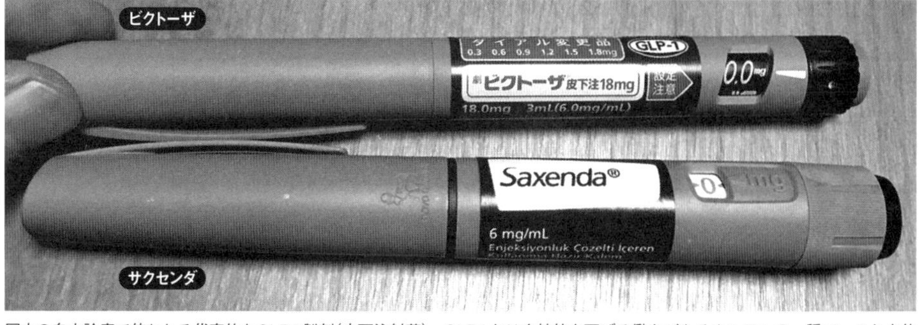

国内の自由診療で使われる代表的なGLP1製剤(皮下注射薬)。GLP1とは血糖値を下げる働きがあるホルモンの一種で、これを体外から補うことで食後血糖の変動を抑制する

ロルカセリン

アメリカでは2012年に肥満抑制薬として認可されましたが、2023年1月時点で日本ではまだ未承認です。うつ病の治療薬と似ているセロトニン受容体のアンタゴニスト(阻害薬)で、満腹時に放出されるレプチンというホルモンの作用を脳内に擬似的に作ろうというコンセプトの薬剤となります。

セロトニン受容体の作用薬なので、頭痛やめまい、また吐き気、口渇、無気力、けん怠感などが報告されており、特にうつ病の治療薬との併用は禁忌であるなど問題も多いようですが、その効果は2型糖尿病600人への治験では、5%以上の体重減少が半数近くに見られているため、それなりに有効ではないかとされています。とはいえ、上述のように副作用の大きさを考えると、個人輸入などで安易に手を出さない方がいいでしょう。

GLP1受容体作動薬

現在、医療界隈で最も期待値の高い医薬品群の一つで、「GLP1」などと呼ばれている体内のホルモンの一種です。作用しているのはあくまで受容体で、血糖値を下げる働きがあります。効果としては、食欲の自然な低下や脂肪の蓄積防止などがあるとされてます。ともあれ、自分も実際に自費診療で処方を受けてみたところ、確かに有意に体重減少を実感しました。

開発の経緯は、1992年にさかのぼります。ニューヨークの退役軍人医療センターの医師が生理活性ペプチドの実験をしていたところ、アメリカドクトカゲの毒から面白い挙動をするペプチドを発見し「エクステンジン4」と名付けました。後に満腹関連のホルモンであるインクレチンの分解阻害があることが分かり、皆が待ち望んだ最強のダイエット薬じゃん…ということで研究が進みます。糖尿病の治療薬として非常に効果的であることが分かり、アミリンとイーライリリーというアメリカの製薬会社が、合成エクステンジン4であるエキセナチゾを「バイエッタ」という商品名でリリース。その後も、さまざまな研究が行われ、今では多くの製剤がラインアップされています。ただし自由診療でしか使えないのと、複雑な薬剤なので高額なこと、そして自己注射薬であるため一定のハードルがあるといえるでしょう。

鬼が欲しがる? 珍しい血液型は実在する

稀血(まれけつ)の話

献血カードに「-D-」「ーーー」と書かれていたら、あなたは世にも珍しい血液型ということ。仲間が少ないので輸血には苦労するが、特定の病気にかかりにくいというメリットもある。 text by 亜留間次郎

血液型といえばABDの抗体と抗原を見て、A・B・O・ABとRhプラス/マイナスで8種類に分けられますが、国際輸血学会（ISBT）に登録されている血液型は37種類あり、ABO式はその中で最も有名な血液型の一つに過ぎません。医学から見た血液型は医学的必要性がすべてで、占いとか性格判定や血筋が高貴だとか卑しいなんて話は容赦なく全否定です。

珍しい血液型には献血と輸血を管理している赤十字社による分類があり、100人に1人から数千人に1人程度をⅡ群に、数万人に1人以下をⅠ群としています。AB型のRhマイナスは2,000人に1人しかいないのでⅡ群に入りそうですが、通常、輸血時に血液の調達が困難になることがないため分類に含めないことになっています。

輸血は血液型が発見される80年以上前には献血者から注射器で吸い出して患者に注射する方法が試され、幕末の頃には欧米で重傷者に行われるようになりました。が、当時は運任せの危険な方法だったのです。

血液型は、1901年（明治34年）に初めて論文として医学界に発表されました。その後、1910年代にクエン酸ナトリウムが血液抗凝固剤になることが発見されると献血と輸血が大規模に行えるようになり、第一次世界大戦で輸血が大勢の命を救い、その医療行為は現代まで続いています。

こうして輸血のために血液型の研究が進むと、珍しい血液型が次々と発見されるようになり、37番目の血液型「KANNO（カノ）」は1991年に日本で発見されました。2019年に国際輸血学会から認定され、今後も増える可能性があります。

血液型の仕組み

血液型は、赤血球の抗原と血清の抗体を見て判定します。厳密な血液型は、百万種類ともいわれるほど細分化し種類がありますが、基本的に輸血できるかどうかを基準に扱われているので、輸血に影響しない型式は気にしません。

抗体は、特定の抗原に対して攻撃する性質を持っています。通常はウイルスなどの病原体が体内に入ると抗体が作られ、病原体を攻撃することで病気になるのを防ぎます。この仕組みを「免疫」と呼んでいます。

新型コロナウイルス感染症の検査で、抗原検査を受けたことがある人もいるでしょう。アレは、COVID-19ウイルスの抗原と反応する試薬を使って、ウイルスがいるか判定する検査です。血液型の検査も原理は同じで、血液中のABの抗原と反応する試薬を使って検査しています。

人間の血液はウイルスみたいな体内に侵入してくる病原体ではないのですが、なぜか生まれつき他の血液型の抗原を攻撃する抗体を持っているのです。このため、合わない血液型を輸血されると抗体が抗原を攻撃して、赤血球が溶血して死にます。

簡単な血液型検査では、赤血球のAB2種類の抗原の有無で、4種類に分類しているのです。

A型	A抗原あり、B抗原無し
B型	B抗原あり、A抗原無し
O型	両方無し
AB型	両方あり

O型はAB両方の抗原がありません。つまり、他人の体に入ってもABどっちの抗体からも攻撃されないということ。これが、O型が他の3種類の血液型

Memo: マンガ「鬼滅の刃」ではヴィランである鬼を強化する血液として「稀血（まれち）」が出てくる。この話のレア血液型の読みは「まれけつ」である。
日本赤十字社【献血まるわかり辞典】vol.1「稀血／まれな血液」
https://www.jrc.or.jp/about/publication/news/20220411_025312.html

に輸血できる原理です。

一方で、O型はAB両方の抗体があるので他の血液型が入ってくると、AB両方の抗原を攻撃してしまいます。ゆえに、同じO型からしか血をもらえません。

O型は発見された当初、C型と命名されていましたが、後にAB両方の抗原が無いことが発見されると型が無かったということで「ゼロ型」と改名されました。その後、文献で0（ゼロ）とO（オー）が入れ替わってしまい、O型で定着して現在に至ります。

なお、AとBどっちの抗体も持っていないAB型は、他の血液型の抗原を攻撃しないため誰からでも血をもらえます。しかし、AB両方の抗原があるため、どの血液型の抗体からも攻撃されるので、同じAB型の人にしか提供できません。

もう一つの有名な血液型であるRh型は、D抗原を見ています。D抗原が陽性ならプラス、陰性ならマイナスです。Rhマイナスで抗D抗体を持っている人は、Rhプラスの血液を輸血されると死にます。

Rh型のマイナスはマイノリティで得することは特になく、不利益が大きい血液型です。最も問題なのは輸血よりも血液型不適合妊娠で、母がマイナスで父がプラスの場合に、死産する確率が高くなること。このリスクは両親ともRhマイナスだと起きません。医学的に結婚で血液型の相性が問題になる数少ない例です。

とはいえ、現代医学には管理技術や予防処置があるので、Rhマイナスの女性は妊娠したら、夫の血液型を確認して産婦人科医に相談して下さい。リスクはあるけど、現在は医学の力で対処可能な問題になっています。

兵庫県赤十字血液センター

ABO血液型では、血液はA型、B型、O型、AB型の4つに分けられます。赤血球を調べてみると、A型にはA抗原、B型にはB抗原、AB型にはAとBの両抗原がありますが、O型にはどちらの抗原もありません。一方、血清には、赤血球と反応する抗体があって、A型にはB抗原と反応する抗B、B型にはA抗原と反応する抗A、O型には抗Aと抗Bがあります。ところがAB型にはどちらの抗体もありません。ABO血液型は赤血球の検査（おもて検査）と血清の検査（うら検査）の両方の検査を行い判定します。

血液型	血球の抗原	血清中の抗体	日本人の割合（近似値）
A	A	抗B	40%
B	B	抗A	20%
O	AもBもない	抗Aと抗B	30%
AB	AとB	抗Aも抗Bもない	10%

ABO血液型について
最も身近なA型、B型、O型、AB型の分類は、オーストリアの病理学者であるカール・ラントシュターが発見したABO式によるもの。赤血球の表面にある抗原によって決まる。また、抗体は血清を調べることで判明する

レアな血液

ここまでは一般的な4種類とプラス・マイナスの血液型の話で、ABD3種類の組み合わせです。ところが、人間の抗原と抗体の種類は他にもあります。

100万人に1人というレアさが目立って、フィクションで多用されるボンベイ型。A抗原もB抗原も無いので、普通の血液検査ではO型と判定されます。普通の検査では、人類の99.999999%の人にあるH抗原が無いことが分からないからです。ボンベイ型とは、抗原が2つではなく3つ無いのです。

無いだけなら普通のO型と大差ないのですが、H抗原を攻撃する抗H抗体を持っていると、自分と同じH抗原が無い血液型以外は抗原が攻撃するため輸血できません。これが正式名称「Oh型」と命名された理由で、文字通りABだけでなくHも無いことを表しています。

こうした大半の人間にある抗原を、「高頻度抗原」と呼んでいます。そして高頻度抗原が無い人の多くが高頻度抗原を攻撃する抗体を持っているので、同じ稀血しか輸血できません。

ここまでABDHの話をしましたが、抗原と抗体の種類は非常に多くABCDE～と続きます。

ABにRh型を判定するD抗原は普通だけど、大半の人間にあるCとEが無い人が1万人に1人ぐらいいるのです。この血液型はCDEのうち両側のCとEが無いので、「Rh欠失型」と呼ばれ、血液型のRh式のところに「-D-」と書かれ「バーディーバー」と読みます。現在は献血カードになっていますが、献血手帳をお持ちの方はご自分のものを見て下さい。一般的にはRh式のと

参考文献など
●日本赤十字社 兵庫県赤十字血液センター「ABO血液型について」https://www.bs.jrc.or.jp/kk/hyogo

まれな血液型の種類	島根県赤十字血液センター
Ⅰ群[注)] 数万人に 1人以下	Bombay、para-Bombay、M^k／M^k、En(a-)、Mi.V／Mi.V、N^{sat}／N^{sat}、S-s-U-、p、P^k、Rh_{null}、Rh_{mod}、D--、cD-、LW(a-b-)、Lu(a-b-)、In(Lu)、Ko、Kp(a+b-)、Kp(a-b-)、k-、K14-、K18-、KYOR-、K_{mod}、McLeod(Kx-)、Fy(a-b-)、Jk(a-b-)、I-、Ge-、Lan-、IFC-、UMC-、Dr(a-)、Gy(a-)、Ok(a-)、JMH-、Er(a-)、Emm-
Ⅱ群 100人から数千人に1人程度	s-　、　Fy(a-b+)　、　Di(a+b-)　、　Jr(a-)　、　Do(a+b-)

注）Ⅱ群でかつRh(-)のもの、及びⅡ群の表現型が2つ以上重なったものはⅠ群として扱う

血液センターが管理している珍しい血液型。Ⅰ群は数万人に1人という極めてまれなもの。Bombay（ボンベイ）、Ko（ケーゼロ）-D-（バーディーバー）などがある。まれな血液型の血液は、－80℃以下で冷凍保存されている

ころに（+）か（-）と書いてあるはずです。しかし、CとEが無いと、ここに「-D-」と書かれます。普通の検査ではRh+と判定されるため、献血に行かない限り判明しません。

この稀血の人は血液型を聞かれた時に「D型」と答えて、「そんなのあるか！」とリアルなツッコミをもらうことが可能です。それがオイシイかは一旦置いておき、普通の人間にある抗原が無い稀血の人は健康上の不利益を抱えていることもあるので、その話をしましょう。

C抗原やE抗原だけでなくD抗原も無い人は、「Rh null型」と呼ばれ、Rh式のところに「———」と書かれます。これは「バーバーバー」と読みます。普通のRh抗原がある血液を輸血されると死ぬので、同じヌル型しか輸血できません。非常に困ります。ボンベイブラッドに匹敵する稀血です。

このRh null型は赤血球膜が脆弱で寿命が短く壊れやすいため、持ち主は慢性的な貧血や虚弱体質になりやすい特徴があります。そのため、輸血できる同じRh null型の人が見つかっても大量の献血に耐えられない可能性が高く、輸血で困る可能性はボンベイ型よりも高いといえるでしょう。システムエンジニアにRh null型の人がいたら、ソフトがエラーを起こしそうな血液型だといわれそうです…。

ただ、こうした欠失型の稀血は、不利なことばかりではありません。特定の病気にかからないことがあります。例えば、P抗原を持たない人は伝染性紅斑（リンゴ病）の病原体であるヒトパルボウイルスB19に感染しません。ウイルスがP抗原を利用して感染するため、P抗原が無い人には感染できないからです。

マイナーな血液型に、Duffy式血液型という分類法があります。FyaとFybの2種類の抗体を見て、Fy(a+b-)、Fy(a+b+)、Fy(a-b+)、Fy(a-b-)の4種類に分類するのです。この中で、Fy(a-b-)の人はマラリアに感染しません。マラリア原虫は赤血球のDuffy抗原から侵入するため、ab両方とも無いと侵入できないからです。マラリアが多いアフリカ人に多い稀血で、生存に有利であるため生き残っていると推測されています。

そして、現在の研究ではFyaとFybの2種類の抗体が無くとも特に健康上の問題が発見されていません。つまり、Duffy遺伝子は免疫回避技を使うマラリアに侵入される人体のセキュリティホールなので、無くなった方が人類としては有利な可能性が高い遺伝子といえるわけです。病気に強いデザインヒューマンを作るなら、Duffy遺伝子を取り除いてマラリアに感染しなくなる処置が行われる可能性が考えられます。

上述した最も新しい血液型であるKANNOマイナス型は、ク

Memo: ●日本赤十字社 島根県赤十字血液センター「<血液センターだより>まれな血液型について」https://www.bs.jrc.or.jp/csk/shimane
●「赤血球膜の脆弱な Rhnull 血液の冷凍保存法」http://yuketsu.jstmct.or.jp/wp-content/uploads/2015/03/048060465.pdf
●「GTリピートのSSCP解析を用いた Duffy式血液型遺伝子の分子進化の検討」https://www.jstage.jst.go.jp/article/sbk1951/40/6/40_6_309/_pdf

国立研究開発法人 日本医療研究開発機構
Japan Agency for Medical Research and Development

日本語　English

・採用情報　・情報公開　・アクセス　・お問い合わせ　・メールマガジン登録

AMEDについて　事業紹介　公募情報　事業の成果　ニュース

トップ > ニュース > プレスリリース > 新たなヒト血液型「KANNO」の国際認定―国立国際医療研究センターなど、日本の研究グループとして初めての登録―

プレスリリース　新たなヒト血液型「KANNO」の国際認定―国立国際医療研究センターなど、日本の研究グループとして初めての登録―

プレスリリース

・In English

国立国際医療研究センター
日本赤十字社
福島県立医科大学
日本医療研究開発機構

国立国際医療研究センター・ゲノム医科学プロジェクトの徳永勝士プロジェクト長、大前陽輔特任研究員らの研究グループは、ヒトゲノム解析により、これまでに国際輸血学会に登録されている36種類の血液型に加え、37種類目の新たな血液型「KANNO（カノ）」を特定し、この度国際輸血学会の血液型命名委員会から認定を受けました。これは日本の研究グループが特定した初めての血液型です。この新たな血液型「KANNO」を決める血液型抗原はプリオンタンパク質というクロイツフェルト・ヤコブ病の原因となる分子であり、今回特定された血液型を決める変異はプリオン病抵抗性との関連も注目されます。

私たちの血液には非常に多くの血液型があります。なかでも、ABO血液型とRh血液型は輸血をするうえで極めて重要な血液型であることはよく知られています。安全で有効な移植や輸血のためには、その他の血液型も一致することが重要で、これまでに36種類の血液型が国際輸血学会によって公認されていました（注1）。

今回、国立国際医療研究センター、日本赤十字社、福島県立医科大学の共同研究チームは、日本医療研究開発機構（AMED）ゲノム医療実現推進プラットフォーム事業（先端ゲノム研究開発）による支援のもと、KANNO抗原という、既知の血液型と一致しない血液を持つ人の全ゲノム解析を行うことによって、その血液型抗原とその変異を同定し、KANNOが新たな37番目の血液型であることを明らかにしました。これは日本の研究グループが原因を特定した初めての血液型であり、この度国際輸血学会から血液型「KANNO」として認定を受けました。その抗原は意外にもプリオンタンパク質でした。これはクロイツフェルト・ヤコブ病などのプリオン病の原因ともなる分子で、KANNO(-)（マイナス）型ではこのタンパクの一つのアミノ酸が変化しています。

詳細資料

新たなヒト血液型「KANNO」の国際認定
1991年にKANNO(-)型が発見されたが、KANNO抗原の本体は不明だった。国立国際医療研究センターらの研究グループが、ヒトゲノム解析により、2019年に特定。国際輸血学会に登録されている36種類の血液型に加え、37種類目として認定された

詳細資料

1.背景

私たちの血液には非常に多くの血液型があります。なかでも、ABO血液型とRh血液型は輸血をするうえで極めて重要な血液型となることはよく知られています。それだけでなく、安全な移植や輸血のためにはその他の血液型も一致することが重要で、これまでに36種類の血液型が登録されていました。血液型が不一致な場合には（自己に存在しない抗原に対する）免疫応答が起こり、抗体が作られてしまうことから、輸血や妊娠の成立に影響が出ることもあります。しかし、これまでの血液型では説明できない輸血不適合性を示す血液も存在し、その原因遺伝子はわかっていません。

1991年に福島県立医科大学附属病院で採られた血液が、既知の血液型とは異なる輸血不適合性を示し、暫定的にKANNO抗原を持たない血液としてKANNO（-）型と命名されました。その後、同型による輸血不適合性は日本国内で十数例報告されましたが、この血液型を作るKANNO抗原の本体については不明のままでした。これらの方以外はKANNO 抗原を持ち、KANNO（+）型とよびます。

2. 研究手法と成果

国立国際医療研究センター、日本赤十字社、福島県立医科大学の共同研究チームは、日本医療研究開発機構（AMED）ゲノム医療実現推進プラットフォーム事業（先端ゲノム研究開発）による支援のもと、ゲノムワイド関連解析（注2）とエクソームシークエンス解析（注3）という先端的なゲノム解析を行い、KANNO抗原を担う遺伝子を同定することを目指しました。その結果、調べたKANNO（-）型の18名全員が、プリオンタンパク質の219番目のアミノ酸が、グルタミン酸（E）からリシン（K）に変化する遺伝子変異（E219K）を、2本の染色体両方（ホモ接合）で持つことを見出しました。さらに培養細胞でそれぞれの遺伝子を発現させると、KANNO（+）型プリオンに対してのみ抗KANNO血清（抗体）が結合しました（図、赤がプリオン発現細胞に結合したKANNO型抗体）。すなわち、KANNO（-）型ではプリオンにE219Kの変異があり、グルタミン酸型プリオンに対する抗体を持つことが確認され、KANNOが新たな血液型抗原であることを確定できました。これは日本の研究グループが原因を特定した初めての血液型であり、この度国際輸血学会血液型命名委員会からの承認を受けました。

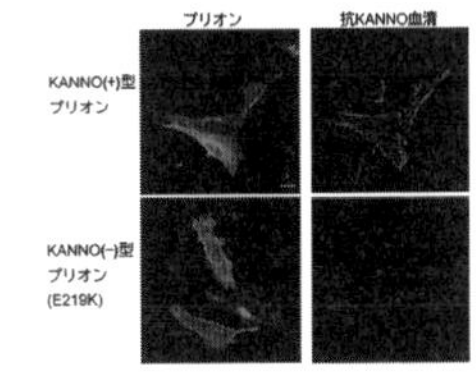

3. 今後の期待

今回、新たな血液型抗原として同定されたプリオンタンパク質は、ヒトでのクロイツフェルト・ヤコブ病（CJD）などのプリオン病の原因分子としてよく知られています。今回同定したE219Kの遺伝子変異は日本人以外のアジア人集団でも5%程度の割合で存在し、数百人に1人がホモ接合で有す

ロイツフェルト・ヤコブ病になりにくいことが発見されています。いわゆる狂牛病で有名になった病気で、食人が原因でなるといわれているクール―病とも同種の病原体であるプリオンに強い抵抗性があります。もしかして、人食い鬼に特別に作用する稀血とはKANNOマイナス型なのかもしれません。日本で発見されたKANNOマイナス型の持ち主は、もしかして風柱・不死川実弥の子孫なのかも？

そう考えると、稀血とは病気になりやすい人体のセキュリティホールにパッチを当てる、進化の作業中に生まれた暫定版なのかもしれません。そのせいで他の肉体とパーツの互換性が無くなってしまい、輸血できなくなったのかも…？

提供者が見つかる確率

珍しい血液型の人に輸血できる提供者を探すという話は、フィクションで扱われる定番ネタの一つです。では、現実にどれぐらい困難なのか、2017年11月に日本と韓国の間で行われた血液輸送の実例を元に検証してみます。

この事例では、韓国で心臓手術するために輸血が必要な患者がいたのですが、1万人に1人しかいないRh-D-型の稀血でした。韓国国内には同じ血液型を持つ4人が登録されていたものの、調べたら全員ダメ。韓国は稀血を冷凍保存する仕組みが存在しないらしく、使える血液のストックが韓国国内に無かったのです。そこで、日本に問い合わせたところ、適合する冷凍血液が5ユニット（1ユニット＝400mL）ありました。これを韓国に送って、無事に手術は行われ成功したのです。

韓国の総人口は約5,178万人。単純計算すれば1万人に1人いるので、5,178人はいるはずですが、患者当人を含めて5人しか見つかっていません。献血者の中にその血液型の人間がいなければ、当然ストックは作れないわけで、韓国で献血する人は全体の5.7%ほどらしく約295万人ということになります。

ここでRh-D-型であり献血者である二重の条件を満たす人間になる、条件付き確率の計算をしてみましょう。

事象A＝1万人に1人
事象B＝総人口の5.7%

ここから求める確率P(B|A)は、
0.057×0.0001＝0.0000057
51,780,000×0.0000057
＝295.146人

推定5,178人のうち、約295人ぐらいしか発見されていないことになります。残りの4,883人は、普通の血液型検査では判明しないため自分が稀血であることを知らないままと思われます。

そして輸血するためには、Rh式だけでなくABO式も一致していないとダメです。1/4なら

●日本医療研究開発機構「新たなヒト血液型『KANNO』の国際認定―国立国際医療研究センターなど、日本の研究グループとして初めての登録―」
https://www.amed.go.jp/news/release_20190805.html

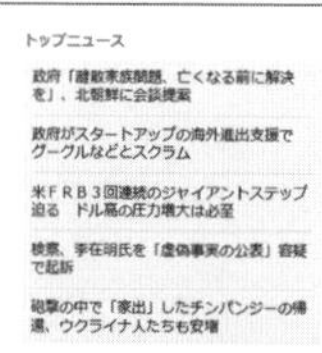
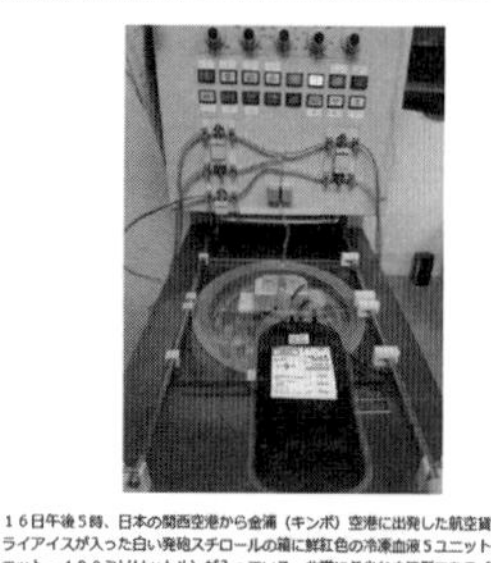

東亜日報

東亞日報

トップニュース　経済　社会　政治　国際　スポーツ　文化　社説　コラム

希少血液型の患者を韓米日の協力で救う

Posted November. 29, 2017 09:14,　Updated November. 29, 2017 10:16

１６日午後５時、日本の関西空港から金浦（キンポ）空港に出発した航空貨物便。ドライアイスが入った白い発砲スチロールの箱に鮮紅色の冷凍血液５ユニット（１ユ

トップニュース

政府「離散家族問題、亡くなる前に解決を」、北朝鮮に会談提案

政府がスタートアップの海外進出支援でグーグルなどとスクラム

米ＦＲＢ３回連続のジャイアントステップ迫る　ドル高の圧力増大は必至

検察、李在明氏を「虚偽事実の公表」容疑で起訴

砲撃の中で「家出」したチンパンジーの帰還、ウクライナ人たちも安堵

$$P(B|A) = \frac{P(A \cap B)}{P(A)}$$

希少血液型の患者を韓米日の協力で救う
2017年11月、韓国の女性が心臓の手術のため、1万人に1人の希少な血液型であるRh-D-型の血液が必要になった。韓国の献血者は徴兵された人が80%近くを占める。兵役を終えると献血に来なくなることも影響してか、韓国内では適合する血液が見つからず、日本赤十字社と在韓米軍病院の協力により輸血が可能になり手術が行えたという。なお、上記は、Rh-D-型かつ献血者である二重の条件付きの確率を計算するための式

73〜74人、血液型の比率は偏りがあるので少ないAB型だと30人以下になるかもしれません。この中から使用期限内の輸血ストックがある人を探すと、4人しかいなかった事実は理論値とそれほど大きく乖離していません。

さらに、血液型が一致しても交差適合試験（クロスマッチ）で不適合になれば輸血は不可。実際に普通の血液型でも不適合は起きるので、レアな血液型の場合は4人全員不適合になるのは十分に起きえます。

このような事情から、1万人に1人の血液型に輸血できる人が総人口約5,178万人の中から1人も見つからない不幸な偶然が起きました。現実には100万人に1人どころか、1万人に1人ですら輸血の確保に苦労するということになります。

自分の血液を保存

稀血の人はいざという時に他人から血液をもらうのが極めて困難であるため、日本赤十字社は稀血を10年間保存できる冷凍血液にして管理しています。しかし、冷凍血液は冷凍も保存も解凍も、手間とコストが高く非常に扱いにくい代物です。

冷凍する時に氷の結晶ができたり、細胞内の電解質が濃縮したりして、細胞が破壊されてしまうのを防がないといけません。採血した血液を遠心法で濃縮赤血球液にしてから、血液保存液A液（ACD-A液）と赤血球保存液（MAP液）を添加して、超低温槽内で1分間に1℃ぐらいの速度で零下80℃まで冷却して冷凍します。それから液体窒素に漬けて、−196℃まで冷やして保存するのです。

解凍する時はゆっくり温めてグリセリンを除去するため、5%果糖液を基剤にした専用の解凍液を使って戻します。この方法はコストが極めて高く、解凍に時間がかかる上に特殊な薬品と専門家による作業が必要なため、日本では稀血しか備蓄していません。もったいない話ですが、すべての血液を冷凍して保存することは、現在の技術では非現実的なのです。

少し話を戻しましょう。稀血が韓国で手に入らなかったのは、韓国で輸血用血液を管理している2つの団体がどちらも稀血の冷凍保存を行っていなかったからのようで、さらにその冷凍血液を戻すのに必要な解凍液も韓国にはありませんでした。そこでこちらは、在韓米軍の平沢（ピョンテク）病院に戦時物資として備蓄してあるものを分けてもらっています。この処置を行った血液の専門医は、「血液解凍は13年ぶりにやった」と話したようです。今回の事例ではなんとか間に合いましたが、稀血の人は韓国で輸血が必要になるとかなり大変そうです。

冷凍血液は、フィクションでよくある生物を液体窒素に漬けて冷凍保存する作業を、血液の赤血球細胞でやっているのですが、動物を丸ごとできない理由は、この解凍作業の結果を見るとよく分かります。冷凍された血液は100%元に戻らず、保存

Memo:
- 「冷凍血液 昭和47年」https://www.jstage.jst.go.jp/article/jjsth1970/3/4/3_4_393/_pdf
- 「冷凍血の凍結保存期間および有効期間の延長について」https://www.jstage.jst.go.jp/article/jjtc1958/37/5/37_5_651/_pdf/-char/ja

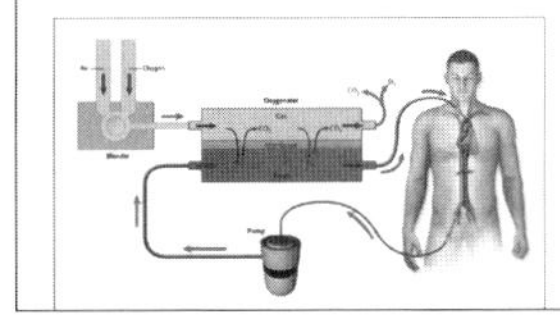
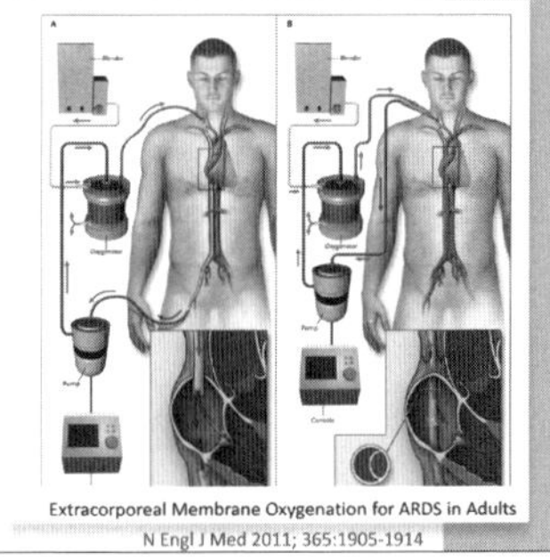

呼吸ECMOとは
新型コロナウイルス感染症が重症化した場合、人工呼吸器により酸素を取り入れられるよう補助する。それが難しくなると、切り札としてECMO（体外式膜型人工肺）が用いられる。血液を体外に出し、ポンプと人工肺によって酸素を取り込んだ後、体内に戻す装置だ。これを使用する際に輸血が必要なため、冷凍血液と解凍液の需要はより高まると見られている。冷凍血液の保存期間は10年

期間が長いほど細胞が壊れてしまう割合が大きくなるのです。許容できる限界の期間は10年ほど。ダメな数%の細胞は捨てて無事な部分だけ使える輸血ならOKですが、冷凍保存された人間の脳細胞が10%死んでいたらダメなことは想像に難くないでしょう。

生物を冷凍保存すれば永久に保存できるのはフィクションの世界の話で、実際には脳細胞のような重要臓器が100%に近い回復ができないため解凍しても蘇生しないか、蘇生しても重度の障害が出る可能性が極めて高く現実的ではありません。何をやっても死なないといわれているクマムシだってすべての個体が生き残るわけではなく、実験に使われた個体のうち一部だけが蘇生しているだけです。

冷凍マグロなども永久に保存できるわけではなく、「冷凍焼け」と呼ばれる痛みが発生するので賞味期限があります。賞味期限が無い冷凍食品は、アイスクリームのような細胞組織を持たない食品だけです。フィクションのように、数百年単位の長期冷凍保存は物理的に不可能といえます。

冷凍血液の需要

そんな中、最近は新型コロナウイルス感染症の影響で、献血の減少などからアメリカでは冷凍血液の需要が高まっています。元々、血液の冷凍保存は戦争で輸血が不足することが深刻だったアメリカで、世界初の凍結血液銀行が1956年、マサチューセッツ州チェルシーにあるボストン海軍病院に設立されたことが始まりです。それからベトナム戦争が始まった1966年に、アメリカ国防総省は南ベトナム共和国のダナンにある海軍基地病院に凍結血液銀行を作りました。この病院では、7か月間に冷凍血液465ユニットを重傷者に輸血したという記録が残っています。

その後も1980年代からアメリカ国防総省は、6万8千の冷凍血液を備蓄。解凍液が在韓米軍の病院に備蓄されていたので、一部は在日米軍基地の病院にもあると思われます。現在のアメリカ軍のマニュアルでは、1人の技師が同時に3台の解凍装置を操作して、冷凍血液1ユニットを3時間で使用可能にできるとされています。

今は特に、COVID-19の治療で最後の手段として用いられるECMO（体外式膜型人工肺）を使うための輸血が必要です。ECMOを使用するにあたっては、血液が固まって機械が詰まらないようにするために抗凝固療法が必須なので、ごく小さな出血でも血が止まらないため出血や貧血を補うための輸血が必要になります。1日あたりの平均赤血球輸血量の中央値は240mLとのこと。消費量の見積もりが成り立つので、3時間かけて解凍する時間的余裕があります。ゆえに、アメリカでは血液解凍システム市場が注目されており、2030年に4億ドル規模に到達する見込みという見解も出ているほどです。

繰り返しになりますが、稀血は献血に行くか、輸血が必要になってきちんと検査しない限り普通の血液型と区別できません。そのため、自分が稀血であることを知らない人が多数派なのです。自分は稀血に違いないと中二病をこじらせている人は、ぜひ献血に行って下さい。稀血かどうか無料で診断してくれますよ。そして普通の血液型だったとしても、世のため人のために役立っているのでガッカリする必要はありません。

●「アメリカ軍の戦場での凍結および解凍/脱グリセロール化された赤血球（DRBC）の使用に関するガイダンス」https://academic.oup.com/milmed/article/183/suppl_2/52/5091129
●厚生労働省「ECMO概論」https://www.mhlw.go.jp

有毒生物に咬まれた時の対処法

解毒の科学 前編

毒グモに刺された人に解毒剤を飲ませたら、スッキリ爽快、完全復活！ フィクションではそんな感じで描かれるが、現実世界ではもっと複雑だ。そもそも毒グモで死ぬコトは滅多にナイけどな…。 text by 亜留間次郎

闇あれば光ありで、医学の世界は毒生物にやられた患者の治療法を研究してきました。ゲームでは毒消し草を使えば毒は一瞬で消えるし、フィクションで瀕死の登場人物は解毒剤を飲めば一瞬で治ります。しかし、現実には解毒剤の存在しない毒が圧倒的多数派で、解毒剤を使ってもすぐに治ることはなく即効性の解毒剤が存在する毒物はありません。毒が効かなくなる薬も大昔から研究されてきましたが、残念ながら有効な毒の予防薬はありません。

少量の毒を飲み続けると耐性ができて毒が効かなくなる…というのは、ホメオパシー由来の迷信です。毒耐性なんてものを人間が備えているなら、タバコの吸い過ぎで病気になる人はいません。

抗毒血清の実態

ヘビやクモやサソリなどの生物毒、英語でいうvenom（ベノム）に属する毒物の解毒剤には抗毒血清が使われます。毒ヘビに咬まれても平気な動物は体内に抗毒血清を持っていて、毒を中和無効化していますが、マングースなどは後天的に獲得したものではなく生まれつきの遺伝的な能力なので他の生物にはマネできません。

有毒生物の抗毒血清は、毒生物から採取した毒を薄めて馬に投与して作っています。馬を使う理由は、馬の抗体産生能力がそもそも高く、そして心肺能力や造血能力が高い大型動物なので大量生産に向いているからです。馬よりも血清の生産に適した動物がいないか研究されていますが、現在のところは発見されていません。

しかし、馬の血清は人間にとって異物なので、アナフィラキシーやアレルギーなどさまざまな問題があり、投与された人間の18％強に何らかの有害事象が出ています。そこで、副作用の無い人間血清の生産に、生涯をかけて挑んだ人がいました。自分に少量のヘビの毒を投与し続けて、毒免疫を獲得しようとしたビル・ハーストです。

21人に自分の体から取った血清を与えて救ったとされていますが、この人はヘビの毒に免疫があると自己主張しながら咬まれるたびに入院して、最後は咬まれた指が壊死して無くなってしまい、研究を諦めています。ビル・ハーストは100歳まで生きたものすごい生命力の持ち主なので、毒に耐性があったのではなく、単純に体が丈夫なだけだったのかも…。

抗体産生能力は生き物によって大きな差があり、人間はそれほど高くないようで、毒耐性を獲得しにくい動物らしいです。仮に毒耐性を獲得できたとしても一生続くわけではないので、毒を接種するのを止めたら無く

■動物ごとの抗体産生能力

現在は、馬に薄めた毒を投与して、抗毒血清が作られている。他の動物よりも抗体産生能力が高いからだ。牛・豚・ニワトリは、免疫動物に適さないと結論付けられている。（沖縄県衛生環境研究所「平成4年度抗毒素研究報告書」参照）

馬
350〜400u/mL

牛
0〜63u/mL

ヤギ
100〜200u/mL

豚
30〜35u/ml

ニワトリ
10〜20u/mL

Memo: 参考文献・資料など

●ビル・ハースト　https://en.wikipedia.org/wiki/Bill_Haast

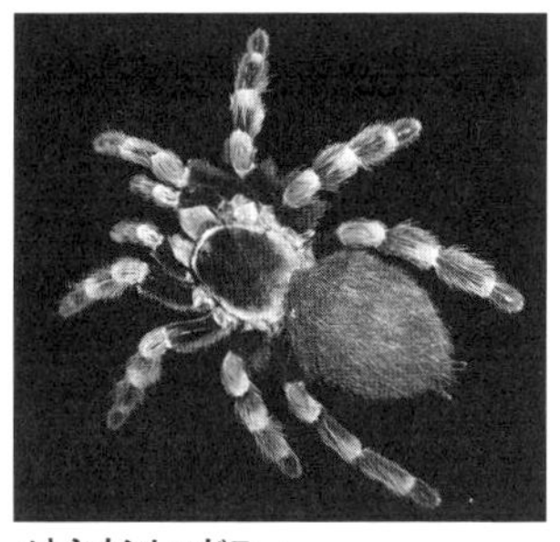

メキシカンレッドニー
（原産地：メキシコ）
いわゆるタランチュラ

セアカゴケグモ
（原産地：オーストラリア）
40都道府県以上で生息が確認

ブラジルドクシボグモ
（原産地：ブラジルなど中南米）
最強の毒グモとしてギネス認定

なるかもしれません。つまり、毒手を始めた人は死ぬか、毒が弱過ぎて効かないかのどちらかしかアリエナイ…。

毒グモの恐怖

一般的な毒グモのイメージとは違って、人間のような大型動物を咬んだだけで即死させるような猛毒を持つクモは発見されていません。毒グモの代名詞ともいえる「タランチュラ」ですが、元はイタリア南部の港町ターラントにいたとされる架空の毒グモのことです。咬まれると踊り続けないと死ぬ、あるいは毒のせいで踊り狂って死ぬと伝承されていました。中世ヨーロッパで流行した死の舞踏伝説から派生した架空の生物が本来のタランチュラでしたが、後に大型の派手な毒グモが発見されるたびに、その名前が与えられていきました。タランチュラの猛毒は架空の生物の伝承から生まれたフィクションで、実際に日本でもタランチュラを飼育している人がたくさんいますが、彼らは死んでいませんよね。

日本で話題になったセアカゴケグモの本来の生息地であるオーストラリアでは、毎年数千人が咬まれているにもかかわらず、抗毒素血清が開発された1956年以降は死人が出ていません。日本で死亡事例ありとしているのは、かなり古い資料に数人載っている程度の話です。現在日本では、全国数か所で抗毒素血清保管機関を指定して、オーストラリアから輸入したセアカゴケグモの抗毒素血清を一定数確保しています。ただ、実際に必要になった事例は今のところありません。

毒グモに咬まれても対処療法で助かることが多いのですが、解毒剤である抗毒素血清はクモ1種類ごとに対応するという大変使いにくい薬です。なので、もし咬まれた時はクモを特定するのが何より重要になります。叩き潰した死体でもいいので、病院に持って行って下さい。

世界最強の毒グモとしてギネスブックにも載っているブラジ

アメリカの動物による咬傷と刺傷の事故

2001～2005年にかけて、動物の咬傷と刺傷の報告は472,760件あり、年間平均94,552件。クモ刺咬症で年間平均17,885件の救急要請が発生し、そのうち3,896件が医療機関で治療された。報告された2人の死亡があり、どちらもドクイトグモの咬傷によるもの。米国ではクモ咬傷による死亡は1年当たり3例未満で、通常は小児に起こる。

●オーストラリア・パースでの子供たちへのセアカゴケグモの咬傷事例数（1979～1988年のデータ） https://onlinelibrary.wiley.com/doi/abs/10.1111/j.1440-1754.1993.tb00518.x
●Animal Bites and Stings Reported by United States Poison Control Centers, 2001～2005 https://www.wemjournal.org/article/S1080-6032(08)70143-1/fulltext

ルドクシボグモも、実はそれほど人を殺していません。昔は年平均27人が死んでいましたが、抗毒素血清ができてからは0〜3人となっており、死人が出てない年の方が多いぐらいです。ちなみにこのクモには、咬まれると毒が抜けるまで勃起が止まらなくなる珍妙な副作用があり、バイアグラに変わる次世代の勃起薬として研究されています。つまり、咬まれても呑気に勃起していられる程度の遅効性の毒なので、落ち着いて病院に行けば助かります。

人間を殺す可能性が高い毒グモは、タランチュラでもドクシボグモでもなく、日本にも普通に生息しているイトグモの仲間の「ドクイトグモ」です。人間に壊死性の咬傷を引き起こす唯一のクモなのです。

アメリカでは2001〜2005年の間に報告された動物の咬傷と刺傷の報告は472,760件で、年間平均94,552件でした。このうち毒グモに咬まれた人から年間平均17,885件の救急要請があり、死者は5年間でドクイトグモに咬まれた2人だけです※。同じ期間に、ヘビに咬まれた人は16人が死んでいます。昆虫による死者は8人で、殺人アリと呼ばれる火蟻1人、ハチ3人、サソリ2人、ダニ1人、正体不明の虫1人です。

クモ刺咬症で年間平均17,885件の救急要請があるのに対して、医療機関で治療が必要だったのは年間平均3,896件です。つまり、78％の人は咬まれて死ぬと思って救急車を呼んだけど、治療する必要がなかったということ。これは毒グモへの過剰な恐怖心が、脅威を過大評価させているせいです。

日本ではクモに咬まれて救急車を呼ぶ人はめったにいませんが、毒グモへの不安が強い欧米では患者が他のケースでも毒グモに咬まれたと主張することが非常に多いため、クモ咬傷によく似た疾患と区別するようにマニュアルに書いてあります。具体的な例は以下の5種類で、不衛生な南米では小さな傷口から破傷風になったのを毒グモのせいだと思い込むことが多いようです。5番目の自傷行為は、大半は体を虫が這っていると言い出す麻薬中毒者による幻覚です。

1.蟻、ノミ、ダニ、蚊などの虫刺症
2.皮膚疾患
3.破傷風などの感染症
4.外傷
5.自傷行為による外傷

気をつけて!危険な外来生物
https://gairaisyu.metro.tokyo.lg.jp

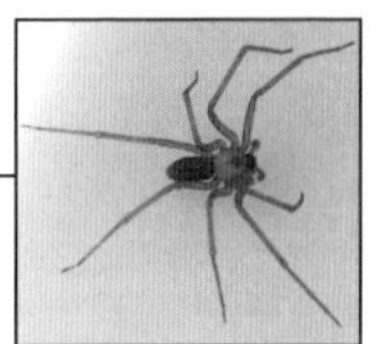

ドクイトグモ
(原産地：アメリカの亜熱帯地域)
最も危険な毒グモの一種といわれる。東京都環境局でも危険な外来生物として、公式サイトで注意を促している

MSD マニュアル プロフェッショナル版

プロフェッショナル版 / STANDALONEMEDIA

クモ咬傷によく似た疾患

分類	例
虫刺症	アリ咬傷 トコジラミ刺症 ノミ刺症 ハエ咬傷 サシガメ類の昆虫（例，assassin bug，wheel bug，kissing bug）による咬傷
その他のクモ綱の生物による咬傷	ダニ咬傷 マダニ咬傷
皮膚疾患	慢性遊走性紅斑 結節性紅斑 白血球破砕性血管炎 スポロトリクム症 中毒性表皮壊死融解症
感染症	慢性単純ヘルペス 皮膚炭疽 播種性淋菌感染症 メチシリン耐性黄色ブドウ球菌（methicillin-resistant *Staphylococcus aureus*） 心内膜炎または静注薬使用における敗血症性塞栓症
外傷	自傷行為による外傷 薬物の皮下注射

クモ咬傷によく似た疾患　https://www.msdmanuals.com/ja-jp

Memo: ※アメリカの毒物管理センター（American Association of Poison Control Centers）は、クモと昆虫を別のカテゴリーに分類している。また、サソリは昆虫のカテゴリーに分類されている。

究極の解毒治療

体内に毒が入ってしまい、解毒剤や抗毒素血清が何か分からない場合、全身から毒を抜く究極の解毒治療法が「血液濾過透析（HDF）」です。これは、血液透析（HD）と血液濾過（HF）の合体ワザで、血液中の小さな分子から大きな分子まで幅広く取り除くことができて、体への負担も比較的軽いため、瀕死の状態、最悪の体調でも使えます。

有毒生物から毒キノコの毒まで幅広く対応できて、さらに睡眠薬・除草剤・アルコール・不凍液…といった多くの薬物も体内から抜くことが可能。殺虫剤・サリン・VXガスなどの有機リン系の毒物は対応できませんが、相手が動植物系の毒ならほぼすべてに対応できるといっても過言ではない究極の解毒法です。日本では認められていない使い方ですが、二日酔いも血液濾過透析すれば一発で治ります。

昔は毒ヘビに咬まれたら抗毒素血清の投与が基本だったのですが、解毒できるまでに毒が全身にダメージを与えるという難点がありました。なので、最初から救急で血液濾過透析にかければどんな毒でも抜けちゃうから、抗毒素血清を使わなくてもヨシとする臨床例も最近増えてきているようです。

人工透析の機材や技術は、長年の腎臓病患者への人工透析で培われたノウハウがあります。また、小型化や自動化も技術開発が進められているので、将来的にはすべての毒に対応できる万能解毒装置として標準治療になる可能性も…。そうなれば、抗毒素血清は過去のものになるかもしれません。そして、小型で簡単に扱える血液濾過透析装置が実用化したら、暴飲暴食しても安心な健康器具になるSF世界みたいな未来もアリエル…かも？

血液透析で抜ける薬物と抜けない薬物の一覧表

表.血液吸着・血液透析によって除去される薬物・除去不可能な薬物

薬効	薬剤	分子量 (dalton)	Vd (L/kg)	PBR (%)	選択される血液浄化法
抗躁剤	炭酸リチウム	67	0.8	0	HD☆
アルコール	メタノール	32	0.6	0	HD☆*
アルコール	エタノール	46	0.6	0	HD☆
アルコール	イソプロパノール	60	0.6	0	HD☆*
不凍液	エチレングリコール	62	0.6	0	HD☆*
殺菌剤	ホウ酸	62	不明	不明	HD☆
睡眠薬	ブロムワレリル尿素	223	不明	不明	HD★
浸透圧利尿剤	D-マンニトール	182	0.2	0	HD
抗ウイルス薬	アシクロビル	225	0.7	15	HD◎
抗ウイルス薬	ガンシクロビル	255	0.6	2	HD◎
抗真菌剤	フルコナゾール	306	0.8	11	HD◎
アミノグリコシド系抗菌薬	ゲンタマイシンなど	400〜700	0.3	10	HD◎
鎮痛薬	アスピリン	180	0.2	80	HD・HP
気管支拡張薬	テオフィリン	180	0.5	60	HD・HP
抗てんかん薬	フェノバルビタール	232	0.7	50	HD・HP
鎮痛薬	アセトアミノフェン	151	1.1	50	PP・HD・HP
抗てんかん薬	カルバマゼピン	236	0.8-2.1	76	HP
ハンセン病治療薬	dapsone	248	1.5	80	HP
睡眠薬	バルビタール（フェノバルビタールなど）	232	0.75	55	HP★*
抗てんかん剤	フェニトイン	252	0.6	90	HP★
キノコ毒	アマニチン	373〜990	0.3	0.3	HP★
除草剤	パラコート	186	1	6	HP★
抗マラリア薬	塩酸キニーネ	397	2.5-7.1	78-95	除去不能？*
殺虫剤	有機リン（パラチオンなど）		2.8	50	除去不可能
抗うつ剤	アミトリプチリン	314	15	95	除去不可能
強心配糖体	ジゴキシン	781	5〜8	25	除去不可能
パーキンソン病治療薬	アマンタジン	188	6.8	55	除去不可能
抗不整脈薬	シベンゾリン	380	4〜10	65	除去不可能
メジャートランキライザー	プロメタジン	321	13	80	除去不可能
メジャートランキライザー	クロルプロマジン	355	21	98	除去不可能

☆：標準治療で推奨された方法、★：標準治療で考慮された方法
上記標準治療は冨岡譲二、村田厚夫：中毒研究 20:365-366, 2007より引用
HD◎：腎排泄性のため、透析患者の中毒に対して用いられる場合が多い
*キニーネはHPで除去可能という識者もいるが、Vdが大きいため、効率的な除去は難しいと思われる。HDでは除去できない
*フェノバルビタールは腸肝循環するため、活性炭を4時間ごとに投与する方法もある
*エチレングリコール、メタノール、イソプロパノールなどの中毒にはエタノールの経口投与も行われる

毒グモの毒よりもヤバい本当の恐怖とは…？

解毒剤が発達した現代でも人を殺す毒グモと呼ばれているドクイトグモが恐ろしいのは、咬まれた場所が腐り始める症状が出るからだ。サソリやアリジゴクなどと同じく体外消化を行う。クモは獲物を捕まえると相手の体内に消化液を流し込み、細胞膜を破壊し溶かして中身を吸う。この消化液が人間の体内に入り込むと細胞膜が破壊され、周囲が壊死してしまう。これを「ロクソスセレス症」という。

毒グモで人が死ぬ原因は、クモの毒というより、毒によって壊死して腐敗した表層組織から全身に感染症が広まった敗血症によるものなのだ。つまり、長い時間をかけて死に至るので、咬まれてから治療可能な時間が長いことを意味する。つまり、現代医学で適切に処置すれば、まず死ぬことはない。

壊疽は痛みを感じる神経も死んでいるので、本当に怖いのは痛みが無いことだ。自分の体が生きたまま腐って皮膚が変な色になって腐臭がし始めても気にしない人は、残念ながら手遅れということになる…。

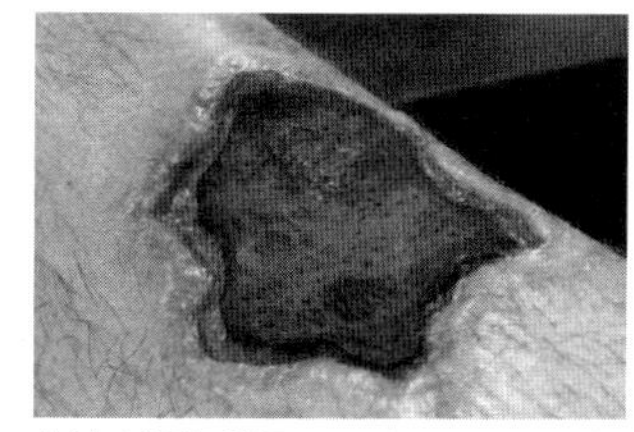

咬まれた場所が壊死してしまうロクソスセレス症。人肌とは思えない…

●「血液吸着・血液透析によって除去される薬物・除去不可能な薬物」m3.com学会研究会
http://jsnp.kenkyuukai.jp/images/sys%5Cinformation%5C20120919212810-D617EAAD252A36C8DBA66DD4873987F47493AF7AB9E3EFC940CD25410036235E.pdf
●タランティズム　https://en.wikipedia.org/wiki/Tarantism　●クモの画像：Wikipedia　●ロクソスセレス症　https://en.wikipedia.org/wiki/Loxoscelism

毒の民間療法誤三家と無能な働き者問題

解毒の科学 後編

もしも毒ヘビに咬まれたらどうする？ 「毒を吸い出す」「傷口を切り取る」「傷口を焼く」を選んだ人は、今すぐこの記事を読んで知識を改める必要がある。

text by 亜留間次郎

毒ヘビや毒グモなどの毒を持つ生物に咬まれた時の応急処置として間違った民間療法誤三家が、①傷口から毒を吸い出す、②傷口を切り取る、③傷口を焼くです。これらについて解説していきましょう。

❶傷口から毒を吸い出す

ヘビに咬まれた時の応急処置として、現代でも流布していますが吸い出せません。皮下組織に入った物は吸い出せないし、血流に乗って全身に回っているのでどうにもなりません。この方法が有効なのは、咬んだ生物の体組織が表層部に残置している場合です。

ハチの中には、刺すと針が内臓ごともげて死んでしまう種類がいます。ムカデなどにも咬むとアゴがもげる種類がいて、こうした場合は傷口に虫の体組織が刺さったままになります。この刺さった組織を取り除かないと傷が悪化するのですが、非常に小さいので肉眼で見てつまみ出すのは簡単ではありません。そこで、手っ取り早く取り除く方法が口で吸い出すことで、吸い出す目的は毒ではなく体表に残置した昆虫の破片です。

最近は「ポイズンリムーバー」などといった吸い出す応急処置の道具が売られていますが、それゆえ適用になるのはごく一部の虫だけ。特に有害でもないので、何もしないよりマシ程度のつもりで使うのは悪くはないかもしれませんが、大した効果のない治療をして大丈夫だと過信するのは最悪です。実際には、消毒薬と絆創膏で十分ですし、痛みが続いたり具合が悪い時は病院へ行って下さい。

❷傷口を切り取る&❸傷口を焼く

ナイフとか使って傷口を切り取ったり傷口を焼く行為は、フィクションで見る機会が多いこともあって信じている人が多そうですが、明確に禁止されているやっちゃダメな行為です。しかし、毒ヘビや毒グモに咬まれ

虫に刺された時の対処法

ポイズンリムーバー

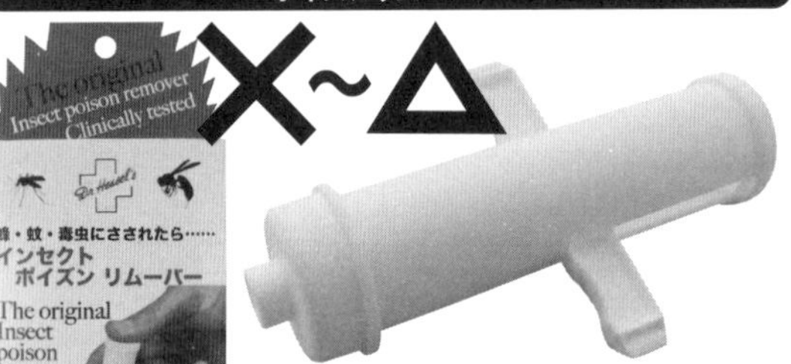

消毒して絆創膏を貼る

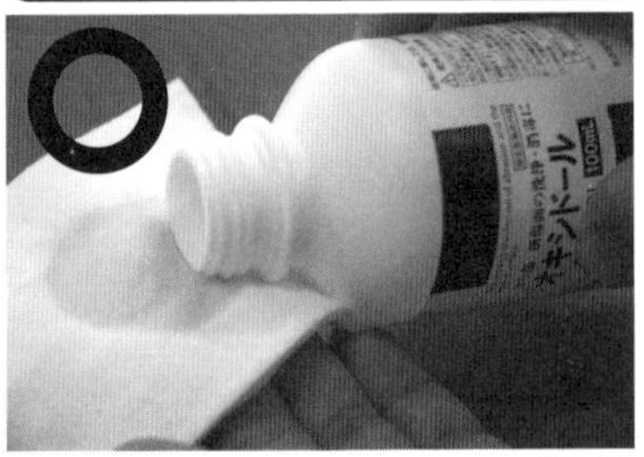

ハチなどに刺された時、吸い出すのは毒ではなく傷口に残された虫の破片だ。ゆえに、吸い出す道具が有効なのはごく一部のケースに限られる※。一般的には、消毒して絆創膏を貼るのが応急処置の最適解となる。なお、尿をかけるのはタダの変態聖水プレイなのでやめること

Memo: ※皮を突き破って皮下に注入された毒は、表面張力であっという間に広がり、速やかに吸収されてしまう。物理的に吸い出せるのはスポンジに染み込んだものを吸い出すようなものなので、ほとんど回収できないと考えるべきである。

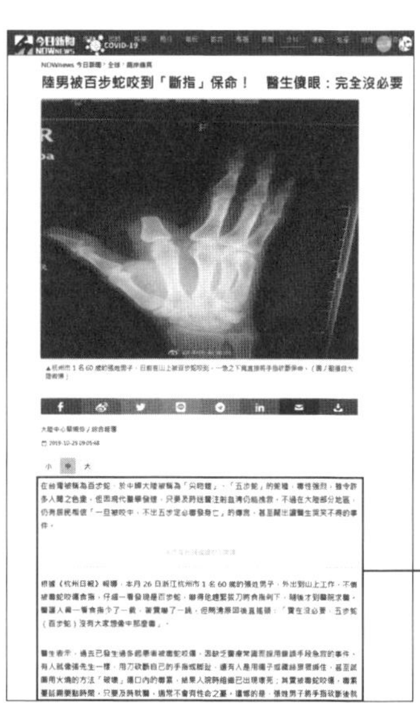
NOWnews 今日新聞 › 全球 › 兩岸嶼異

陸男被百步蛇咬到「斷指」保命！　醫生傻眼：完全沒必要

大陸中心鄭曉玲／綜合報導

2019-10-29 09:05:48

在台灣被稱為百步蛇，於中國大陸被稱為「尖吻蝮」、「五步蛇」的蛇種，毒性強烈，雖令許多人聞之色變，但因現代醫學發達，只要及時送醫注射血清仍能獲救，不過在大陸部分地區，仍有居民相信「一旦被咬中，不出五步定必毒發身亡」的傳言，甚至鬧出讓醫生哭笑不得的事件。

根據《杭州日報》報導，本月26日浙江杭州市1名60歲的張姓男子，外出到山上工作，不慎被毒蛇咬傷食指，仔細一看發現是百步蛇，嚇得他趕緊拔刀將食指削下，隨後才到醫院求醫。醫護人員一看食指少了一截，著實嚇了一跳，但問清原因後直搖頭：「實在沒必要，五步蛇（百步蛇）沒有大家想像中那麼毒」。

醫生表示，過去已發生過多起患者被毒蛇咬傷，因缺乏醫療常識而採用錯誤手段急救的事件，有人就像張先生一樣，用刀砍斷自己的手指或腳趾，還有人是用繩子或鐵絲緊緊綁住，甚至試圖用火燒的方法「破壞」傷口內的毒素，結果入院時組織已出現壞死；其實被毒蛇咬傷，毒素擴散需要點時間，只要及時就醫，通常不會有性命之憂，遺憾的是，張姓男子將手指砍斷後就

今日新聞 2019年10月29日付

https://www.nownews.com/news/3719046

毒ヘビに咬まれて助かるために「指を切断」したが、そんな必要はなかった…といった見出しの新聞記事。台湾や中国には、昔からすぐに毒が回って死ぬといわれる有名な毒ヘビがいるが、実際はそんなに有毒ではないとのこと。一般人が浅い知識で判断すべきではないことを、改めて思い知らされる事例だ

百步蛇

日本語訳

台湾では「百歩蛇」、中国本土では「尖吻蝮」「五歩蛇」と呼ばれるヘビは毒性が強いことを多くの人が知っているが、現代医学のおかげで血清を注射すれば助かります。
しかし、中国本土の一部の地域では「1度噛まれたら5歩歩く間に死ぬ」と噂話を信じる住民が医師を笑わせたり泣かせたりすることがあります。

「杭州日報」の報道によると、今月26日、浙江省杭州市で張という名前の60歳の男性が山へ働きに出かけたら人差し指を毒ヘビに咬まれました。
よく見ると百歩蛇だったので、怖くてナイフを抜いて人差し指を切り落としてから病院に行って治療を受けました。
人差し指が無いのを見て医師は驚きましたが、理由を聞いて首を横にふりました。
「無駄なことをした、五歩蛇（百歩蛇）は皆が思っているほど有毒ではない」

た傷口を切り取って焼く治療法自体は実在します。現代医学で有毒生物の咬傷治療のガイドラインにも載っている、壊死した組織の「デブリードメント（デブリードマン）」だからです。デブリードメントとは、傷口の消毒では追い付かないほどヒドい場合に行われる壊死した組織や感染した組織を取り除いて傷口を清浄化する、傷口の外科的消毒（掃除）です。

外科的デブリードメントの処置は大きく2段階あり、メスなどの刃物を使って壊死した組織を切り取る作業が1段階目、切り取った傷を凝固止血させるための焼却が2段階目で、現代では電気メスのような専用の道具や薬を使って行います。つまり、民間伝承されている「傷口を切り取る」と「傷口を焼く」と内容的には同じです。

ここで何が起きたのか想像してみると、どのようにしてこの民間療法が伝わったのか推察できます。毒ヘビや毒グモに咬まれて困っている人が医者に診てもらうと、医者は腐って変な色になっている傷口をメスで切り取った後に焼いて処置。感染症が自然に治れば元に戻るので、助かった人はナイフで傷口を切り取って焼いたら治ったと思います。この治療をしてもらった人たちは、仲間が咬まれると同じことをするわけです。こうして傷口を切り取ったり、傷口を焼いたりする民間療法が広まったと考えられます。

ロクソスセレス症の治療法としては、ガイドラインに従った正しい方法なのですが、傷口が壊死するかどうかも分からない段階でやると害の方が大きいです。咬んだ相手が毒を持っていないと、無意味に傷口を広げるだけの愚行になります。医学を学んでいない人はその判断ができないので、咬まれたら医者と同じ治療をしようとしてこうなったわけです。

実際に中国では毒ヘビに指を咬まれた人が、自分でその指をナタで切断してから病院に来た事例があります。診察した医師は、そんなことしなくても大丈夫だったと頭を抱えました。そのヘビに咬まれたら100歩歩く間に毒が回って死ぬという民間伝承があったそうですが、人を瞬殺するようなそんな猛毒のヘビは実在しません。

こうした無能な働き者による自爆的な応急処置は世界的にもよくあることで、医師は患者を診て困り果てています。その例をもう少し見ていきましょう。

無能な働き者の問題

やっちゃダメな応急処置をする無能な働き者の存在は、「善

画像参照：Wikimedia Commons

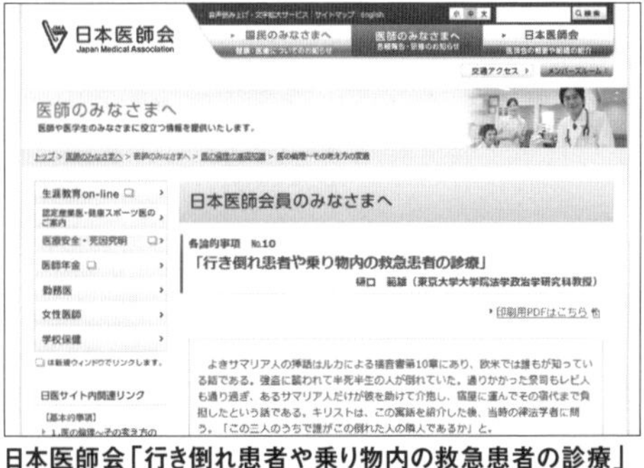

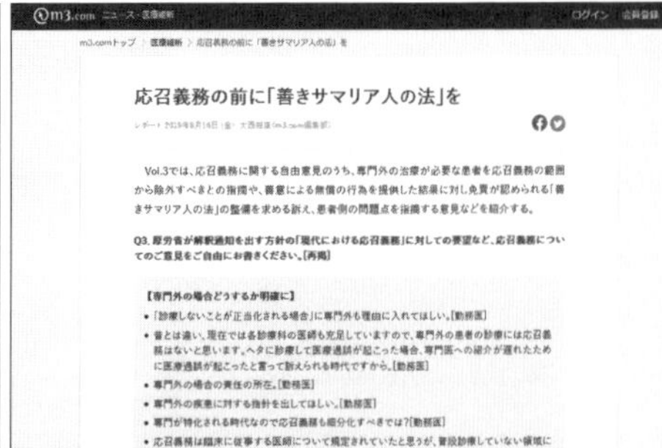

日本医師会「行き倒れ患者や乗り物内の救急患者の診療」
https://www.med.or.jp/

m3.com「応召義務の前に『善きサマリア人の法』を」
https://www.m3.com/

負傷者や急病人を救助するため善意の行動を取った場合、ミスが起きてもその結果の責任は問われないといった「善きサマリア人の法」が、欧米では制定されている。日本では適用されにくいため、医師が救助をためらうケースもあるという。国内でも制定すべきという議論が昔からあるが、救助者が無能な働き者の可能性もあり、難しい問題となっている

きサマリア人の法（Good Samaritan law）」がからむと面倒なことになります。この法に従えば、毒ヘビや毒グモなどの毒を持つ生物に咬まれた人を救うために無償で善意の行動を取った場合、良識的かつ誠実にその人ができることをしたら、結果的に望ましくないことになっても救助者は責任を問われないことになるわけです。

ここで「傷口を切り取る」や「傷口を焼く」が、「良識的かつ誠実」な処置に該当するか問題になります。フィクションなどで人を救うための英雄的行為として描かれ、一般に認知されていた場合、それが医学的に間違った行為であっても法学的には「良識的かつ誠実」といえるかもしれないからです。法学の世界では、救助者が善意に基づいて行動したのであれば、無知や誤解による過失責任は問えても刑事責任は問えません。

ここで善きサマリア人の法に基づいて、過失責任も問えなくなると間違った治療行為をして悪化させても、一切の罪も責任も問えなくなります。つまりこの法律は、善きサマリア人は間違った治療をしない前提で成り立っているので、倒れている人を助けようとした人がカルト信者で、雑菌入りの泥団子を口に入れたり祈祷を始めたりしても無罪なのかという問題に対処できません。

法学における「善意」は、一般的な社会常識とは異なる概念で、無能な働き者は医師でも医療従事者でもないので、当人が雑菌入りの泥団子を万能薬だと心の底から信じているなら、エビデンスの有無は法廷では問題になりません。いくら遺族がオカルト治療のせいで死んだと訴えてもその泥団子は万能薬だと主張する限り、善きサマリア人の法が応急処置した人を守ってしまいます。

これは善きサマリア人が同じ場所に2人いた場合も大変で、もう1人が泥団子を口から吐き出させて人工呼吸をしようとしても、カルト信者が邪魔する可能性があります。そしてお互いに殴り合いを始めてしまい、要救助者を放置して最悪の事態になるかもしれません。

カルトにハマっている人間は、心のどこかで自分が正しくないことを理解しているので、自分の不利益になる行動を回避する傾向があります。なので、犯罪者になるリスクを負ってまで他人を助けようなどとしませんが、一方的に相手を殴れる免罪特権があると過剰なまでに干渉してくるのです。

無条件にこの善きサマリア人の法を国内でも制定すべきだと主張する人たちも、犯罪者に免罪符を与えてしまう問題までは頭が回っていない無能な働き者の可能性があります。軍隊だけでなく医療の現場でも、無能な働き者は消えてもらうのが最適な解決法ということでしょう。1番の毒害獣は人間様だった…というオチです。

Memo:

column ▶ 医療器具は消毒しながら使い回していた…嘴管瓶の話 text by 亜留間次郎

大昔、医療器具が高価で使い捨てができなかった時代は、ウイルスや細菌を他人にうつさないために、消毒しながら器具を“使い回す”ことが普通でした。そこで使われていたのが、嘴管瓶（しかんびん）です。舌圧子という、医師が口の中を見る時に舌を押すステンレスの板棒を入れておく道具で、4つのビンの間を順番に回すことで消毒します。エコな反面、わずかですが感染症リスクがあり、ゼロリスクを目指した現代では使用されなくなった半世紀前の遺物といえるでしょう。

1. 最初に医師は透明なビンに入っている舌圧子を取り出して、患者を診ます。使った舌圧子は患者の粘膜と接触しているので汚染されています。
2. 使用済みは隣の青に入れます。この中には人間の粘膜に触れるとヤバイ消毒薬が入っていて、強力に消毒してくれますが、そのままでは次の患者に使えません。主に皮膚に触れたら刺激があるレベルの塩素などが入っており、現代で再現するなら次亜塩素酸ナトリウムなどの塩素系漂白剤を濃い目に入れておけばOK。ただし、入れ過ぎて1%以上になると塩素ガスが出て危険なので、濃度は0.2%程度に止めておくべきでしょう。それ以上、濃くしても有意差は出ません。
3. 一定時間経過したら、アルカリ水溶液の入った茶色のビンに移し替えます。石灰水など塩酸の中和剤になるものを使えば大丈夫ですが、こちらも濃くし過ぎないようにして下さい。
4. さらに一定時間経過したら、水などの洗浄剤の入った緑のビンに移し替えて、消毒薬を洗い落とします。
5. 消毒が完了したら、最後は透明なビンに戻し、次の患者に使用します。

つまり、強酸殺菌→アルカリ殺菌→洗浄→使用可能のローテーションを繰り返す、連続消毒器になっているわけです。

1人診る度に、4本をローテーションして使えば常に消毒済みになるので、健康診断などで1日100人以上を診る必要があり、舌圧子を大量に用意できない場合に使っていたのです。しかし、病院では1日分の舌圧子をまとめてオートクレーブ（高圧蒸気滅菌器）で殺菌するようになり、さらに使い捨てが義務化されたことで、現在、この嘴管瓶は使われなくなりました。

1日分の舌圧子を用意できるようになった戦後すぐに、嘴管瓶はただの棒立て台になってオブジェ化していたわけですが、これが現代のコロナ禍でどう役立つのかというと…。

フォークやスプーンといった金属食器の消毒でしょう。職場や家庭で共用する金属製品があれば、コップを4つを用意して順番に並べておけばOK。しかし、間違えて塩素から取って使うと口の中が大惨事になるので、コップの種類を変えるなどの工夫が必要です。

ちなみに、3色の意味は医薬品の保存に使う遮光瓶の遮光ガラスの色。茶→緑→青の順に遮光能力が高くなります。とはいえ、この配色は工房の都合によるもので、医学的な意味はありません。単に4種類が区別できれば良く、統一規格ができる前に消えたので、色と順番は各病院のローカルルールです。

嘴管瓶
舌圧子などの医療機具を消毒するために使われていたが、医療器具の再利用が禁止されたことで姿を消した。現在はアンティークインテリアなどとして需要があるようだ

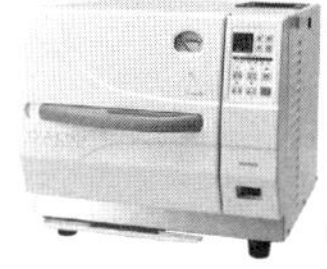

←オートクレーブは130℃以上の高温蒸気で医療器具を滅菌する装置。1度に大量の器具を消毒できる

Memo:

ウイルス感染拡大を防ぐひと工夫

超実践！ 靴底消毒

落ち着いたと思ったら新たな株により、定期的に感染が蔓延する状況…。外から室内にウイルスを持ち込まないために、靴底を消毒する方法も知っておこう。

text by くられ

忘れられがちですが、感染症対策として消毒すべき非常に重要な場所があります。例えば、家畜の感染症である口蹄疫のウイルスは、とんでもない環境抵抗性を持っているため、土にまみれて運ばれてもなお感染性を持ちます。ゆえに、家畜の飼育エリアには靴底消毒や、場所によってはクルマのタイヤごと消毒することが重要です。

世界中でいまだに感染拡大を起こしているCOVID-19ウイルス（SARS-CoV-2）は、人間の上皮細胞全般に感染できることが知られています。特に腸管内での長期感染が確認されており、糞便中に非常に長く排出されるという特徴があり、実際にアメリカでトイレの便座をなめる「コロナウイルスチャレンジ」なるクレイジーな行為により、一発感染をしている例があるほど…。土足文化圏での感染拡大を見ても、靴裏はウイルスの運搬ルートの1つになっている可能性は否定できません。

また熱が下がり、体調が戻った後も腸管内に長期間存在し、排泄されるというウイルスの特徴から、公衆トイレなどは糞便を介したウイルスの存在可能性が高い場所といえるでしょう。従って、そこを利用した靴裏からの感染リスクは潰しておきたいところです。

家畜伝染病対策車輌消毒マット

タイヤ消毒マット STM-1

株式会社 環境機器

⬆家畜伝染病対策に活用されているタイヤ消毒マット。下敷き用ゴムシートの上に消毒マットを敷き、その上をクルマが通ることでタイヤを消毒する

RT to spread awareness for the Coronavirus :)

ツイートを翻訳

508万件の閲覧

➡アメリカでは「コロナウイルスチャレンジ」と称して、男性が公衆トイレの便座をなめる動画を投稿。その後の検査で陽性反応が出たとか…

材料は100均で揃う！

日本は土足文化ではないため、欧米に比べるとリスクは低いものの、猫などへの感染も確認されています。玄関でゴロゴロする猫に外から持ち帰ったウイルスを被ばくさせてしまう可能性を考慮すると、靴底消毒システムは備えておくべきかもしれません。

食品工場や研究所の入り口に設置してあるような消毒用マットを設置するのが理想ですが、それらは5,000円程度するので、家庭で手軽に導入するにはちょっとハードルが高め。しかし幸いにも、COVID-19ウイルスはコロナウイルスの仲間なので、それほど環境抵抗性が高いウイルスではなく、簡単な薬剤で消毒が可能です。材料も100均で揃う程度のもので、十分な効果が得られます。

靴底を消毒し、拭き取る。これは非常に簡単な工作で対応できるしょう。必要なものは、カーペット的なものと、靴を入れられるサイズのケース。100均で売られている、滑り止めカーペットや台所マットをシューズケースに入れればOKです。

Memo:

市販の洗剤を活用

消毒薬は、いくつかの種類が考えられます。

①は、最も簡単で理想的です。ただ、逆性石けんが入手困難になっている場合は使えません。②は強力ですが、二酸化塩素などが発生するため、換気の悪い玄関への設置は向かないほか、今度は外で使うとすぐに日光で分解してしまうので大量の人が1度に利用するケースを除いて不向きです。③は手軽な方法ですが、少々滑りが出るので拭き取り用のぞうきんなどを用意しておく必要があります。④は、配合が面倒ですが、家庭で使う程度ならフタを閉めておけば、入れっぱなしで1週間くらいは持ちますし、有害なガスも発生しません。ウインドウォッシャー液は、アルカリ性の洗剤で炭酸ナトリウムによりpHを上げて、タンパク分解性を上げています。また、ぬめりが生じにくいので拭き取りも楽。グリセリンの配合により、水の蒸発を抑える働きがあります。

状況に合わせて、都合の良い消毒剤を調合し、靴底をびしゃびしゃに消毒しましょう。

100均グッズで作る靴底消毒システム

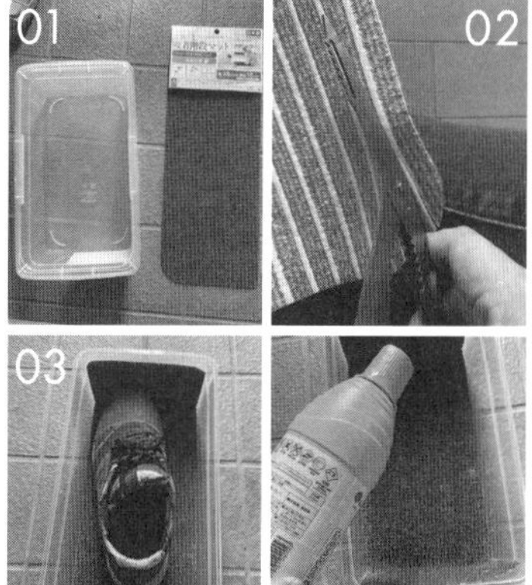

01〜03：ダイソーで売られている「吸着階段マット」を、靴が入るサイズのケースに合わせてカットする　**04・05**：ちょうどいいサイズにカットしたマットをケースの中に敷き、消毒薬に浸して靴を入れることで、靴底を消毒できる

消毒液に活用できる洗剤&薬剤

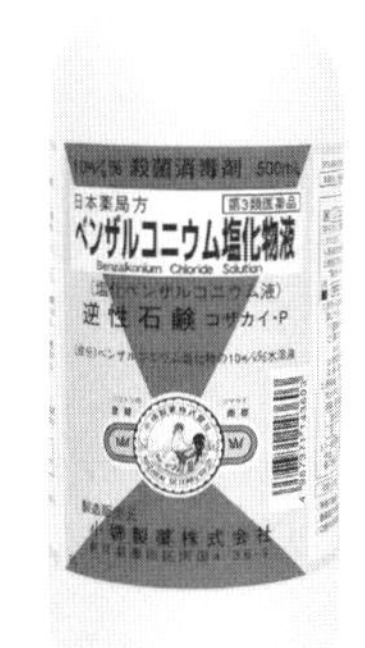

①逆性石けん
1Lの水（水道水）に対し、逆性石けんをペットボトルのキャップ2〜3杯程度に希釈する

②次亜塩素酸ナトリウム洗剤
1Lの水（水道水）に対して、次亜塩素酸ナトリウム洗剤（ハイターなど）を、ペットボトルのキャップ2杯程度に希釈する

③中性洗剤
1Lの水（水道水）に対して、中性洗剤をペットボトルのキャップ1杯程度に希釈する

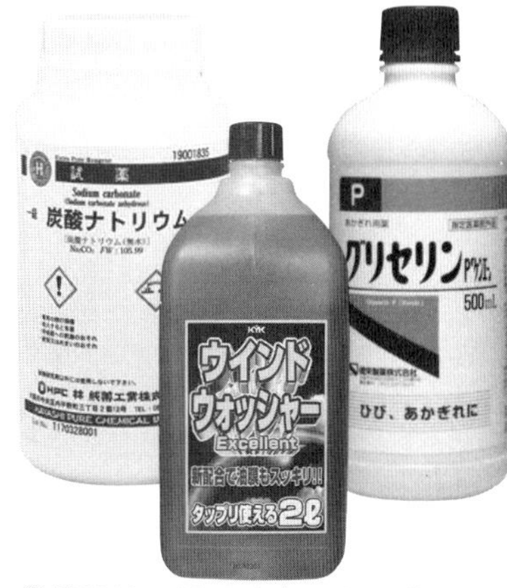

④グリセリン／ウインドウォッシャー液／炭酸ナトリウム
1Lの水（水道水）に対して、グリセリン・ウインドウォッシャー液・炭酸ナトリウムを、それぞれペットボトルのキャップ1〜2杯入れてよく混ぜる

古くて新しい…漢方薬ってスゴイんだぞ！

免疫力UP!? 麻黄湯でインフルエンザ対策

漢方というと怪しくてイマイチ信用できない…という考えは、今や時代遅れ。作用機序が研究され、科学的根拠も明らかになってきた。ということで、「麻黄湯」の実力を紹介しよう。 text by 淡島りりか

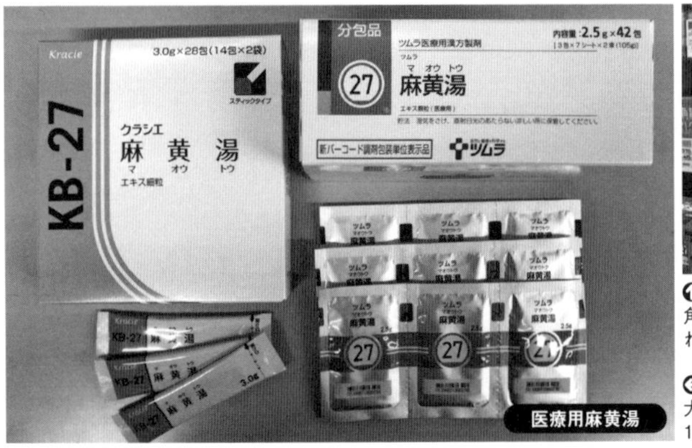

↑ドラッグストアでは風邪薬コーナーの一角で販売されている。葛根湯の近くに置かれていることが多く、大体が顆粒のものだ

←最新の研究により、インフルエンザにも大きな効果があることが分かってきている。1400年以上の歴史は伊達じゃない！

日本では例年、12月から3月にかけて流行するインフルエンザ。シーズン突入前の11月頃にワクチン接種の案内が学校や職場に届きますが、皆さんは打っていますか？　インフルのワクチンは、自分が死なないためのみならず、周りに広げないためにも打って然るべきものです。そもそもワクチンを打つのは分別ある人間として当然の義務ですから、体質的にムリという場合を除き、そもそも打たないという選択肢はアリエマセン。Got it ？？？

とはいえ、打っていてもかかる時はかかりますよね。打ってたのに、同じシーズン中にAとB両方かかったとかいう残念なケースも例年数件は目にします し。ワクチンを打つことでもちろんかかる確率は下がりますが、完全に防げるわけではありません。受験生なのにインフルとか困る！だとか、もうすぐイベントなのにインフルかかってる場合じゃない!!だとか、イベント会場の人口密度が高くて不安だとか、勤務先がインフル最前線だとか（堂々とインフル休暇を取得できるチャンスかもしれないですけど、繁忙期ならヒンシュクですね…）、かかったら困る理由は多々あるでしょう。そこでワクチンにプラスαして、インフル罹患の確率をさらにゼロに近づける方法をお話しいたします。

勝利の鍵は麻黄湯

何を使うのかというと「麻黄湯」。医療用は各社から出ていますし、ドラッグストアでもOTC風邪薬コーナーに並んでいるあれです。

えー？　漢方とか効くの？？非科学的じゃない？？？…と思う方もいるでしょうが、アンティークだと侮ることなかれ。漢方は効きます！　漢方医学は基本的な考え方を中国から輸入し、その後約1400年をかけて日本で独自に進化しました。

その間に人体実験も繰り返さ

Memo:

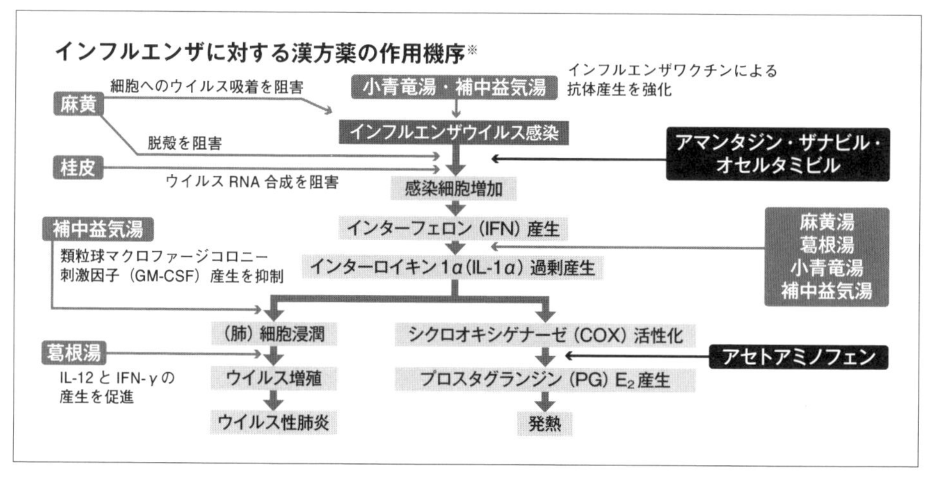

れ、自然淘汰もされたので、要は効くものしか残っていません。せいぜいここ100年くらいしか歴史のない合成品の西洋薬より、よっぽど由緒正しいものなのです。そもそも合成品だって20〜50%は何かしらの天然資源由来ですからね。ありがたがって下さい(笑)。

そして近年、どのような機序で効いているのかも、漢方大手メーカーのツムラやクラシエなどが出している有名どころの漢方処方から、大体明らかにされてきています。使用頻度の高い「大建中湯」あたりから、米国などでも使用に際して臨床試験が始まるとか始まらないとか。そんな感じでここ最近、科学的根拠もはっきりしてきている古くて新しい薬なのです。で、今回の話の主役である麻黄湯も、作用機序が明らかになってきている薬の1つ。

麻黄湯とインフルの研究はこれまでに数多く存在しており、それらを総合すると、なんと「タミフル同等以上の治療効果」という結論になります! それでは、どう効いているのか見ていきましょう。

麻黄湯の構成生薬は、麻黄・杏仁・桂枝・甘草の4種類。漢方は構成成分単体を見るのではなく、その総合力で判断します。麻黄湯を飲むと、体の中で何が起きるのかというと以下の通りです(図も参照されたし)。

- 麻黄が含有するタンニンによる、ウイルスの細胞膜への融合阻害
  ➡感染を防ぐ
- 桂枝が含有するシンナムアルデヒドによる、ウイルスのタンパク合成阻害
  ➡ウイルスを増やさない
- IL-1α過剰産生抑制し正常化することで、アスピリン同等の解熱作用
  ➡熱を下げる
- 気道上皮IL-12とIFN-γ産生促進により、感染局所でのウイルス増殖抑制
  ➡ウイルスを増やさない
- オートファジーの促進
  ➡感染を防ぐ

…etc.

麻黄湯はインフルやらなんやらのウイルスをはじめ、いろんな異物が体内に入って来るのを防ぎ、仮に入って来たとしても増やさない…って感じで働きます。要は飲むことによって免疫力を上げる薬なんです。なので、インフルのみならず一般的な風邪やらSARSにまで効果を発揮します。

ちなみに、これらのことは麻黄・桂枝・甘草を含んでいる「葛根湯」や「小青竜湯」でも同様の効果を期待できるようです。治療に使えるのはもちろん、事前に飲んでおくことで免疫を上げてかかりにくくすることも可能になるわけです。淡島のお友達で漢方にめっちゃ詳しい超絶パワフルな薬剤師のお姉さまは、インフルエンザシーズンは麻黄湯、終息してきたら花粉症対策

※『phi漢方No.43』参照(『漢方と最新治療』鈴木誠:インフルエンザに用いられる漢方薬の薬理作用:19(2):125-129,2010)

第一三共ヘルスケア
新ルル-K錠

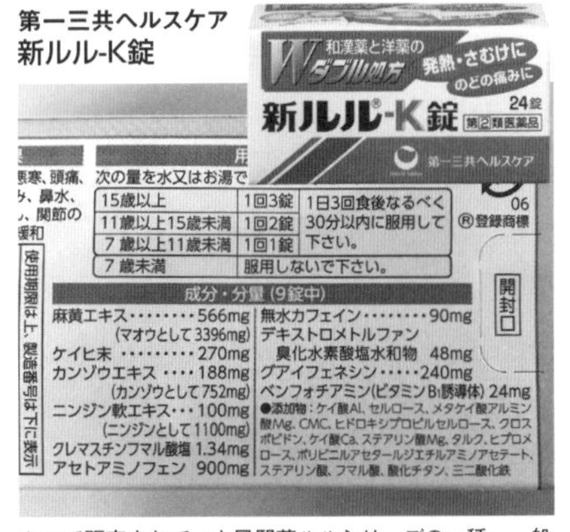

かつて販売されていた風邪薬ルルシリーズの一種。一般的な風邪薬の成分に麻黄湯が配合された合剤だったが、2017年に廃番になったようだ

一元製薬
麻黄湯

淡島が愛飲しているのが、1,000錠入りボトルタイプのもの。ネット通販で購入でき、実勢価格は7,000円ちょっと。毎日5錠飲んで2シーズンもつので、十分お得感はある

で小青竜湯に切り替えると言っています。

また、「タミフル」や「リレンザ」などのインフルエンザ治療薬を予防目的で処方してもらう場合は確実に自費になりますが、風邪でってことで処方してもらうなら麻黄湯は大変コスパが良いです（インフル予防なら治療薬は自費ということ）。淡島自身は、一元製薬というメーカーの1,000錠入りボトルをネット通販で購入しています。お値段7,000円ちょっと。1,000錠あると、毎朝5錠飲んで2シーズンもつってところです。例年、最前線でも仕事をしてたりしますが、麻黄湯を飲むようにしてから、今のところインフルにかかっていません。体質的に飲めるようでしたらお試しあれ。なお、循環器などに疾患がある場合は、あまりお勧めはできません。

ついでに、ドラッグストア売りの麻黄湯のお話もしておきましょう。風邪薬コーナーに大量に展開されている葛根湯の近くに置かれていることが多く、クラシエをはじめとするメーカー各社が出していますね。大体が顆粒のものです。大きめのドラッグストアに行くと液体タイプもあり、第一三共ヘルスケアのルルブランドやツムラのものが多いと思います。錠剤タイプはドラッグストアではレアかもしれません。

また、インフルシーズンに海外に旅立つ場合だとか、風邪だかインフルだか怪しいのにうっかり医療保険が切れてる場合だとかにもってこいなのが一般的な風邪薬と麻黄湯の合剤です。かつて「新ルル-K錠」という麻黄湯配合の総合感冒薬（解熱鎮痛成分はアセトアミノフェン）があったのですが、いつの間にか廃番になっていた模様…。そして、こちらもかつての話ですが、赤いキラキラパッケージの「ルルアタックFX」も麻黄湯配合の総合感冒薬（同様に解熱鎮痛成分はアセトアミノフェン）でした。現在は中身が変わり、麻黄湯は含有されていません。塩野義製薬のパイロンブランドから出ていた「パイロンMX」も製造終了しているようです。残念。…というわけで、知る限り軒並み絶滅しているようなので、必要があれば別々に購入して、薬剤師など専門家にご相談の上、服用して下さい。

ちなみに、液体タイプの麻黄湯ですが、淡島はインフル/風邪対策よりも追い詰められた時

■英国のインフルワクチン事情

時期になるとドラッグストアで右のような張り紙を見かけるようになる。イギリスではBootsなどのドラッグストアでワクチンを打ってもらえるのだが、どこでもOKなわけではなく、看護師さんが常駐している店舗限定だそうだ。手順としては、①予約を取る　②その日時に行く　③問診を受ける　④打ってもらう…という流れになる。株の数にもよるがお値段10ポンド程度で、妊婦さんやお年寄りなどNHSの基準を満たす人は無料だ。とってもお手軽でお安くてうらやましい。なお、淡島はまだこちらで打ってもらったことはない。

「FLU」とはインフルエンザのこと

Memo:

処方される主なインフルエンザ治療薬

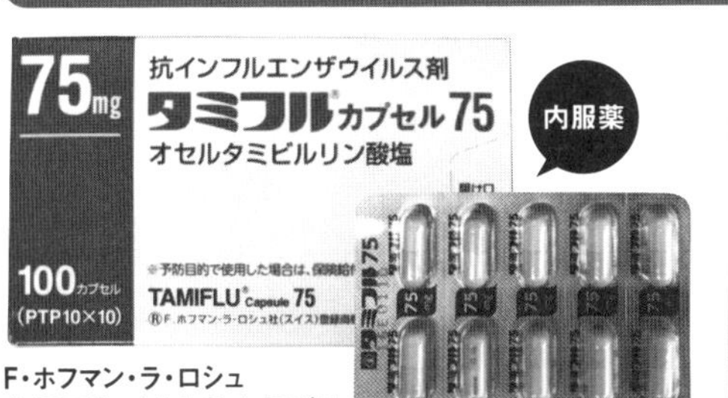

F・ホフマン・ラ・ロシュ
タミフル／オセルタミビル

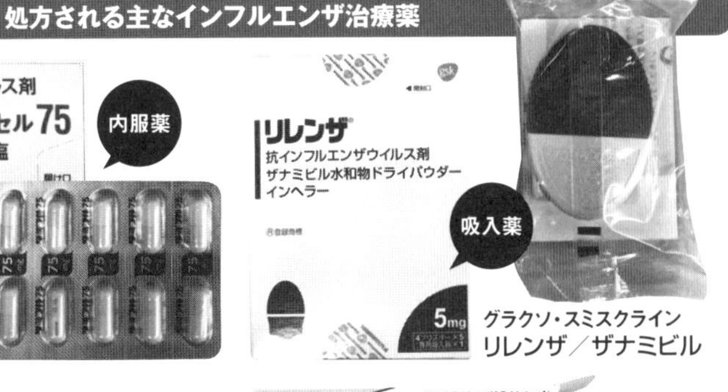

グラクソ・スミスクライン
リレンザ／ザナミビル

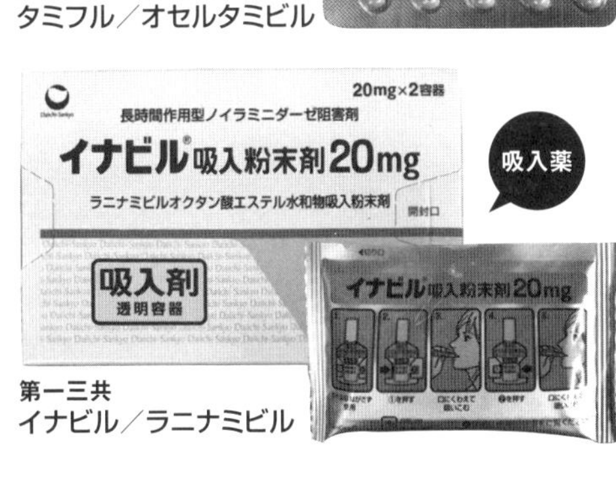

第一三共
イナビル／ラニナミビル

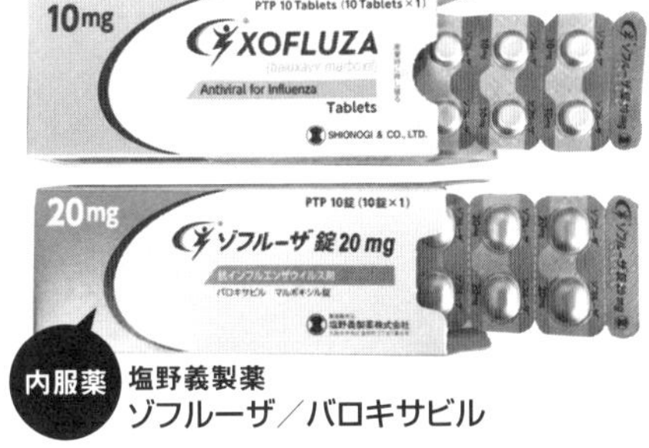

塩野義製薬
ゾフルーザ／バロキサビル

の眠気対策として使っています。麻黄湯には看板に偽りなく麻黄が入っています。つまりエフェドリン含有ですので、飲むと交感神経が優位になり体が活動する方向にシフトするため、眠気が軽減し疲れを感じにくくなるのです。液体の葛根湯でも同等の効果が期待できます。どっち派の人も見かけるので好みだと思います。なお、麻黄湯も葛根湯もカフェイン飲料よりもよっぽど効く気がしますが、これはあくまでも元気の前借りなので、明日発表なのに資料が真っ白…とか、よっぽど追い詰められた場合のみの奥の手です。まあ、そういう方法もある…と知っておく程度にしておくのが無難でしょう。電池切れした時、後悔することになるのでお勧めはしませんよ…。

インフルエンザ治療薬

ここまではインフルにかからないようにする話をしてきましたが、罹患してしまった時の話もしておきましょう。

治療薬といえば「リレンザ/ザナミビル」「タミフル/オセルタミビル」が有名どころですが、これらは1日2回の5日間内服もしくは吸入でした。しかし、2010年頃に1回吸入するだけで治療が完了する「イナビル/ラニナミビル」や、点滴で投与する「ラピアクタ/ペラミビル」などが出てきて、さらに2018年初めには1回内服するだけで治療が完了する「ゾフルーザ/バロキサビル」という薬も発売になりました。ゾフルーザは2018～2019年シーズンめっちゃ使われていましたね。品薄になるぐらいに。ただ、そのゾフルーザには耐性ウイルスも出てきてますし、服用したにもかかわらず熱がぶり返すなどの症状をちょいちょい見かけるので、個人的には若干切れ味が微妙な気がしています。

そんな中、淡島が発売当初から気になっているのが、「ラピアクタ」という点滴剤。来院した時はぐったり死にそうな感じだったインフル患者が、点滴し終えて帰る際にはピンピンしてるという噂でして。インフル休暇取得がてら1度我が身でも体験してみたいと思い続けているのですが、どうやら対策が万全過ぎみたいで、そもそもインフルにかかれずにいます…。

世界はウイルスによって常に遺伝子ガチャ状態!?

インフルエンザをはじめとするウイルスの謎

インフルエンザや風邪のウイルスについてどれほどの知識を持っているだろう？　いまだ謎多きウイルスだが、人間の病気に関するウイルスの分類は覚えておいて損はないだろう。　text by くられ

インフルエンザを“風邪の上位版”と考えている人も多いかと思います。実際の症状はその通りですが、ワクチン接種や適切な治療をしなければ、後遺症や命を失うこともある程度の“上位版”です。

一般的に「風邪」と呼ばれているのは、「ピコルナウイルス」や「ライノウイルス」といった、めちゃくそ種類の多いウイルスの感染、ないしは複合感染によって起こります。風邪のワクチンが存在しないのは、これらのウイルスの種類がドチャクソ多くて、それらにいちいちワクチンを作っているとキリがないから。そもそも「ワクチン」は、危険性の高い病気に勝つために人類が生み出した英知です。まず死の危険性が無い病原体に対しては、積極的にワクチン開発は行われません。

そしてインフルエンザのワクチンは、接種すれば100%感染しないわけではないため、軽んじられる要因の1つになっているようです。しかし、ワクチンを受けると症状が穏やかになったり、致死度が大幅に変わることが知られています。1918年に大流行したスペイン風邪では、感染者6億人、死者5,000万人[※1]という、とてつもない大疫病にメガ進化した例もあるくらいなので、決して無駄ではありません。

また、インフルエンザワクチンは卵アレルギーなどで接種を受けられない人も存在し、そういう人を守るためにもワクチンは可能な限り必要なのです[※2]。

ウイルスの感染経路

ウイルスが生物なのか無生物

			科	主な病気
DNAウイルス	一本鎖	エンベロープなし	パルボウイルス科	ヒトパルボ B19(伝染性紅斑)
DNAウイルス	二本鎖	エンベロープなし	アデノウイルス科	アデノ(咽頭結膜熱，急性出血性結膜炎，流行性角結膜炎)
DNAウイルス	二本鎖	エンベロープなし	パピローマウイルス科	ヒトパピローマ(尖圭コンジローマ)
DNAウイルス	二本鎖	エンベロープあり	ヘルペスウイルス科	単純ヘルペス 水痘・帯状疱疹(水痘，帯状疱疹)
DNAウイルス	二本鎖	エンベロープあり	ポックスウイルス科	痘瘡(天然痘)
DNAウイルス	二本鎖	エンベロープあり	ヘパドナウイルス科	B型肝炎
RNAウイルス	一本鎖(一鎖)	エンベロープあり	ラブドウイルス科	狂犬病
RNAウイルス	一本鎖(一鎖)	エンベロープあり	パラミクソウイルス科	麻疹 ムンプス(流行性耳下腺炎) RS(呼吸器感染症)
RNAウイルス	一本鎖(一鎖)	エンベロープあり	オルソミクソウイルス科	インフルエンザ 鳥インフルエンザ A/H5N1 鳥インフルエンザ A/H7N9 鳥インフルエンザ A/H5N1, A/H7N9 以外
RNAウイルス	一本鎖(一鎖)	エンベロープあり	フィロウイルス科	エボラ(出血熱) マールブルグ(出血熱)
RNAウイルス	一本鎖(一鎖)	エンベロープあり	ブニヤウイルス科	クリミア・コンゴ出血熱(出血熱) SFTS
RNAウイルス	一本鎖(一鎖)	エンベロープあり	アレナウイルス科	ラッサ(出血熱) フニン / サビア / ガナリト / マチュポ(出血熱)
RNAウイルス	一本鎖(+鎖)	エンベロープあり	フラビウイルス科	デング　ウエストナイル 日本脳炎　C型肝炎 黄熱
RNAウイルス	一本鎖(+鎖)	エンベロープあり	コロナウイルス科	SARS コロナ MERS コロナ
RNAウイルス	一本鎖(+鎖)	エンベロープあり	トガウイルス科	風疹
RNAウイルス	一本鎖(+鎖)	エンベロープあり	レトロウイルス科	ヒト免疫不全(AIDS) ヒトTリンパ好性(成人T細胞白血病)
RNAウイルス	一本鎖(+鎖)	エンベロープなし	カリシウイルス科	E型肝炎 ノロ(感染性胃腸炎)
RNAウイルス	一本鎖(+鎖)	エンベロープなし	ピコルナウイルス科	ポリオ(急性灰白髄炎)　A型肝炎 コクサッキー(手足口病，ヘルパンギーナ)　ライノ(感冒)
RNAウイルス	二本鎖	エンベロープなし	レオウイルス科	ロタ(感染性胃腸炎)

病気に関するウイルスの分類。生物のように形状で分類するのではなく、遺伝子や構造で分かれる。ややこしい…

Memo: ※1　当時の世界人口は二十数億なので、数人に1人が感染したことになる。
※2　ゆえに、反ワクチン活動をしている人たちは、人間の形をしているだけで広義では病原体と同じ。見つけ次第、バールで殴るか次亜塩素酸ナトリウムを点滴して消毒した方が世のためである。

なのかは定義次第ですが、そもそも細胞や細菌といった、生きた細胞に潜り込まないと増殖できず、増殖して細胞を食い破って出た後は、それほど長時間次の宿主を待てるほど強固な構造をしているウイルスはまれです。それゆえ、ウイルスは常に生きた細胞、生物の間を循環し続けている、極めて特殊な遺伝子の流れ者なのです。そもそも細菌や細胞がないと増えることができないのに、それらより起源が古いのか新しいのかさえ不明で、どこから来たものなのかもよく分かっていません。

さらには、ウイルスの分類も不明。動物の間を行き来するウイルスのほか、植物と細菌の間を行き来するウイルスなど、特定のホストが定まっていないものまであります。基本的にそういったウイルスは無症状で、本当にあちこちに遺伝子を運んでいるウイルスが、近年続々と見つかっています。

こうした運び屋ウイルスによって、農薬の耐性遺伝子を組み込んだ作物から雑草に耐性遺伝子が持ち逃げされて、スーパーウィード（薬剤耐性雑草）なんかが登場したりします。なので、ウイルスが病気の原因なのは間違いないのですが、無毒無症状ウイルスも多くいるため、「ウイルスに感染＝発病」とは一概にはいえません。

現在、ウイルスの完全な起源や進化の系譜の全容は解明されていませんが、とりあえず人間の病気に関するウイルスの「分類」は覚えておいてよいでしょう。108ページの表にまとめました。まず、持っている遺伝子がDNA型のもの、RNA型のもので分けられ、さらにRNAは一本鎖RNA（ssRNA）と二本鎖RNA（dsRNA）で分類されます。一本鎖のRNA（ssRNA）は、＋と－で分けられて、＋（ポジティブ）はそのまま入り込んだ細胞の中のタンパク合成機能を奪取して、自分の複製を作り出すウイルス。－（ネガティブ）はウイルス自体が、手前の持ち込み酵素を細胞内のリソースを使ってmRNA（メッセンジャーRNA）を合成。そのmRNAが細胞内のタンパク合成機能を奪取して、自分の複製を作り出す…と手の込んだ仕様になっています。ネガティブは一見不便そうなまどろっこしいことをしていますが、この方が異種間の動物を行き来するのに最適なのかもしれません。

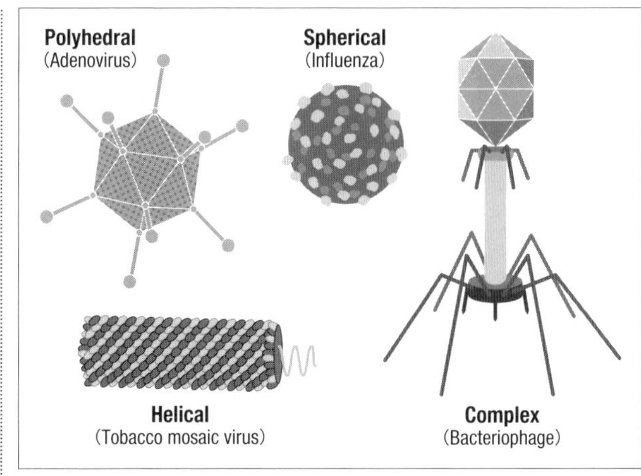

そして、ウイルスを包む皮…というべき脂質があり、それを「エンベロープ」と呼びます。このエンベロープの有無でまたウイルスが分類されるので、形が似ていても全然違うウイルスであることも。これは“病気に関する”ウイルスの場合であって、普通の生き物のような、生物の進化の樹形図的な分類方法は使われません。

このように、ウイルス1つを見ても、大きさ・形・遺伝子が全然違う構造になっています。さらに、複数のウイルスが1つの細胞に感染することで遺伝子の交換や変異が起こり、その結果、鳥インフルエンザのようにあちこちの生き物に感染する[※3]ウイルスを生み出すことも。それが強毒性を持っていた場合、感染した動物を死に至らしめる破滅的な現象が起こるわけです。

そう考えると世界はウイルスによって、常に遺伝子ガチャが行われているともいえます。今この瞬間も、森をたまたま切り開いたところにいた無害な生き物の中に生息していた無害なウイルスが、人間や家畜に感染して全人類を滅ぼすウイルスに進化する段階に入っている…なんてこともあるかもしれません。

※3　最近はネコにも感染することが知られている。

天才サイコパス殺人鬼が囚人を実験台にした!?

マラリア治療薬開発の裏歴史

薬の開発の裏には、闇に埋もれた話というのがありがちだが、マラリアのそれはちょっと変わっている。サイコパスに人体実験に同性愛…、とにかく設定盛り過ぎなのだ。

text by 亜留間次郎

第二次世界大戦でアメリカ軍は、6万人ともいわれる膨大な数のマラリア患者を出しました。アメリカ軍は薬を用意していたのですが、メパクリンを有効成分とする「アタブリン」は予防と治療に効果的な薬だったけど前線の兵隊は副作用を嫌って飲まなかったのです。副作用は軽いもので頭痛、重いものでは「メパクリン精神病」と呼ばれる幻覚が見えて錯乱する症状がありました。ただ、第二次大戦中にアメリカ陸軍病院で、メパクリンで治療されたマラリア患者7,064例に対して35例でメパクリン精神病が診断されており、発生率は0.5%とそう高くはありません。

それよりも致命的な副作用だったのは、服用を続けると皮膚が黄色くなって黄色人種みたいになることでした。あまりにも黄色人種っぽくなるので、中国に潜入した工作員はアタブリンを飲んで現地人に変装していたなんて噂まで残っています。黄色くなるぐらいならいいじゃないかと思うかもしれませんが、当時は黄色人種に対する差別意識と忌避感情がものすごかったので、黄色人種のようになることに白人は耐えられなかったようです。日本人の場合は、そのような副作用があっても気が付かなかったみたいですけど。

この抗マラリア薬は日米双方で使用され、アメリカでは「アタブリン（Atabrine）」、日本では「アクリナミン」の商品名で流通していました。当時はキナの樹皮から抽出したキニーネがマラリアの特効薬として用いられていたのですが、日本軍は現地でキナの木が手に入っても薬に加工できる設備が無いため日本本土に運ぶ必要がありました。輸送能力の貧弱さから工場に原料が届かない事態が多発し生産が進まなかったそうで、それならばと現地に工場を建てようとしたら機材を積んだ船が途中で撃沈されて計画は挫折しています。ゆえに、戦時中の記録に登場するキニーネの大半は、化学合成されたアクリナミンだったかもしれません。

フィリピンを占領した日本軍は、アメリカ軍が有効なアタブリンを持っていること、そしてこの薬を忌避して大量の病人を出していることを知ると、現代の反ワクチンみたいなアンチ・アタブリン宣伝を始めて、「飲むと日本人になるぞ」「インポになるぞ」「気が狂って死ぬぞ」とデマをばら撒きました。このデマは現代の反ワクチンのようにアメリカ人の間に広まり、大勢のアメリカ兵がマラリアで倒れる大惨事になったようで、日本軍の対米プロパガンダの中で最もアメリカ軍にダメージを与えたかもしれません。

日本軍がキニーネの原料生産地の90%に相当するフィリピンとインドネシアを占領したため、アメリカではキニーネが手

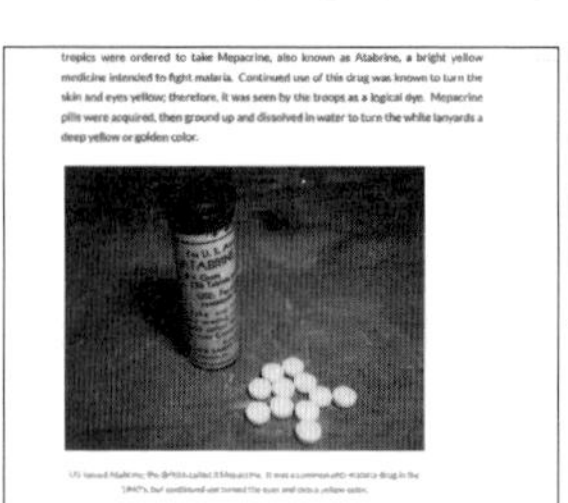
tropics were ordered to take Mepacrine, also known as Atabrine, a bright yellow medicine intended to fight malaria. Continued use of this drug was known to turn the skin and eyes yellow; therefore, it was seen by the troops as a logical dye. Mepacrine pills were acquired, then ground up and dissolved in water to turn the white lanyards a deep yellow or golden color.

Intentionally damaging a parachute and misusing medical supplies were both serious

メパクリン

HN N Cl N

アタブリン(メパクリン)
1940年代には一般的な抗マラリア薬だったが、継続して服用すると皮膚が黄色くなる副作用があった(「Colour Sergeant Tombstone's History Pages」参照)

Memo:

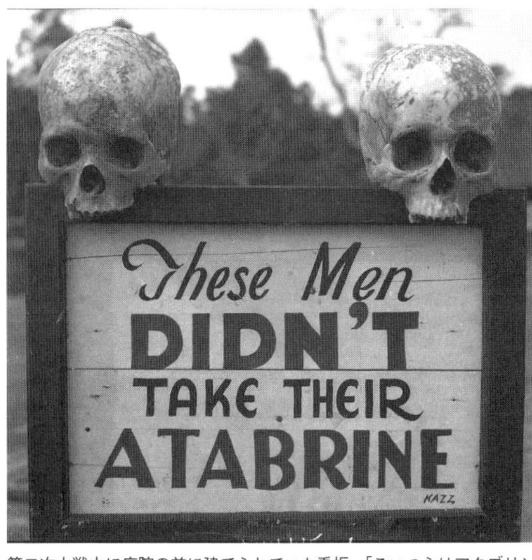

第二次大戦中に病院の前に建てられていた看板。「こいつらはアタブリンを飲まないからこうなった」という内容。頭蓋骨は戦死した日本兵のものらしい

アタブリンのデマは、日本軍のプロパガンダだと啓蒙するポスター。現代の反ワクチンのようなキャンペーンが展開され、効果的だったようだ

に入らなくなったので、より化学的に量産できるアタブリンに頼らなければならなかったのですが、日本軍が拡散したデマが原因で兵士の忌避感情が薬の服用を妨げていたので、病院の前に頭蓋骨を乗せた不気味な看板を建てたほどです。ちなみに、その頭蓋骨は日本兵の死体から作られたものです。

多くのアタブリン啓蒙ポスターが作られ、さらには『Private Snafu Vs Malaria Mike』なんて啓蒙アニメまで制作されました。それでも兵隊が薬を嫌がるのでベッドに蚊帳を設置したり、蚊を根絶しようと殺虫剤のDDTを撒いたりといろいろ苦心したようです。とはいってもやはり治療薬が必要なので、アメリカ政府は新薬の研究開発を始めなければならなくなりました。

刑務所の人体実験

研究の一つとして、1944年からステートビル刑務所で囚人をわざとマラリアに感染させて予防薬と治療薬を試す人体実験が開始されます。試された薬の中には、ナチス・ドイツのすごい科学力で作られ、北アフリカ戦線でドイツ軍の捕虜から手に入れたクロロキンも含まれていました。これは化学物質としてアメリカでも知られていたので、成分の特定や複製は簡単でしたが、問題は副作用と毒性が強く用法・用量が分からなかったことです。ドイツ軍も加減をよく把握していなかったらしく、日本に占領地で採れるキニーネを送ってくれと頼んでいたほどでした。クロロキンは現代でも使われている抗マラリア薬で、効果がある分量は1日4錠。それを超えて12錠飲むと半数致死量に達する劇薬で、当時はその適正量が不明だったために過剰に投与されて、数時間から数日で死んだ囚人もいたそうです。

そんなステートビル刑務所の囚人に、とんでもない人物がいました。世界で初めて「世紀の犯罪（Crime of the Century）」と呼ばれた事件を起こし、殺人罪で無期懲役＋誘拐罪で懲役99年を受けて服役していたネイサン・レオポルドとリチャード・ローブの2人組です。彼らは完全犯罪を目論んで誘拐殺人をやり、見事に失敗して逮捕。普通だったら2人とも死刑なのですが、会社の重役で弁護士だったローブの父親が、当時の全米最強の弁護士だったクラレンス・ダロウを高額な報酬で雇い、息

ネイサン・レオポルド
（Nathan Leopold）
1904〜1971年

リチャード・ローブ
（Richard Loeb）
1905〜1936年

Life plus 99 Years
ネイサン・レオポルドの自伝
（1958年発行）

子と息子の親友の死刑を強引に回避したのです。こうして2人は、ステートビル刑務所に死ぬまで仲良く服役することが決まりました。

彼らは裕福なユダヤ人の家庭に生まれた10年来の親友で、レオポルドは犯行当時19歳だったのに5か国語を流暢に話し、飛び級してシカゴ大学を既に卒業。欧州に卒業旅行に行ってから、ハーバード大学法学部へ進学する前でした。ローブは犯行当時18歳の大学院生でした。17歳でミシガン大学を卒業した当時の最年少卒業生です。2人はサイコパスでギフテッドだったといわれていますが、逮捕される証拠になったのが身代金を要求する手紙を作るのに使ったタイプライターが、レオポルドが大学のゼミで共用していた高級機だったせいと間が抜けています。

彼らは刑務所の中でも仲良くしていたそうで、当時の刑務所では高学歴が珍しかったこともあり、刑務所内学校に高校と短期大学のコースを追加したりと活躍し始めました。ローブは30歳の時、他の囚人に殺されてしまったのですが、レオポルドは親友の死後も刑務所内図書館の改革、刑務所内病院でのボランティア活動などを続けます。

普通なら刑務所の中で一生を終えるはずだったレオポルドに、意外なチャンスが巡ってきました。アメリカ政府が囚人を使った人体実験を始めたのです。実験を行っていたのはレオポルドの母校であるシカゴ大学でした。レオポルドは被験者に志願して、故意にマラリアに感染させられ何種類もの治療薬の実験体になりました。ここでレオポルドに投与され成功した薬こそ、現在も世界中でマラリア予防に使用されている最も安全で最も効果的な薬といわれている「プリマキン」です。

それからレオポルドは刑務所内の研究室で働くようになり、被験者の募集、実験の記録、レントゲン撮影、マラリア蚊の飼育…まで幅広く実験に携わるようになります。「囚人」で「人体実験の被験者」で、そして「マラリア研究者」という奇妙な生活を送ることになったのです。

マラリアの薬は、病原体であるマラリア原虫に対して強い毒性を持ちながら人間に対しては可能な限り低害でなければなりません。どの薬も副作用がそれなりに強く、クロロキンのように有効量と致死量の差が小さい薬の場合は絶妙な加減が分からなければ使えませんでした。死ぬギリギリを見極めようとして何人も殺してしまうような人体実験は、戦時の刑務所でなければ無理だったといえますが、そこに絶妙な加減を見つけ出した天才がいたのはまさに奇跡でしょう。こうして、レオポルドが刑務所で行った研究によりプリマキンとクロロキンの有効性&安全性が確立され、世界中のマラリア患者を救えるようになったわけです。

1958年、レオポルドはシカゴ大学の同級生だった作家のメイヤ・レヴィンの協力を得て自伝『Life Plus 99 Years』を出版します。自伝が出版されて有名になると、マラリアからアメリカを救った天才としてブレザレン教会が中心となって釈放活動が起こり、懲役33年目の1958年3月に仮釈放。出所したレオポルドは、アメリカの自治領である離島のプエルトリコで病院の職員として迎えられ、医療従事者として働くようになりました。

自伝の出版に協力してくれたメイヤ・レヴィンは、レオポル

Memo: 参考文献・画像出典など
●ステートビル刑務所の中で行われたマラリア研究　https://en.wikipedia.org/wiki/Stateville_Penitentiary_Malaria_Study
●メパクリン（Mepacrine）、商品名アタブリン（Atabrine）　https://en.wikipedia.org/wiki/Mepacrine

レオポルドとローブの事件をモチーフにした主な作品

1956年:小説

強迫/ロープ殺人事件
(Compulsion)

マイヤ・レヴィンが書いたフィクション。登場人物は架空の名前になっている

1959年:映画

強迫/ロープ殺人事件
(Compulsion)

小説の映画化。犯人が殺害現場にメガネを置き忘れたことで、犯行が発覚する

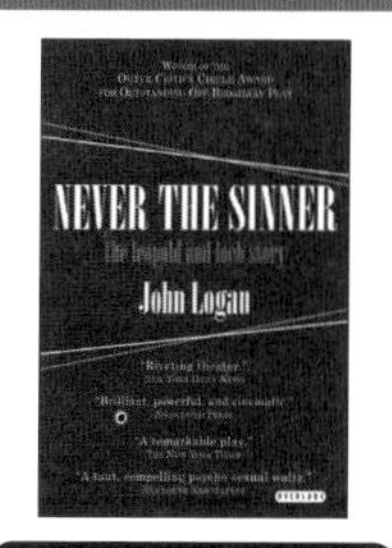

1985年:演劇

Never the Sinner

レオポルドとローブの事件を題材にした、劇作家のジョン・ローガンによる演劇。2人が同性愛の恋人同士として描かれた

1992年:映画

恍惚
(Swoon)

ドキュメンタリー風のフィクション。実名で2人は同性愛者として描かれた

ドをモデルにした小説を書き、それが『強迫/ロープ殺人事件(Compulsion)』の題名で映画化。1959年に第12回カンヌ国際映画祭の受賞作品となったのです。レオポルドは差し止めを求めたものの、メイヤ・レヴィンは無視して売れっ子作家になり、それからも2人を題材にした作品が数多く作られたのでした。

その後、レオポルドは有名な犯罪者として知られながら、花屋の未亡人と結婚し、プエルトリコ大学で修士号を取得してプエルトリコ大学の講師になります。それ以降もプエルトリコの保健省の社会福祉プログラムの研究者になったり、プエルトリコ大学医学部でハンセン病の研究者になったりして、1971年に66歳で病死するまで活躍したのでした。

都市伝説から腐女子ネタへ

さて、ステートビル刑務所の人体実験は、戦後に広く知られることになります。ナチスの人体実験を裁くニュルンベルク裁判ではドイツ側から、「アメリカも囚人をマラリアに感染させて毒薬を飲ませて殺すヒドい人体実験やっていたじゃないか」と反論される材料になったこともあり、アメリカの戦争犯罪と非難されたりもしました。プリマキンを発明したのは、ロバート・クーリー・エルダーフィールド博士というロックフェラー研究所出身のまともな科学者なのですが、ナチスみたいな人体実験をやったマッドな科学者としての汚名を着せられたくなかったからなのか、積極的に功績を主張しなかったためほとんど知られていません。加えて、マスメディアの影響でレオポルドの方が世間に認知されているため、マラリアの薬は刑務所で天才サイコパス殺人鬼が囚人をモルモットにして作った…なんて都市伝説が生まれたのではないでしょうか?

なお、刑務所でローブを殺した受刑者は、ローブは同性愛者でレイプされそうになったから正当防衛だったと主張し、それが認められます。そのせいなのか、一般的にレオポルドとローブは同性愛者だったといわれており、1985年にアカデミー賞に3回ノミネートされた劇作家で脚本家のジョン・ローガンの演劇「Never the Sinner」の中で2人は同性愛の恋人同士という設定でした。

これが決定的なきっかけになり、1992年公開の映画『恍惚(Swoon)』など、1980年代以降のフィクション中で2人は天才サイコパス殺人鬼の同性カップルとして描かれることが多くなったのです…。実際のところ、レオポルドとローブが同性愛カップルだったかは証拠が無く不明なのですが。ただ、彼らは「Slasher(スラッシャー)」と呼ばれるBL好きのアメリカの腐女子…いや貴腐人の間で、天才サイコパス殺人鬼カップルのモデルとなって生き続けることになりました。

●アメリカの国立健康医学博物館 https://www.medicalmuseum.mil/
Wikipedia、Amazon、YouTubeなど

薬の力で頭が良くなれるのか!?

知能ドーピング

巷では頭が良くなるという触れ込みの「スマートドラッグ」が売られている。そうした都市伝説めいたモノから最先端の研究まで、「知能」にまつわる物理チートを紹介しよう。　text by くられ

一般的に頭が良いことの基準として「IQ（Intelligence Quotient、知能指数）」の高さがありますが、最近はあまり行われなくなっています。このIQテストで分かるのは、あくまでも一部の脳内での情報伝達速度でしかありません。脳内の情報処理のための情報輸送を流通に例えると、道路が太く、大量の物流を処理できる…という感じです。記憶力や想像力の有無などはIQには含まれていないため、漠然と頭の良し悪しというのは測れません。

とはいえ、基本的にIQの高い人は、饒舌で情報処理能力が高いので、最前線で最適な処理をできることが多いため、一般的に頭が良い人に見えます。ならば、IQテストで高得点を取れるように訓練すれば頭が良くなるのかというと、IQテストは一定の問題パターンがあるので、過去問などをやり込むと簡単にスコアが上がります。しかしこれをもって「頭が良い」とは言えないわけで、地頭の処理能力の得意不得意はぶっちゃけ生まれながら…というものなので変えようがありません。

じゃあ頭を良くする薬なんて存在しないんじゃね!?…となりますが、実際、大半の薬は効果がありません。ただ、それでもまだ望みのありそうなものをちょっと見ていきましょう。

残念な学力でも薬の力で何とかできるのか…？

薬で知能をUP！

世間一般に「スマートドラッグ」と呼ばれるものが存在します。特に近年、そうした薬物がネットで手軽に買えるということで、2019年頃からオリンピック規制のどさくさにまぎれていろいろな薬剤に輸入規制がかけられたりしました。

規制されるということは、ワンチャン効くのでは？？…と、ウキウキしてしまう人もいるかと思いますが、現実は残酷です。ほぼ効きません（笑）。

スマートドラッグといえば「ビンポセチン」や、「ピラセタム」「アニラセタム」といったなんちゃらセタム全般が有名どころ。これらは元々、認知症の治療薬として開発されていた医薬品です。脳の血流を増やすことで脳の活性化を図り、知能向上が見込めるとアメリカで開発されたのですが、大半が認知症への効果が見られず認可されなかったものや、1度は認可されたものの再評価で取り消されたもの。その後、悪質なサプリメ

Memo: ※1　ビンポセチンやアニラセタムなどを実際に服用すると、頭が少しキーンとした独特の感覚があり、頭が良くなった…気はする。が、実際のスコアはプラセボ以上には何も上がらず、悪くもないのに薬を飲んだことで副作用の方が問題になるダメな薬。

■スマートドラッグ

脳の血流を増やして活性化を図り、認知症への効果を期待してアメリカで開発された。しかし効果はイマイチで医薬品としては評価されず。それらがサプリメーカーによって売り出され、日本でも一時ブームとなった。ゆえに効果はプラセボ程度のゴミである。残念！

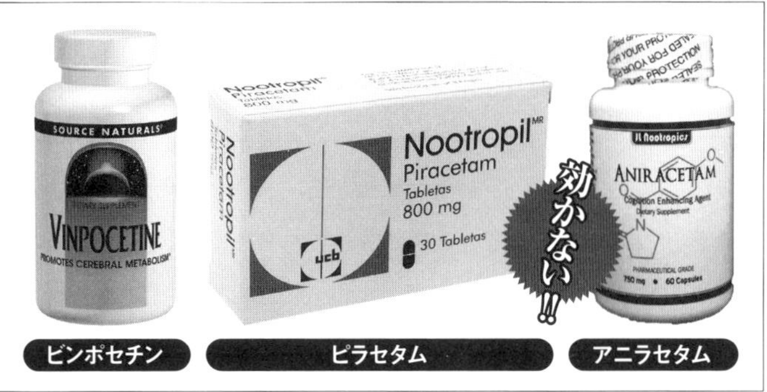

ントメーカーが売り出したためブームになったのですが、ひどい頭痛を起こすことが多い割に効果を体感できる人はプラセボの範疇程度。つまり、ぶっちゃけゴミです※1。

なんせ開発者自身が「そんなに効くなら俺が飲んでる」と、説得力しかないコメントをしています（笑）。

実際に認知症の治療薬は、「コリンエステラーゼ阻害剤」で、記憶の回路に多く使われているアセチルコリンの減少を食い止め、記憶の定着や記憶力の向上などを行おうといったものです。実際に初期から中程度の認知症の歯止めに成功しており、しかも健常者での認知能力の向上も確認されています。

また「ベタヒスチンメシル酸塩」というめまいのクスリが記憶の定着を向上するといったものや、抗てんかん薬の「カルバマゼピン」や「バルプロ酸」が認知能力を上げる（下げるという話もある）、色素の「メチレンブルー」が短期記憶力を上げる…といった知能にまつわる薬剤の開発は日進月歩です。

とはいえ、現状どれも効果はわずかであり、さらに飲み続けなければ効果は持続しません。その上、健常者が飲むと副作用が出やすく、飲み続けて頭を良くすることを体感できるのは、今のところは無理筋といえるでしょう。

覚醒と学習

そもそも勉強であれば、集中して長時間行えばその習得度の差こそあれ、何とかなるものです。勉強ができる＆いろいろな知識を持っている＝頭が良いという頭の悪い定義でいくのであれば、ガッツリ脳を覚醒させてフル稼働させてやればOKということに。これに関しては歴史的にも明らかで、覚醒剤をはじめとする精神賦活剤を使うとスコアが著しく向上することが知られています。

それを実際に国家レベルで実践したのがナチス・ドイツで、その後、日本も「ヒロポン」が戦後大ブームとなり、現在の厳しい覚醒剤取締法のベースとなりました。覚醒剤（メタンフェタミン）のような強力過ぎる賦活剤は副作用も著しく、内臓もボロボロにしてしまうことから法的にも医学的にも短期的にしか効果を発揮しないため、長期的には損と考えられます。要するにダメなわけです。

しかし時代は移り変わって、ADHDの治療薬として「メチルフェニデート」、ナルコレプシー（居眠り病）の治療薬として「モダフィニール」などの、意識の覚醒をしても麻薬的な効果の少ない、眠気を覚ます薬が登場。そして、これらの薬を勉強に利用することは必ずしも悪ではないのではないかという考えが近年、アメリカで広がりつつあります。総合科学学術誌『Nature』に、2008年に発表された論文※2でも、ハイになる…ではなく、集中力を高め、学習効率を上げるためにそうした比較的マイルドな使用は、コンサートでの緊張を和らげるために演奏家がベータブロッカー（心臓の高ぶりを抑え、手の震えなどを緩和する）を使っていたり、医師が手術前に集中力を高めるために賦活剤を使っているのと同程度ではないか…という考えが述べられています。

実際にアメリカで起こっている25万件の居眠り運転事故を

※2「Towards responsible use of cognitive-enhancing drugs by the healthy」（Nature doi:10.1038/456702a;Published online 7 December 2008）

■治療薬の効能

実際に記憶力や認知能力の向上を認められるクスリもある。「コリンエステラーゼ阻害剤」は認知症の治療薬であり、認知症患者のみならず健常者でも認知能力の向上が確認されている。また、「ベタヒスチンメシル酸塩」は記憶の定着が向上するいう。これらの研究は日々進んでいるが、日常的に飲んで劇的に体感するにはまだまだ時間がかかるだろう。

ドネペジル

（コリンエステラーゼ阻害剤の一種）

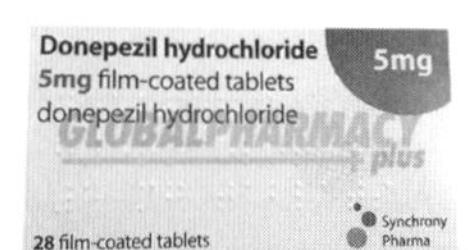

ベタヒスチンメシル酸塩

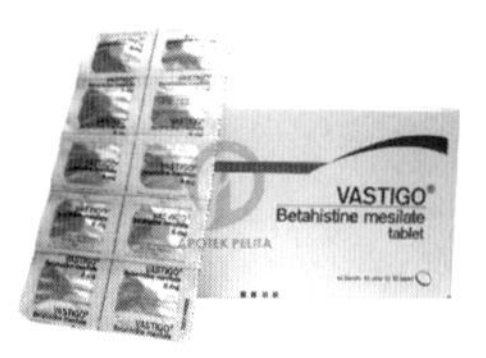

カルバマゼピン

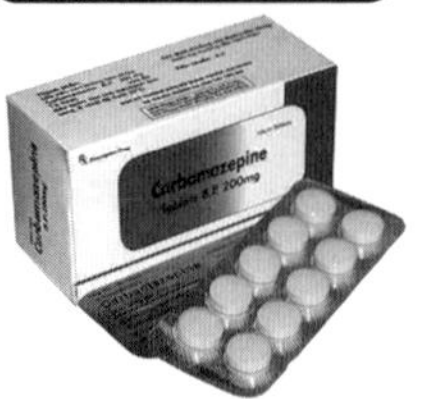

メチレンブルー

予防するために、賦活剤を処方すべきという話もあったり。乱用を推奨しないが、それでもやむなく超過労働となる場合には限定的に使うべきでは…ということです。ただ、そうした処方が是とされると、当然ハイになるために悪用する例が増えてしまうのも当然で、また、薬剤の市場的に安易な処方が横行することも問題であり、簡単な話ではないためいろいろと難航しています。

より“安全に”眠気を覚ますには「オレキシン」という脳内ホルモンがキーであることから、近年はオレキシン受容体をターゲットにした覚醒状態を安全に保つ薬の研究も進行中です。近い将来、お手軽かつ安全に覚醒状態を維持できる薬がポイっと買えるようになるかもしれません。

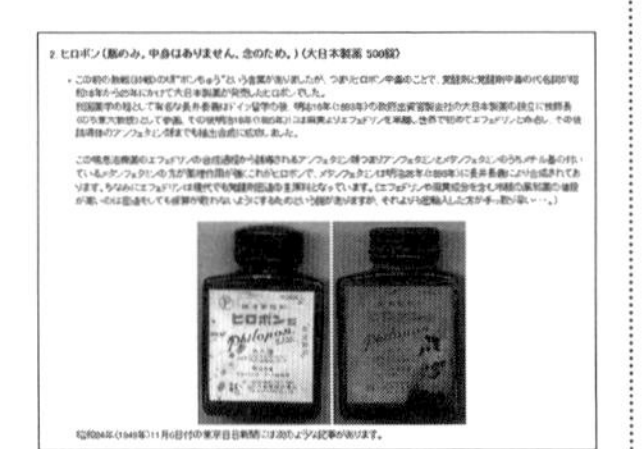

戦後の日本で大ヒットした「ヒロポン」。「除倦覚醒剤」とラベルに書かれているように、疲労の防止や回復をアピールしていた。薬局にハンコを持って行けば誰でも買えたという

（画像／北多摩薬剤師会参照）

睡眠と学習

じゃあ寝ずに勉強すれば、どんどんスコアが上がるのか…というとさにあらず。

睡眠は勉強に欠かせない大事なものであり、睡眠時間を削ることは勉強効率や仕事の効率においてもすべてマイナスであることが、さまざまな実験で確認されています。多くの学生や社会人は5～6時間程度の睡眠しか取っておらず、そうした人は慢性的な眠気を感じていることでしょう。これはちゃんと脳が休めていないためで、起きてる間の効率自体を落とし、その結果、勉強や仕事が長引き、より睡眠時間が短くなるという、負のスパイラルに陥っている悪しき例です。

睡眠に関してはまだ全容が解明されていませんが、覚醒時の情報の最適化を行っていることは明白で、覚えた知識などの定着も寝ている時に行われます。アクションゲームなんかも何日かすると、突然自分の手足のようにゲームキャラクターを動かせるようになった経験をしたことのある人も多いと思いますが、それは睡眠中にキャラクターの操作方法が最適化され、脳がその回路をうまく使えるように情報処理した結果といえるのです。これは勉強でもスポーツでも同じ。英単語の暗記からバッティングに使う筋肉の動かし方まで、脳は「最適化」と「定着」を寝ている間に行っているので、十分な睡眠（7～8時間）を取り、しっかりと覚醒した上で勉強し、そしてまたしっかりと寝ることが、重要といえるでしょう。

Memo:

今すぐできる! 知能をアップさせる脳の使い方

1 睡眠時間を適切に取ろう

睡眠時に学習内容の定着や論理思考の最適化などが行われることは、116ページでも説明した通り。睡眠時間が少ない状態では、そもそもの学習効率が低く低パフォーマンスが続く。集中しなくてはいけない状態でも眠かったり、ぼーっとしてしまうのであれば睡眠不足である。しっかりと寝る…というのがまずは最優先だ。

2 コーヒーナップを使いこなす

コーヒーで目を覚ますのはありがちだが、仮眠を取る前にコーヒーを飲む「コーヒーナップ」というワザがある。コーヒーの覚醒成分であるカフェインは、飲んでから効果を発揮するまでに30分ほどかかる。そこで、濃いめのコーヒーに牛乳を入れ胃に優しくして飲んでから仮眠。すると、仮眠による脳の休息からの浮上とカフェインの高揚のダブル効果で、高い集中力が出せるようになる。

3 ポジティブになろう

ネガティブな精神状態は学習効率が低い。怒られる、笑われる…といった負の精神状態で、それを避けるために勉強するという人もいるだろうが、これはものすごく学習効率が悪い。ネガティブな精神状態は、常にネガティブな考えが学習の合間にノイズとして入り込み、情報の質を低下させるからである。また、睡眠の質も下げる。

勉強がよくできる子は、相対的にポジティブシンキングである場合が多い。意図して自分にポジティブな万能感をある程度植え付けることは勉強においてはプラスになるからだ。その方法としては「良かった日記」をつけること。毎日「良かったこと」だけを日記に書いていく。人間は割と単純な刷り込みでも2〜3か月で精神構造を変えられるため、その可塑性をプラスに使うのである。

4 適度な性行為は重要

性と脳機能は実は密接で、多くの実験で性的に恵まれている人ほど認知能力テストでハイスコアを取ることが、イギリスの医学論文などで紹介されている。実際に、テストの点が高い層ほど、性ホルモンであるテストステロン（男性ホルモンだが女性にもある）が多いことが知られており、またストレスを手っ取り早く解消するのもまたセックスなので、特に高齢になるほどこの差が顕著であるようだ。

ただし、具体的にどうやってその頻度を増やすかは専門外なので不明である。悪しからず。

5 試験当日の準備と装備

試験前日は、普段よりも1〜2時間早めに就寝し、可能なら1時間ほどいつもより早起きし、布団の中で1日のやるべき行程のシミュレーションしておく。

朝食はバナナ1本、オレンジジュース（ストレート果汁）を1杯程度。あとは、糖分多めのカフェオレや飴やガムといった炭水化物以外で糖質をこまめに摂ると、胃に負担なく脳に栄養を供給できる。

寒い時期は脇の周りや下腹部など体の中心を冷やさないようにカイロなどを使い、頭に血が行く首は薄手のマフラー程度にした方がベター。脳は加熱しやすいため、血液で放熱させたい。

カピバラや孔雀を自宅で飼ってみたいよね?

珍獣の飼育法

ペットといえば犬やネコが定番だが、少し変わった動物を飼ってみたい奇特な人もいるだろう。カピバラ、孔雀、アルマジロの飼育法と入手事情を解説する。とにかく癖が強いよ…。　text by 亜留間次郎

カピバラの飼育法(ネズミ目テンジクネズミ科)

2020年6月1日から特定動物の飼養・保管許可制度が変わり、虎・熊・ライオン・狼などの特定動物を愛玩動物として飼うことが禁止されました。さらに、特定動物との交配雑種もダメになりました[※1]。新たに交尾させて狼と犬のハーフを作ることも禁止です。より厳しくなったのですが、特定動物に指定されていなければ、ちょっと変わった動物でも合法的に飼育できることを意味しています。

日本の動物に関する法制度は、極めて複雑怪奇でうまく機能していません。環境省と農林水産省と経済産業省と厚生労働省でバラバラだからです。例えばトド。農林水産省では駆除対象としているのに、環境省は保護対象とするといったように、役所によって同じ地域に住む同じ動物に対して真逆の政策が取られることすらある始末です…。

そしてこの法制度には、さらに大きなセキュリティホールがあります。絶滅宣言された生物はこの世に存在しないことになるので、規制対象外になるのです。存在しないから規制されないのは正しいように思えますが、大きな矛盾を抱えています。

特に問題になったのが、マンモスの牙から採れる象牙でした。絶滅危惧種のゾウの牙は取引できないけど、絶滅しているマンモスの牙は規制の対象外ということに…。シベリアの永久凍土の中で氷漬けになっていたマンモスがそんなに大量にいたのかは謎なのですが、ゾウではなくマンモスの牙は合法なので自称マンモスの象牙が大量に流通しているのです。この矛盾への矛盾した対応として、生存している個体が存在しないのに絶滅宣言を撤回しようという動きがあります。

さて、絶滅したはずなのに生存していたという秘密動物は結構いて、さる帝国貴族の公爵の屋敷には絶滅宣言された珍獣が大量に飼育されています。中国の古典小説『封神演義』に登場した霊獣・四不象(スープーシャン)も野生では絶滅していたの

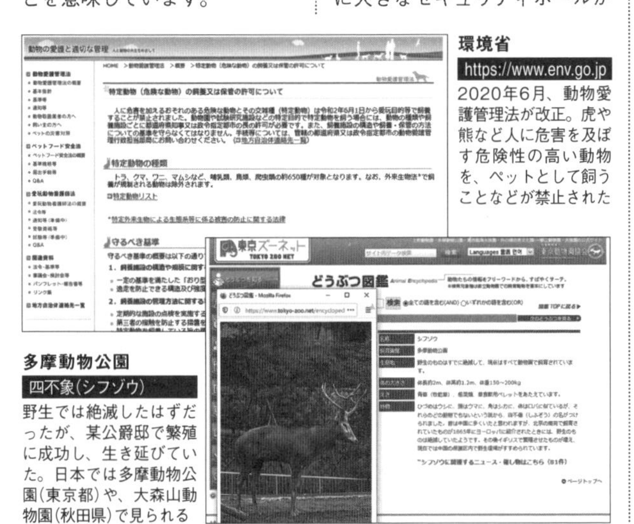

環境省
https://www.env.go.jp
2020年6月、動物愛護管理法が改正。虎や熊など人に危害を及ぼす危険性の高い動物を、ペットとして飼うことなどが禁止された

多摩動物公園
四不象(シフゾウ)
野生では絶滅したはずだったが、某公爵邸で繁殖に成功し、生き延びていた。日本では多摩動物公園(東京都)や、大森山動物園(秋田県)で見られる

Memo: ※1 昔は狼と犬の雑種は少しでも犬の血が入っていれば犬扱いになり特定動物ではなかったのだが、今は狼の血が入っている犬はすべて飼育禁止。新たに交尾させて狼と犬のハーフを作ることも禁止となった。

カピバラ

和名：オニテンジクネズミ

カピバラは半水生で、川・沼・湿地帯など水辺に生息している。そのため、飼育するには水回りの用意が必須となる。げっ齧歯類では最大の種であり、ある程度の飼育スペースも必要だ

餌はウサギ用のペットフードや牧草でOKだ。体が大きいので消費量はかなり多い。また、ミネラル不足を補うため岩塩を与えることも忘れずに。牛用がAmazonなどで買える

に、第二次大戦後になって公爵の屋敷の庭で生き残っていたことが発覚。今では世界中の動物園などに提供されており、日本の動物園でも飼育されています。

絶滅したことになっているニホンカワウソも（2012年に絶滅種として指定された）、今も公爵の屋敷に100匹以上いるのですが、日本嫌いで公表しようとしません。存在しないことになっている絶滅した動物は法規制の対象外なので、輸入しても合法ということになります。日本の某動物園にいるカワウソは外国種ではなく外国から帰ってきた在来種のニホンカワウソなのですが、誰も本物を知らないので気が付きません。実は絶滅していないのです。

フランス生まれのカピバラ

カレーライスが本場のインドではなくイギリスから入ってきたような話ですが、日本にいるカピバラは原産地の南米ではなく欧州の施設で増えたヤツの子孫です。ネズミなどのげっ歯目は、伝染病を媒介するため輸入が厳しく制限されています。野生もしくは、指定施設以外で繁殖されたり飼われたりしていたことがあるげっ歯目の動物は輸入できません。普通の動物園の展示動物や一般家庭で飼われていたげっ歯目のペットはすべて禁止されていて、事前に厚生労働大臣に申し出た指定施設での検疫証明が無いと輸入できないことになっています。

カピバラもげっ歯目なので南米からの輸入は不可能で、日本にいるものはフランスの施設経由です。1度、南米から欧州に送られて、欧州の施設で繁殖した個体が日本に来ています。ワシが飼っているカピバラもフランスのトゥーロン産で、ナンシーで検査して許可書を発行してもらいました。

日本と欧州の双方で認定されている指定施設は数が少なく、その中でカピバラを扱ってくれる施設となるとさらに希少です。いろいろ探したところ、フランスのナンシー食品衛生安全局（Agence Francaise de Securite Sanitaire des Aliments Nancy）しかありませんでした（輸入当時の検査機関。2010年に役所の合併で管轄が変更になっている）。

カピバラもネズミなので、普通に雌雄を一緒にしておくと毎年4～5匹増えていき、繁殖は容易です。基本的に巨大ネズミのためネズミ算式に増えて、数年で日本中の動物園に広まりました。少数のオスが多数のメス

参考文献・資料など

●絶滅危惧種の取り引きの禁止「絶滅のおそれのある野生動植物の種の国際取引に関する条約」（ワシントン条約）

●1992年（平成4年）に成立した「絶滅のおそれのある野生動植物の種の保存に関する法律」（種の保存法）

亜留間家で飼っているカピバラは、フランス南東部のトゥーロン産。その後、北部のナンシーの指定施設で検査を受け、認可されて輸入した

現在の指定施設は、国立食品・環境・労働安全衛生庁（ANSES）の下部機関である、狂犬病と野生生物のナンシー研究所（Laboratoire de la rage et de la faune sauvage de Nancy）。ここで証明書を出してもらうようだ

とハーレムを作るため、1か所に同数の雌雄がいると、オス同士が殺し合います。アイツらおとなしそうに見えて、オスは結構獰猛です。そのため繁殖してしまった施設では、生存競争に負けたオスを隔離しなければなりません。買い手がついた分は売られていきますが、飼育スペースは限られているので、あとは殺処分されます。

というわけで、個人でカピバラを購入しようとすると大半が増え過ぎちゃって生存競争に負けた余ったオスなのです。なお、日本国内で繁殖した個体は規制されないので、自由に売買可能ということに。つまり、個人でも日本国内の動物園で繁殖したものなら動物商に頼めば普通に買えます。

飼育法と注意点

入手は割と容易ですが、動物としては大型の部類なので個人で育てるにはなかなか大変です。何でもカジるため、犬や猫のようにリビングで飼うのは向いていません。人間の生活スペースとは隔離した方がベターです。ワシは自宅2階のベランダ、12畳ほどのスペースで飼育しています。

跳躍力がないため、120cm程度の柵で囲えば越えられません。しかし、木や樹脂の柵はカジって壊されます。そして水を撒いても平気な場所であることが重要です。ワシがベランダで飼育しているのは屋根や壁が途中まである半屋外で、床や壁が防水のため水を撒いてデッキブラシでこすって洗えるからです。

寒さに弱いといわれていますが、実際に数年間飼育してみた感想では日本の気候なら普通に越冬できますね。ゆえに仮に逃げ出せば、野良カピバラとして定着してしまう可能性はかなり高いでしょう…。

マンションなどの、集合住宅での飼育は困難です。ほとんど鳴かないので鳴き声は気になりませんが、木をカジる音が夜中でも響き渡るし、走り回ると人間がドタドタ走り回ってるぐらいの騒音がします。そして毎日、餌とトイレと風呂の世話が必要です。一人暮らしだと泊まりの旅行には行けなくなります。常に誰か家にいる環境でないと厳しいです。

人になつきますが、言うことは一切聞きませんし、芸も覚えません。かなり剛毛で犬や猫のようなモフモフ感はナシ。散歩させるのは無理です。1度リードを付けてみましたが、人間が引きずられます。犬みたいに言うことを聞かないので、無事に帰って来れるか分かりません。もし逃げられたら、人間が走って追いつくのはまず無理です。

万が一、カピバラに逃げられて行方不明になった場合は、逃げたペットは法律上は遺失物、いわゆる落し物になるので所轄警察署に「遺失届」を出して下さい。今は電子申請も受け付けているので素早く提出しましょう。見かけた人が通報して、運が良ければ警察官が捕獲して返してくれます。まあ、ちょっとしたニュースになってしまうかもしれませんけど…。

医療はすごく困ります、基本的に診てくれる獣医がほとんどいません。まず、大きいので病院に連れて行くのが困難で往診してもらうことになります。モルモットやウサギでよくある歯が伸び過ぎた時の対処として、獣医に切ってもらうのですが、引き受けてくれる獣医を探すのがかなり大変です。ちなみに、全身麻酔をしてからペンチみたいなので切ってもらいます。

ということで、カピバラの飼育難易度はかなり高いです。

Memo:
- 「特定外来生物による生態系等に係る被害の防止に関する法律」https://elaws.e-gov.go.jp/search/elawsSearch/elaws_search/lsg0500/detail?lawId=416AC0000000078
- 「特定動物リスト」http://www.env.go.jp/nature/dobutsu/aigo/1_law/sp-list.html
- 「特定外来生物等一覧」https://www.env.go.jp/nature/intro/2outline/list.html
- 日本と欧州の双方で認定されている指定施設

■カピバラの飼育に必要な設備&アイテムなど

❶ 6畳以上の飼育スペース

水を撒いても平気な地面であること。そこを脱走できない程度の高さがある金属製の柵で囲う。広さは最低でも6畳以上は必要。亜留間家では2階のベランダで飼育している。

❷ お湯の出る水道

カピバラ用に大型のガス給湯器から水道管を引いて、2階のベランダにお湯と水の出る蛇口を新設した。

❸ 大きめの風呂桶

カピバラの全身が入るサイズの風呂桶。カピバラは足が水に浸かっていないと排泄できないので、毎日水を代える必要がある。排水設備は必須だ。トイレの位置が固定されるので、一般的な草食獣のように糞尿をその辺に垂れ流さないのは、メリットといえるかも。

❹ 下水設備

大型獣なので毎日大量の排泄物が出て、これを捨てるための下水設備が必要になる。とはいっても水溶性のため、人間と同じ普通の下水に流せる。亜留間家では2階の人間用のトイレの1つを、カピバラ専用にしている。

❺ カジる用の木材

モルモットなどと同じく一生歯が伸び続ける。伸び過ぎないようにカジるための木が必要だ。かなり短期間で減っていく。

❻ 岩塩

草食獣はミネラル補給のため、岩塩を舐めさせないと死ぬ。特に夏場は減りが速いので、牛用の大きな塊を買っておくとよいだろう。5〜7kgサイズなら1年ぐらい保つ。

❼ ウサギの餌

基本的にラビットフードと牧草（パスチャーチモシー）があればOKだ。あとはサツマイモ・キャベツ・トウモロコシなどを好みで与えよう。カピバラは体が大きい分、消費量がウサギよりも多いので大きな袋でまとめ買いしておくと経済的だ。

半水生のため水場の用意は必須。お湯も出るようにしておくとよい。排泄物の掃除のため、排水設備も重要だ

ラビットフード(4.5kg)
約1,000円

パスチャーチモシー
(450g×12袋)
約6,000円

フランス	サルト県研究所、オート・ガロンヌ県獣医学研究所（Laboratoire Veterinaire Departemental de la Haute-Garonne）、パ・ド・カレー県分析研究所（Parc de hautes technologies des Bonnettes）
ドイツ	オイロヴィア衛生研究所、ギーセン・ユストゥス・リービッヒ大学ウイルス学研究所獣医部門、ザクセン・アンハルト州立保健・環境・消費者保護調査庁、州立家畜衛生調査庁、州立南バイエルン保健研究所

孔雀の飼育方法（キジ目キジ科）

春～初夏の繁殖期が終わると、飾り羽は毎年抜け落ちる。そしてまた生えてくる。大量に入手できるので、ネット通販で売買されている。10本で500～1,000円程度

庭で孔雀を放し飼いにしています。皇室由来の孔雀です。大昔に皇族軍人が陸軍の演習で埼玉・岩槻に来た時に、地元の名士が宿を提供した褒美に孔雀をもらい、それが久伊豆神社に奉納されました。亜留間家にいるのは、その由緒正しい血筋の孔雀と血縁関係があります。

孔雀をはじめアヒルなど地上で暮らせる鳥類は、雛のうちに羽の先を切ってしまうと飛べなくなるので、塀があれば庭で放し飼いが可能です。特別な世話をしなくても、適当な場所に餌を置いておけば勝手に生きていきます。孔雀の飼育方法は、サイズが大きいだけの鶏と何も変わりません。気温の変化にも強いので、全面金網で雨風そのままで冷暖房不要です。餌は農協から養鶏用飼料を買って食べさせています。鶏も孔雀も同じキジ科なので、見た目以外の生態はそっくりなのです。鶏と同じように「クェー」と大きな鳴き声で鳴くため、普通に毎朝鶏が鳴いていても大丈夫な家なら、まあ、大丈夫でしょう。

キジ科の特徴は多卵であることです。ゆえに、結構頻繁に孔雀の卵が手に入ります。普通の鶏の卵よりもひと回り大きいぐらいで、見た目に特に違いはありません。ただ食用品種ではないので、味はおいしくないです。雌雄を一緒に放置しておくと、卵を温めて勝手に増えることがあります。

ちなみに、孔雀の尾羽（飾り羽）は毎年生え変わるため、夏頃になると庭中に落ちているので大量に手に入るのは面白いところでしょうか。1羽から結構な量が獲れます。ネット通販で売買されていますね。

人間の言うことは聞かないし馴れません。見た目が派手なだけの大きな鶏です。やっぱり飼うなら、普通の犬や猫や鼠にしておいた方が無難でしょう。

インドクジャクの白変種である白孔雀。神々しい。埼玉の東武動物公園などでも見られるようだ

久伊豆神社

https://www.hisaizu.jp/

旧朝香宮邸で飼育されていた孔雀が、褒美として下賜され、1938年に岩槻の久伊豆神社に奉納。以降、神社のシンボルとして愛されているという

Peacock Mating 18

https://www.youtube.com/watch?v=xzlnjedrJ60

孔雀の交尾の瞬間を記録した動画。羽を広げたオスがメスに近寄るとすぐさま上に乗り、10秒ほどで行為は終了。お互い背を向けて去る…。なお、卵は中国の通販サイトで販売されている

Memo:

アルマジロの飼育方法(被甲目アルマジロ科)

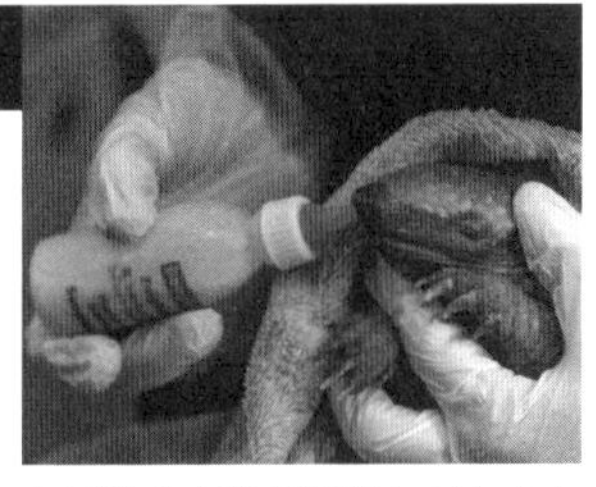

ワシはムツオビアルマジロですが、アルマジロ科は特定動物の指定を受けていないので、飼育を制限されていません、特定外来生物等一覧にも載っていないのでセーフです。どこから外来生物になって、どこから在来種なのか境界線は曖昧ですが、欧米では大航海時代以降、日本では明治元年（1868年）以降に入ってきた生物とされています。

つまり、室町幕府の時代に日本に来たムツオビアルマジロは法律上は日本の在来種に該当することに。その証拠に「犰狳(きゅうよ)」という名前で山海経の東山経二経に載っていて、「犰」という文字は狐や狸と同じように特定の動物一種だけを表す漢字であり、これ1文字でアルマジロを意味しています。「ツチノコ」と呼ばれていた時代もありました。日本の在来種と南米のムツオビアルマジロの識別点は、前足の形です。在来種は親指と小指が小さく退化していて、3本指に見えます。ワシのイラストが3本指なのはそういう理由です。

アルマジロは冬の寒ささえ何とかすれば、飼育は難しくありません。基本的に温度と湿度の管理さえ気を付けてやればOKです。そんなに手間はかかりません。今は爬虫類用に自動管理装置が売っているので、そのまま使えばいいでしょう。

毛皮の無い全裸生物なので、冬場は寒いと死にます。暖房は必須です。室町〜明治大正時代は、1日中炭を炊く暖房係がいたそうです。つまり、蚕なんかと同じく人間に飼育してもらわないと死んでしまう動物です。

ちなみに、南米ではアルマジロは食材として一般的だったりします。スペイン語のアルマジロ料理のレシピ「Receta de cocina de armadillo」でググるとたくさん出てきます。アルマジロが短足なのは、上腕部と太腿が甲羅の中に隠れているためです。甲羅の内側から、上腕筋肉・脇腹・腹部・太腿の肉が、つながった塊で取れます。サイズに比べて可食部が多いので、食用に重宝されているのです…。

■アルマジロの飼育に必要な設備&アイテムなど

❶ 餌はドッグフードなどでOK

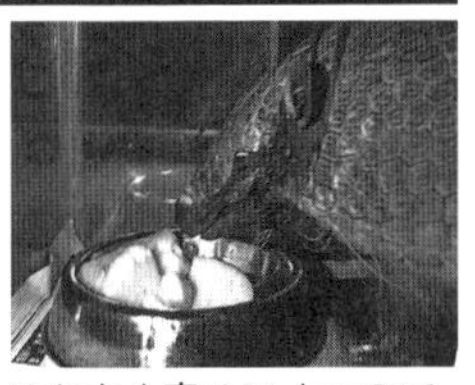

餌は柔らかいドッグフードが基本。あとはリンゴやバナナなどの果物、餌用コオロギなど。餌代は小型犬と同程度だ。なお代謝が遅いため、太りやすく痩せにくいので、1度太ってしまうと死ぬまで痩せない。

❷室内飼育は可能

飼育スペースは大型水槽程度で大丈夫なので、マンションでも飼える。暖房さえあれば日本の冬でも乗り切れる。

❸排泄物の処理方法

その辺に排泄するため、巣材ごと取って燃えるゴミに出せばよい。

❹仰向けで寝る

無防備に仰向けになり、裏側の柔らかい部分を丸出しで寝る。これが標準的な寝相であり、動物園でも異常じゃないと告知されている。

酒に酔いやすい人とそうでない人は何が違うの?

酒豪と下戸のアルコール代謝

ワイン1本空けても全く酔わない人がいる一方、ほんの一口で顔が真っ赤になる人もいる。この違いは一体何なのか。アルコール代謝の仕組みと分類をちょっと深掘りしていこう。 text by 淡島りりか

Shaken, not stirred!　淡島は(日本滞在中はほぼほぼ飲酒しないものの)、ジントニックをチェイサーにマティーニおかわりしまくったところで先にお腹がいっぱいになってしまい、別段酔っ払ったりはしませんが、くられ先生は、飲み物としてのアルコールは舐める程度以上はNGだったりします。同じヒューマンビーイング(怪人か??)なのに、この差は一体何なのでしょうか?　酒が飲めるか飲めないかは、何によって決まるの?という話をしたいと思います。

アルコールの行方

アルコールは体内でどうなるのか。まさか未来永劫アルコールとして体内に留まり続けるわけじゃないですよね。摂取したアルコールは、形を変えられて体の外に出されます。口から入ったアルコールは、2割ほど胃で吸収されて、残りの8割方は小腸で吸収されるのです。そして、吸収されたアルコールの大部分は肝臓で処理されます。肝臓では、アルコール脱水素酵素/ADHという酵素の力で、エタノールがアセトアルデヒドに。そしてそのアセトアルデヒドは、さらにアルデヒド脱水素酵素/ALDH(いくつか型があるが飲酒によるアルデヒド代謝の場合は、大部分がALDH2により代謝される)という酵素の力で酢酸になり、最終的には水と二酸化炭素になって、体外に出ていきます。これに関しては人類共通の話。ワタクシ淡島も、くられ先生も一緒。じゃあ何が違うの?

酵素の仕事ぶり

法律や宗教などの縛りはひとまず置いとくとして、ヒトという生物として酒が飲めるか飲めないかは、基本的には先ほど出てきた「ADH」と「ALDH2」の仕事ぶりに左右されます。

与えられた仕事(アルコール/アルデヒドの分解)をさっさとこなしちゃうタイプなのか、まったりこなさなきゃいけないタイプなのかってこと。ちなみに、代謝速度が速い人をEM(Extensive Metabolizer)、代謝速度が遅い人をPM(Poor Metabolizer)といいます。この組み合わせで酒が飲める飲めない、またアル中になりやすいなりにくい、ということまで推測できるのです。

ADH

●EM
摂取したアルコールがさっさとアルデヒドに代謝されるので、アルコールとしての体内滞在時間が短いタイプ=酔っ払いにくい。

●PM
摂取したアルコールがゆっくりアルデヒドに代謝されるので、アルコールとしての体内滞在時間が長いタイプ=酔っぱらいやすい。アル中注意。

「酒は百薬の長」なんて言われたりするが、ADH PMやALDH2 PMの人にはデメリットしかない。なお、ストゼロの問題はまた別の話…

Memo:

ALDH2

●EM

アルデヒドがさっさと酢酸に代謝されるので、アルデヒドの体内滞在時間が短いタイプ＝酒臭くなりにくいし悪酔いや二日酔いしにくい。アル中注意。

●PM

アルデヒドがゆっくり酢酸に代謝されるので、アルデヒドの体内滞在時間が長いタイプ＝酒臭くなりやすいし、悪酔いや二日酔いしやすい。

ヒトは、父から受け継いだ23本、母から受け継いだ23本の合計46本、23対の染色体があり、そこに各種情報が乗っかっています。で、ADHは4番染色体上に、ALDH2は12番染色体上に情報が存在しているわけですが、対になった染色体上での話なので、これらの酵素は人によってそれぞれ3タイプに分類可能なのはお分かりになるでしょう。

- **ADH：**
  EM/EM（EM）、EM/PM（中間型）、PM/PM（PM）
- **ALDH2：**
  EM/EM（EM）、EM/PM（中間型）、PM/PM（PM）

ちなみに、アルコールパッチテストは、ALDH2がどの組み合わせに該当するのかをざっくり知る方法です。絆創膏のガーゼ部分に消毒用エタノールを数滴染み込ませて上腕内側に貼り付けます。そして7分後に剥がして肌の色を確認。結果は概ね以下の通りで、酒が飲めるか飲めないかは、ALDH2によるところが大きいので、体質的に飲めるか飲めないかは、これである程度分かるんじゃないかな。

- 剥がしてすぐに赤くなるのがPMの人：体質的に飲めない
- 剥がして10分程度で赤くなるのが中間型の人：まあまあ飲める
- 剥がした後に時間が経過しても赤くならないのがEMの人：飲める

さらに、それらのADHとALDH2の組み合わせを考えるわけですが、これは9つのタイプに分類できます。

❶ADH EM、ALDH2 EM

アルコールもアルデヒドもさっさと代謝される。いわゆる酒豪。

❷ADH EM、ALDH2 中間型

アルコールはさっさと代謝されるが、アルデヒドの代謝は早くも遅くもない。酒が強い人かと思いきや深酒すると悪酔したり二日酔いになる。

❸ADH EM、ALDH2 PM

アルコールはさっさと代謝されるが、アルデヒドは滞留する。酒を飲む楽しみはない。悪酔いと二日酔いだけやってくるから。

❹ADH 中間型、ALDH2 EM

アルコールの代謝は早くも遅くもないが、アルデヒドはさっさと代謝される。酒強い人。

❺ADH 中間型、ALDH2 中間型

アルコールもアルデヒドも早くも遅くもなく代謝される。飲めなくはない。

❻ADH 中間型、ALDH2 PM

アルコールの代謝は早くも遅くもないが、アルデヒドは滞留する。悪酔いと二日酔いはやってくるので酒を飲む楽しみはない。

❼ADH PM、ALDH2 EM

アルコールは滞留するものの、アルデヒドはさっさと分解される。楽しく飲める。ふんわり気分良い時間は長いのに、二日酔いにはなりづらい。この中で1番アル中に注意。

❽ADH PM、ALDH2 中間型

アルコールは滞留するものの、アルデヒドの分解は早くも遅くもない。飲めなくはない。

❾ADH PM、ALDH2 PM

アルコールもアルデヒドも滞留する。そもそも飲んじゃダメなタイプ。

なお、ADH/ALDH2には、個体差だけでなく人種差もあります。ざっくりですが、ADHのEMは日本人において90%以上なのに対して、白人では20%以下。一方、ALDH2のPMは、

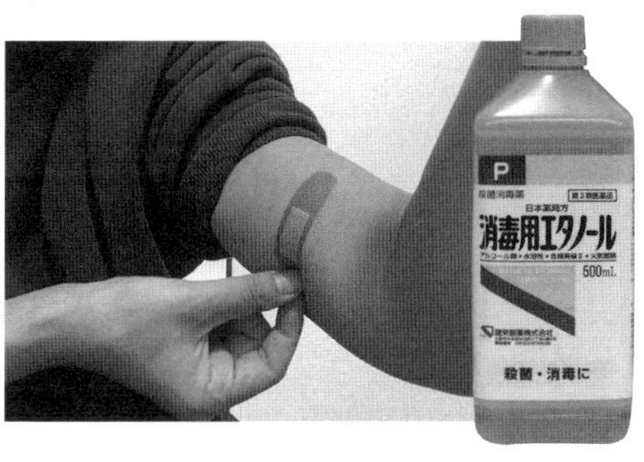

アルコールパッチテストは自宅でも簡単にできる。70%以上の消毒用エタノールを絆創膏のガーゼに染み込ませ、それを上腕内側に7分間貼る。すぐに皮膚が赤くなったら飲めない体質なので、酒は控えるべし

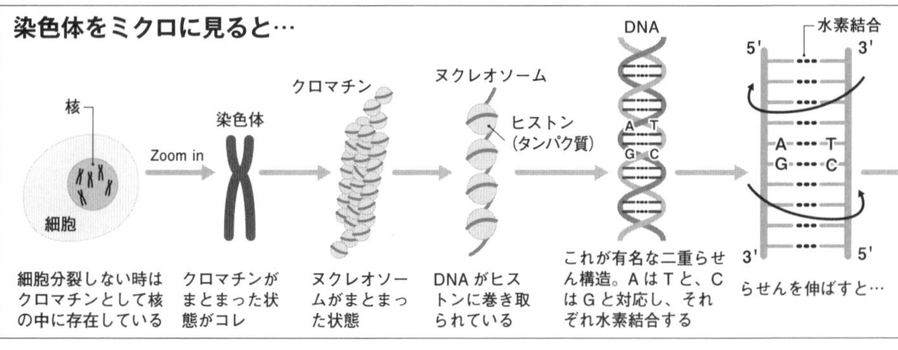

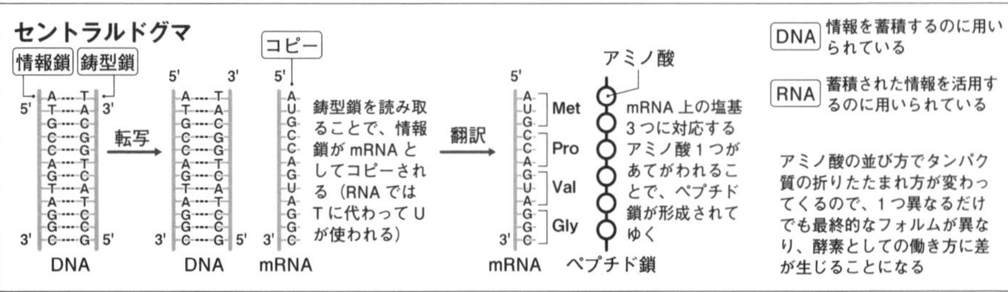

日本人だと約40%、白人ではまれといったような偏りがあります。この差が顕著に現れるのは、金曜夜の電車のニオイ。日本人の約4割はアルデヒドの代謝が遅いので、電車内の空気がアルデヒド臭くなるのもまぁ納得ですよね。英国ではTube(地下鉄)に乗ったところでアルデヒドの代謝が遅い人がほぼほぼいないので、アルデヒド臭くないんですよ。みんなパブで飲んで帰っているだろうに。ざっつあめいじんぐ!!

瑣末な違いが大きな違いに

EMとPMの違いは、何によって生じているのでしょうか。我々のDNAは、「アデニン/A」「チミン/T」「シトシン/C」「グアニン/G」という4つの塩基が連なることにより構成されています。人類は約30億対の塩基により形作られており、その塩基の並び方でどんなタンパク質を作るのかが決まってきます。塩基3つでアミノ酸1つが表され(コドンという)、そのアミノ酸が連なったものがタンパク質。ADHもALDH2も酵素であり、タンパク質でできています。そしてATCGの並び方は、全人類共通かというとそういうわけではなく、多様性が見られる場合があります。これを多型(頻度が1%未満と低い場合は突然変異という)と呼ぶのですが、ADHやALDH2の多様性も、それにあたるのです。

中でも、ADHやALDH2の違いは、DNAを構成する塩基1つが置き換わることによって起きており、一塩基多型(Singl Nucleotide Polymorphism/SNP、複数形はSNPs)と呼ばれます。ちなみに、抗ヒスタミン剤を飲んで眠くなりやすいか否か、ABO式血液型などにもSNPsが関与しています。我々人類には30億対の塩基のうち、300万か所にSNPsがあるといわれており、これにより、体質やら薬の効き方やらに違いが出てくるので注目されています。

まずADH。4番染色体の長碗に情報が収載されています。ADHにはADH1A(かつてのADH1)、ADH1B(かつてのADH2)、ADH1C(かつてのADH3)、ADH4、ADH5、ADH6、ADH7と7つの型があるのですが…。ここで注目したいのが日本人に関係する「ADH1B」で、これにはADH1B*1、ADH1B*2、ADH1B*3の多型が存在します。

Memo:

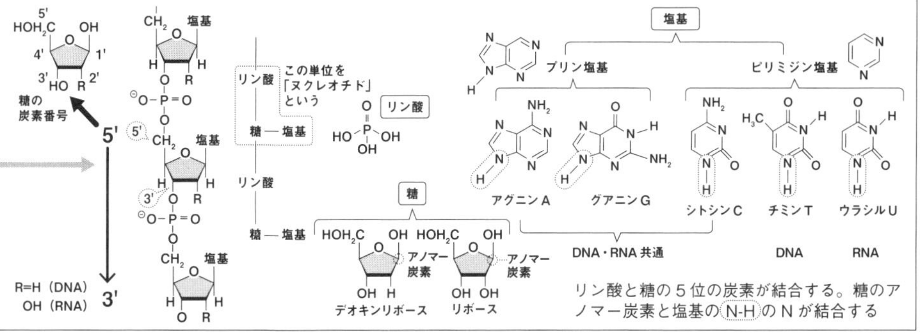

ADH1B*1

48番目（かつての47番目。開始コドンのメチオニンも含めるので48番目）のアミノ酸がアルギニンで、370番目（かつての369番目）のアミノ酸もアルギニン。白人に多い多型。アル中になるリスクが高い。

ADH1B*2

48番目のアミノ酸がアルギニン→ヒスチジン（143番目の塩基がA→G）で、370番目のアミノ酸がアルギニン。アジアの人に多い多型。*1に比べて約80倍酵素活性が高く、アル中になるリスクが低い。

ADH1B*3

48番目のアミノ酸がアルギニンで、370番目のアミノ酸がアルギニン→システイン（1108番目の塩基がC→T）。アフリカの人に多い多型。*1に比べ約30倍酵素活性が高く、アル中になるリスクが低い。

- ADH1B*1/1(PM)：日本人の約5%、酵素活性1。
- ADH1B*1/2(中間型)：日本人の約35%、酵素活性100。
- ADH1B*2/2(EM)：日本人の約60%、酵素活性200。

続いてALDH2は、12番染色体の長腕に情報が収載されています。世界を見渡すとアルデヒドの代謝能力が低い人って、ほぼほぼ東アジアにしか存在せず、特に日本や中国に多いようです。そして日本国内でも都道府県によって差があることが知られていて、東北や九州、高知は強い人が多い傾向いありますね。関西圏、酒強い人少ないらしいのにおかしいな淡島（笑）。

ALDH2*1

504番目のタンパク質がグルタミン酸。

ALDH2*2

504番目のタンパク質がグルタミン酸→リシン（1510番目の塩基がG→A）。*1と比べて約100倍酵素活性が低い。

- ALDH2*1/*1(EM)：日本人の約53%、酵素活性100。
- ALDH2*1/*2(中間型)：日本人の約43%、酵素活性20以下。
- ALDH2*2/*2 (PM)：日本人の約4%、酵素活性ほぼ0。

飲めば強くなるって本当？

「飲み続ければ、お酒に強くなる」とよく言われていますが、これ、ある意味本当です。アルコールを分解するルートは、何も上記の1ルートだけではありません。エタノール酸化酵素系（Microsomal Ethanol Oxidizing System/MEOS）が関与しており、摂取したアルコールの20%程度をアルデヒドに代謝します（常飲者は割合が50%以上になることも）。これにはCYP2E1（主に肝臓に存在する薬物代謝酵素の一種）が関わっており、アルコールは常飲することでこの酵素を増やせるのです。薬物動態的には「酵素誘導」といいますね。なので、吐くまで飲んで鍛えるとかいう淡島には全くもって理解できない超絶体育会系な苦行をすると、アルコール→アルデヒドの代謝過程は、1.5〜2倍程度のスピードアップが可能。1〜2週間断酒すると元に戻りますが。

なお、2E1はアルデヒドから酢酸への代謝にも関与しています。また、図のようにMEOS以外にもアルコール代謝のサブルートは存在しています。

CYP2E1を誘導するものとして、アルコールの他に、煙草や結核治療薬のイソニアジド、またベンゼンやアセトンなどが

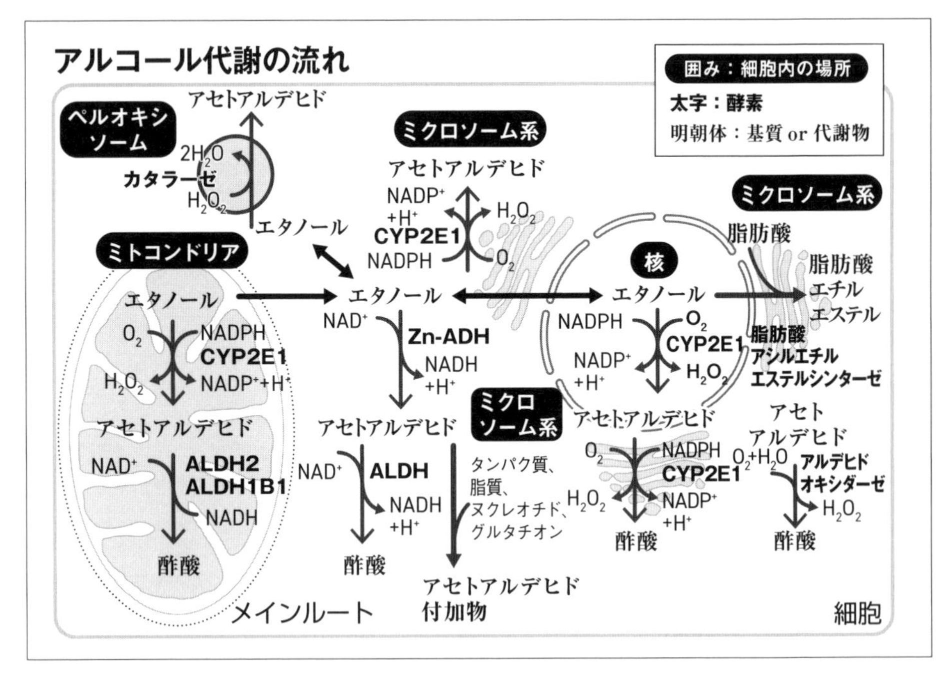

挙げられます。つまり、喫煙によっても2E1を増やすことは可能。そういう点からいうと、酒と煙草は高相性なのですが、酒を飲みながら煙草も吸うと、口腔がん・咽頭がん・食道がんのリスクが爆上がりします。エタノールは有機溶媒なので、タールがよく溶けるんです。タバコだけの場合に比べると、40倍もリスクが増えるとかなんとか。

そして2E1は、アセトアミノフェンやハロタンなどの吸入麻酔も代謝します。なので、これらの効果にも影響が出てくる…。要は、効きが悪くなるんです。MEOSが活性化されている状態でアセトアミノフェンを飲むとその反応性代謝物NAPQIが生じ、その無毒化が追いつかない場合は肝障害が起こって死ねるかもしれないので、やっぱりアルコールとの相性は良くありません。

なんしか、世間にはいい大人なのに自分の限界酒量もちゃんと理解せずに他人に迷惑かけるFuckn' Shitもおりますが、最早人間失格だと思いますし、そもそも限界値は学生の間に学んどくべきだと淡島は思っています。それができなきゃ飲むべきじゃない。Got it ？？？

アル中の薬物治療

アル中の治療に用いられる薬にはシアナマイド/シアナミド（液体）だとか、ノックビン/ジスルフィラム（粉）だとかいった嫌酒薬があります。文字通り酒を飲みたくなくなる薬なわけですが、これらが何をしているのかということもお話しておきましょう。服用によりALDHが阻害されるため、たとえ代謝速度が速いEMであったとしても下戸の状態を作り出すことができます。二日酔いを体験できてしまうわけです。ちなみに効果は抜群で、奈良漬程度でも悪酔いできる可能性があります。

またこれらとは異なる機序で、レグテクト/アンプロカサートという薬もあります。こちらは飲みたい気持ちを抑える薬です。GABA受容体に結合することで、アルコール依存で亢進したグルタミン酸作動性神経活動を抑制し、飲みたい！って気持ちが抑えられるそう…。

自分の体質を知って、アルコールと仲良く付き合って下さいませ。ご機嫌よう。

Memo:

Chapter 02 Chemistry [化学]

火災・中毒・漏洩の被害を最小限に抑える!

おうちラボの安全管理の基本

実験中の火災や中毒性のあるガスの漏洩といった事故を想定し、事前に対策を講じておくことは非常に重要。ここでは揃えておきたいアイテムや、安全管理の基本を解説しよう。 text by Pylora レイユール

ご自宅で化学実験を行っている＆行いたいと考えている方に向けて、「おうちラボの安全管理」について解説しましょう。

化学実験を行う場合には、大きく分けて「火災」「中毒」「漏洩」のリスクがあります。実験は少なからず未知な部分があるので、どんなに注意をしていても不慮の事故は発生してしまいます。そこで、実験室の安全管理では、「あらかじめ事故を想定・予防する」ことと、「万が一の事故に備えて対策を施す」の2つが軸になってきます。どちらか一方だけでは十分に安全管理が行えているとはいえないので、この2つのバランスが重要です。

この記事を参考にして、安全に化学実験が行える環境を整えて下さい。

火災の予防と対策に有効なアイテム

ドラフトチャンバー

↑ウォータスクラバー一体型の製品も存在する。非常に優秀な装置ではあるが、高価なのがネックだ…

炭酸ガス消火器

➔ヤマトプロテックの二酸化炭素消火器。電気施設や精密機械の消火に力を発揮する。業務用だが、ヨドバシカメラなどでも購入可能

ウォーターバス

電気ヒーターで温水を作ってフラスコなどを熱する装置。熱媒体が水なので安全性が高いが、空焚きには注意しよう

ホットスターラー

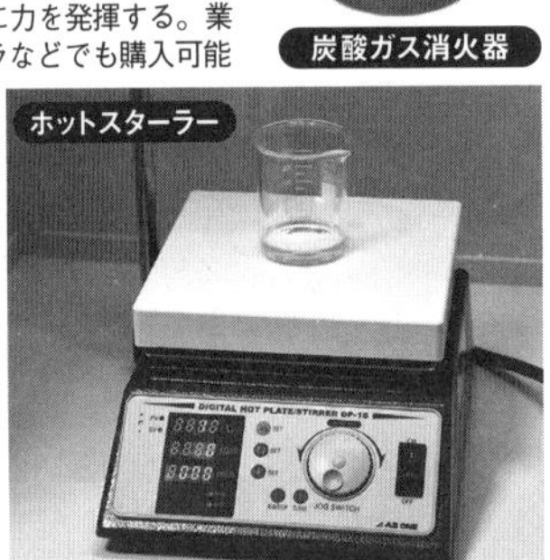

マグネチックスターラーによる攪拌と、熱板による加熱が同時に行える。裸火を使わないので、可燃性液体の加熱も可能だ

火災を予防する方法

実験室で最も発生しやすい事故が「火災」です。特に可燃性物質を多数扱う「有機化学」の実験では、かなりの注意が必要になってきます。火災とひと言でいっても可燃性の個体や液体が燃え上がって火災になるケースの他、可燃性のガス（燃料ガスの他にも反応で生じる水素など）や、有機溶媒の蒸気に引火し、爆発が起こるケースもあります。

これらの火災を予防する効果的な方法は、「十分な換気」と「着火源を減らす」ことです。基本的には、蒸気に引火することで火災が始まるケースが多いので、その蒸気を屋外に排気して

Memo:

中毒を防いでくれるアイテム

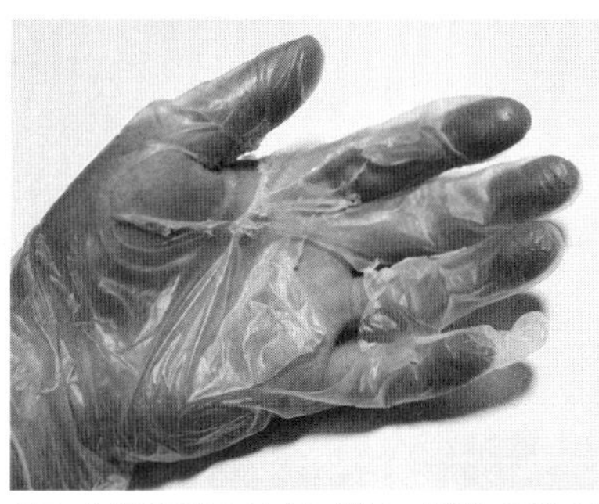

ビニール製の手袋にアセトンが触れ、膨潤して破けてしまった。ポリエチレン・PVC・天然ゴム・ニトリルゴム・フッ素ゴムなど、さまざまな材質の手袋があるので用途に応じて使い分けよう

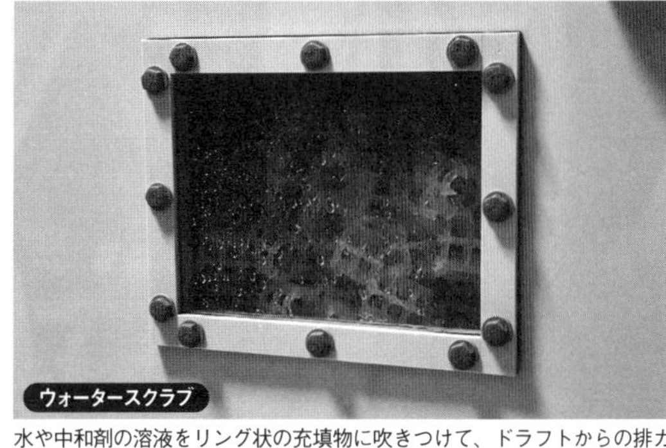

水や中和剤の溶液をリング状の充填物に吹きつけて、ドラフトからの排ガス中に含まれる有害物質を除去する機構。構造こそシンプルだが購入すると結構な価格になる。私はドラフトと一体化した製品を入手した

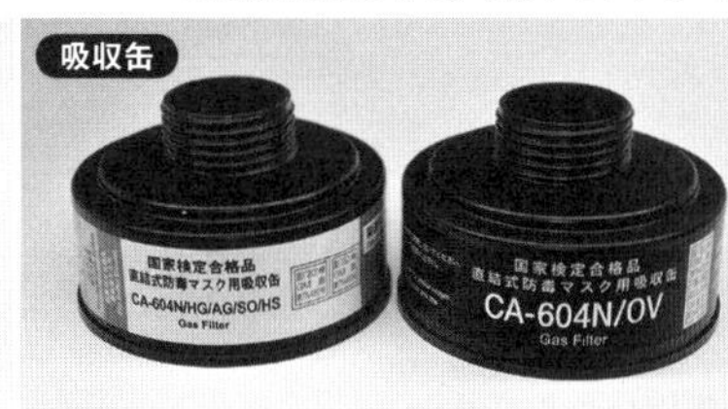

⮈顔全体を覆うことのできる防毒マスク。ネットショップで購入できるが、まれにコスプレ用アイテムも混じっているので間違えないように。防毒マスクに装着する吸収缶は、対応ガスと対応濃度をしっかりと調べてから購入すること。意外と寿命が短いので、スペアの用意も必要になる

しまうのはとても効果的です。これには一般的な換気扇の他、専用の装置である局所排気装置（ドラフトチャンバー）が役立ちます。

また、着火源を徹底的に減らすことも重要です。可燃性のガスは静電気のスパークやコンセントを挿した時のスパーク、赤熱している電熱線などちょっとしたきっかけで引火することがあります。静電気やコンセントのスパークは意図して減らすことは難しいですが、加熱にはガスバーナーなどの裸火を使わず専用のホットプレートやウォーターバスを使いましょう。冬季は石油ストーブの使用を避けることでも、かなりリスクを低減できます。

万が一のための火災対策

どれだけ火災予防に気を付けていても、想定外の火災は起こり得ます。そこで、万が一火災が発生した時に対処できるよう、備えが必要になります。ビーカー内の液体が燃えている程度であれば濡れタオルを被せるだけで十分消火が可能ですが、金属が燃えている場合や100℃を超える液体が燃えている場合は要注意。水を注いでしまうと余計に火が大きくなったり、場合によっては爆発が起こるケースもあります。こういった水を使えない消火には、乾燥砂や炭酸ガス・粉末消火器が有効です。

金属が燃えている場合には特に乾燥砂による消火が有効なので、完全に乾燥させた珪砂をバケツに入れておくとよいでしょう。その他の火災には消火器を使うことになりますが、粉末式の消火器は高い消火能力と引き換えに、室内が粉だらけになって復旧が難しくなります。そこで、初期火災には炭酸ガス消火器がオススメ。多少値は張りますが、復旧にかかる労力を考えれば安いものです。

中毒の予防

便宜上、「中毒」という表現をしていますが、薬品に触れることによるやけど、ガスを吸うことによるガス中毒、誤飲による中毒などを含みます。実際に私も、猛毒の塩素ガスを取り扱っている最中に停電し、ドラフ

トが停止したことがありました。幸い塩素ガスが少量だったので大事には至りませんでしたが、場合によってはガスが漏れ出して中毒になっていた可能性もあります。

大前提として、毒性の物質は設備が十分でなければ取り扱わないことが鉄則です。適切な換気が行える環境を整えましょう。ドラフトなどの導入が難しい場合には、風通しの良い安全な屋外で、できる限り少量を扱うようにしましょう。

薬品やけどの対策

実験室での中毒は、主に「薬品に触れる」「ガス・蒸気を吸い込む」「薬品を誤飲する」の3パターンがあります。どれも基本的な対策が有効なので、今一度見直してみましょう。

薬品に触れることによって起こるやけどなどは、「薬傷」と呼ばれるものです。強力な酸や塩基の他、皮膚に対して腐食性のある化合物が付着すると起こります。これらを予防するには、白衣を着用し、安全メガネと使い捨てのゴム手袋などを装着することで対策できます。しかし、手袋を腐食したり、手袋を透過する物質もあるので、過信は禁物。万が一これらの薬品が皮膚に付着した場合には、流水で15分以上洗い流し、症状によっては病院に行く必要があります。特に、目に入った場合は、速やかに流水で洗い流し、眼科を受診して下さい。水酸化ナトリウムなどの強塩基が目に入ると失明のリスクがかなり高くなるので、注意が必要です。

薬品の漏洩対策として床と容器にも気を配る

↑アセトンなどをポリエチレンの容器に保存していると、徐々にフタが腐食されてくる。こうなったら容器ごと交換するしかない

←漏洩した薬剤で床を痛めないために、クッションフロアなどをあらかじめ敷いておくのがベターだ

毒性ガスの対策

実験室で発生する毒性のガスとしては、アンモニア、硫黄酸化物、窒素酸化物、硫化水素、塩素などがメインになりますが、有機化合物の熱分解の過程では一酸化炭素など猛毒でありながらニオイが無い危険な気体も生じることがあります。これらは速やかに屋外に排気する必要があり、それにはドラフトチャンバーが必須です。そのまま屋外に排気してしまうと環境に良くないので、活性炭で吸着したり、ウォータースクラブという方法で有毒な気体を除去してから排気します。

ドラフトチャンバーはとても便利ですが、思いもよらないところからガスが出てしまったり、停電などで排気の機能が失われた場合に備えて、防毒マスクも用意しておくと安心です。多くの毒性ガスは目に対しても刺激性があるので、顔全面を覆える防毒マスクと、酸性ガスと有機ガスに対応できる吸収缶をそれぞれ用意しておきましょう。

誤飲の対策

誤飲は有毒な物質を誤って飲み込んでしまったり、手に付着していることに気づかずに食品を触ることで体内に入ります。大量に摂取した場合はニオイや味ですぐに判別できますが、微量の重金属など、蓄積するタイプの毒を少しづつ体内に取り入れてしまう危険性もあります。対策としては、実験室内では飲食をやめるほか、常に手袋をして室外に出る時に外すようにするなど、普段の生活と実験が交わらないようにすることが重要になってきます。我が家の実験

Memo:

薬品棚には地震対策を施す

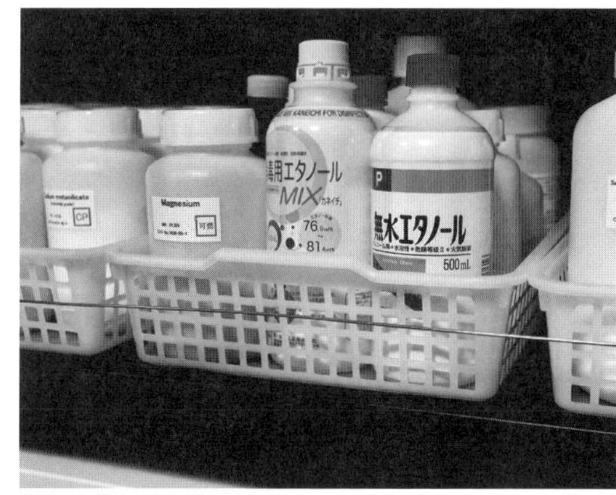

🅐棚から薬品が滑り落ちないように、金属(私は腐食されにくい銅線を使用)の針金やワイヤーを通しておくとよい

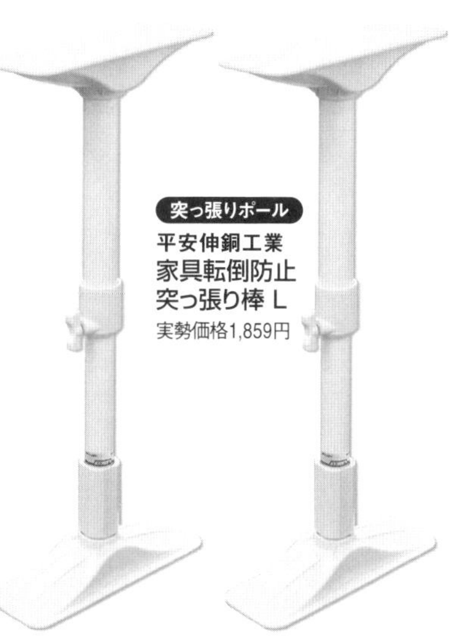

🅒地震が発生した際、薬品棚が倒れないように突っ張りポールなどで対策しておきたい。2,000円前後で購入できて、取り付けも簡単だ

室では専用上履きと白衣・手袋をセットで置いていて、それらを身に着けた状態では実験室から外に出ないように気を付けています。

万が一誤飲をしてしまった場合にはそれぞれの物質ごとに対応が異なるので、あらかじめ対処法を知っておく必要があります。試薬など企業が販売している物質には必ず製造元がSDS(Safety Data Sheet)という安全データシートを発行しているので、初めて扱う薬品は必ず目を通すようにしましょう。

漏洩の予防

火災や中毒など直接的な被害は出にくいですが、気を付けなければいけないのが薬品の漏洩です。私が聞いた話では、中和用の塩基性溶液をペットボトルに保存していたところ、知らぬ間に中身が漏れ出てきたということがありました。これは、塩基によりペットボトルの樹脂が腐食され、徐々に染み出してきたもののようです。

このように、思いもよらない場所から突如薬品が漏れてしまう恐れがあります。液状の薬品が漏れ出ると床を汚損するばかりか、床板から染み込んで床や床の下の設備まで腐食してしまう事態になりかねません。特に賃貸の場合にはトラブルに発展してしまうこともあるので、あらかじめビニールシートやビニール製の床材を貼って保護しておくといいでしょう。

またボトルが倒れていたり、古い容器で亀裂が出ていたりするのも危険なので、常に薬品は整理整頓して、古くなったものは定期的に処分することが重要になります。

地震の対策

ここまでは人為的なアクシデントを紹介してきましたが、意外と見落とされがちなのが自然災害です。特に地震は大学や企業の研究室にも度々被害をもたらしています。日本は地震が多いので、この対策を講じておくこともはや必須です。実験室は物が多いばかりか、瓶が割れて薬品が漏洩したり、地震が原因で火災が発生したりと、あらゆるリスクを秘めています。

地震対策でまず必要になるのが、棚や机を固定することです。賃貸の場合には棚をネジで固定するのは難しいですが、地震対策用品は各種販売されているので導入を検討しましょう。そして、棚から物が落下しないようにワイヤーや針金を回しておくとより安全になります。

不可視インクに秘めた想いをしたためる
化学的トリックレターの理論と作り方

往年のスパイ映画でおなじみの、“消えるインク”を使った秘密文書。第二次大戦時に実際に研究された不可視インクの条件をもとに、現代の材料でトリックレターを再現してみよう！　text by 淡島りりか

ある日あなたの元に、1枚のポストカードが届きました。そこにはイニシャルしか書かれておらず、誰からか、何のメッセージか分かりません。ただのイタズラだと思い捨てる人が大半だと思いますが、いや待てよ。もしかしたら、隠しメッセージが仕込まれているかも…。

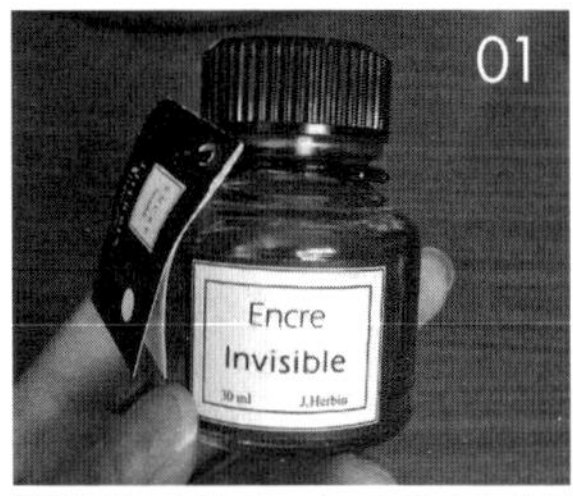

廃盤になってしまった、J.Herbin社の「Invisible Ink」。年単位での長期保存には適していない。結晶が析出しているような場合は使えない

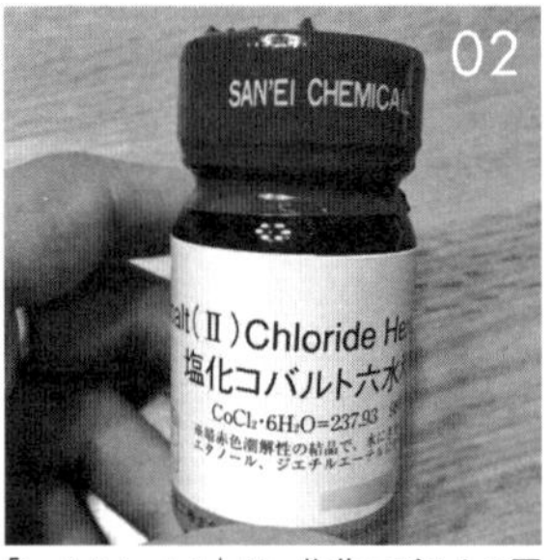

「Invisible Ink」は、塩化コバルトで再現可能。通販サイトのほか、ホームセンターの陶芸コーナーで購入できる

実は薬品の特性を持ってすれば、不可視インクなどがいとも簡単に作れてしまうのです。今回は、熱で浮かび上がってくる見えないインクを作ります。そして、そのインクを使って、化学的トリックレターを出してみませんか？

不可視インクの定義

かつて、第二次世界大戦のさ中、英国に特殊作戦執行部（SOE）という組織があり、コンフィデンシャルな文書に用いるなどの目的で、不可視インクを研究していたようです。そのSOEが掲げる理想的な不可視インクの条件が以下の10項目。

1. Mixes with water.
   水に溶ける。
2. Non-volatile, i.e. no pronounced smell.
   不揮発性、つまり無臭。
3. Not depositing crystals on paper, i.e. not easily seen in glancing light.
   紙に結晶が析出しない。要するに、光に透かしても目に見えない。
4. Invisible under ultraviolet light.
   UVで見えない。
5. Dose not decompose or dis-color the paper e.g. silver. nitorate
   硝酸銀みたく紙を分解・脱色しない。
6. Nonreactive with iodine, or with any of the other usual developers.
   ヨウ素などの一般的な発色剤と反応しない。
7. Potential developers for the ink should be as few as possible.
   インクを可視化する発色剤は、可能な限り少量で。
8. Should not develop under heat.
   熱で発色しない。
9. Easily obtainable and has at least one plausible innocent use by the holder.
   入手が容易で、所持していても怪しまれない。
10. Not a compound of several chemicals, as this would violate No.7
   7とは矛盾するかもしれないが、複数の化合物の混合物ではない。

…理想高っ!!　でもQ課女子（自称）たるもの、不可視インくらい作れなくてどうします!?ってことでチャレンジしてみました。SOEの難易度高過ぎなアレは一旦置いておくとして、一般的な不可視インクは主に3タイプあります。

Memo:

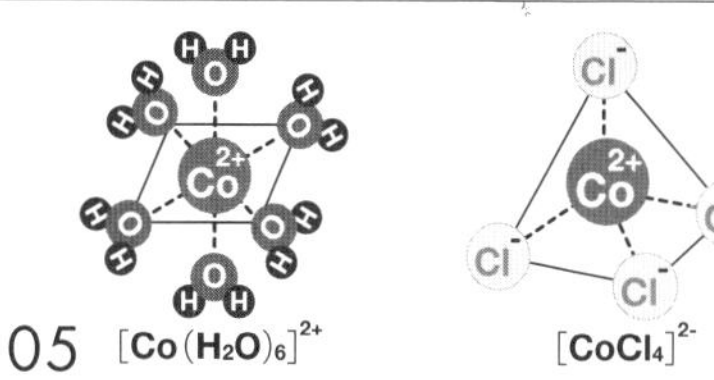

06 $[Co(H_2O)_6]^{2+} + 4Cl^- \rightleftarrows [CoCl_4]^{2-} + 6H_2O$

ピンク　　　　青

03・04：上が塩化コバルトで作った不可視インク、下がフリクションボールで書いた文字。ドライヤーで温めると、フリクションは消え、不可視インクの文字が浮かび上がる。ちなみに中学の理科で水の検出に使う塩化コバルト紙は、この不可視インクの逆の反応となる。また、乾燥剤の効力の指標としても塩化コバルトはシリカゲルに加えて用いられている　**05・06**：インクが青色に変化する時の構造と化学式

UVに応答するもの

イメージとしては、無色の蛍光ペン。例えば、蛍光増白剤入りの洗剤を水に溶かして紙に字を書けばOK。

熱に応答するもの

映画や小説とかで、手紙をあぶり出したりするアレ。

化学反応によるもの

主に酸塩基反応が挙げられる。

不可視インクの作り方

今回は既存のインクの再現をします。お手本にするのは、数年前に製造が中止された「Invisible Ink」（J.Herbin社）。紙に書くと見えなくなるうっすらピンクのインクで、加熱すると青い文字が浮かび上がるという仕様でした。しっかりSOEの8番に該当してしまいますが、ここは強行突破です。

用意するものは、塩化コバルト(Ⅱ)6水和物【02】と水のみ。適量の塩化コバルトを溶かして水溶液を作ったら、紙に載せながら色味を調整していきましょう。水溶液が濃いと書いた文字がピンクになってしまいますし、逆に薄いと浮き出た文字の発色がイマイチになります。ドライヤーで加熱して、目に見えなかった文字が青くしっかりと浮かび上がれば完成！※

この時、どういった変化が起こっているのでしょうか？　熱をかけることで、6水和物の塩化コバルトが無水物になり、色がピンクから青に変化。塩化コバルトは水和の状態により色が変わることが知られています。無水物だけではなく1.5、2、4、6水和物が存在しており、数字が小さいほど青寄りで、大きいほど赤寄りの色味の結晶になります。その中でも最も安定しているのが、6水和物なのです。

トリックレターを作る

この不可視インクを現代の技術と合わせることで、トリックレターが作れます。使うのは、「消せるボールペン」。このボールペンは、減感剤と顕色剤という2つの成分で特殊染料をバインドした、極めて高尚なインクを使っています。熱の変化によって電子の受け渡しを行い、色の有無をコントロールしているのです。つまり、消えているのではなく、消しゴムとの摩擦熱で消えたように見えているだけ。冷たい状態にすると、インクの色が浮き上がって元通りになります。

今回はパイロットのフリクションボールを採用。このインクは60℃で退色する性質があります。隠したいメッセージは先ほど調整した不可視インクで記載し、その上からフリクションで適当な内容を書きます。すると、熱を加えるとフリクションで書いたフェイクの文字が消え、肝心の文字が浮かび上がるというトリックレターが完成！

不可視インクをどのようにトリックレターにするかはアイデア次第。ぜひお試しあれ！

※このインクはあぶり出しインクとして使われるレモン汁などとは異なり、温度が下がるとまた元通り、見えなくなるという可逆的なものだ。

錠剤から純粋な物質として取り出す!

カフェインの抽出実験

特有の覚醒作用で眠気や倦怠感を取り除いてくれるカフェイン。紅茶やコーヒー、エナジードリンクに多く含まれていることで知られる成分を、錠剤から純粋な結晶として抽出する。 text by レイユール

カフェインには、中枢神経を刺激して興奮状態にする「覚醒作用」があります。この覚醒作用がカフェインよりもっと強い薬物を「覚醒剤」と呼ぶのですが、カフェインにも弱いながら同様の作用があるのです。摂取し続けると身体が慣れてしまい作用が鈍くなり、カフェインが少ない状態では集中力などが低下して、さらに多くのカフェインを求めるようになります。そして、多くのカフェインを取ると耐性が強くなり…と、負の無限ループに。これがカフェインの依存性というわけです。

そして、カフェインは毒性も持っています。人の致死量は体質によって異なりますが、マウスでの実験データを人に当てはめると、5~8gの摂取で約半数の人が死亡する計算です。エナジードリンクやコーヒーなどに含まれるカフェインはわずかですから、適度に飲んでいる分には人体に害が出ることはまずありません。

というわけで、ここではそんなカフェインを純粋な結晶として取り出す抽出実験を行ってみましょう。

カフェインの抽出方法

カフェインを含むものであれば、基本的には何からでも抽出することは可能ですが、含まれる分量が少ないと抽出のハードルは高くなります。そこで、今回は市販されている製品ではトップクラスに濃いカフェインを含む、眠気覚ましの錠剤「カフェイン錠」を使うことにしました。コーヒーなどに比べて濃度が高いことや、固体であるなどの利点があります。

では、この錠剤からどのように抽出するのがベストでしょうか? カフェインは医薬品としての用途も持つので、製薬会社でもかなりの量が消費されています。現在カフェインの多くは合成されていますが、カフェインレスコーヒーや紅茶を製造する際に得られるものを流用するケースもあるのです。こういった工業的な抽出では、超臨界状態にまで圧縮した二酸化炭素を使って溶かし出します。設備を整えれば効率が良いのですが、おうちラボで再現するのはいささか難度が高過ぎます…。そこで今回は、古典的な溶媒抽出法を採用しましょう。ジクロロメタンやクロロホルムといった塩素を含む有機溶媒で、カフェインを溶かし出す方法です。

錠剤を粉砕➡抽出➡濾過➡留去➡精製で、純粋なカフェインが取り出せる。見た目は怪しいけどダイジョーブなやつ(笑)

01:カフェイン錠を砕いたところ。表面に硬いコーティングがあるので、叩くように潰すとよい **02**:ふるい分けしたカフェイン錠。茶漉しを使って表面のコーティングを除去する。コーティングは不要なので、捨ててしまってOK **03**:5工程を経て錠剤から取り出したカフェイン。1錠あたり100mgのカフェインが含まれており、ソックレー抽出器ではその68%を取り出せる

Memo:

5ステップで抽出する

STEP1

粉砕：カフェイン錠を乳鉢で粉砕し、表面のコーティングは茶漉しなどで除く

錠剤のままでは抽出効率が悪いので、できるだけ細かく砕きましょう。また、錠剤を取り囲むコーティング部分にはカフェインは含まれないので、茶漉しなどの目の細かい網で取り除きます。

STEP2

抽出：粉砕したカフェイン錠をソックスレー抽出器に入れ、ジクロロメタン200mLで抽出する

ソックスレー抽出器は、一定の量の溶媒を蒸留することで無限に抽出を行える装置です。構成が大掛かりになるのが難点ですが､抽出効率はピカイチです。手元に設備が無い場合にはビーカー内で50mLずつジクロロメタンを加えて、4回濾過して抽出すればOK。収率は劣りますが、抽出は十分可能です。

STEP3

濾過：抽出液を1度濾過して、透明な抽出液を得る

ソックスレー抽出器に性能の良い濾紙を使えば省略できますが、脱脂綿やコーヒーフィルターで代用した場合には1回濾過するのが賢明です。ジクロロメタンに溶けなかった沈殿はすべてカフェイン以外の構成成分なので､抽出液に混入しないよう、濾紙で濾過しておきます。十分な性能の濾紙で濾過すれば、無色透明な抽出液となるはずです。

STEP4

留去：透明な抽出液からジクロロメタンを除いて、粗カフェインの結晶を得る

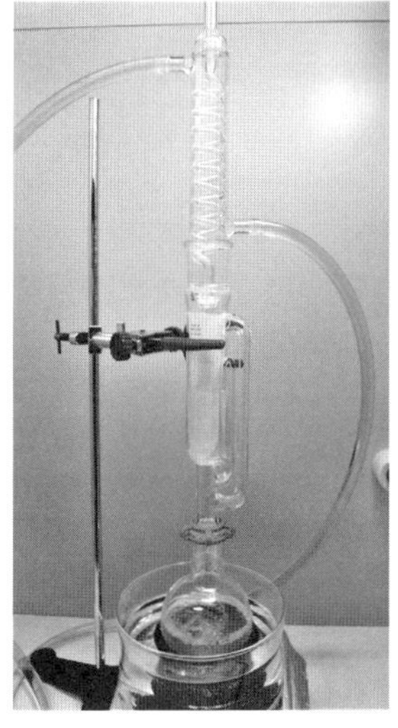

ソックスレー抽出のセットアップ。下部のフラスコに溶媒を入れて加熱すると、蒸気が側管を通って最上部の冷却器に到達。ここで液体に戻され、中間の抽出部に溜まる。一定の量が溜まると、サイフォンの原理で抽出液が下部のフラスコに戻る仕組み。抽出に人の手を要しないので、時間をかければいくらでも繰り返すことができる

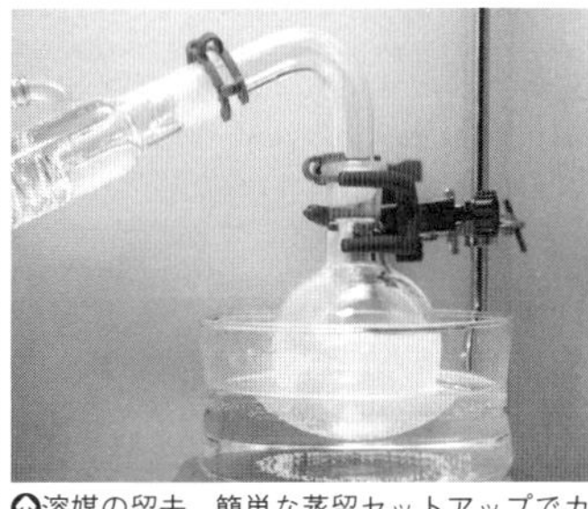

溶媒の留去。簡単な蒸留セットアップでカフェインを濃縮する。直火ではなく湯煎で加熱するのがポイントだ

この工程は通常、ロータリーエバポレーターを使いますが、おうちラボでは用意が難しいので、蒸留によって取り除きましょう。フラスコに抽出液を入れて、冷却器を取り付けます。フラスコを60℃程度の温水に漬けると沸騰が始まり濃縮されます。放置して濃縮することもできますが、ジクロロメタンの蒸気は有害なので、できるだけ蒸留で回収しておくこと。

STEP5

精製：粗カフェインの結晶をよく砕いてから、沸騰エタノールに飽和させて放冷するとカフェインの結晶が析出する。これを濾過すれば純粋なカフェイン結晶が得られる

溶媒抽出では、主にカフェインがジクロロメタンに移動してきますが、錠剤のコーティングに使われている油や、その他の添加物などが一緒に溶けてきてしまいます。これらは溶媒を除いた後も残留するので、除去しないと純粋なカフェインは得られません。カフェインはエタノールから結晶を作ることができるので、沸騰状態のエタノールに溶かして、常温に一晩放置すればきれいな針状結晶となって析出します。これを「再結晶」と呼び、有機化学ではよく使われる精製法です。また、エタノール蒸気は燃えやすいので、直火加熱は厳禁。実際に爆発した例もあります。大きなボウルに熱湯を張ってそれで加熱するといいでしょう。

今回の検証では、20錠の錠剤を使いました。これは1錠あたり100mgのカフェインを含むそうなので、合計2gのカフェインを含む計算です。ソックスレー抽出器を使った抽出では、収率が約68%の1.36gのカフェインが取り出せました。

血痕探査だけじゃない…思いのままに光らせよう！

ルミノール反応実験の基本と応用

警察ドラマなどでは鑑識が血痕にスプレーをかけて、ブラックライトで照らすと光る…というシーンによりおなじみのルミノール反応。そのメカニズムを深掘りしてみよう。

text by レイユール

実際のルミノール反応は、ドラマとは異なりブラックライトは不要で、自発的に光ります。また、ルミノール反応は写真で見ることが多いせいか、一瞬しか光らないことはあまり知られていません。今回はそんな誤解の多いルミノールを深堀りしてみましょう。

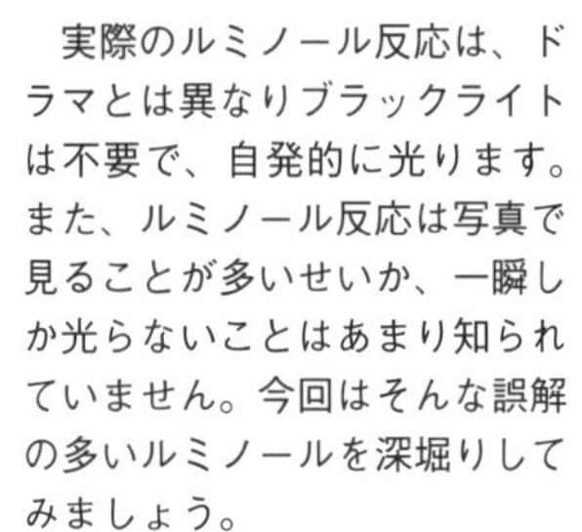

発光原理はいまだ不明

実は、ルミノールの発光メカニズムは、いまだ解明されていません。さまざまな仮説が提唱されていますが、どれも仮説の域を出ないのが現状です。

例えば同じように発光する「ケミカルライト」は、反応の機構が明らかになっています。発光を司る成分が酸化剤によって酸化され、とても不安定な物質「中間体」が生成。それが分解する際に放出される化学エネルギーを蛍光色素が受け取り、「励起状態」という過剰のエネルギーを蓄えた状態になります。これが元の状態である「基底状態」に戻る際に、この過剰分のエネルギーを可視光として放出するのです。

一方、ルミノールは蛍光色素が無くとも発光します。また、ケミカルライトに比べて発光時間が短いのも特徴の一つです。ケミカルライトは15分〜18時間程度と長時間発光するのですが、ルミノールの発光はわずか数秒で終了します。そして発光色は青色1色。ただ、蛍光色素を励

実験❶ 簡略バージョンのルミノール反応を観察

ルミノールは正確に計量する必要はなく、耳かきで2〜5杯加えれば十分だ。そして、作業にはできるだけ清潔な器具と純水を使用すること。この試液は、とても不安定でホコリや器具に汚れなどが付いてるとみるみる分解してしまう。キレイな器具を使っても分解はしてしまうので、長期の保存は不可だが、うまく作れば冷蔵庫で2日は保存できる。また、分解によって酸素を放出するので、密閉はNG。必ず密閉性のないアルミホイルなどでフタをすること。容器の破裂を回避できる。

❶ 清潔なフラスコに純水100mLを入れ、過炭酸ナトリウム10gを溶かす
❷ ①の溶液にルミノール0.05gを加えて溶かす
❸ アルミホイルでフタをして冷蔵庫で保存する（簡易版ルミノール試液）
❹ ③の液を血液や触媒液（1%赤血塩溶液など）と混合すると発光する

03 ルミノールの結晶（50mg）

04 過炭酸ナトリウムの粉末（10g）

05 簡易版ルミノール試薬

06 簡易版のルミノール試薬に、触媒の赤血塩を混合すると青色に発光する

主な材料▶純水　過炭酸ナトリウム※2　ルミノール※3

Memo: ※1 ルミノールはアルカリ性の溶液にしか溶解しない。
※2 過炭酸ナトリウム以外の成分を含まない製品を選ぶ必要アリ。成分表記をよく読んで選ぼう。
※3 ルミノールは薬品会社から購入するか、淡島りりか先生の記事を参考に合成しよう（『アリエナイ理科ノ大事典 改訂版』）。

起できるので、ケミカルライトに使われるような色素を加えると、その色素を経由してお望みの色で発光させられるのです。

ルミノール液の調製を簡略化

ここからはより実践的な内容として、ルミノールを光らせる基本レシピについて説明しましょう。ルミノールは、【02】で示すように発光まで面倒な作業が必要とされています。しかし、溶液の保存を考えないのであれば、混合作業のない溶液も調製可能です。要求される条件は、「アルカリ性であること※1」と、「過酸化水素を含むこと」です。通常はこれを水酸化ナトリウムとオキシドールを混合することで実現していたのですが、実は身近に、この両方をいっぺんに満たす物質が安価に売られています。それが、最近流行の酸素系漂白剤の成分である「過炭酸ナトリウム」です。

これは、炭酸ナトリウムと過酸化水素が結合した物質で、炭酸ナトリウムのアルカリと過酸化水素の酸化剤として能力がうまい具合に合わさっています。過炭酸ナトリウムの濃い水溶液は強アルカリ性であり、過酸化水素も含まれるので、この溶液に直接ルミノールを加えればすぐさま使用可能なのです。ということで、いざ実験です。

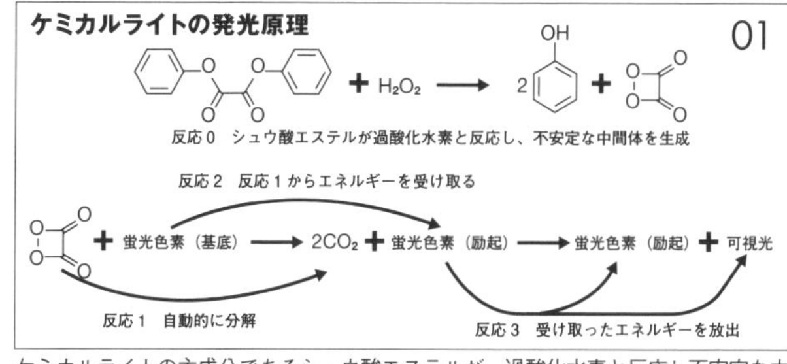

ケミカルライトの主成分であるシュウ酸エステルが、過酸化水素と反応し不安定な中間体が生成される。これが分解する時に色素を励起。励起された色素は可視光を放って基底状態へと戻る

一般的なルミノール試液の調製法　02

❶アルカリ溶液を調製 ➡ ❷アルカリ溶液にルミノールを溶解 ➡ ❸A液
❹過酸化水素を規定濃度まで希釈 ➡ B液
❺赤血塩の1％水溶液を調製 ➡ C液
❻A液、B液、C液を混合するとルミノール反応が発生

従来のルミノール発光の代表的な観察法。手間はかかるが、試薬の保存性は良好だ

実験❷ 色素添加でカラーバリエーションを増やす

水溶性の蛍光色素は、蛍光ペンを分解して入手するのが手軽だ。内部のインクを取り出して無理やり絞れば色素液を得られる。この作業は手や周辺がかなり汚れるので、使い捨て手袋を着用して新聞紙を敷くなどしよう。

さて、蛍光ペンから得られる色素は多くて3・4種類であり、大抵は2種類の色素をベースとして、非蛍光の色素を混ぜてインクが作られている。なので、蛍光ペン以外の色素を探すのもアリだ。赤チンやアクリノール液などの傷口消毒剤は、蛍光性を持つ。また、蛍光色素を混ぜて、白色を目指すのも面白いだろう。

❶ 水性の蛍光ペンを分解してインクを絞り出す
❷ 簡易版ルミノール試液5mLに対し、インク50 μL（半滴～1滴程度）を加える
❸ ②の液に触媒液を加えると、色素に応じた発光が観察できる

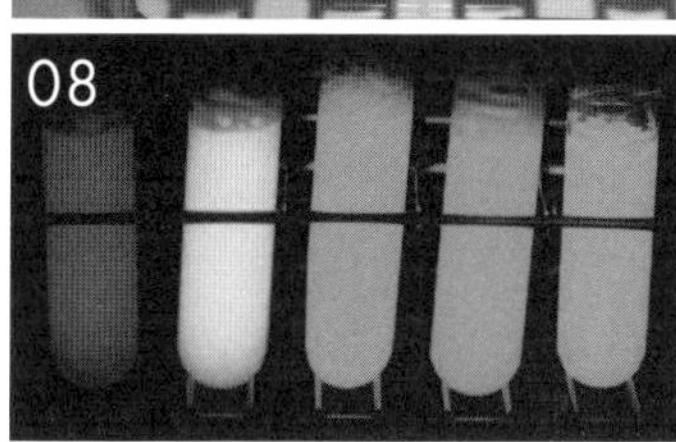

蛍光色素を加えたルミノール試液。ここに触媒を加えると鮮やかに発光する。数秒で暗くなってしまうので、08の写真はそれぞれの試液が光っているシーンを切り出して合成したものだ

主な材料▶簡易版ルミノール液　蛍光ペン

「料理は科学」を実感できる!

アントシアニンの話

アントシアニンを含む食品は、pHを変化させると色味が変わる。酸性なら赤っぽくなり、塩基性（アルカリ性）なら青っぽくなる。その理由とメカニズムを科学的に見ていこう。

text by 淡島りりか

Karma Karma Karma Karma Karma Chameleon♪♪ Red Gold and Green♪ Red Gold and Green♪♪　はろー、ごーじゃす！ ごきげんよう!! 淡島、古いものから新しいものまで洋楽ばっかり聞いて生きているんですが、今日はCulture Clubの超有名なこの曲に登場するカメレオンみたいに気まぐれでワガママな恋人の話…ではなくて、カメレオンみたいに色が変わる食品中の色素の話をします。さすがに赤、金、そして緑みたいに激しく変化したりはしないけど。なお、色素は気まぐれでもワガママでもなくて、変化にはちゃんと規則性があるのでご安心下さい。青いお茶にレモン絞ったら紫になるの見たことないです？ あとは以前、くられ先生がピンクのザワークラウト作ったりしてましたね。今回はそんな植物由来の色素の話です。

アントシアニジンの構造 01

アントシアニンの色味

植物の持っている色素は、フラボノイド、ベタレイン、カロチノイド、クロロフィルが代表的なものとして挙げられるでしょう。ここではフラボノイドの一種であるアントシアニンの話をしていきます。赤・紫・青といった花や果実の色は、このアントシアニンという色素によるものです。植物の細胞を紫外線ダメージから守ったり、受粉媒介者を引き寄せたりするなどの役割を果たしています。表皮細胞の液胞中に存在しており、約500種類の存在が知られています。このアントシアニンは、アントシアニジンという色素部分とそこにくっ付いている糖鎖（主にグルコース）によって構成されていて、アントシアニンの色味は概ねアントシアニジンの種類によって決まるのです。

アントシアニジンの基本骨格は【01】の通り。フラボノイドのうちフラビニウム骨格を持っているものをアントシアニジンと呼び、その配糖体がアントシアニンです。天然には18種類のアントシアニジンが存在しています。基本的に、3、5、7、4'位にヒドロキシ基（$-OH$）を持っていて、B環がどのようにヒドロキシ基やメトキシ基（$-OCH_3$）に置換されるかによって色味に違いが出ます。ペラル

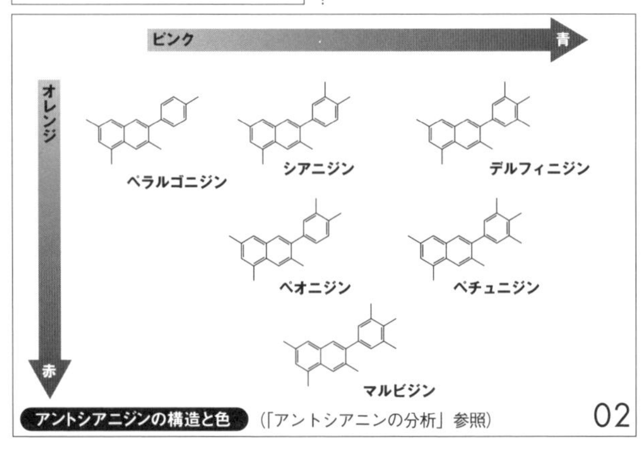

アントシアニジンの構造と色（「アントシアニンの分析」参照） 02

Memo: 参考文献

●日本光合成学会「アントシアニン」https://photosyn.jp

●生理活性植物因子アントシアニンの色と構造　J. Jpn. Soc. Colour Mater., 79 [3] , 113-119 (2006)

03

OH / OG / 強酸性：フラビリウムカチオン（赤色）

$-H^+$ ⇄ H

O / OG / 弱酸性：アンヒドロ塩基（紫色）

H_2O ⇅ $-H_2O$

$-H^+$ ⇄ H

OH / OG / 弱酸性～中性：プソイド塩基（無色）

O / OH / OG / 中性：アンヒドロ塩基（紫色）

H ⇅ $-H^+$

O^- / O / OG / 塩基性：アンヒドロ塩基（青色）

pHによるアントシアニンの構造変化と色の関係

（「生理活性植物因子アントシアニンの色と構造」参照

バタフライピーの粉末を溶かし、重曹水の氷を浮かべたもの。ここにレモン果汁を加えると、pHが変化しブルーが赤紫っぽくなる。色味を逆にした方が夕方のお空感が出たかも

ゴニジン、シアニジン、デルフィニジン、ペオニジン、ペチュニジン、マルビジンの6種類が代表的なものです。で、オレンジみの赤い色をした置換基が最も少ないペラルゴニジンと比較してヒドロキシ基が増えると青みが強くなり、そのヒドロキシ基がメトキシ基に置き換わるほど赤みが強くなります【02】。そこからさらに糖鎖の加減や、その糖鎖にくっ付いている有機酸の影響によって色の濃淡などが変わるというわけです。

アントシアニンを含む食品

アントシアニンは、pHを変化させることにより色が大きく変化することが知られています。ちなみに、中性付近ではペラルゴニジン：橙赤、シアニジン：赤紫、デルフィニジン：青紫なのですが、そこからpHを変化させると一般的には酸性では赤っぽく、塩基性では青っぽく変化します。どのように変化しているのかは【03】の通りです。具体的な例を3つ挙げて説明していきましょう。

①バタフライピー

蝶豆茶とかバタフライピーと呼ばれている青いハーブティーがあるのですが、これはpHを変化させることで色を変えられます。バタフライピーの色素は、デルフィニジンの構造がベースになっているテルナチンという青味の色素です。（酸性）←紫青水色→（塩基性）なので、抽出したお茶にレモンを搾るなど酸性のものを加えると、青から紫に変化させられます。台湾とかではお茶屋さんに行くと普通に出会えるんですが、日本だとそうそう遭遇しないのでネット通販で購入するのが確実かも。

141ページの実験では、バタフライピーの粉末を溶かして、重曹水の氷を浮かべました。そこにレモン果汁を入れることで、青と紫のグラデーションを作っています。

②赤キャベツ

続いて、くられ先生がピンクのザワークラウト作ってた赤キャベツの話もしておきましょう。赤キャベツには複数の種類

●北海道大学農学部 GC-MS & NMR 室「アントシアニンの分析」 http://lab.agr.hokudai.ac.jp/ms-nmr/ms/Anthocyanins.htm
●「コチニール色素・カルミン摂取による食物アレルギー」 https://www.jstage.jst.go.jp/article/faruawpsj/50/6/50_522/_pdf/-char/ja

06

赤紫蘇を煮出して作ったシロップ。ここにクエン酸を入れると酸性になり赤紫に、重曹を入れると塩基性になり暗い青色に変化する様子を観察できる

赤紫　紫　暗い青

クエン酸いれたやつ　抽出してそのまま　重曹いれたやつ

07

のアントシアニンが含まれており、どうもシアニジンの構造がベースになっているルブロブラシンに各種有機酸がくっ付いたものが多いようです。なので、(酸性) ←赤ピンク紫青紺緑黄→ (塩基性) みたいな幅広い変化を楽しめます。ザワークラウトは酸性なため、ピンクくらいの色味に仕上がるのは妥当な感じかな。また、アントシアニン系の色素の中では安定性が高いので、わざわざ赤キャベツから抽出せずとも色素が粉末で売られていたりします。さまざまな食品を染めるのにもってこいですね。もちろんそれに調味料などをかけてpHを変えれば、色の変化が楽しめます。

❸赤紫蘇

数年前に、祖母が昔作っていた赤紫蘇シロップをマネして作ったことがあります。出来上がったシロップをしそ焼酎の鍛高譚で割って飲んだところ、めっちゃ紫蘇 (笑)。赤紫蘇のアントシアニンは、主にシアニジンの構造がベースとなったシソニンという色素に由来します。名前がそのままですね。この色素も (酸性) ←赤紫青緑→ (塩基性) みたいに色が変化します。赤い梅干しの色は赤紫蘇由来のものなので、pHを塩基性に寄せることで青みがかった梅干を作ることだって可能なハズ…と思って、重曹水に梅干しを浸してみたんだけど丸のままじゃ色が変わらず。で、梅肉にして重曹水と混ぜたら、青じゃなくて灰色っぽくなっちゃった。うん、なんしかおいしくなさそう…。

アントシアニンを含む食品は、他にも数多く存在しています。代表的な食品の一部を、ベースとなるアントシアニジンごとにリストアップしたので参考にして下さい (床のMemo欄)。これらはpHを変化させることで色を変えられるはずです。Enjoy！

金属イオンの影響

アントシアニンは、金属イオンとキレート (結合) を形成することにより色調変化する場合があります。料理をおいしそうに見せるための先人の知恵として、皆さんも普段目にしているかもしれません。

代表的な例が、ナスの漬け物。糠床って、乳酸菌に乳酸発酵してもらうためのものだから、しっかり酸性環境。ナスのあの深い紫色はアントシアニン由来のものなので、そのままだと茶色っぽくくすんでしまうわけですよ。だから、糠床に鉄製の古い釘を入れるんですね。何をしているのかというと、ナス中のアントシアニン (ナスニン) を鉄イオンとキレートさせて発色を良くしてるんです。「糠に釘」とは手応えや効き目が無かったりするって意味で使われますが、糠床に釘を入れることはナスの発色を良くするという点では効果的です。そのナスの鮮やかな色は、茄子紺 (なすこん) なんて名前も付けられてますよね。ちなみに、私は「じゃこごうこ」という大阪南部の郷土料理が大好物です。水ナスの古漬けを塩抜きして、小エビ (エビジャコ) と一緒に甘辛く炊いたやつなんですが、これはナスが茶色くてもおいそうなんですけどね。ぜひお試しあれ。

Memo: アントシアニンを含む主な食品 (「生理活性植物因子アントシアニンの色と構造」参照)

●ペラルゴニジン：イチゴ、ブドウ、ラズベリー、インゲンマメ、イチジク、ザクロ、クランベリー、ラディッシュ、赤大根、レッドカーラント

●シアニジン：赤シソ、インゲンマメ、ブドウ (赤系)、赤カブ、黒大豆、ブルーベリー、紫キャベツ、リンゴ、プルーン、イチゴ、プラム、桃

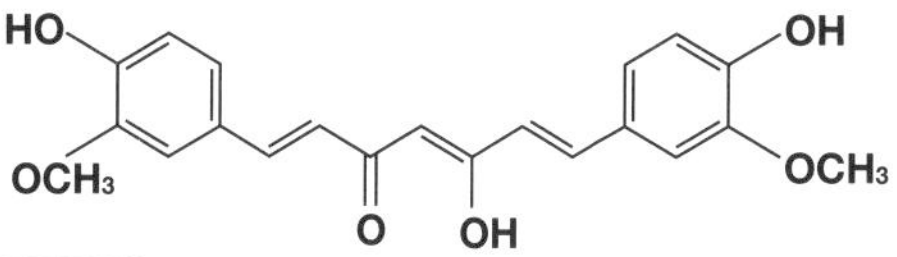

クルクミン

黄赤に変化する

カルミン酸

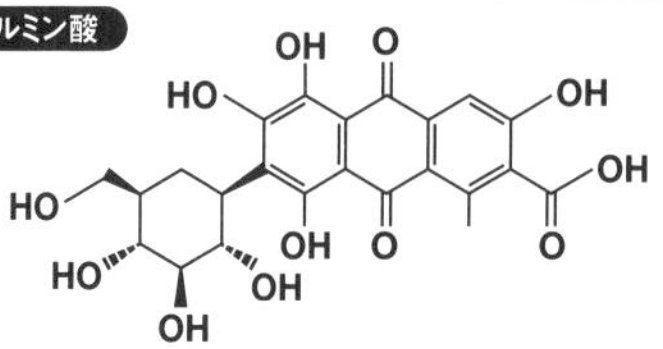

橙赤紫に変化する

黒豆の話もせねばですね。お節では黒豆が大好物なので、例年お正月過ぎた頃に実家に帰ってボウル1杯がっつり黒豆を食べるという楽しみがあります。その黒豆を作る際、発色を良くするために鉄製の古い釘と一緒に煮るというのが、伝統的な手法ですよね。祖母はそのために、キッチンの引き出しに古い釘を常備しています。これも黒豆中のアントシアニン（クリサンテミン）が鉄イオンとキレートすることにより、黒を際立たせてるわけですね。ツヤツヤ真っ黒な黒豆は最強だと思います。

ちなみに、食べ物じゃないですが、アジサイの色もアルミニウムイオンとアントシアニンがキレートすることによって変化します。アジサイは元々はピンクだけど土壌の酸度によって色味が変化する…、みたいな話を聞いたことがあるかもしれません。アジサイの色は酸性の土壌では青、塩基性の土壌ではピンクです。一般的なアントシアニンの色変化と逆じゃない？…って思うでしょ。それはこういう理由からです。

酸性の土壌では、アルミニウムがイオンとして存在できます(水に溶ける)。しかし、塩基性の土壌ではアルミニウムはイオンになれません。なので、アルミニウムイオンを取り込める酸性土壌ではアジサイは青っぽい色味になり、アルミニウムイオンを取り込めない塩基性の土壌ではピンクっぽい色味になります。なので、アルミニウムが少ない土壌だと酸性塩基性にかかわらず、アジサイはピンクのままです。

そしてアジサイは、有毒植物なので口に入れないようにして下さいね。彩として料理の下にアジサイの葉を敷いて、食中毒になった報告を時々見かけますのでどうかご注意下さい。

アントシアニン以外の色素

アントシアニンの他にもpHで色が変化する食品はあります。メジャーなものを2つ挙げておきます。

❶クルクミン

ターメリックないしウコンの色素。カレーの黄色は、ターメリックの色素クルクミンによるものです。（酸性）←黄赤→（塩基性）に変化します。紫外線に当てると青く蛍光するものの、紫外線に弱く分解されやすいので、洗っても落ちないカレーの黄色い汚れは、太陽光などに当てることでキレイにすることができます。

❷コチニール色素

昆虫食が流行ってるとはいえ、虫なんて食べたことないわっていう人が大半かもしれません。でも、知らず知らずのうちに口にしています。まあ、でも精製されているので虫というのはちょっと違うかもしれませんが。そんな虫由来の赤い色素です。

中南米のサボテンに生息するコチニールカイガラムシの雌を刷毛で収穫して、熱湯で殺して天日干し。その体内の色素を、お湯またはエタノールを含むお湯で抽出することで得られます。その9割がペルー産。コチニール色素の主成分はアントラキノン誘導体のカルミン酸で、安定性が高いため古くから天然の着色料として利用されてきました。この色素もpHによって色が変わることが知られています。(酸性)←橙赤紫→(塩基性)というように変化します。

なお、理科の実験で染色体とか核の染色の際に登場する酢酸カーミン液。これはタンパク質を固定するための酢酸と、染色体を染めるためのコチニール色素が合わさったものです。

さて。ここまでpHで色が変わる色素の話をしてきましたが、思いの外、身近なところにたくさんあることが分かったでしょう。ぜひいろんなもののpHを変化させて、色を変えて楽しんでみて下さい。

●ペチュニジン：ブルーベリー、ブドウ、レッドカーラント、ビルベリー、インゲン豆
●ペオニジン：プルーン、ブドウ、ブルーベリー、紫イモ、ビルベリー　●デルフィニジン：ブドウ、エルダーベリー、ナス、アズキ、チョウマメ、インゲン豆
●マルビジン：ブドウ、イチゴ、ビルベリー、赤ワイン、インゲン豆、ブラックマルベリー、ブルーベリー、ブラックベリー、ブラックカーラント

薄皮をツルンとむいてシロップの味もコピー!
缶詰みかんを完全再現

薄皮がきれいに処理されている缶詰のみかん。この不思議な現象も化学の力を駆使すれば、自宅で再現できる。砂糖とクエン酸の分量を定量すれば、シロップもコピー可能だ。　text by レイユール

缶詰のみかんは薄皮を化学的な処理によって取り除いていることは有名な話です。しかし、実際にどういった処理を行っているのかはあまり知られていないと思います。そこで、今回は缶詰みかんを再現しながら、その原理を探ってみましょう。

缶詰みかんの製造工程は検索すると、比較的容易に詳細を知ることができます。メーカーにより処理の方法や薬品の濃度など若干の差はありますが、塩酸と水酸化ナトリウムによる処理というのはおおむね共通しているようです。

薄皮の処理方法

みかんの薄皮は、セルロースとペクチンが物理的に絡まり合ってできています。塩酸と水酸化ナトリウムの処理によってこれらを分解することで、薄皮を取り除いているわけです。ということで、実際にみかんの薄皮を処理してみましょう。今回の実験を試す場合はすべて食品添加物グレードの試薬と、清潔な器具を使用して下さい。

薄皮をキレイにむいてシロップ漬けにされた、みかんの缶詰。手作業ではゼッタイに無理な領域だ

実験1:みかんの薄皮処理

❶ みかん2個分の皮を剥き、1房ずつに分けておく。
❷ 水道水500mLに濃塩酸(35%) 9mLを加えて、希塩酸を作る。
❸ ②の溶液にみかんを投入して30分浸漬する(5分ごとに優しく混ぜる)。
❹ 浸漬を終えたみかんを取り出して、軽く水洗いする。
❺ 水道水500mLに水酸化ナトリウム1.5gを入れて溶解し、水酸化ナトリウム溶液を作る。
❻ ⑤の溶液に④のみかんを投入し、30分浸漬する(5分ごとに優しく混ぜる)。
❼ 浸漬を終えたみかんを取り出して、流水で十分に洗浄する。

以上の工程を施すと薄皮がむけて、缶詰に入っているものと同じような状態になっているはずです。

薄皮処理の原理

実際に薄皮をむくことに成功したので、ここからはその原理を解説しましょう。前述の通り、薄皮はセルロースとペクチンから成っています。セルロースは紙などの成分として知られる丈夫な繊維で、酸や塩基に対する耐性も高いのです。この丈夫な物質をペクチンが接着剤のようにつなぎ止めているのです。

ペクチンはガラクツロン酸という化合物がα-1,4結合により鎖状に長く連なった構造をしており、その末端のカルボキシ基部分はメチル化されています。これにまず希塩酸を作用させると、ペクチンのα-1,4結合の一部が切断。さらに、ペクチンの末端にあるメチルエステルを加水分解し、カルボキシ基へと戻す反応も同時に進行します。しかし、塩酸の持つ結合切断の力はまだ弱く、ここからさらに塩基による追加の処理が必要となるのです。

酸処理を受けた薄皮に強塩基である水酸化ナトリウムを作用

Memo:

させると、ペクチンの結合切断がさらに進行し、それと同時に加水分解を受けたペクチンのカルボキシ基が塩基と中和反応を起こし、水溶性が高まります。これによりペクチンが機能を失うと、セルロースはバラバラになり、薄皮は破壊されてしまうというわけです。

果肉のみが残る理由

さて、薄皮が酸と塩基の処理によって分解される仕組みはお分かりになったでしょう。しかし、みかんの果肉も「砂のう」という細かい粒状の構造を持っています。この砂のうの膜も溶けてしまうと、せっかくの果肉もバラバラになってしまうのですが、今回の処理では薄皮のみが溶けました。これには大きく2つの理由があり、1つは、砂のうの膜は薄皮に比べてセルロース比率が高く、酸や塩基に対する耐性が高いからです。そしてもう1つは、塩酸処理の段階では薄皮に守られて、砂のうの膜が溶液の影響を受けていないためです。しかし、溶液の濃度を高めたり、処理時間を長くすることによってより強いダメージを与えれば、砂のうの膜まで分解されてバラバラになってしまいます。つまり、今回の溶液濃度や処理時間は、そういった現象が起きないように適切に設定していたのです。

缶詰のシロップも再現

みかんの薄皮を取り除くことに成功したので、これをシロップと共に密閉すれば、オリジナル缶詰みかんの完成です。しかし、シロップのレシピ情報は公開されていないので、化学的に分析するしかありません。成分表示によればシロップは砂糖と酸味料からできているようです。柑橘類の酸味はほとんどクエン酸によるものなので、シロップの酸味料にもクエン酸が使われていると考えられます。そこで、実際の缶詰シロップの砂糖とクエン酸の分量が定量できれば、理論上、シロップのレシピを完全再現できるということになるでしょう。

化学的に糖の定量を行うのは、少しハードルが高くなります。「硫酸-フェノール法」などの方法はありますが、最終的には分光光度計を使って数値化することになります。とはいえ、分光光度計を準備するのは大変なので、誤差は増えますが、今回は「屈折式糖度計」を使うことにしました。砂糖の主成分であるスクロースの溶液は、濃度によって屈折率が異なることを利用して濃度を測る装置です。しかし、屈折率はスクロース以外の

みかんを希塩酸中で30分反応させる。この段階ではまだ、外見にあまり変化は見られない

反応の途中頃から溶液が黄色く変色する。これは果汁によるものではなく、薄皮の一部が反応した結果だ

実験1-⑦
すべての処理が終わったところ。缶詰のみかんと遜色ない仕上がりだ。薄皮も白い筋もツルンと取れておいしそうだ

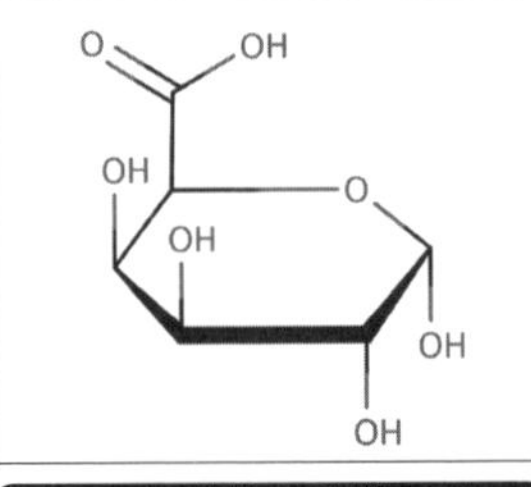

D-ガラクツロン酸

ペクチンを構成する有機酸

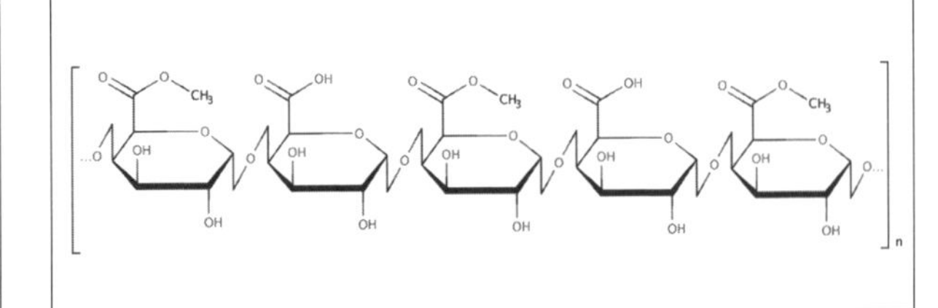

ペクチン

ガラクツロン酸がα1,4-結合した構造。メチル化の割合は果物の種類や部位により異なる。

溶質の濃度にも影響を受けてしまうので、さまざまな物質が溶けた溶液の場合には正確な測定は難しくなります。今回の場合は、シロップ中に含まれる他の溶質が少ないので、比較的近い値を導けるでしょう。

実験2:
シロップ中のスクロースの定量

1. 缶詰シロップを濾過する。
2. 屈折式糖度計のプリズム上に濾過後のシロップを垂らす。
3. フタを被せて糖度計のメモリを読む。

通常、屈折式糖度計の単位は「Brix%」が使われます。これはそのままスクロースの濃度に等しいので、ひと目で溶液中のスクロース濃度が判明します。今回の場合は16.5Brix%でした。

酸の定量

続いて、シロップ中に含まれる酸を定量します。これには単純な中和滴定が使えます。シロップ中に含まれる酸をすべてクエン酸と仮定すれば、クエン酸と水酸化ナトリウムの中和滴定によって濃度を正確に求めることができるというわけです。

実験3:
シロップ中のクエン酸の定量

1. 缶詰シロップを濾過して不純物を取り除く。
2. メスピペットでシロップ20.00mLをコニカルビーカーに入れる。
3. フェノールフタレイン指示薬を3滴入れる。
4. 25mLビュレット管に0.05mol/Lの水酸化ナトリウムを入れて、液面を0に合わせる※1。
5. フェノールフタレインが薄っすら反応する点を終点として滴定する。

滴定を3回行い、その平均値を最終的な滴定値とします。私の実験では23.85mLとなったので、ここからクエン酸の濃度を計算します。

クエン酸は3価のカルボン酸なので、水酸化ナトリウムとの反応式は以下の通り。

$$C_6H_8O_7 + 3NaOH \rightarrow C_6H_5O_7Na_3 + 3H_2O$$

つまり、クエン酸1molを中和するのに水酸化ナトリウムが3mol必要になるということ。酸の価数をA、酸の濃度をCa（mol/L）、酸の量をVa（mL）、塩基の価数をB、塩基の濃度をCb（mol/L）、塩基の量をVb（mL）とすると、中和滴定の公式は以下になります。

↑糖度の化学的な分析は難しいので、今回は屈折率式糖度計を使用した

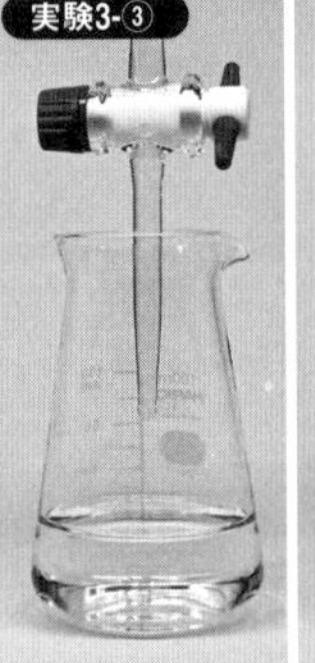

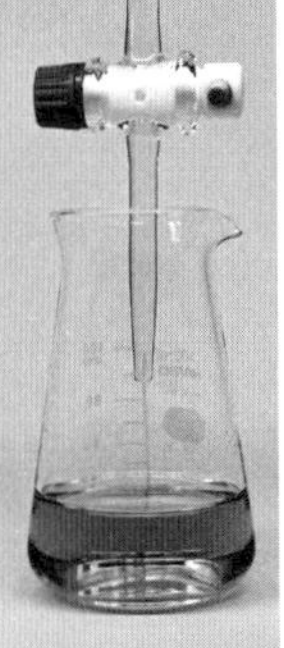

→シロップの中和滴定。本来は逆滴定法を使うが、今回は簡便のため直接滴定を行った。シロップの緩衝作用によって終点が明確には現れないので、終点付近では特に慎重に操作しよう

Memo: ※1 正確に行うには、水酸化ナトリウム溶液10.00mLを0.025mL/Lシュウ酸溶液で滴定して濃度を補正する。

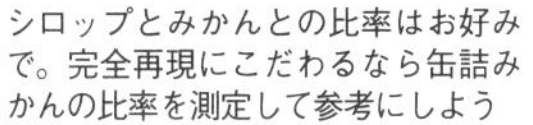
シロップとみかんとの比率はお好みで。完全再現にこだわるなら缶詰みかんの比率を測定して参考にしよう

殺菌にはウォーターバスを使用したが、鍋による湯煎でもOKだ。熱いお湯にいきなり瓶を入れると割れるので、水から熱すること

完成した瓶詰めみかん。本来はこのまましばらく熟成することでシロップの糖がみかんに染み込むが、今回は無菌テストを行っていないので早めに消費しよう

A×Ca×Va=B×Cb×Vb

今回は酸の濃度を求めたいので、式を変形。

Ca=(B×Cb×Vb)/(A×Va)

になるので、あとは数を代入。

Ca=(1×0.05×23.85)/(3×20)

この式を計算すると、Caは0.019875≒0.02（mol/L）となりました。つまり、約0.02mol/Lのクエン酸溶液ということになります。クエン酸一水和物の式量は210.14なので、今回測定したみかんのシロップは約0.42%のクエン酸溶液だったことが分かりました。

シロップを作って瓶詰め

実験2と実験3でスクロースとクエン酸の濃度がそれぞれ判明したので、そのデータを元にみかんのシロップを作ってみましょう（シロップの濃度は製造元やロットなどによって変動するので、自身で求めた濃度を反映しよう）。

実験4:瓶シロップを作る

❶ ビーカーに水150mLを入れる。
❷ ①にスクロース33.0gを加えて溶解する。
❸ ②にクエン酸一水和物0.84gを加えて溶解する※2。
❹ 水を足して合計200mLとする。

味見をしてみると本物のシロップそっくりな味に仕上がっているはずです。これに薄皮をむいたみかんを投入すれば、オリジナル缶詰みかんの完成です。といっても、缶詰を作る装置は用意できないので、今回は瓶で代用しました。

実験5:瓶詰めみかんを作る

❶ 瓶に薄皮をむいたみかんを詰める。
❷ 瓶に実験4で作ったシロップを注いでフタを閉める。
❸ 90℃のお湯に漬けて1時間殺菌する。

通常、食品の殺菌にはレトルト法と呼ばれる高温高圧を作用させる方法が一般的ですが、みかんの缶詰を製造する場合には、お湯に漬ける方法が使われます。これは、みかんの缶詰など酸性度の高い食品は腐敗のリスクが低いので、この程度でも十分に殺菌が行えるからです。ただし、今回は簡易的な方法なので、確実な殺菌が行えていない可能性もあります。長期間の保存は避けた方が無難です。

また、熱することにより、シロップの成分がみかんに染み込んで、味の変化も再現できますが、果肉から水分などが滲み出てシロップの濃度が変動するため、市販のものと多少誤差が出てしまう可能性もあります。なるべくお早めにお召し上がり下さい。

※2　クエン酸無水物を使う場合には0.77gとする

伝統的なかゆみ止め薬を自作して化学を学ぼう

抗ヒスタミン薬の合成

アレルギーやさまざまな炎症を抑える抗ヒスタミン薬として、古くから重宝されてきたジフェンヒドラミン。比較的簡単といわれているこの薬の合成だが、実際のところは…？

text by レイユール

「抗ヒスタミン薬」は多くの医薬品に使われていて、かゆみ止めから蕁麻疹、目のかゆみ、酔い止めまでさまざま。関連する医薬品も非常にたくさんの種類が存在します。今回はそんな一大医薬品カテゴリーである抗ヒスタミン薬のうち、「ジフェンヒドラミン」の合成にチャレンジしてみましょう。

抗ヒスタミン薬とは

抗ヒスタミン薬は、ヒスタミンの働きを抑える薬です。ヒスタミンは体内で情報のやり取りを行う伝達物質の1つで、大まかに、アレルギーや炎症の原因になるものと思って下さい。そして、そんなヒスタミンの働きをブロックするのが、抗ヒスタミン薬というわけです。この薬を体内に取り入れると、アレルギーや炎症を抑えられます。

抗ヒスタミン薬は大きく第1世代と第2世代に分けられ、ジフェンヒドラミンは第1世代に分類。抗ヒスタミン薬の代表ともいえる薬剤で、このカテゴリーの中では最初期に報告されたものです。当時としてはとても効果が高く重宝されましたが、強い眠気の副作用があるため、現在ではこれを逆手にとって睡眠導入剤として市販される例もあったりします。とはいえ、合成が容易で効果が強く、深刻な副作用も比較的少ないことから、現在でもアレルギー薬として使われているのです。

ジフェンヒドラミンの合成方法は米国特許を検索すれば見つかるので、ここではその流れをざっと見ていきましょう。反応式【02】には、出発原料のジフェニルメタンからジフェンヒドラミン塩酸塩までの構造の変化が書かれています。まず、出発物質であるジフェニルメタン【02-1】に臭素を反応させて、ブロモジフェニルメタン【02-2】を合成。これは、ジフェンヒドラミン【02-4】の1つ手前の物質（前駆物質）です。ここに、アルカリを加えてからジメチルアミノエタノール（以下、DMAE。【02-3】）を加えて反応させると、ジフェンヒドラミンが発生。これを精製して塩化水素と反応させることで、安定した形態であるジフェンヒドラミン塩酸塩【02-4】が得られるというわけです。

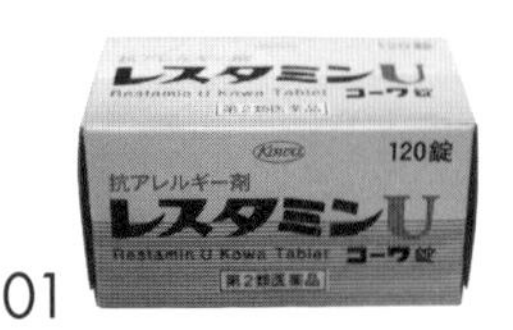

01

レスタミン(興和)：ジフェンヒドラミンは国内でさまざまな薬品に配合されるが、コチラが最も有名。アレルギー性の症状の大部分に効く。ただし、副作用の眠気は強いので、機械やクルマの運転は控えることになっている

02

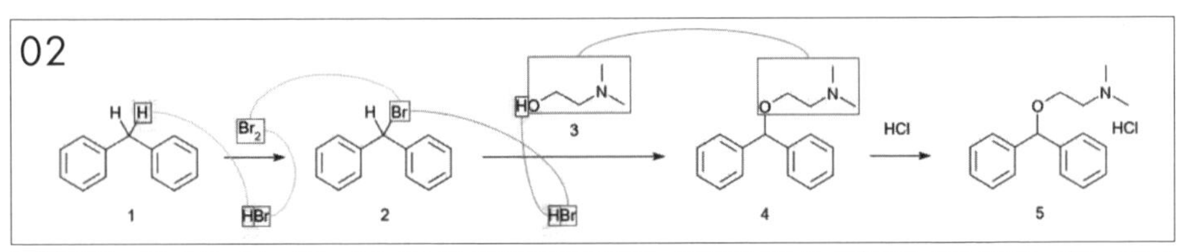

原料のジフェニルメタンから、ジフェンヒドラミン塩酸塩までの道のり。複雑に見えるが、実際に行っているのは、ジフェニルメタンとDMAEとの反応だ

Memo:

ジフェンヒドラミンの合成法

反応式から理屈が分かったところで、ここからはジフェニルメタンの具体的な作り方と、そのレシピの意図や働きについて解説していきます。今回の合成は、ジフェニルメタンとDMAEを結び付けてジフェンヒドラミンにする反応です。まずそのために下準備から行います。

STEP1 ジフェニルメタンの臭素化

ジフェニルメタン16.82gを130℃に加熱しておき、200Wの電球で照らしながら臭素17.58gを加える。130℃で30分反応させ、細いガラス管から空気を送り込んで、副生物を追い出す。

解説：ジフェニルメタンとDMAEを反応させる時、目印が無いと反応が進みません。そこでまずは、ジフェニルメタンに目印となる臭素を取り付けます。

この反応は光を触媒とするもので、臭素は光（特に紫外線）を受けると活性化して反応しやすくなります。この状態でジフェニルメタンに加えると、ジフェニルメタンのうち1つの水素を臭素で置き換えることができるのです【03】。余った臭素1つとはじき出された水素で臭化水素（気体）を作り、フラスコの外へ逃がしていきます。

フラスコを白熱電球で照らすセットアップ。特許文献には、２００Wのランプを６インチの距離から照らすように書かれているが、それより近い分には問題ないようだ

STEP2 ジフェンヒドラミンの合成

DMAE9.81gと炭酸ナトリウム12gの混合物を、110℃まで熱する。STEP1で得た生成物を全量スポイトで加える。温度を125℃まで上げ、そのまま5時間反応させる。

解説：ジフェニルメタンに、STEP1で目印となる臭素を付けました。ここにDMAEを加える【04】と、DMAEの水素とジフェニルメタン側の臭素を目印に酸素を挟んで結合が生まれ、ジフェンヒドラミンとなります。この際、不要になった目印の臭素とDMAEの水素が反応し、臭化水素が発生。これは強酸であり、アルカリ性のDMAEやジフェンヒドラミンと反応してしまうので、それを中和するために、あらかじめアルカリである炭酸ナトリウムを加えておくのです。

ジフェンヒドラミンを生成する反応。初期は泡立ちが見られるものの、１時間ほどでほとんど収まる。あとは変わり映えしない。ただ、少しずつ反応は進んでいるので、しっかり５時間待つこと

STEP3 ジフェンヒドラミンの精製

STEP2でできた生成物に水100mLを加えて30分撹拌し、分液ロートに移す。これをエーテル50mLで抽出し、水で3回洗う。次に10%の塩酸100mLで抽出し、塩酸層に20%の水酸化ナトリウム水溶液を加えてアルカリ性にして、再びエーテル50mLで抽出する。エーテル層を飽和食塩水で洗ってからエーテル層をフラスコに取る。エーテルを蒸留で除き、次にジフェンヒドラミンを減圧で蒸留する。

解説：ジフェンヒドラミンが合成できましたが、まだ不純物がたくさん含まれています。反応液には、未反応の原料や副生物などの不要な成分が含まれているため、ここから目的のジフェンヒドラミンだけを純粋に取り出していくのです。

ジフェンヒドラミンは水に溶けず、エーテルに溶けやすい性質を持っているため、まず水を加えて水に溶ける成分を除去。この時、細かな粒を作ってジフェンヒドラミンが流されないように、有機溶媒であるエーテルを加えておきます。何度も水を替えて抽出すると、最終的には水に溶ける成分はすべて除かれました【05】。

次に、ジフェンヒドラミンがアルカリ性であることに注目して、これを塩酸で抽出します。アルカリ性のジフェンヒドラミンは塩酸に溶け込みますが、中性のその他の不純物は塩酸に溶けないので、エーテルの層に残ることに。塩酸の層を取り出して、ここにアルカリである水酸化ナトリウム水溶液を加えると塩酸が中和され、再びジフェンヒドラミンは油のように水に溶けない形態となって浮き上がるので、これをエーテルで抽出するわけです。

概ねエーテルとジフェンヒドラミンの混合物にまで精製されましたが、依然として茶色い色のまま…。この色は明らかな不純物なので、沸点の違いにより、ジフェンヒドラミン以外の成分を除きます。抽出に使ったエーテルはもう不要なので、蒸留で除去しましょう。完全にエーテルが出なくなったらフラスコを変えて、今度はジフェンヒドラミンを蒸留していくのですが、ジフェンヒドラミンはとても沸点が高く蒸留は困難なので、減圧蒸留を使います【06】。減圧蒸留は真空ポンプでフラスコ内の気圧を下げて、それに伴って沸点も下がる仕組みを利用したもので、ある程度高い沸点を持つ物質であっても現実的な温度で蒸留が可能。この減圧蒸留により、純粋なジフェンヒドラミンが得られるのです【07】。

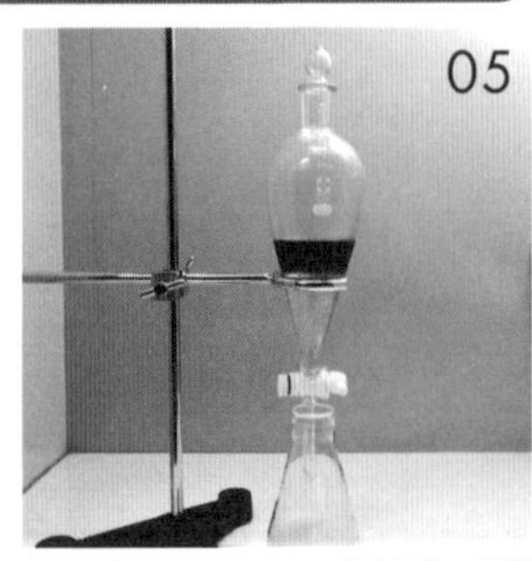
05

今回の精製の要である、分液操作。下層(水層)と上層(有機層)のどちらに目的物が含まれているか、よく考えて進めよう。なお、液を入れる前にはコックの閉鎖をよく確認すること

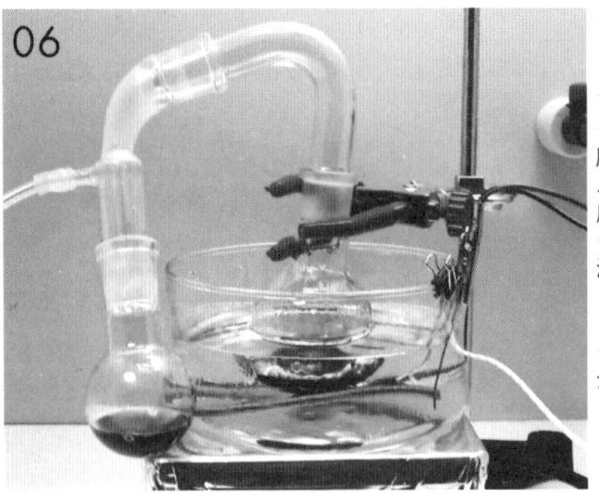
06

ジフェンヒドラミンの蒸留を行うセットアップ。アスピレーターで内部を減圧している。フルパワーの真空度でも、蒸留には200℃近い温度が必要だ。うまく蒸留が進まない時は、ヒートガンで装置全体を温めてみよう。効率がアップする

07

蒸留直後のジフェンヒドラミンは、薄い紫のような見た目。本来は透明なはずだが、空気酸化によってわずかに色が付いてしまうようだ

Memo:

STEP4 塩化水素との反応

STEP3で得た生成物をフラスコに取り、エーテル100mLを加えて溶液とする。ここに飽和塩化水素エタノールを結晶が生じなくなるまで加えて、沈殿を濾過していく。沈殿を少量のエタノールに溶かし、30℃に加熱。溶液がわずかに濁るまでエーテルを加えて冷凍庫で一晩冷却してから結晶を濾過し、2倍量のアセトンを使って洗浄する。最後にエーテルで洗浄し、真空デシケーター内で数日（2日以上）乾燥させる。以上の工程で、真っ白なジフェンヒドラミン塩酸塩が得られる。

ジフェンヒドラミン塩酸塩の結晶が完成。出来立ては白色だが、光が当たっていると徐々に変色してしまうので、褐色瓶に入れて冷暗所で保存しよう

解説：ジフェンヒドラミンは、オイルのような状態だと酸化や光にとても弱く、保存に適しません。また、さらに微量の不純物を除くためにも、安定して結晶を作れるジフェンヒドラミン塩酸塩の形にするのです。

STEP3でも述べた通り、ジフェンヒドラミンはアルカリ性の物質なので、酸と反応して塩（えん、中和生成物）を生じます。塩の生成というと、塩酸を加えるだけというイメージですが、ジフェンヒドラミン塩酸塩は極めて水に溶けやすく、塩酸を使うと結晶を出すのが困難です。そこで…、塩酸は塩化水素（気体）の水溶液ですから、この塩化水素を直接反応させることで、水を含まない環境で塩を生成します。

これには2通りの方法があり、1つは試薬会社から「アルコール性塩酸」という水の代わりにアルコールを使った塩酸を購入する方法。もう1つは、塩化水素を発生させて直接反応させる方法です。後者は手間がかかるので、前者が簡単でオススメ。いずれかの方法で塩酸塩にすれば、有機溶媒に溶けない白色～クリーム色の結晶が得られるはずです。

最後に、得られた塩酸塩を再結晶法によって、さらに精製していきます。塩酸塩はエタノールに溶けやすくエーテルに溶けにくいので、まずはできるだけ少ない量のエタノールに溶かしていきましょう。これを30℃くらい（30℃以上になるとエーテルが沸騰してしまう）に温めて、エーテルを加えます。エーテルはアルコールに溶けますが、塩酸塩はエーテルに溶けないので、エーテルが入ることで溶けにくくなるのです。わずかに溶液が濁るくらいで止めて、あとは冷凍庫で冷やせば結晶が出ます。これを濾過してから、少量のアセトンで洗浄して塩化水素などを除き、エーテルで洗えば完璧です。最後の仕上げに、真空デシケーターで数日乾燥させれば、これで純粋なジフェンヒドラミン塩酸塩【08】が得られます。

今回は、ジフェンヒドラミン塩酸塩の合成方法を紹介しました。古くからある医薬品で合成は容易だといわれていますが、いざ自分でやってみると、それなりの手順が必要だと分かります。また、合成の反応に比べて、分離や精製にとても手間がかかることもお分かりいただけたでしょう。これは今回の件に限らず多くの合成実験に当てはまり、反応自体より、分離・精製に手間がかかるのです。つまり、この分離・精製の腕前こそが、有機化学者の腕前ともいえます。

ストーンワールドで復活しても大丈夫!

サルファ剤合成のすべて

合成抗菌剤の原点であるサルファ剤。ここではこのフルスクラッチに挑んでみる。よく聞く物質を合成しながら、人類の叡智といわれる医薬品が生まれる様子を見ていこう。　text by レイユール

細菌感染症の治療薬として医療の発展に大きく関わり、現代でもなお一部で使われている大変重要な抗菌薬が「サルファ剤」です。サルファ剤は天然には存在していないため、人の手で作り上げる必要があります。その原料となるのが、石油を精製する過程で生じるベンゼンです。この土台となる分子に必要なブロック（官能基）を取り付けたり、また取り外したりとナノの世界で分子を組み立てる、いわばナノ世界の工作を行うわけです。私たちはこのような作業を「有機合成」と呼んでいます。ここではその奥深い有機合成化学の一端を、サルファ剤合成を通して学んでみましょう。

具体的には、サルファ剤の最も基本となる分子「スルファニルアミド」の合成を行います。この分子はサルファ剤の最小単位に当たるもので、現在使われるものはこの分子を元に、副作用を抑えるなどの目的に応じて構造を変更しているのです。下図のスルファニルアミドの構造式を見ると、リング状の「ベンゼン環」が中心となって、対極に位置する2本の手にアミノ基（NH_3）とスルホンアミド基（SO_3NH_2）が付いているのが分かるでしょう。アミノ基のようにひと塊の原子のブロックを官能基と呼び、この官能基の種類や位置などでさまざまな性質に変化するのです。今回は何も官能基の付いていない土台であるベンゼンに、いろんな方法で官能基を取り付けていきます。

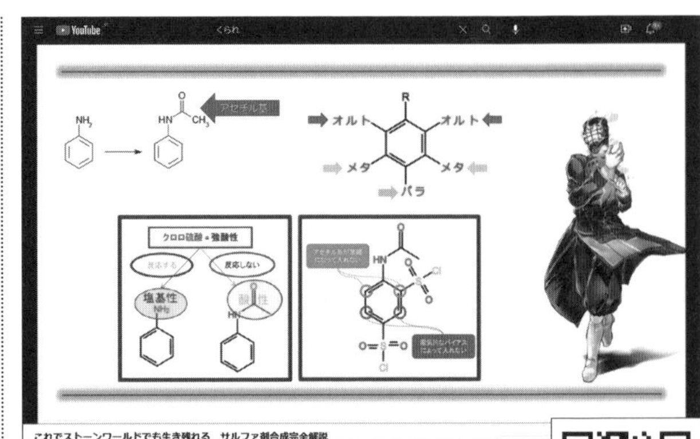

「科学はすべてを解決する!」
これでストーンワールドでも生き残れるサルファ剤合成完全解説
YouTubeの解説動画。動画を見ながら本記事を読むことで理解が進む。また、レイユール個人チャンネルでは、各合成手順についての詳細を解説している

ベンゼンからスルファニルアミドまでのルート

ベンゼン →① ニトロベンゼン（NO_2） →② アニリン（NH_2） →③ アセトアニリド →④ p-アセトアミドベンゼンクロロスルホン酸（SO_2Cl） →⑤ p-アセトアミドベンゼンスルホンアミド（SO_2NH_2） →⑥ スルファニルアミド（NH_2, SO_2NH_2）

サルファ剤までの道のり
ベンゼンからスルファニルアミドまで、合計6ステップで合成していく。スルファニルアミドは、アニリンにスルホンアミド基を結合させた構造となっている

Memo:

レイユール

STEP1 ベンゼンのニトロ化

まずはスルファニルアミドの上端にあるアミノ基の部分を作るのですが、ベンゼンにアミノ基を直接つなげる手段はありません。そこで、その足掛かりとなるニトロ基（NO_2）を取り付け、これをアミノ基に変換するという手順を取ります。ニトロ基の挿入は「ニトロ化」と呼ばれ、濃硫酸と濃硝酸の混合物である混酸を用いて行います。この混酸とベンゼンを混ぜて反応させることでニトロ化反応が進行し、ニトロベンゼンが得られるのです。

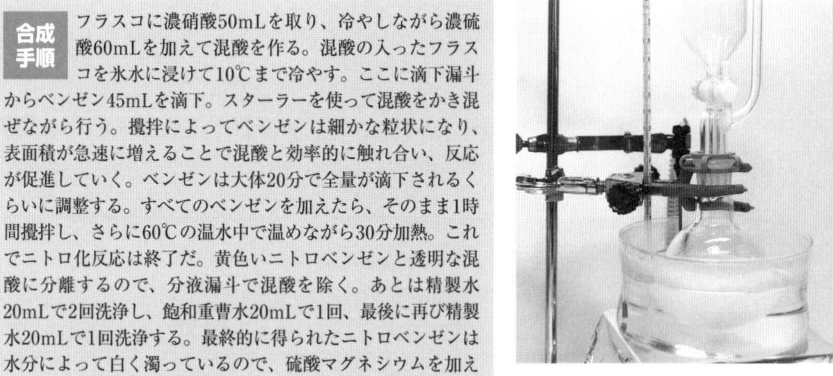

合成手順 フラスコに濃硝酸50mLを取り、冷やしながら濃硫酸60mLを加えて混酸を作る。混酸の入ったフラスコを氷水に浸けて10℃まで冷やす。ここに滴下漏斗からベンゼン45mLを滴下。スターラーを使って混酸をかき混ぜながら行う。攪拌によってベンゼンは細かな粒状になり、表面積が急速に増えることで混酸と効率的に触れ合い、反応が促進していく。ベンゼンは大体20分で全量が滴下されるくらいに調整する。すべてのベンゼンを加えたら、そのまま1時間攪拌し、さらに60℃の温水中で温めながら30分加熱。これでニトロ化反応は終了だ。黄色いニトロベンゼンと透明な混酸に分離するので、分液漏斗で混酸を除く。あとは精製水20mLで2回洗浄し、飽和重曹水20mLで1回、最後に再び精製水20mLで1回洗浄する。最終的に得られたニトロベンゼンは水分によって白く濁っているので、硫酸マグネシウムを加えて脱水。これを減圧蒸留すれば、ニトロベンゼンが得られる。

ベンゼンを滴下後、水浴で熱しているところ。温度を上げ過ぎないよう慎重に作業する

STEP2 アニリンの合成

ニトロ基をアミノ基に還元します。単純にニトロ基の酸素を水素で置き換えればアミノ基です。この反応は「還元的アミノ化反応」と呼ばれます。

還元剤としては、塩酸とスズを用いるのが一般的です。アミノ基は弱アルカリ性の官能基なので、過剰の塩酸と反応してアニリン塩酸塩を生じます。これを強いアルカリ、つまり水酸化ナトリウム溶液で処理しものがアニリンです（ベンゼンにアミノ基が付いたものはアニリンと呼ばれる）。

合成手順 フラスコにニトロベンゼンを20mL取る。これにスズ47gを加えた混合物に、慎重に濃塩酸120mLを滴下。すると自動的に発熱して反応が始まる。1度に多くの塩酸を加えると反応が暴走してしまうので、加える塩酸は10mL程度ずつにするのがコツ。反応が収まったら次の10mLと、小刻みに加えていく。すべての塩酸を加えたら、攪拌しながら100℃で1時間湯銭してから室温に戻し、反応を終了させる。この時、アニリンは塩酸と反応してアニリン塩酸塩となっているので、水酸化ナトリウム溶液（水酸化ナトリウム80g＋水200mL）を加える。これも発熱反応なので、ゆっくりと加えること。全量加え終えると、アニリンが少し赤く色づいて浮かんでくる。その反応液をそのままオイルバスで加熱し、蒸留すればアニリンと水の混合物が得られる。アニリンはベンゼンなどに比べ水に溶けるので、水に溶けたアニリンを取り出すために塩析を行う。蒸留で得られた溶液に、食塩を大量に加えて飽和させるとアニリンが追い出される。あとは上に浮いてきたアニリンを分液漏斗で分けて、ニトロベンゼンと同様に硫酸マグネシウムで乾燥後に減圧蒸留すればOKだ。

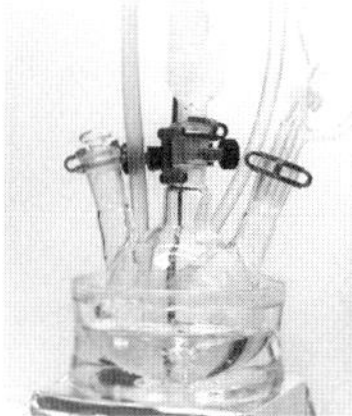

スズと濃塩酸でニトロベンゼンを還元。アニリン塩酸塩に水酸化ナトリウム溶液を加えると、アニリンが赤く浮いてくる

※「Dr.STONE」では硝酸が使えない縛りがあったので、このニトロベンゼンのルートは無かったよ。byくられ

STEP3 アミノ基の保護

アミノ基は反応性の高い官能基なので、このまま次のステップに進むと分解してしまいます。そこで、アニリンにアセチル基(CH_3CO)を取り付けて保護するのです。また、アセチル基を取り付けるとその官能基自体が物理的な障害となり、望まない部位に次の官能基が付くのを防げます。このアミノ基による保護作業は、無水酢酸(&氷酢酸)と混ぜるだけと簡単です。これによって、アニリンにアセチル基が結び付いたアセトアニリドがゲットできます。

合成手順 フラスコに無水酢酸17mLと、氷酢酸17mLを取る。氷酢酸は反応をマイルドにするための溶媒とする。これを冷やしながらアニリン9mLを滴下。すべて加えたら、沸騰水で1時間湯銭して反応させ、常温に戻す。その後、冷やした純水150mLに加えるとアセトアニリドの白色の沈殿が生じるので、濾過で回収する。これを熱水から再結晶すれば純粋なアセトアニリドが得られる。

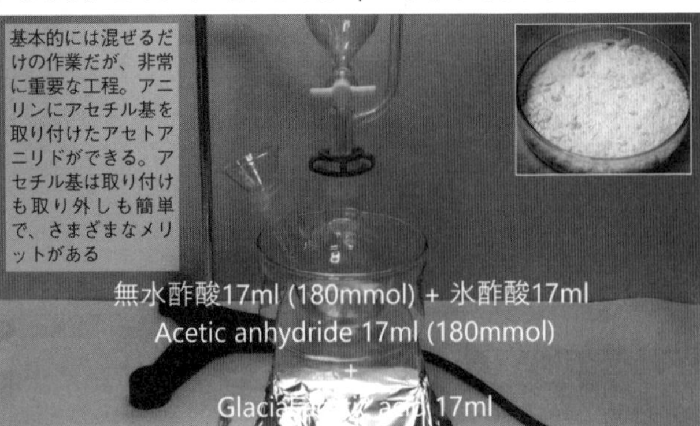

基本的には混ぜるだけの作業だが、非常に重要な工程。アニリンにアセチル基を取り付けたアセトアニリドができる。アセチル基は取り付けも取り外しも簡単で、さまざまなメリットがある

STEP4 クロロスルホン化

アミノ基は丈夫なアセチル基で保護されたので、強力な試薬であるクロロ硫酸で無理やりクロロスルホン基を挿入してp-アセトアミドベンゼンクロロスルホン酸を作ります。ベンゼンは6角形なので、2つ目の官能基を取り付ける場合には、残りの3か所(オルト、メタ、パラ)のどの場所に付くかが重要です。アミノ基を保護する時に使ったアセチル基が障害(立体障害)となり、その隣であるオルト位には付きにくくなります。そもそもアニリンはアミノ基の影響で分子全体に電気的なバイアスがかかっており、メタ位には置換基が結合しにくい「オルト・パラ配向性」という性質を持つ分子です。なので、必然的にオルト位に選択的に次の官能基が取り付けられます。

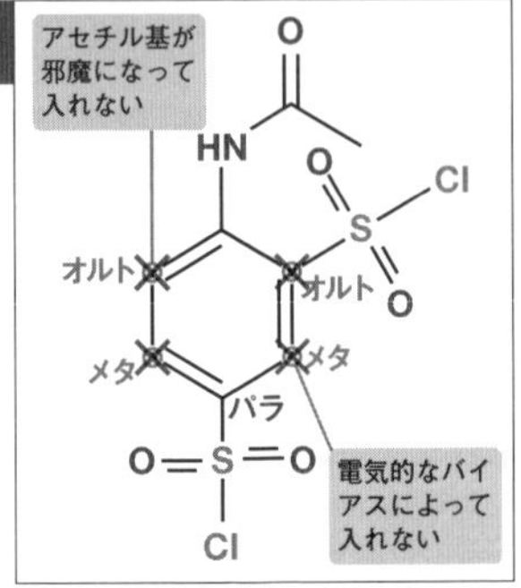

配向性と立体障害
物理的(立体的)な障害と、電気的な配向性によってオルト位に次の置換基が入りやすい

合成手順 シリカゲルを詰めた容器に2日以上入れて、アセトアニリドを十分に乾燥させる。アセトアニリドに水分が含まていると、クロロ硫酸が分解してしまうからだ。器具類を乾燥させておくことも忘れずに。フラスコにクロロ硫酸10mLを取り、乾燥させたアセトアニリド7gを加える。フラスコに塩化カルシウム管を取り付け、60℃程度のオイルバスで2時間反応させる。これを100gの砕いた氷の入ったビーカーに入れて、氷が溶けるまでガラス棒で念入りにかき混ぜる。すると、p-アセトアミドベンゼンクロロスルホン酸の白いペーストが沈殿するので、これを濾過で収集。時間と共に分解していくので、濾過後は速やかに次の工程に移行する。

クロロ硫酸は水分を嫌うので、フラスコに塩化カルシウム管を取り付けて反応させる

Memo:

STEP5 アミド化

アンモニア水と共に加熱して、クロロスルホン基をスルホンアミド基に変化させます。この工程でスルファニルアミドの構造が揃います。この反応はクロロスルホン基の塩素をアンモニアと置き換えてアミドに導くもので、不要な塩素は塩化アンモニウムとなって取り除かれるのです。この工程で前駆物質である、p-アセトアミドベンゼンスルホンアミドが得られます。反応中はアンモニアが漏れ出るので、フラスコの口に濡れた紙などを被せて吸収させると安全です。

↑アンモニアと一緒に30分加熱。残ったアンモニアは、希硫酸で中和する

→中和後に沈殿を吸引濾過で回収。これがp-アセトアミドベンゼンスルホンアミドになる。小さなフラスコに移して、最後の工程に進む

合成手順 フラスコにSTEP4で集めたp-アセトアミドベンゼンクロロスルホン酸を全量取り、濃アンモニア水40mLを慎重に加える。すべて加えたら70℃の水浴で30分加熱し、アミド化反応を行う。その後、フラスコを取り出して常温になるまで放置し、中性になるまで希硫酸を加える。p-アセトアミドベンゼンスルホンアミドが沈殿するので、これを濾過で集める。

STEP6 脱保護

ここまでの工程で、スルファニルアミドの構造が揃ったので、保護に使ったアセチル基を取り外します。p-アセトアミドベンゼンスルホンアミドは酢酸とのエステルなので、酸やアルカリと共に熱すると加水分解により脱保護されるのです。ここでは、後処理の容易な希塩酸を用いました。スルファニルアミドはアミノ基の影響で弱アルカリ性なので、過剰の塩酸と反応しスルファニルアミド塩酸塩が生じて水に溶解します。これに炭酸水素ナトリウム（重曹）などのアルカリ物質を加えると、遊離型としてスルファニルアミドが析出するのです。

合成手順 濾過して得た沈殿をフラスコに全量取り、純水15mLと濃塩酸8mLを加えたら冷却管を取り付ける。これをオイルバスで加熱し、1時間緩やかに還流。その後、オイルバスから引き揚げて常温になるまで冷やす。冷めたら、重曹を泡が出なくなるまで加えていく。するとスルファニルアミドの沈殿を生じるので、濾過で回収する。活性炭などで不純物を取り除き、純水で再結晶することで得られるのが、純粋なスルファニルアミドだ。

アセチル基を加水分解で取り外き、脱保護して得られたスルファニルアミド。しかし、不純物により少し着色しているので再結晶で精製する

今回の合成実験は、滴下や還流、再結晶など有機合成の基本的な技術を多く盛り込んだ内容となっている。古い医薬品の合成でも、多くの技術が使われていることが分かっていただけたと思う。有機化学に興味を持っていただけたら幸いだ。

市販のサプリメントから局所麻酔薬をDIY！

ベンゾカインの合成で学ぶ有機化学

歯科治療などに使われる局所麻酔薬「ベンゾカイン」。医療関係者でもない限り触れることのない特殊な薬剤だが、市販のサプリメントからPABAを抽出すれば合成できる!?

text by レイユール

麻酔薬。一般に割と知られたワードでありながら、その実態は非常に複雑で、作用などもすべてが明らかになっていない謎多き領域です。今回はそんな麻酔薬の一種である「ベンゾカイン」の合成を通して、有機化学の基礎と麻酔薬についての知識を深めていきましょう。

そもそも麻酔薬とは、痛みを除くために使用される医薬品のこと。さまざまな種類があり、現場では用途に合わせて適宜使い分けられています。例えば、開腹手術のような大規模治療の場合は、全身の意識喪失を伴う全身麻酔が使われ、美容整形や抜歯といった小規模の治療ではその部分だけの痛みを除く局所麻酔が使われるのです。また、投与法・化学的構造などによっても多様に分類されます。

今回、合成するベンゾカインは、局所麻酔薬に分類され、今も現役です。主に中枢神経に作用して、痛みの伝達を抑制することで麻酔薬としての効果を発揮します。主な用途は、歯科治療・外傷・虫刺され・痔用軟膏など。さらに、口から飲めば胃痛や吐き気を抑える効果があり、乗り物用の酔い止めとして用いられることもあります。

下記の構造式を見ると分かる通り、このベンゾカインは他の麻酔薬よりも構造が比較的単純です。とはいえ、ベンゼンなど非常に単純な化合物から合成を始めると何段階にも及ぶので、おうちラボではいささか難易度が高くなってしまいます。そこで、ベンゾカインの前駆物質であるp-アミノ安息香酸を利用するのがよさそうです。この物質は市販のサプリメントに配合されている場合があるため、そこからこのPABAを抽出すれば容易に前駆物質を入手できるでしょう。あとは、このPABAにエチル基を結合すれば目的のベンゾカインを得られます。

ちなみに、このエチル基の導入は高校化学でも習う「フィッシャーエステル化反応」です。これは、カルボキシ基を持つPABAを酸触媒を用いてエタノールと縮合すると、エステルであるベンゾカインが得られる反応のこと。同様の反応が、酢酸エチルの合成として高校の教科書に登場します。なお、触媒となる酸は硫酸など脱水能がある酸が望ましいですが、収率は落ちるものの食品添加物として市販されているリン酸（85%）でも代用可能です。ここまで工夫すれば、劇物など入手の難しい試薬を使わず、市販品のみで麻酔薬が合成できます。

Procaine	Lidocaine	Benzocaine
H_2N–C₆H₄–C(=O)–O–CH₂CH₂–N(CH_3CH₂)₂	(2,6-(CH_3)₂C₆H₃)–CH₂–C(=O)–CH₂–N(CH₂CH_3)₂	H_2N–C₆H₄–C(=O)–O–CH₂CH_3

代表的な局所麻酔薬　右のベンゾカイン（Benzocaine）が、この中で最も構造が単純だ

Memo:

❶抽出

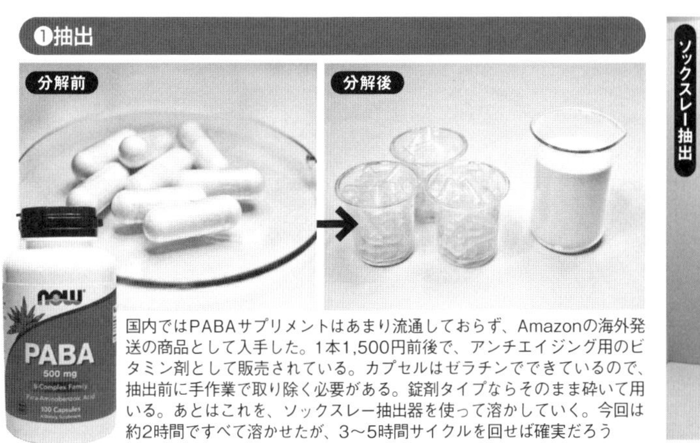

国内ではPABAサプリメントはあまり流通しておらず、Amazonの海外発送の商品として入手した。1本1,500円前後で、アンチエイジング用のビタミン剤として販売されている。カプセルはゼラチンでできているので、抽出前に手作業で取り除く必要がある。錠剤タイプならそのまま砕いて用いる。あとはこれを、ソックスレー抽出器を使って溶かしていく。今回は約2時間ですべて溶かせたが、3〜5時間サイクルを回せば確実だろう

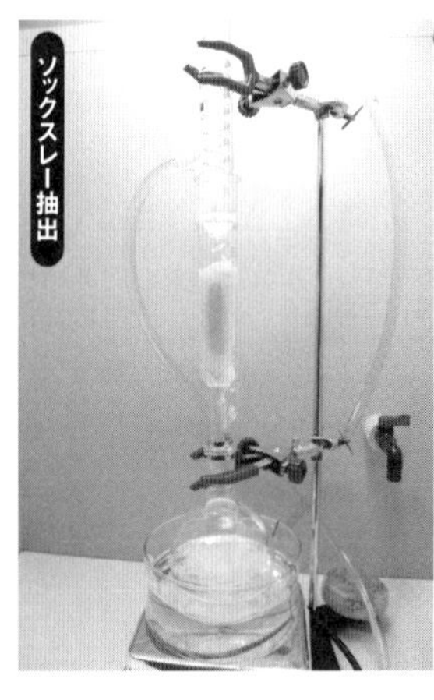

ソックスレー抽出

ベンゾカインの合成手順

今回の実験は、サプリメントからPABAを抽出する抽出段階（①②）と、これに酸触媒でエタノールを反応させるエステル化段階（③〜⑥）という2段構えになります。ということで、実験例と共に各工程の原理とコツを解説していきましょう。

❶抽出

PABAを含むサプリメント100カプセル（500mg/カプセル）を分解し、内部の粉末を取り出す。これをソックスレー抽出器を使い、無水エタノール300mLを溶媒にして抽出する。

解説：サプリメントからPABAを抽出するのですが、今回使用したものはほとんどがこのPABAなので、そのまま反応に用いても成功するのではないかと思われます。しかし、おうちラボでは詳細な成分の分析や純度を検定する術が無いので、不要な不純物は徹底的に取り除いた方が賢明です。想定外の副反応などで反応が失敗したり収率が落ちたり、または見た目では判別できない不純物が完成品に残留することもあります。

そこで、まずは大雑把にPABAだけを取り出すべく、おなじみのソックスレー抽出器を使って溶かし出しましょう。溶媒には、エタノールを使用しました。アセトンなどでもOKです。使用する溶媒の選び方は、目的物をよく溶かし、目的物以外の成分は溶かさないもの。その上で、沸点が低いと後々の工程で有利です。しかし今回は、沸点はアセトンに劣るものの、入手先を考えてエタノールを用いました。

❷精製

抽出液を蒸留により濃縮し最終的に結晶に戻す。これをヘキサン200mLと10分間還流し、吸引ろ過にて結晶を回収する。次いで熱水に飽和させてから室温まで冷却し、PABAを針状の結晶として析出させる。完全に水分が無くなるまで乾かす。

解説：ソックスレー抽出器により取り出した抽出液を、蒸留によって濃縮すればPABAが再び結晶となって析出してきます。この濃縮は蒸留でなくてもOKで、ビーカーなどに溶液を入れて数日放置しても構いません。その場合は、火気と換気に十分に留意しましょう。

何らかの方法で濃縮すると、ほとんどがPABAで構成された粉末が残りますが、実は有機溶媒に溶けやすいステアリン酸（形状安定などの目的で錠剤やカプセル製剤には必ずといっていいほど配合されている）が混入した状態です。濃縮の際にわずかに溶媒を残して濾過してもいいのですが、どうしても一緒にPABAも流れてしまいます。そこで、今度はPABAを溶かさず、

❷精製

抽出したPABA
熱水から再結晶したPABA。針状に析出している。酸化などの影響か、褐色に変化してしまった。実験には特に影響はないので、このまま進める

❸エチル化→❹還流

還流
抽出したPABAに大過剰のエタノールと触媒の硫酸を加える。するとすぐに白色の物質（PABA硫酸塩）が析出して、ヨーグルト状になる。熱すればフィッシャーエステル化反応が進み、次第に溶解して透明になる

不純物であるステアリン酸の方をよく溶かすヘキサンなどの溶媒で洗浄するわけです。普通に洗うだけでも十分ですが、しばらく還流するとより純度が上がります。これを吸引ろ過すれば、ヘキサンと一緒にPABA以外の大部分の不純物が除かれます。

最後に、念のため熱水から再結晶すれば、試薬と遜色ない純度でPABAを抽出できるはずです。また、熱水での再結晶では結晶がわずかに褐色に色づきますが、問題ありません。

❸エチル化

精製したPABA13.71gとエタノール92.14gをフラスコに入れ、しばらくかき混ぜる。室温では溶け切らないが、飽和したところで、触媒となる濃硫酸17mLまたはリン酸（85%）30mLをゆっくりと加える。発熱する場合は、氷水などで外部から冷やしながら行えばよい。

解説：PABAを取り出したら、いよいよ本命のベンゾカインの合成反応に移ります。これは上述した通り、フィッシャーエステル化反応です。この反応は「平衡反応」と呼ばれ、反応が逆方向（加水分解）にも進む少々厄介な性質を持っています。そこで、できる限りエステル化の方向に寄せるために、原料の1つであるエタノールを過剰に用いるのです。こうすることで、エステル化が優先して進み、収率が改善します。また、触媒となる酸を硫酸など脱水作用のあるものにするのも有効な手段です。

実際の実験では、大過剰のエタノールにPABAを溶かし、ここに触媒を加えます。すると、白色の物質が析出し、溶液がヨーグルトのようにドロドロに。マグネチックスターラーの磁力では攪拌できないほどなので、手で少しフラスコを揺すります。この白色の物質は、触媒の硫酸とPABAが反応したPABA硫酸塩です。PABAは酸ではあるものの、別の酸と中和することが可能。というのもPABAはアミノ酸であり、酸性官能基であるカルボキシ基と塩基性官能基であるアミノ基を両方持っているためです。酸が共存する時はアミノ基が活性化して塩基として振る舞い、逆に塩基が共存する時にはカルボキシ基が活性化し酸として振る舞うという、面白い性質を持っています。

❹還流

触媒を加え終えたら、オイルバスで加熱しながら2時間還流。反応を完了させる。

解説：しばらく還流させるとフィッシャーエステル化反応が進行し、溶液は次第に透明になります。透明になってからは外見の変化は特にありませんが、十分反応を進めるためにしっかりと2時間反応させて下さい。

Memo:

❺遊離

PABAとエタノールの反応
p-アミノ安息香酸(PABA)にエタノールを反応させるとベンゾカインとなる。この反応は平衡反応(可逆反応)で、逆方向にも進行する。また、PABAはアミノ基(塩基性,青)とカルボキシ基(酸性,赤)の両方の特性を持つアミノ酸。一方、反応後のベンゾカインはエステル結合(中性,黄)を持つことでアミノ基の塩基性だけの性質が残り、塩基性の物質に変化する

❻精製

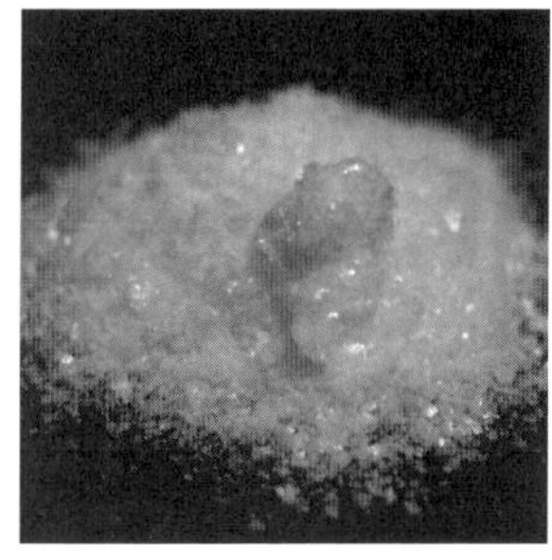

ベンゾカイン
最終的に得られたベンゾカイン。写真は約3gだが、実際には12g程度になる。再結晶したので純白の結晶となった

主な材料		
PABAサプリメント	無水エタノール	ヘキサン
濃硫酸	炭酸ナトリウム	純水

❺遊離

反応液を大きなビーカーに取り、溶液が弱塩基性になるまで飽和炭酸ナトリウム溶液を加えて中和する。遊離した白色粉末を吸引ろ過にて回収し、純水で十分にすすぐ。

解説：反応液には現在、ベンゾカイン・硫酸・エタノール・未反応のPABAなどが含まれます。エステル化の反応によってPABAの酸として振る舞うカルボキシ基がエステル結合によってふさがれているので、ベンゾカインはもうアミノ酸ではなく、塩基性の物質になりました。つまり、現状では硫酸と塩を作っていることになります。この状態では結晶として取り出すのが難しいので、ベンゾカインよりも強い塩基である炭酸ナトリウムの飽和溶液を加えると、硫酸はナトリウムと結合。遊離したベンゾカインは、水に溶けないので沈殿します。この時、炭酸ガスの泡が出るので、できるだけ大きなビーカーを使いましょう。今回の分量なら、1Lサイズであれば余裕を持って反応を進められます。

❻精製

極力少量の無水エタノールに溶かし、沸騰状態でわずかに濁る程度まで水を加える。これを穏やかに常温まで冷やし、析出した結晶を吸引ろ過する。十分に乾燥させれば、約12g程度のベンゾカインが得られる。

解説：より純度を高めるため、再結晶を行います。ベンゾカインは水には溶けず、エタノールには非常によく溶けるという性質があります。中間の溶解度を持つ溶媒を探すのは大変なので、できるだけ少量のエタノールに溶かしてから加熱したまま少し濁るくらいまで水を足していきましょう。するとちょうど良い具合に溶解度が下がり、再結晶がうまくいきます。あとはこれを吸引ろ過で回収し、ろ紙上で何度か水で洗浄すれば不純物がきれいに洗い流され、試薬グレードの純度でベンゾカインが得られるのです。

まとめ

さて、ここまで駆け足になりましたが、ベンゾカインの合成について解説してきました。このように、有機化学の手法を使えば、分子変換を使って身近な市販品から麻酔薬のような特殊な薬剤をも自作できてしまうのです。まさに魔法…！　これこそが、おうちラボの楽しみの真髄ではないでしょうか。私たちの身の回りにはさまざまな化学製品があふれており、それらを成分や分子構造などといった、科学の視点から見ることで、刺激的で面白いアイデアが浮かんでくると思いますよ。

アリエナイ記憶力アップテクニック

ちょっぴりエロさを感じる薬の名前

真面目な薬学用語ながら、その日のコンディシィンによってはちょっと官能的に聞こえてしまう薬の名前をピックアップ。難解な用語でもエロく変換すれば、覚えやすくなるハズ…、多分！ text by ツナっち

「人類の歴史は薬の歴史」といわれるように、人類は数千年も前から薬を使用してきました。先人が地道に研究を重ね薬を研究・開発することによって、さまざまなケガや病気に打ち勝ってきたのはご存じの通りです。現在では軽いケガや病気ならドラッグストアで薬を買えば事足りますし、一部を除く割りと重いケガや病気でも病院で処置しもらえば軽快します。つまり、人類はエグい量の薬を開発することで、数多のケガや病気に対処してきたわけでです。

…待てよ、そんなにエグい量の薬があるなら、中には日本語にしたらエロスを感じる名前の薬があっても不思議ではないのでは…？　ちょっと真面目な感じで始めてみましたが、ここでは数多く存在する薬の中から「エロさを感じる名前の薬」を皆さんにご紹介しましょう。覚えにくいと思った薬でも、少し視点を変えれば意外と記憶に定着しやすいハズです。あくまで皆さんの学習をサポートするための記事なので、誤解の無いようにお願いします！（笑）

ハンゲ

この世界観を理解していただくために、軽くジャブからいきましょう。生薬の一種である「ハンゲ」。漢字では「半夏」と書きます。ハンゲは、サトイモ科のカラスビシャクという植物の肥大化した根っこ（塊根）の部分です。ジャガイモやサツマイモの可食部と考えれば分かりやすいでしょうか。かなりメジャーな生薬で、一般的な漢方の中に結構な確率で配合されています。効能は、鎮静や鎮咳去痰などです。

さて皆さんは、この名前にエロスを感じることができるでしょうか？　感じていない方は、発音のイントネーションを最初に持ってきてると思います。では、股間辺りに生えている毛の名前を1度声に出してから、「ハンゲ♪」と言ってみましょう。そうです、これがハンゲの魔力なのです！　クラスで物静かだったあの子の魅力に気づいた感じと言いましょうか…。これからはハンゲが配合された漢方を見つけたら、顔をポッと赤らめるかもしれませんね。

ハンゲは、サトイモ科カラスビシャクの塊茎。夏の半ばに花が咲き、その頃採取することに由来する。「小半夏加茯苓湯」「半夏瀉心湯」「半夏厚朴湯」など、漢方に幅広く配合される。実はそこら辺に自生しているので探してみよう

Memo: 薬の名前がいっぱい出てくる学問を薬理学といいます。何かにリンクさせるのは記憶に残りやすいですし、ましてやエロなどのインパクトが強いものにつなげるとさらに定着しやすくなるものです。辛い暗記でも楽しく勉強しましょう。

マンニトール

マンニトール
医薬品としては脳圧降下・浸透圧利尿剤に分類され、急性腎不全の予防や治療に用いられる

マンニトール　キシリトール

マンニトールとキシリトールの構造を比較すると、仲間なのがよく分かる。マンニトールは糖アルコールの一種で自然界にも広く分布し、キシリトールと同じくキャンディやガムの甘味料としても利用されている

「マンニトール」は浸透圧利尿薬です。糖アルコールという糖の一種で、同じ仲間には歯に優しい「キシリトール」なんかがいます。尿細管内浸透圧を高めることで、水分を尿細管に移動させ尿排泄量を高める薬です。要は、めっちゃおしっこを出す効能があり、乏尿性腎不全の患者などに処方されます。なんというか、この「マンニ」の部分、すごくイイですよね！　ヨーロッパから西アジアにかけて自生する、モクセイ科のマンナトネリコの甘い樹液（マンナ）から発見・命名されたそうで、一朝一夕に付いた名前ではなく歴史を感じます。まあ、とにかく、年頃の男子諸君なら、下半身を思い浮かべながら「マンニトールはおしっこの薬」と覚えておきましょう。これできっと忘れないよね！

ペニシラミン

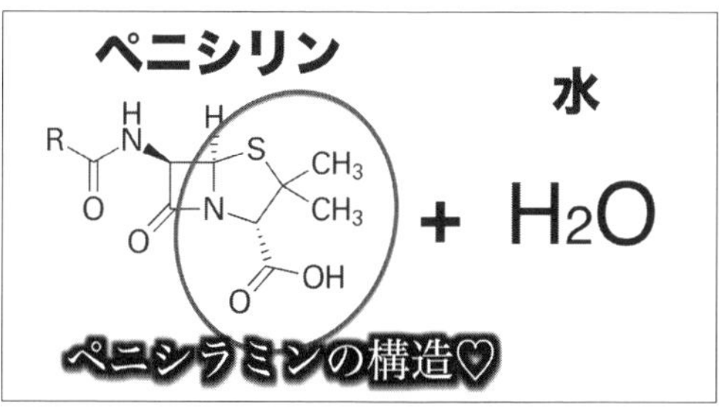

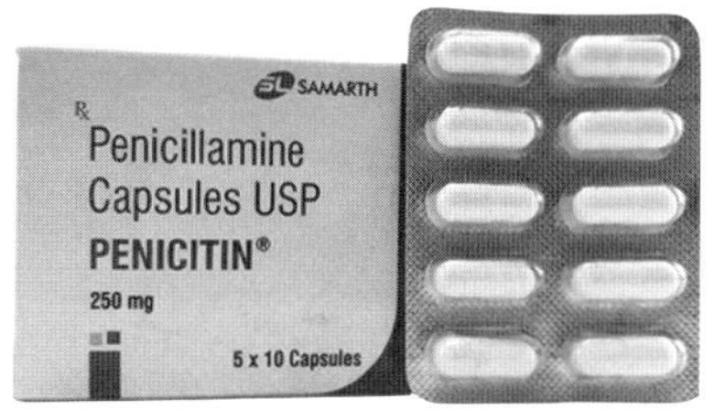

ペニシラミン
金属と強く結合する性質があり、尿中へ排泄させる働きをする重金属中毒の解毒薬として使われる。また、抗リウマチ薬としても使用される

だいぶ頭がほぐれてきたと思うので、抗リウマチ薬や重金属解毒薬として使われる「ペニシラミン」を紹介しましょう。医療ドラマ『JIN－仁－』で一躍有名になった抗菌薬「ペニシリン」に、水を加えて加水分解すると出来上がります。薬学的に見ると、抗菌薬に水を加えて抗リウマチ薬・重金属解毒薬に変化するというのはとても興味深いです。生命活動を維持する上で金属類はほんの少し必要なのですが、あまりにも多いと金属中毒になってさまざまな病気を引き起こします。ペニシラミンは体の中に入ると、中毒を引き起こしている金属とキレート（結合）し、尿中に金属を排出することによって中毒を抑えるのです。さて、この薬の名前の肝は、「ペニシ」の辺り。仮に何か違和感を感じても、この薬の名前を発音する時はハッキリ言って下さいね。「ペニ」の部分で躊躇して、尻すぼみ的に言うとさらに恥ずかしくなりますよ！　マンニトールとペニシラミン。えっ、なんですか？　僕はただお薬の名前を並べてるだけですよ！

インチンコウ

生薬にはさまざまな薬用部位がある。インチンコウは花の部分(頭花)。「茵蔯蒿湯」「茵蔯五苓散」などに処方される

カワラヨモギはキク科の多年草。名前の通り河原や海岸など、日当りの良い砂地に自生している

想像力が豊かになってきたところで、「インチンコウ」を紹介しましょう。こちらは生薬の一種で、漢字では「茵蔯蒿」と書きます。インチンコウは、カワラヨモギという植物の頭花の部分です。カピラリシンやカピリンなどの成分を含み、主に消炎や解熱の作用があります。これを使った漢方の「茵蔯蒿湯」は、皮膚や眼球が黄色くなる黄疸、身近なところだと蕁麻疹や口内炎にも適応があり…。もう真面目な解説はこの辺でいいですか？　こちらに関してはエロスの女神が微笑み散らしているので、ハッキリ言わせて下さい。これが薬学界の「チンコ」です！　しかもこれで終わりません。英語と組み合わせると、より力を発揮します。「IN チンコー！」。一体何にINしようっていうでしょうか？　とりあえず、この辺にしておきます…。

シルデナフィル

「IN チンコー！」とハイテンションでINしたものの、シルが出なかったら意味ないですよね？　そこで「シルデナフィル」の出番です。出来過ぎた話のようですが、こちらもエロスの女神にとっても愛されていまして、CHINCHINをBINBINにさせるお薬なのです。ちょっと薬学的な話をしますと、勃起不全治療薬・肺動脈性肺高血圧症治療薬に分類される薬です。

体の中にcGMP（サイクリックGMP）という血管を拡張する物質があり、この物質が作用すると血の流れが良くなります。逆にこのcGMPの作用を止める場合には、PDE5（ホスホジエステラーゼ5）という酵素が働き、このcGMPを分解することで血管を収縮します。勃起不全や肺動脈性肺高血圧は、PDE5がcGMPを多く分解して血管の拡張を必要以上に抑えてしまうことで発生するので、このPDE5を阻害するのがシルデナフィルなのです。

つまり、シルデナいしょぼくれたOCHINCHINをBINBINにする薬…というわけ。間違ったことを何も言っていないので、友人に説明する時はぜひ胸を張ってイッて下さいね！

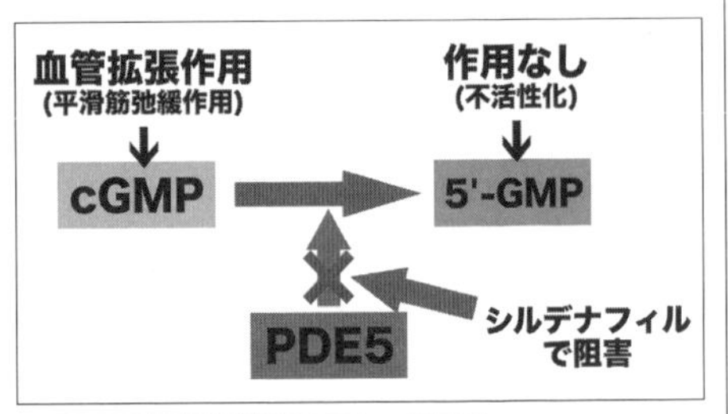

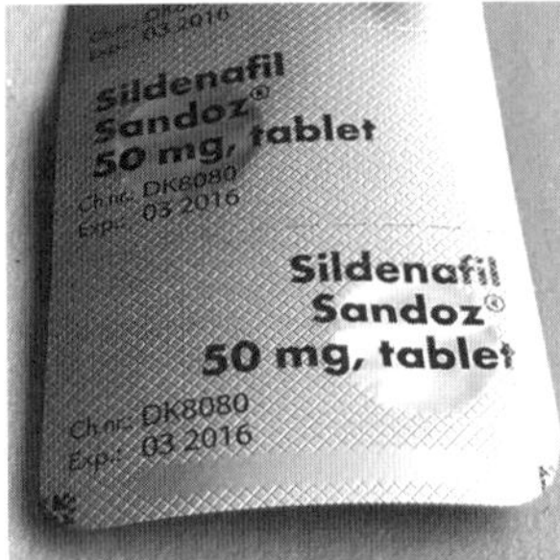

シルデナフィルの阻害作用
PDE5のcGMP分解作用を阻害することで、血管を拡張し陰茎を勃起させる。ED薬として有名な「バイアグラ」の主成分である

Memo:

フルボキサミン

ナニかを連想させるお薬にはこのようなものもございます。「フルボキサミン」は、SSRI（選択的セロトニン再取り込み阻害薬）に分類される抗うつ薬です。「選択的セロトニン再取り込み阻害薬：Selective Serotonin Reuptake Inhibitor」を覚えていると薬学に強そうな人に見えるので、ドヤるために覚えておくのもいいかもしれませんよ。「うつ」とは気分障害の一つで、気分が乗らなかったり、食欲がなくなったり、疲れやすくなったりして、日常生活が負に傾いてしまう病気です。脳の構造が複雑ゆえに、まだ完璧に解明されていないところもあるのですが、神経伝達物質であるセロトニンという物質が減少するのが要因の一つだといわれています。薬の作用機序はここでは詳しく書きませんが、フルボキサミンは脳内のセロトニン量の減少を抑えることで効果を発揮します。

エロスは生物の根源的欲求だと自分は考えているので、「フルボキ」の部分を見て「フルボッキ」を想像しない人はいないでしょう。「フルボキサミン」と大きな声を出して読み上げ、見事にそそり立った構造式をご覧になってしっかりと覚えて下さいね。

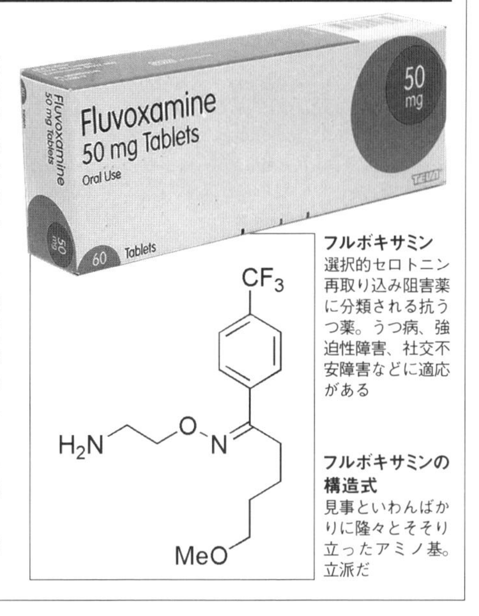

フルボキサミン
選択的セロトニン再取り込み阻害薬に分類される抗うつ薬。うつ病、強迫性障害、社交不安障害などに適応がある

フルボキサミンの構造式
見事といわんばかりに隆々とそそり立ったアミノ基。立派だ

ビンクリスチン

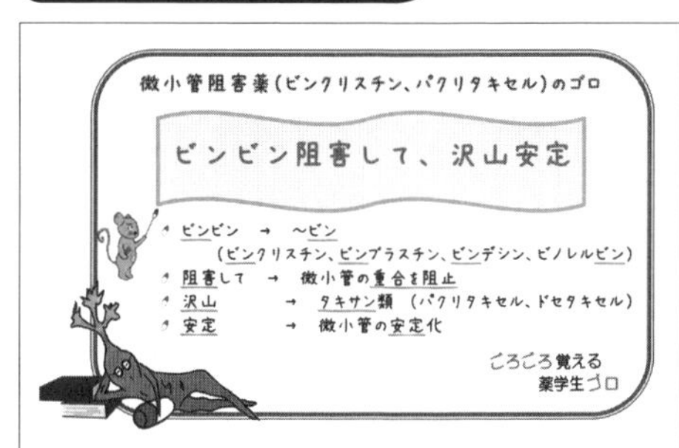

ごろごろ覚える薬学生ゴロ
http://gorogorooboeru.blogspot.com/
薬学生は、膨大な薬や構造式を覚える必要がある。そんな哀れな子羊を救済しようとする、聖母マリアのようなサイトが結構ある。邪道だろうが何だろうが、あらゆる手を駆使して留年を回避しよう…！

ビンクリスチン
抗がん剤の一種で、抗悪性腫瘍剤に分類される。急性白血病、悪性リンパ腫、小児腫瘍などに効果がある

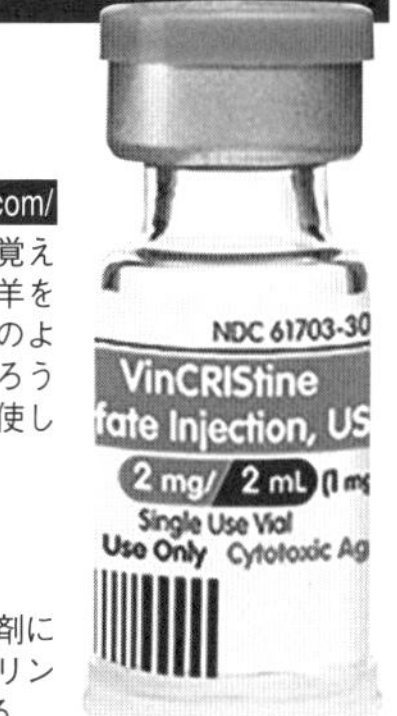

今回の講義の最後は「ビンクリスチン」で締めましょう。抗がん剤の一種です。正常な細胞は命令に従い増殖したり、死んだりします。しかしがん化すると、その命令を無視して一生増え続けます。つまりがんとは「言うことを聞かずに無限に増殖する細胞」なのです。この増殖段階の微小管重合反応という部分を阻害するのが、このビンクリスチンという薬なのです。

まず気になるのが「ビン」ですよね。なんだかとっても元気になりそうな感じがする響き…。それに追い討ちをかける「クリスチン」。ブラボーです。

ちなみに、実際にいたギャル薬学生のビンクリスチンの覚え方は「ビンビンクリト〇スチ〇チン」でした。何だかヌルッと頭に入りましたね？　これで皆さんも、死ぬまでビンクリスチンを忘れないことでしょう。

これらの説明を動画で見たいなら、ツナっちの個人チャンネルに遊びに来て下さい！
●【大真面目】薬学部男子が盛り上がる、ほんのちょっとエロい薬学用語！
●どうしてもエロさを感じてしまう薬の名前を集めてみました

痛みってなんやねん?
痛み止めの薬学［前編］

人間の命を守るため痛いという感覚は必須。その一方で、そうした痛みを抑えるための薬も古くから研究されてきた。アヘンにアスピリン…痛みとの戦いの歴史を振り返ろう。 text by 淡島りりか

「痛い！」って感覚。誰にでもありますよね？　しかしこの痛みというのはかなり幻想的なもので、実は痛みの感じ方は人それぞれで全然違うということが知られています。つまり「痛み」とは非常に主観的なもの。いうなればセクハラと同じように、本人が痛いと思えば痛いとさえいえるのです。

そんな馬鹿なと思うなかれ。例えば、とんでもない大ケガをすると大半の人が「最初は全然痛くなかった」と口を揃えて言うのです。大ケガの場合は脳内麻薬で痛みはアッサリ無視されます。つまり、痛がっている場合じゃないので、脳自体がオフにできる機能を持っているというわけです。虫歯なんかも、ある日急に痛くなりますよね。でも本当は少しずつ痛かったはずなのですが、無視していたに過ぎません。それがいよいよ無視できない状況になったことを、体が知らせているのです。

つまり、受け取り方は人それぞれってこと。

もちろん多くの人々にとって、痛みは不快な感覚です。まあ、痛みを与えられることが快楽とつながっている奇特な人も一部存在するわけだけど、それは痛みにより下降性抑制系が働いて内因性オピオイドが出る回路ができているからだそう（特殊なプレイの人ね）。そういった趣向の方々は痛くてもハッピーだと思うので、そっとしておくことにします。今回は、痛みは不快だという感覚を持ってる大多数の皆さんのために話をしていきましょう。

まず、敵を知るところから。痛みの存在意義です。

無くてもよくない？…と、思うかもしれません。

しかし、痛みが無いと、サラダを作ろうとしてザクザクと野菜を切っている最中に、自分の指を切り落としても気づかないという可能性があるのです。血の味ドレッシングの切りたて指入りサラダとか、ちょっと嫌かな。私なら気にする。めっちゃ気にする。

…このように痛みは、人間が五体満足で生きていく上で必要な感覚なのです。実際、無痛無汗症という先天性の疾患があるんですが、この疾患の人たちは病名の通り痛みを感じません。その結果、生涯体のパーツが欠けることなく過ごせる可能性が低いという話を聞きます。つまり、痛みとは体からの「Emergency!」ってメッセージなのです。痛みがあるからこそ自分の体を労わることができるって考えると、いかにこの「痛い！」という感覚が重要であるかお分かりになるでしょう。

ただ、死なないために侵襲※に対して生理的な痛みは必要だとしても、やっぱり痛いもんは痛いし、原因がはっきりしている病的な痛みに関しては極力抑えられた方が良いわけです。人類には痛み止めの薬を見つけて、何千年も前から利用してきた歴史があります。

痛み止めの歴史

歴史ある痛み止め代表といえば、「アヘン」と「アスピリン」ですよね。両方とも植物由来。意外と思うかもしれませんが、現在使われていたり開発されている薬の少なくとも約20%は、何らかの植物由来のものだったりします。

歴史上、多くの人々が毒殺されてきました。かつては植物の知識があると、人を殺すことも治療することもできたのです。植物は毒にも薬にもなります、

Memo: ※生体内に医療的であろうがなかろうが、ダメージを与える全般への表現に使う言葉だよ。

Chelsea Physic Garden（チェルシー薬草園）

https://www.chelseaphysicgarden.co.uk/

1673年、薬草栽培のために開設。イギリス・ロンドンにある長い歴史を持つ薬用植物園だ

Kew Gardens（キュー植物園）

https://www.kew.org/

こちらもロンドンにある王立植物園で、貴重な資料を数多く所有。2003年にユネスコ世界遺産に登録された

量次第でね…。

プランツハンターが世界中から薬になったり、食料・香料・繊維として利用できる資源植物を集めて英国に持ち帰っていたのも、その辺りの事情があります。今も新薬の材料を求めて未開の地を探検している研究者が多いのは、ご存じの通り。

英国においてその集大成は、現在の「Chelsea Physic Garden」や「Kew Gardens」です。

Chelsea Physic Gardenは、周辺の開発に伴い縮小してしまい現在一部が残る状況ですが、とはいえ古い時代の英国における薬草治療を学べたり、ガイドさんのツアーがあったりして大変興味深い薬草園となっています。Kew Gardensもただの植物園ではなく、当時から現在まで研究機関としても機能。巨大な温室がいくつもあって敷地も広大で、1日じゃとても見尽くせないくらいに見応えたっぷりなので、ロンドンにお立ち寄りの際はぜひ行ってみて下さい。私も大好きな場所の1つで、年パスを持ってたりします。

…話がそれましたが、毒/薬草っていうのは口にすると大体苦いんです。というのもそれらの多くに、アルカロイドが入っているから。最初期の医薬品は、意外と構造が複雑なものが多いです。これらは大体が植物由来のアルカロイドで、簡単に分離できます。

「モルヒネ」もそうですね。対して、最初に合成された（というか半合成された）アスピリンの構造が単純なのは、合成の技術が発達していなかったからです。なので、人類が化合物の構造を意図的にイジれるようになったのって、割と最近の話なんです。有機化学ってそう考えたら新しい。先祖は錬金術なので、そこから派生して150年程度かな？　私は錬金術師の弟子の弟子の…（略）…弟子の弟子ともいえるわけですねｗ　いや、長期連勤術師ですし間違ってないと思います（悲）。

モルヒネ

アスピリン

ヘロイン

サリチル酸 + 無水酢酸 → アスピリン + 酢酸

アスピリンは柳の木から生まれた！　柳の樹皮から抽出したサリチル酸に無水酢酸を加えて合成する。その流れはこんな感じ

❶アヘン

何千年も前から使われている、ケシから得られる鎮痛物質です。ケシ坊主に浅く切り傷を付けると白色の乳液が分泌され、褐色になって凝固します。それを集めて、乾燥させたものがアヘン（阿片）。戦前の大らかな時代の日本でも、当時は一般的な薬の1つでした。その時代の家庭の医学的な本をめくると、やたら阿片が使われている記事を目にします。

『シャーロック・ホームズ』を読んでいても、アヘンやモルヒネに遭遇します。ヤク中ホームズは、「今日はモルヒネかい？コカインかい？？」って、ワトソン君に皮肉られてますし（ドイル先せi…じゃない、ワトソン君はお医者さんなのでモルヒネは縮瞳、コカインは散瞳ってもちろん知ってて尋ねている。きっと…）。ちなみに、強力な鎮痛作用を有するモルヒネは1804年、ドイツの薬剤師であるゼルチュルナーによってアヘンから単離されたものです。で、さらにそれを修飾したものが、「ヘロイン」というわけです。

▼アヘンアルカロイドの構造活性相関

基本骨格に結合している置換基を変換することで、効果の強弱が変化するのを統計的に調べたものが構造活性相関。それはアヘンアルカロイドにおいても知られています。図1のように鎮痛作用の発現に必須の構造がN-メチルフェニルピリジン環で、その上で3位や6位の置換基が何か、7位が二重結合かどうかといったその構造を比較することで薬効の強弱が分かるのです。これを見るとヘロインの作用がとても強力である…というか、強過ぎることが理解できるでしょう。ちなみに、効果と副作用はともに超強力なので、2019年現在、日本では医療用として使われていませんが、英国では医療用として用いられていたりします。

❷アスピリン

1897年、ドイツの製薬会社バイエル社により合成されてから、現在に至るまで全世界で歴史上最も多くの人々に使われている鎮痛薬です。アスピリンはそもそも柳の木由来。柳の木自体は、解熱鎮痛を目的として洋の東西を問わずに1000年以上前から使われています。しかし、含有されるサリチル酸には胃腸への負担が大きいという問題がありました。そこでサリチル酸をアセチル化することにより、胃腸への副作用を出にくくしたのがアスピリン（アセチルサリ

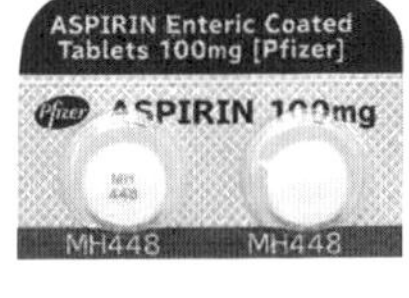

ファイザーアスピリン（100mg）

Memo:

図1　官能基により鎮痛の強さが変わる　アヘンアルカロイドの構造活性相関

●ケシ科アヘンには、モルヒネ・コデイン・ノスカピン・パパベリンなどのイソキノリンアルカロイドが多く含まれる。
●そのうちモルヒネを代表とするフェナントレン誘導体アルカロイドは、麻薬性で鎮痛作用を示す。
●官能基の違いにより、鎮痛作用の強さが異なる。

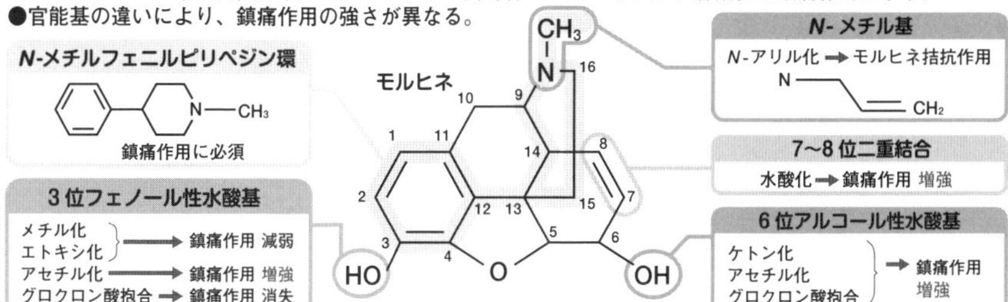

構造活性相関に基づく麻薬性鎮痛薬の強さ

●アヘンアルカロイドの経口投与時、鎮痛作用の強さは部分構造の違いによって以下の順となる。

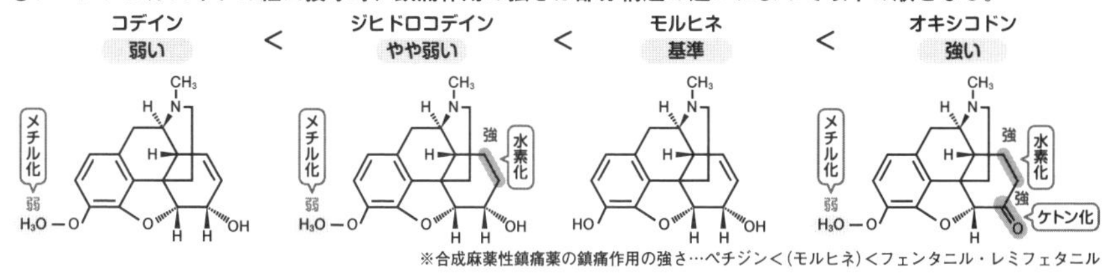

※合成麻薬性鎮痛薬の鎮痛作用の強さ…ペチジン＜（モルヒネ）＜フェンタニル・レミフェタニル

チル酸）なのです。人類が合成した医薬品の第1号がこれ。非常に長きにわたって人々に使われてきた理由は、副作用の発現頻度が比較的少なく、比較的安全な薬であることと、研究が進み解熱鎮痛以外にも効果があることが分かってきたからです。後者の効果というのは、血をサラサラにして血管を詰まらせないようにするなどの作用なのですが、説明し出すと収集が付かなくなるのでここでは割愛します。悪しからず。

▼アスピリンの合成

ということで、アスピリンを合成する流れをざっと解説しましょう。

サリチル酸開発当初、材料のサリチル酸は柳の葉に含まれるサリシンを分解して得ていました。サリシン自体は柳全般に含まれる成分なので抽出し、加水分解してできる酸がサリチル酸です。そのサリチル酸をアセチル化します。薬学部なんかじゃ有機化学の最初の実習でやるような、簡単で割とすぐに終わる反応です。手順は以下の通り。

(1) サリチル酸（1eq）に無水酢酸（3eq）加える。80℃で15分程度加熱撹拌し、サリチル酸の結晶を溶かす。
(2) 濃硫酸（触媒量）を加え、1時間ほど加熱攪拌する。濃硫酸は触媒なので、サリチル酸数gに対して数滴と少量。
(3) 反応液を氷水に注ぎ、出てきた沈殿をろ取。冷水でよく洗い乾燥させる。

以上。不純物を除きたかったら再結晶させて下さい。鎮痛目的で飲むなら1回あたり500～1,500mgってとこですね。

なお､｢eq｣とは､｢(モル)当量｣のこと。mol換算して何倍量使うのかって比率のことです。

サリチル酸（無水）	138.121 g/mol
無水酢酸	102.09 g/mol

サリチル酸138g（1mol）を1eqとして、102g（3mol）、つまりサリチル酸に対してモル比で3倍、3eqの無水酢酸を使う…という意味になります。

参考／『薬がみえる vol.1』（医療情報科学研究所）

薬でどうして痛みが消えるの?

痛み止めの薬学［後編］

痛みの種類に応じて使用する薬は変わってくる。ロキソニンは便利だけど、何でもそれで済ますのは良くない。痛みを抑えるメカニズムを理解して、ちゃんと効く薬を使おう。　text by 淡島りりか

痛み止め薬。便利ですよね。でも痛みってどうして止まるのでしょう？「痛みとは何か」を知れば、痛み止めの本質に加えて、皆さんの体の不思議に迫ることができますよ！　分類する人の趣味によりますが、痛み止めはザックリと以下のように分類可能です。これらの薬を状況によって使い分けます。

その前に、まず痛みの種類について確認。大きく分けて、体や神経が傷付けられることによる痛み＝器質的な痛みと、心因的な痛み＝非器質的な痛みがあります。心因性の痛みは脳内でのエラー処理的な感じで、体や神経が傷付けられていないのにもかかわらず現れる痛みです。切断した腕が痛いとかそういった類いのものも含まれます。その治療法については、長くなるので今回は割愛。

いわゆる痛み止めを使うのは前者の器質的な痛みです。体や内臓の痛み（侵害受容性疼痛）と、神経の痛み（神経障害性疼痛）に対して。ただ、痛みは単体で現れるわけではなく、絡み合っている場合も多いのです。ここでは痛み止めで治療が可能な、器質的な痛みに関して話をしていきましょう。

まあ、実際に使われるかどうかは、保険が通るかや薬の法律的な規制区分などの兼ね合いもあるのでいろいろとややこしいのですけど…。

❶オピオイド

「オピオイド」は、オピオイド受容体に結合するオピウム類縁物質として命名されました。アヘンアルカロイド（モルヒネ・コデイン・ヘロインなど）や、そこから合成された化合物（フェンタニル・メサドンなど）があるほか、内因性の化合物（エンドルフィン・エンケファリンなど）も存在しています。いずれもオピオイド受容体に結合することにより痛覚の伝達を抑制し、その抑制を亢進させる鎮痛作用を示します。

また、カギをかけた堅固な設備で保管し、出納の記録も必要といった法律的に麻薬としての扱いを受ける麻薬性のもの（モルヒネ・フェンタニルなど）。また、特別な管理を必要としない一般的な薬と同様で非麻薬性のもの（トラマドール・ペンタゾシンなど）といった、あくまでも運用する上での分類もあったりします。

❷非オピオイド（NSAIDs・アセトアミノフェン）

「NSAIDs」はNon-Steroidal Anti-Inflammatory Drugs/非ステロイド性抗炎症薬の略で、我々が一般的によく目にしたり飲んだりしているものです。「バファリン」「ロキソニン」「EVE」など、皆さんが知っている大体の痛み止めや炎症止めがここに該当します。これらには抗炎症作用・鎮痛作用・解熱作用があ

アセトアミノフェン

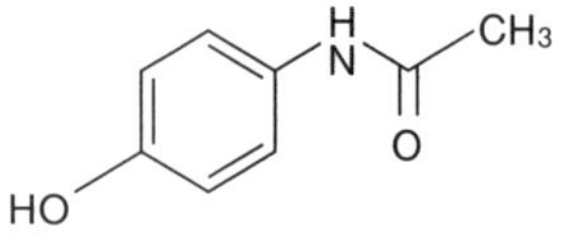

リリカ/プレガバリン

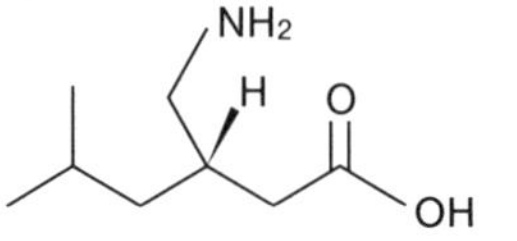

タリージェ/ミロガバリン

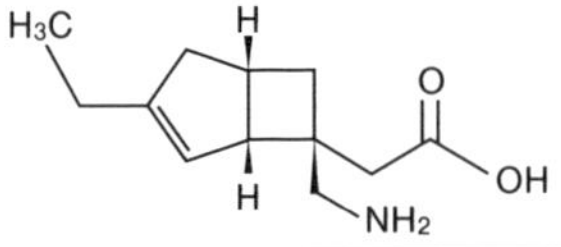

Memo:

図1 COXを阻害して抗炎症作用・鎮痛効果をもたらす NSAIDsの作用機序

NSAIDsは、プロスタグランジン（PG）産生酵素であるシクロオキシゲナーゼ（COX）を阻害。鎮痛効果をもたらす。

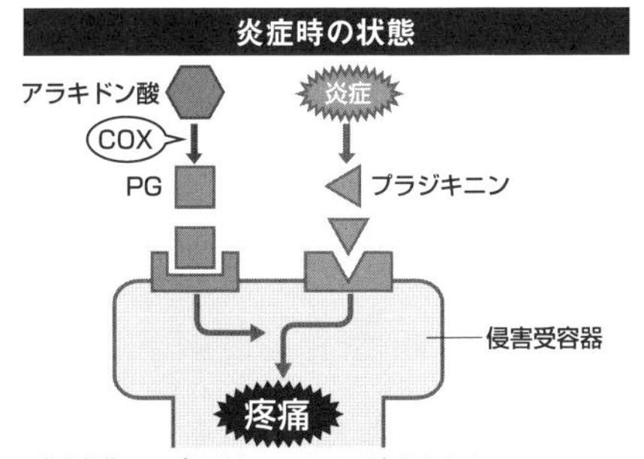

・炎症部位で、ブラジキニンやPGが産生される。
・ブラジキニンは発痛物質で、侵害受容器を刺激して疼痛を生じさせる。
・PGは発痛増強物質で、ブラジキニン感受性を高める。
・PGは、COXによりアラキドン酸から作られる。

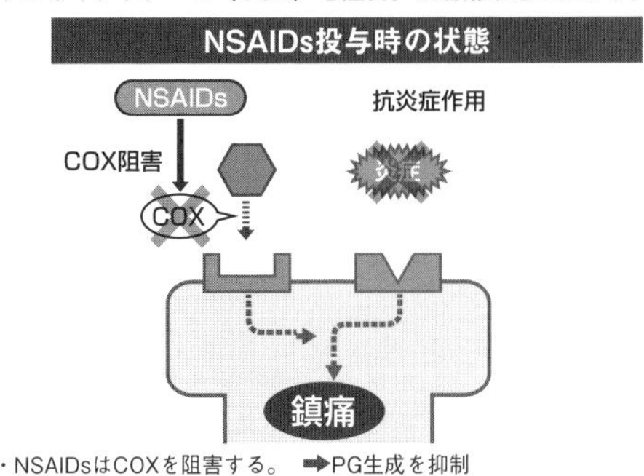

・NSAIDsはCOXを阻害する。➡PG生成を抑制
➡ブラジキニン感受性を低下させる
➡鎮痛作用
・ブラジキニン生成を抑制する。➡抗炎症作用

り、ステロイド以外の抗炎症作用を持つ薬を一括りにNSAIDsと呼んでいるのです。作用機序は、炎症や発熱の原因であるプロスタグランジン（PG）を生成する酵素シクロオキシゲナーゼ（COX）を阻害することによります（図1）。

ちなみに、アセトアミノフェンはよく一緒にされてたりしますが、COX阻害作用が弱いようで、抗炎症作用もほとんど無いのです。どうも別の作用機序で効果を発現しているらしく、厳密にはNSAIDsには分類されていません。安全に使えて、なんか効いてるけどなんで効いているのかは、実はイマイチはっきり分かっていない…。医薬品でこういうのは珍しいことではなく、「なんか知らんけど効いてる薬」というものはそれなりに存在します。

ここからは、PGを作る酵素COXについて少し詳しく見ていきましょう。酵素COXは、1・2・3と3つの型があります。COX-1は全身に常時存在しているのに対して、COX-2は炎症が起きている時に炎症部位にのみ現れます。COX-3は置いときましょう。

さて、COX-1は炎症も起きていないのに、なぜ年がら年中存在してPGを作ってるのかってことですが、PGには痛みを引き起こす以外にも役割があります。例えば血流を良くすることで消化管粘膜や腎臓を守っていたり、胃酸が分泌され過ぎないようにしていたり、体の機能を維持することにも使われているのです。現在使われている多くのNSAIDsは、COX-1もCOX-2も区別なく阻害するので、これが副作用の原因になっています。強い痛み止めの副作用として胃腸障害がセットって知ってる人は、結構いるかと思いますけど、この辺が関係しているわけです。

そこで賢い皆さんは、「COX-2だけ阻害したらいいじゃないか！」って思いますよね？

もちろん先人達もそう考えて、いろいろ創り出してきました。現在国内で医療用として使われている「セレコックス/セレコキシブ」「モービック/メロキシカム」「ハイペン・オステラック/エトドラク」が、そのCOX-2選択的阻害薬になります。

ただ、COX-2への選択性を上げ過ぎるのも良くないことが分かってきました。今度は、心筋梗塞や脳梗塞などのリスクが上がるからです。COX-2は血管拡張・血小板凝集を防ぐプロスタサイクリン産生に関わっていて、COX-1は血管収縮・血小板凝集を起こすトロンボキサン産生に関わっていると考えられています。つまり、薬を創るということは、人間の生理とにらめっこなのです。

ということで、COX-2を阻害してCOX-1を阻害しなかったら、2方向から血栓を作る方に舵を切ることになり、血管が詰

参考文献など
●『薬がみえる vol.1』（メディックメディア）

図2 シナプス前終末のCa2+チャネルを抑制する プレガバリンの作用機序

プレガバリンは、神経障害に伴う疼痛に対して鎮痛効果をもたらす。

疼痛時の状態

・末梢神経障害性疼痛は、侵害受容器への刺激は無いのに、病的な神経伝導が生じることで痛みを感じる。

・シナプス前終末においてCa^{2+}チャネルよりCa^{2+}が流入し、グルタミン酸などの神経伝達物質が放出されて、シナプス後膜へ疼痛刺激を伝達する。

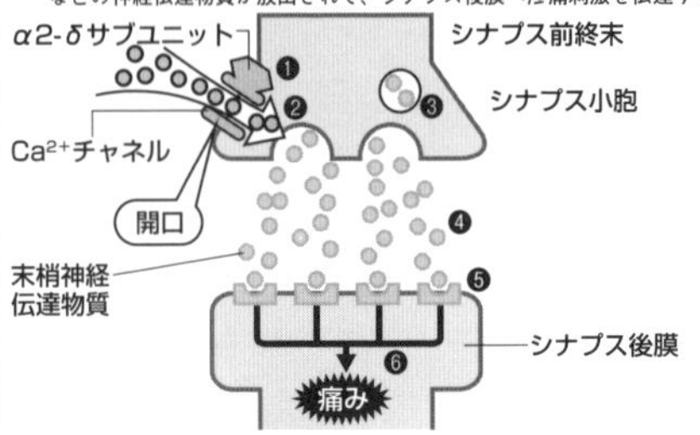

❶シナプス前終末の電位依存性Ca^{2+}チャネルが活性化する
❷Ca^{2+}が流入する
❸シナプス小胞が誘導される
❹神経伝達物質を放出する
❺神経伝達物質がシナプス後膜の受容体に結合する
❻疼痛刺激が伝達される

プレガバリン投与時

・プレガバリンは、シナプス前終末のCa^{2+}チャネルに結合し、Ca^{2+}の流入を抑制する。また、Ca^{2+}チャネル発現量も低下する。

・結果、神経伝達物質放出が抑制され、疼痛刺激は遮断される。

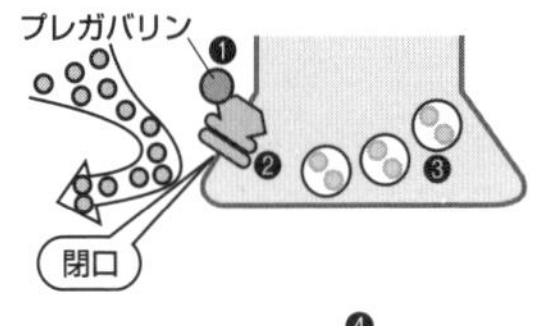

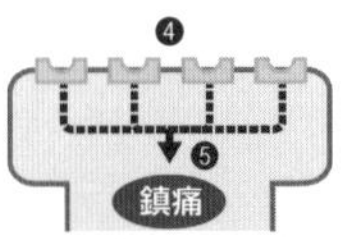

❶Ca^{2+}チャネルのα2-δサブユニットにプレガバリンが結合する
❷Ca^{2+}チャネルが閉じて、Ca^{2+}の流入を抑制する
❸シナプス小胞から神経伝達物質は放出されない
❹シナプス後膜へ疼痛刺激が伝達されない
❺鎮痛効果をもたらす

まってしまうのです。その結果、広く使われているCOX-2選択的阻害薬は、COX-2をほどほど選択的に阻害する、上述した3つくらいになっています。いろいろ試行錯誤があったようですが、「ロフェコキシブ」「ヴァルデコキシブ」など心血管系の副作用で市場から消え去った薬も割とあると聞きます。

なお、ロキソプロフェンはCOX-1とCOX-2の両方阻害しますが、胃腸障害は比較的起きにくいNSAIDです。選択性が無いのになぜでしょう!? 理由はロキソプロフェンの胃粘膜透過活性が他のNSAIDsより弱く、粘膜細胞へのダメージが少ないから。ゆえに胃腸障害が出にくく、血栓症のリスクも少ないので使いやすいのです。生み出したのが日本の製薬会社・第一三共だということもあり、実際、国内では他の追随を許さないほどよく使われています。

今後もしロキソニンと同等以上のNSAIDsを開発するなら、程々にCOX-2選択的でなおかつ胃粘膜透過活性を小さくするようにしてみて下さい。良いものができると思いますヨ。

▼神経障害性疼痛治療薬

私と同じ名前の「リリカ/プレガバリン」や、「タリージェ/ミロガバリン」がこれに相当します。帯状疱疹後の痛みや坐骨神経痛といった、神経の痛みや痺れなどの症状を改善する薬です。神経細胞を興奮させるCa^{2+}(イオン化カルシウム)が神経細胞の中に入るのを妨げ、神経伝達物質の過剰な放出を阻害することで効果を発揮します(図2)。オピオイドやNSAIDsに比べると、生まれて10年くらいのまだまだ新しい薬です。

▼鎮痛補助薬

痛覚の抑制系の1つである下行性痛覚抑制系。「サインバルタ/デュロキセチン」などのセロトニン・ノルアドレナリン再取り込み阻害薬(SNRI)、「アミトリプチリン」などの三環系抗うつ薬も、この下行性痛覚抑制系を増強させるために用いられています(図3)。

痛み止めを使うべきか、使わざるべきか…

アメリカの医療ドラマ『House M.D.(Dr.House)』を見てても分かるように、米国では麻薬を軽率に使い過ぎ…だと思うけど、アジアはアジアで我慢は美徳っていう文化圏なのか、病院でどんなに痛くても痛み止めを

Memo:

飲まないと宣言して、青い顔してる人を目にすることが少なからずあります。

私が痛いわけじゃないから主義主張があるなら好きにすればいいと思うけど、どーなんそれ？って思います。米国の方がまだ納得がいきます。私ならさっさと適当な痛み止め使うよ。我慢が美徳とかどうかしてる。クレイジー。状況にもよるけど、痛みは我慢すればするほど神経に可塑性が生じて治りにくくなります。要するに痛みが慢性化してしまうのです。

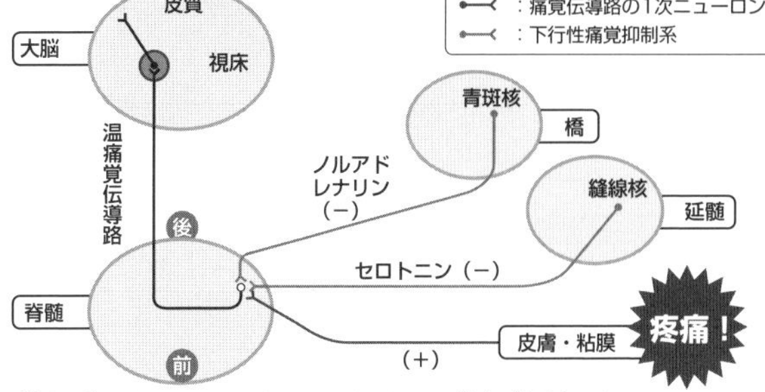

抗うつ薬によりセロトニンとノルアドレナリンの濃度が上昇すると、下行性痛覚抑制系が賦活され、疼痛が抑制される。NASAIDsやオプオイドが効きにくい神経障害性疼痛や心因性疼痛に対して有効となる

ということで、我慢せずにさっさと薬は飲むべき。このことに関しては麻酔科の先生も力説してた。あと、痛くてどうしようもなくなってから飲むのも効率良くないです。NSAIDsの類は体内で痛みの原因物質を作り出す酵素を阻害するものだから、痛みの原因が既にできまくってる状況下だと飲んでもやっぱりしばらくは痛い。なので、痛みがヒドくなりそうだったら、さっさと飲むのが効率的かと。決して我慢は美徳ではない。重要よ、ココ!!

■アセトアミノフェンとアルコール

アセトアミノフェンは小児や妊婦にも使えて、なおかつ一般的なNSAIDsとは異なり胃への負担も少なく比較的安全。…そう説明したところだが、殺人に使われたこともある。埼玉県で起きた「本庄市保険金殺人事件」のお話だ（今は亡き『図解 ｱﾘｴﾅｲ理科ﾉ教科書』でも解説していた）。

この事件では風邪薬（アセトアミノフェン入り）とアルコールを大量に摂取させて、対象を殺すっていう方法が採られたわけだけど、なぜアセトアミノフェンとアルコールで死ねるのか。口から摂取したアセトアミノフェンの5%はそのまゝまの形で尿中排泄され、残りの多くは肝臓でグルクロン酸とくっ付いて無毒化され尿中に排泄される。しかし一部は、下の図のように肝臓にある「P450」という酵素によりN-水酸化され、さらに脱水が起きることで肝細胞を傷付ける物質に変化する。

通常ではすぐにグルタチオンとくっ付き、無毒のメルカプツール酸として排泄されるのだが、慢性的な飲酒によりP450の活性が上がっていると、アセトアミノフェンが代謝されてできる有毒な物質に対してグルタチオンの量が足りずに、肝細胞が障害されてしまう。こうした薬理学を応用して殺人が行われた、希有な例として知っておこう。

皆さんも風邪薬ないし痛み止めとアルコールを一緒に出してくる人には、お気を付け遊ばせ。

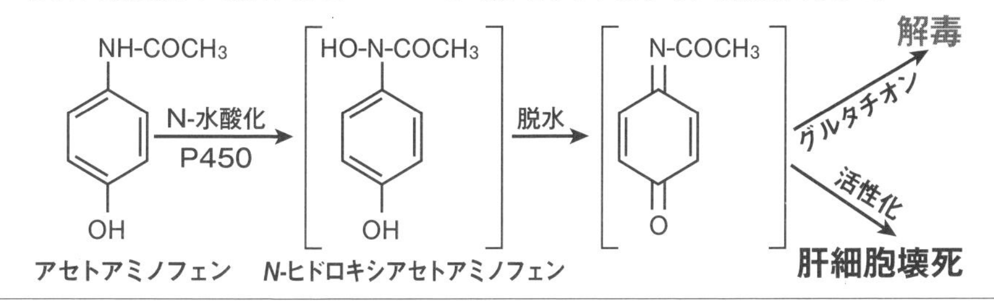

NSAIDs以外の薬を使うケースとは?

では、非ステロイド性抗炎症薬「NSAIDs」以外を使うケースについても、ここでまとめておきましょう。

❶生理痛

生理痛は、子宮が収縮することによる内臓痛です。要らなくなった子宮内膜を体外に出すため、子宮内膜で過剰にプロスタグランジン（PG）が産生されると、子宮が強く収縮し痛みが現れます。NSAIDsのところでも書いた通り、シクロオキシゲナーゼ（COX）を阻害するとPG産生を抑制できるので、NSAIDsを飲むと痛みは軽減します。

しかし子宮の収縮は、PGだけが司っているわけではありません。子宮は平滑筋を持つ内臓です。そのため、平滑筋の緊張を低下させたり運動を抑制する抗コリン薬を一緒に使うことで、別の方向からも子宮収縮に対してアプローチが可能。

ちなみに、我々の体は家でだらーんと映画を見てるリラックス状態の時（副交感神経優位）と、イベントに出向いて薄い本を狩っている最中の気合入った状態の時（交感神経優位）で、自分の意思とは関係なく体の機能調整をしています（図4）。これ、「自律神経系」っていいます。前者はトイレの回数も多いし、ヨダレも垂れてるかもしれませんし、お腹も減ります。対して後者は、しっかり瞳孔開いてしっかり息してしっかり心臓も動かしてしっかり在庫状況と戦ってると思います。抗コリン薬はそのリラックスしてる状態を抑制する薬なので、内臓平滑筋の動きを抑制してくれるのです。

臨戦態勢の時は、胃とか腸とか膀胱とか子宮とか動かしてる場合じゃないですからね。なので、平滑筋を持つ内臓はおとなしくなります。活動してる時よりじっとしてる時の方が痛く感じるのは、きっと自律神経の状態っていうのもありますね。

では、具体的に何飲んだらいいの？ってことですが、興和の「エルペイン コーワ」という生理痛専用薬。これにはイブプロフェン（NSAID）と、ブチルスコポラミン（抗コリン薬）が入っています。あとは、いつも使っている「ロキソニン」なんかのNSAIDsと一緒に、ブスコパン/ブチルスコポラミンを飲む…でしょうか。

なお、痛みとは関係ないんですが、生理中にお腹が緩くなる現象も子宮内膜での過剰なPG産生が関係してます。PGにより腸の収縮も起こるからで、これらの薬を飲むことにより改善が見込まれますので、生理のいろいろな不快な症状は我慢しても良いことナッシングです。

❷腹痛

生理痛の項目で説明した通り、ブスコパン/ブチルスコポラミ

図 4 副交感神経系と交感神経系の違い※1

自律神経系には、副交感神経系と交感神経系の２種類がある。互いに相反する役割を担っている。

副交感神経系		交感神経系
縮瞳・心拍数減少・血圧低下・消化管運動の亢進など、エネルギーを確保する変化をもたらす。		散瞳・心拍数増加・血圧上昇など、エネルギーを消費する変化をもたらす。
縮瞳	瞳孔	散瞳
収縮	気管支	拡張
減少	心拍数	増加
低下(軽度)	血圧	上昇
促進	腸管運動	低下

Memo: ※1 『薬がみえる vol.1』（メディックメディア）

ンが効きます。効果が無いようなら、内科的な疾患じゃないかもしれないので病院へどうぞ。

❸偏頭痛

もし偏頭痛なら、NSAIDsの効き目は微妙です。効かないわけじゃないんですが、かなーり微妙なのです。

じゃあ何が効くのかっていうと、アマージ/ナラトリプタンとかレルパックス/エレトリプタンといったトリプタン系の薬。これらは薬局で売ってなくて、医師の処方が必要になります。偏頭痛に対して驚きの効果ですが、驚きのお値段です。なんと1錠あたり1,000円前後。う～ん、お高い！　保険で3割負担だとしても300円くらいするので、ショコラティエからお迎えしたチョコを1粒食べるのと同じぐらいの覚悟で飲みます(なお、チョコは偏頭痛の原因になるよ…)。点鼻とか皮下注射も存在してますが、何にしても高いです（大量合成が難しいなどの理由だそうな)。

ただ偏頭痛に対してきっちり仕事はしてくれますので、もし偏頭痛なら病院に足を運んでぜひとも快適な生活を手に入れて下さい。ちなみにトリプタン系の薬は、セロトニン5-HT1B/1D受容体を刺激し、拡張した脳血管を収縮させることで痛みが改善する仕組みです。

❹こむら返り

足がつる症状。足どころか、背中とか首つったこともあるけど私。この症状は運動などで脱水が起こり、電解質のバランスが崩れると現れやすくなります。まあ、飲んでる薬の副作用

図5　芍薬甘草湯が効くメカニズム※2

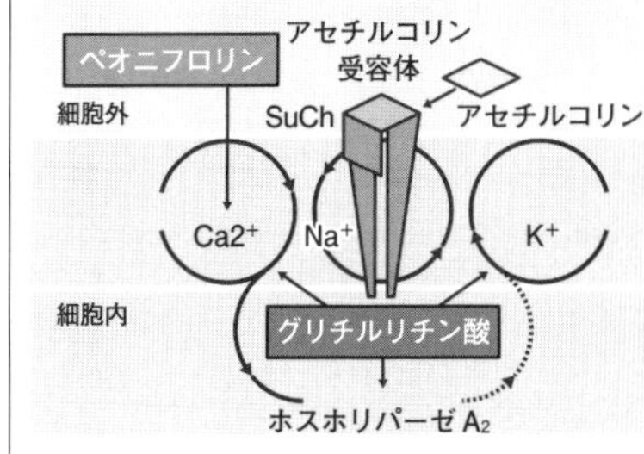

芍薬に含まれるペオニフロリンが Ca イオンの細胞内流入を抑制し、甘草に含まれるグリチルリチン酸がホスホリパーゼ A2 を介し、最終的に K イオンの流出を促進する。これらの作用がカップリングしてブレンド効果となり、神経シナプスのアセチルコリン（ACh）受容体に作用して、筋弛緩作用を起こす。

興和
エルペイン コーワ
1回1錠、12錠入り。
実勢価格700円

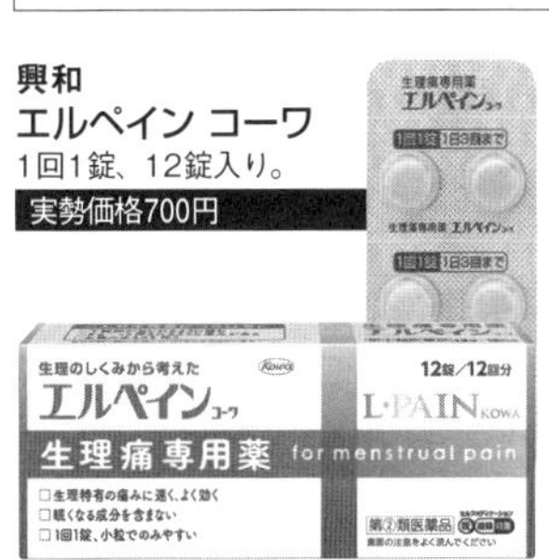

エスエス製薬
ブスコパンA錠
1回1錠、20錠入り。
実勢価格1,320円

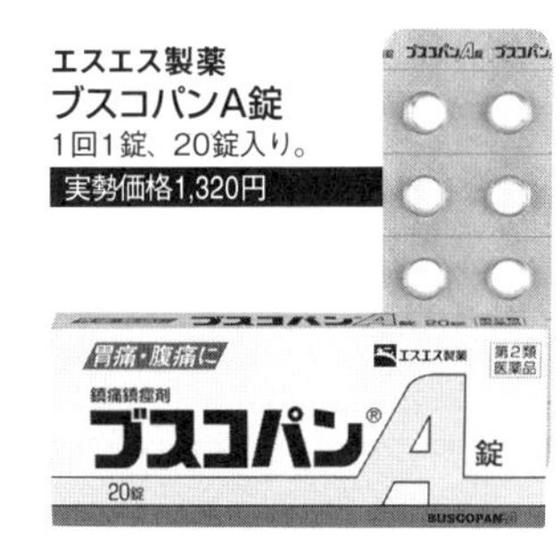

ってこともあるかもしれませんが。これに効くのがまさかの漢方。「芍薬甘草湯（しゃくやくかんぞうとう)」、68番の赤いやつ。名前の通り芍薬と甘草のたった2つの生薬で構成されたこの漢方が、こむら返りに効くのです。飲んだらすぐ効く。不思議。漢方といえば即効性がなく、長期服用で体質改善を期待する…ってイメージですけど、一部（構成生薬が少ない漢方処方に多い）にはこちらのように即効性があるものもあります。

この芍薬甘草湯は、臨床でもきっちり用いられておりメカニズムも分かっています。図5の通り、芍薬に含まれているペオニフロリンがCa^{2+}の細胞内流入を抑制し、肝臓に含まれるグリチルリチン酸がホスホリパーゼA_2を介してK^+の流出を促進することで、神経筋シナプスのアセチルコリン受容体に作用。筋肉が緩むことで、こむら返りに効くわけです。

医療用だとツムラやクラシエなど漢方メーカー製が流通していますし、OTCなら「芍薬甘草湯」という名前のほか、小林製薬から「コムレケア」っていう超絶分かりやすい製品名で売り出されています。コムレケアは錠剤やゼリータイプで出ているので、粉タイプより飲みやすいでしょう。

他にもありそうですが、まあこんなところで。ぜひとも皆様、痛みと薬とうまく付き合って快適な生活を送って下さいませ。Good Luck!!

※2　ツムラ「漢方スクエア」(https://www.kampo-s.jp/)

若者が市販薬で薬物依存になる理由
咳止め薬は正しく使おう

薬物依存になるのは、麻薬などの違法な薬物に手を出したから…とは限らない。近年、若者の間ではドラッグストアでフツーに買える市販薬を乱用してパキるケースが増えている。 text by ツナっち

「学校でいじめられている」「両親とうまくいっていない」「将来への不安がある」など、若者を取り巻く環境にはこのような悩みが数多く存在します。ましてや、現在ではYouTubeやTwitterなどのSNSの急激な発達などにより、大人が考えられないようなスピードでこの問題は加速しているのです。2019年の日本財団による「第3回自殺意識調査報告書」では、30%の若者が「過去1年間に本気で自殺を考えたことがある」と回答しています。学校のクラスが30人だとすると、そのうちの9人に死にたくなる希死念慮があるというとんでもない時代になってしまったのです。

そんな彼らには、「体が楽になるよ」「気分がスッキリする」といった常套句が救いに見えるかもしれません。薬物依存という地獄の扉をノックしてしまうとも知らずに…。ただ、普通に生きていたら薬物なんて積極的に探し求めない限り入手困難なものですし、言わずもがな犯罪です。所持しているだけでかなり重い刑罰を課されることになるのは、理解しているハズ。

では、この希死念慮から解放されるために、彼らは一体どこに目をつけたのか？　それは購入しても犯罪にならず、安価ですぐに手に入れることのできる「市販薬」です。とりわけ「咳止め薬」を乱用するケースが増えているそうです。

しかし、ここで読者の皆さんが疑問に思うのは、「市販の咳止め薬に薬物依存クラスの物質が含まれているのか？」というところでしょう。その考えはとても正しくて、基本的に市販薬（一般用医薬品、OTC医薬品）は個人が病気の診断をし、個人がその症状に対し適当な医薬品を購入できるという仕組み上、かなり安全に設計しないといけません。ですので、万が一そんな物質が混ざっていたら確実に医療用医薬品として適切に扱われることになります。それなの

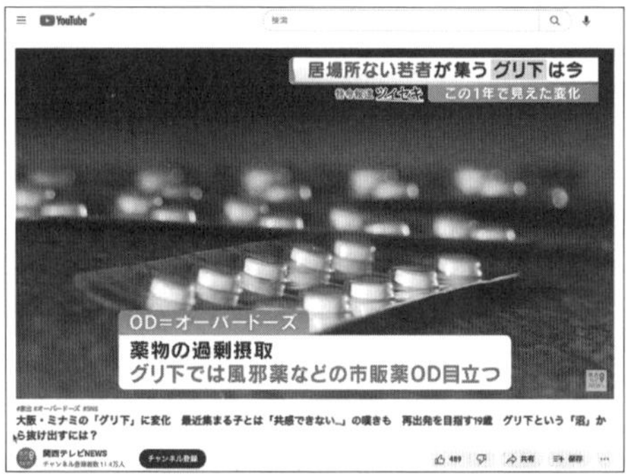

一部の若者の間で広まっている、市販薬の乱用。最近は風邪薬などを20〜40錠過剰摂取（オーバードーズ）して、“パキる”のが流行しているという　（YouTube「関西テレビNEWS」参照）

お薬の種類。
「医療用医薬品」と「一般用医薬品」の違い

お薬には種類があります。大雑把に分けると、「医療用医薬品」と「一般用医薬品（※）」に分けることができます。わかりやすく説明すると、「医療用医薬品」は、お医者さんが処方箋を書いて出すことができるお薬で、「一般用医薬品」は、薬局などで購入できるお薬です。

少し専門的な話になりますが、「医療用医薬品」は、更に「処方せん医薬品」と「処方せん医薬品以外の医薬品」に分けることができます。実は、「処方せん医薬品以外の医薬品」は、お医者さんの処方箋がなくても販売が可能です。この「処方せん医薬品以外の医薬品」を販売することを、業界では「零売（れいばい）」と呼んでいます。

法律上は、「処方せん医薬品以外の医薬品」であれば販売可能です。ですが、「零売（れいばい）」にはかなり制約があり、その制約ゆえに、販売する薬局が限られています。

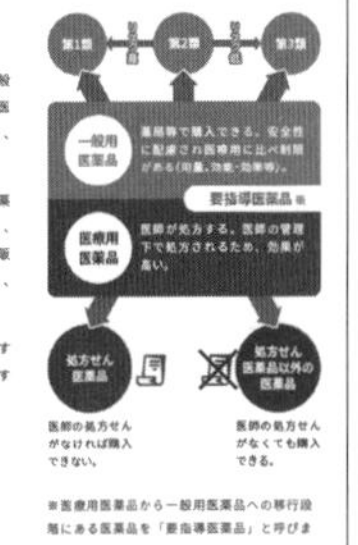

らくくま薬局公式サイト

医療用医薬品と一般用医薬品（市販薬）の簡単な区別。薬局で購入できる市販薬は個人が独断で使用するため、より安全性に配慮されており、医師から処方される医療用医薬品より効果が緩やかであることが多い

Memo: 参考文献など

●ららくま薬局　https://lalakuma.pharmasoken.jp/

●日本薬学会　https://www.pharm.or.jp/

に、なぜ市販の咳止め薬が乱用されてしまうのでしょうか？　そこには巧妙な薬学的トリックが働いているのです。

薬が効く仕組みとは

　ということで、ここから市販の咳止め薬の薬学的トリックを解説していくのですが、このトリックを知るためには①ファーマコフォア、②定量的構造活性相関、③副作用という3つを理解しておく必要があります。…分かります、聞いただけで拒絶反応が出そうな名前ですよね。なるべく簡単に説明するのでお付き合い下さい。

❶ファーマコフォア

　日本薬学会公式サイトの薬学用語解説ページには、「医薬品のターゲットとの相互作用に必要な特徴を持つ官能基群と、それらの相対的な立体配置も含めた（抽象的な）概念」と書いてあります。簡単に解釈すると、「カギとカギ穴の考え方」です。【01】の図を見ながら、以下を読んでみて下さい。

　人間の体は、さまざまなスイッチがONになったりOFFになったりすることで生命活動を維持しています。例えば、鼻炎で鼻水がめっちゃ出る時がありますよね？　その時、鼻では体内に侵入したアレルゲンの刺激を受けて、ヒスタミンという物質がヒスタミンH1受容体に結合しているのです。つまり、ヒスタミンというカギがヒスタミンH1受容体というカギ穴に挿さったことで、活性がONになってしまい鼻水がドバァー状態になっているということ。

　では、どうすればこの状態を止められるのか？　答えは「先にカギ穴を潰す」です。なので鼻炎薬には、ヒスタミンH1受容体というカギ穴には挿さるけど、活性がOFFのままになる成分（抗ヒスタミン薬）を配合します。要は「カギはカギ穴に挿さるんだけど開かない！」という状態にするのです。抗ヒスタミン薬（開かないカギ）を飲めばヒスタミンH1受容体（カギ穴）に挿さり、ヒスタミン（開くカギ）が挿さらなくなるので鼻水が止まるという理屈です。

　このカギを作るには、ヒスタミンH1受容体というカギ穴とヒスタミンというカギがどのような構造になっているのか、全体的な形がどうなる必要があるのか…、などを調べる必要がありますよね。この考え方が「ファーマコフォア」であり、「薬の構造（カギ）とそのターゲットの構造（カギ穴）がどんな構造や形をしているのかを考えること」なのです。

❷構造活性相関

　日本薬学会の薬学用語解説ページには、「基本骨格が同じ化合物群の生理活性は、その基本骨格に結合している置換基により強弱が変化する」と記載されています。これを簡単に解釈すると、「カギの形で薬の効き方が変わるぜ」という話です。

　薬の強さは一体何で決まってるのでしょうか？　これにはさまざまな要因があるのですが、その一つに「カギ穴の占有率」が関わっています。先ほどの抗ヒスタミン薬というカギで考えてみましょう。もしこのカギがヒスタミンというカギより、挿さり具合がゆるゆるだったらすぐカギ穴から抜けてしまいますよね。もう1回挿し直そうとしている間に、ヒスタミンが挿さってたらまた鼻水が出てしまいます。カギ穴への挿さり方が甘

抗ヒスタミン薬の作用機序

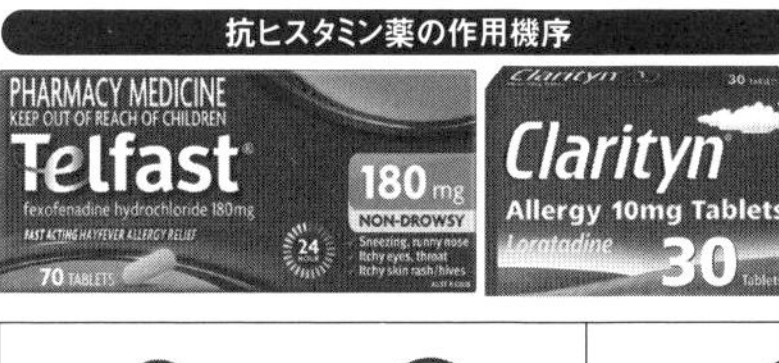

抗ヒスタミン薬というカギをヒスタミンH1カギというカギ穴に挿すと、ヒスタミンが作用せずに鼻水が止まる。花粉症に効くアレルギー薬はこんな仕組みになっている

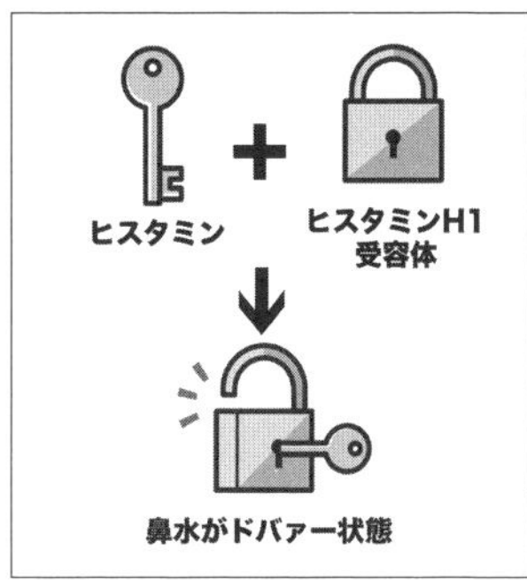

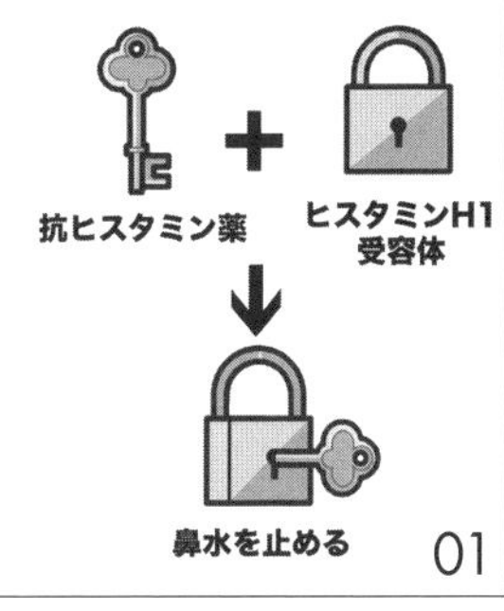

01

いと、カギ穴の占有率が低くなり、薬効の弱い薬になってしまうのです。その逆も然りで、ヒスタミンというカギよりもっと挿さり具合の良い抗ヒスタミン薬のカギであれば、カギ穴をめちゃくちゃ占有できるので薬効が強い薬になるというわけ。この薬効の強弱はカギの形、要は「薬の構造の違い」によって引き起こされるのです【02】。

つまり、「構造活性相関」とは、「薬の構造（カギ）が変わってターゲットの構造（カギ穴）に挿さった時、その挿さり具合で薬の効き目が変わる」ということで覚えて下さい(厳密には「定量的構造活性相関」といって意味合いが少し異なる)。

❸副作用

日本薬学会の薬学用語解説ページには、「病気の治療に関わる主作用に対し、それとは異なる別の作用や有害である作用」と記載されています。こちらは日常生活で聞き慣れているので意味が分かるでしょう。

副作用が起こる理由は一概には言えないのですが、一つの要因として「スイッチの多さとガバさ」があります。抗ヒスタミン薬の一種である「ジフェンヒドラミン」について話しましょう。ジフェンヒドラミン(カギ)はヒスタミンH1受容体（カギ穴）というスイッチをOFFにして鼻水を止めますが、実はこのスイッチは脳（中枢神経）にもあります。ジフェンヒドラミンが脳に到達すると、脳のヒスタミンH1受容体（カギ穴）にもぶっ挿さってしまい、これにより眠気などの副作用を引き起こすのです。つまり、体の中にヒスタミンH1受容体というスイッチが多く存在するせいで、副作用が引き起こされるわけです。

ジフェンヒドラミンは通常、ヒスタミンH1受容体というカギ穴に挿さりますが、ムスカリン受容体というカギ穴にもぶっ挿さってしまいます。よって、口の渇きなどの副作用が誘発されてしまうのです。これがスイッチのガバさになります。

メタンフェタミンの親戚!?

さて、ファーマコフォア、定量的構造活性相関、副作用の3つを理解したところで、冒頭の咳止め薬の話題に戻ります。

市販咳止め薬の依存性は、「エフェドリン」という薬から始まります。エフェドリンには咳を鎮める「鎮咳作用」と、覚醒を引き起こす「中枢興奮作用」があります。これは先ほど副作用で説明した、ガバさによって引き起こされてるものです。創薬研究者はこのエフェドリンの鎮咳作用を増強したり、中枢興奮作用を減弱させたりするために、さまざまなエフェドリン類似物質（カギ）を作りました。その中に鎮咳作用が増強し、中枢覚醒作用が減弱した「メチルエフェドリン」と、逆に鎮咳作用が減弱し、中枢覚醒作用が増強した「メタンフェタミン」というものがあります。このメチルエフェドリンが、市販の咳止め薬の中に入っている成分です。そしてメタンフェタミンは、皆さんが巷でよく聞くあの覚醒剤の成分になります。

この2成分は、薬物界では親戚に当たるほど近い関係。その構造を見ると、ほぼ同じ構造をしているので親戚だってことが分かるでしょう【03】。両者のカギ穴は変わらず、カギの形だけが変わっていて、ここに先ほどの「ファーマコフォア」や「構造活性相関」の概念を持ってく

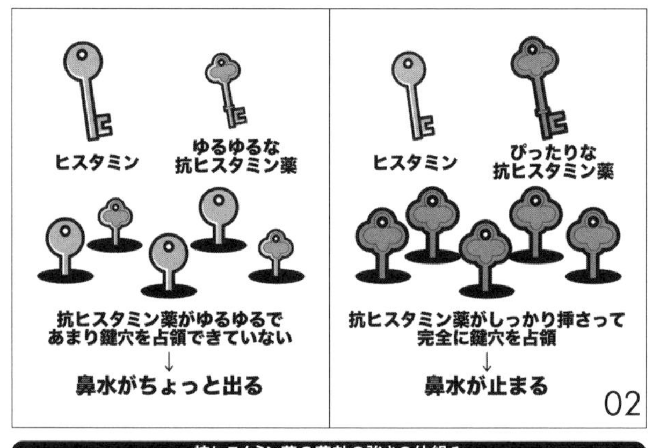

抗ヒスタミン薬の薬効の強さの仕組み

ヒスタミンH1受容体というカギ穴への挿さり具合で、薬効が強弱する。カギ穴にピッタリはまれば、よく効くということになる

Memo:

市販薬の成分が覚醒剤と麻薬成分の構造にソックリ!?

03

エフェドリン
$C_{10}H_{15}NO$

メチルエフェドリン
$C_{11}H_{17}NO$

メタンフェタミン
$C_{10}H_{15}N$

咳止め薬の成分であるメチルエフェドリンと、覚醒剤の成分であるメタンフェタミンの構造を比べてみると、非常に似た構造をしていることが分かる。ということは、弱いながらも薬物依存性があるということだ

ると、「メチルエフェドリンは作用が減弱しているが、メタンフェタミンのような中枢覚醒作用が残っている」ということが導けます。つまり、市販咳止め薬を乱用すれば、覚醒剤のような作用を得られてしまう…というトリックなのです。

モルヒネに似た構造

最後に市販咳止め薬に入っている成分である、「ジヒドロコデイン」という成分にも注目してみましょう。ジヒドロコデインは、強い鎮咳作用を目的として配合されている成分です。その効き目から多くの市販薬に採用されている成分なので、家にある適当な風邪薬や咳止め薬などの成分表を見ると入っているかもしれません。

一見超安全そうに見えるジヒドロコデインですが、実は弱い依存性があり「麻薬性鎮咳薬」と分類されているのです。それはなぜかを理解するために、麻薬成分である「モルヒネ」との構造と比べてみて下さい【04】。どうでしょう、両者の構造がとっても似ていると思いませんか？　今の皆さんの目なら理由が説明できるのではないでしょうか？

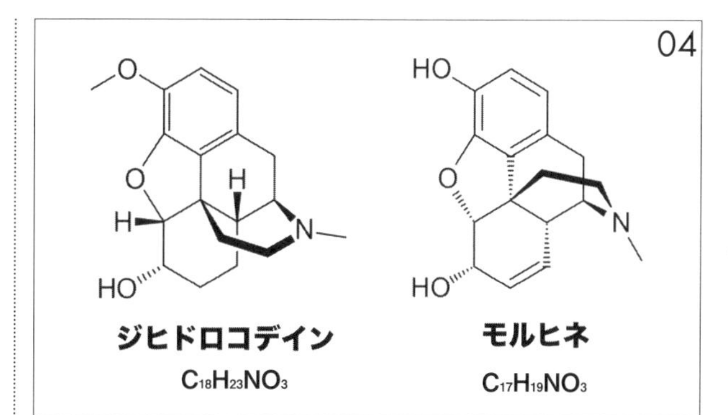

ジヒドロコデインとモルヒネの構造も非常に似ていることが理解できるだろう。ジヒドロコデインは麻薬性鎮咳薬に分類されており、弱い依存性を有している。とはいえ、用法用量を守って服薬すれば問題はない

その答えは、「ジヒドロコデインは作用が減弱しているが、モルヒネのような依存性が残っているから」です。かなり弱くはなっていますが、構造が似ているためモルヒネと同じカギ穴に挿さってしまうことで弱い依存性を有するのです。弱いとはいえ依存性があると考えると、少し怖いと思ってしまうかもしれませんが、用法用量をきちんと守ればかなり安全かつ、強い鎮咳作用で咳を鎮められるという大きなメリットがあるので安心して使って下さいね。

市販咳止め薬に依存性があるのは、覚醒剤（メタンフェタミン）と同じような作用を示すからというのが、今回の話のタネでした。弱くてもメタンフェタミンの作用が出るということは薬物依存性があるということです。薬物は1回でもやってしまったら確実に人生がぶっ壊れるので、過剰摂取はゼッタイにやってはいけませんよ。薬で得た一時的な偽りの幸せではなく、「唐揚げが死ぬほどうまい」を最上級の幸せとして味わえる今の体を、どうか大切にして下さい（焼肉でも可）。

YouTubeチャンネルでも解説
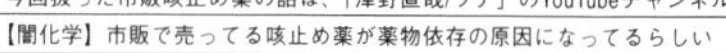
今回扱った市販咳止め薬の話は、「津野直哉/ツナ」のYouTubeチャンネル内の動画でも解説している。
【闇化学】市販で売ってる咳止め薬が薬物依存の原因になってるらしい

化学合成に必要な基本器具を揃えよう
誤家庭ラボの構築指南

さまざまな実験に挑戦するにあたって、必要なのが各種実験器具。基本となる機材から高度な合成が可能な実験器具まで、おうちラボ構築に役立つアイテムをざっと紹介しよう。 text by くられ

■Part1：最低限必要な実験器材

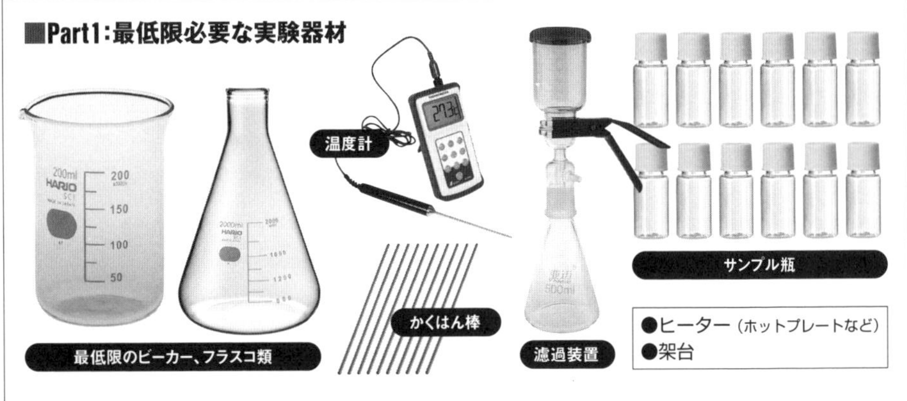

ホームセンターや東急ハンズなどでも売られている、超基本的な化学実験の装備。実物を確認できて手軽に買えるのがメリットだが、そういった店舗ではどうしても割高なので、ネット通販で業者から買った方が安く済む。

特に蒸留装置は、AmazonやAliExpressなどでセット品を安価に買える。目的が汎用的なものは、必要な器具が揃ったセットもあり、非常に安く入手できる。例えば、アルコールの蒸留や水蒸気蒸留に関する器具は、個別で揃えると3万～4万円かかるが、セットで買うと1万円以内で手に入るものも見つかる。そして、最低限使用可能なものも少なくない。

大量に使う100mL程度のビーカー類は、ダイソーなどの100均ショップにもある。ただし、ごくまれにホウケイ酸ガラスではなくソーダガラス製がしれっと混ざっている。これは加熱すると割れるので気を付けたいところ。ホウケイ酸ガラスは光に当てると、うっすらと黄色みがかかっているので見分けられる。見慣れていない人は、加熱などに安売りビーカーを使わない方が安全だ。

濾過をするには濾紙や漏斗、それらを支える架台などが必要になる。必要な器具をちゃんと調べておかないと、いざ実験を開始してからアレがないコレがないで、何も進まないといったことになってしまう。実際の実験では、特にビーカー類はすぐに足りなくなりがち。余分にあった方がよい。かくはん棒なども洗って使い回しはしにくいので数本欲しいといった感じで、予備も考えておこう。

ｱﾘｴﾅｲ理科シリーズでは、ご家庭実験がいろいろ出てくるのはご存じの通りです。機械系工作では電動加工機械が必須ですし、生物系実験では水槽や、無菌操作のためのクリーンベンチなどが必要になります。

そして、化学合成を行うには、それなりの装置やガラスウェアがしっかりと揃っている方がよいでしょう。これらはDIYもできるのですが、自作装置は接合部などが長時間の運用に耐えられないことが多く、そこから漏れるモノが危険であればあるほ

Memo:

■Part2：環流装置一式

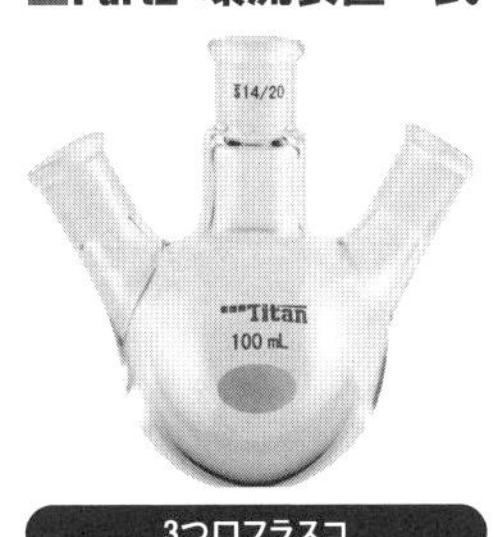

3つ口フラスコ

セパラブルだとモアベター

ヒーター

マグネット
スターラー
付きがベスト

冷却器

リービッヒ、アリル、ジムロートなど

●架台＋クランプやグリップ

Amazonで「環流装置」と検索。安価な器具がヒットする

チラー

冷却水循環装置

個別に揃えると昔はかなり高かったのだが、最近はAmazonなどでも中国から一式のガラス装置が1万円以下で手に入るようになっている。そのため入手のハードルはかなり低くなった。ただし、それらはあくまで反応装置だけで、動かすには、ヒーターとチラーが必要になる。

ヒーターとはその名の通り、1番下のフラスコを加熱するための器具。大半がヒーターで直接加熱ではなく、上にトレイを置いてそこに水や油を入れて加温していく。底が平らなものはヒーターに直接つけてもよいのだが、水や油を入れたバットを置いてそこで加熱するのが基本だ。特に丸底のフラスコなどは、水浴湯浴でないとヒーターとの接触面が1点になるため加熱効率が最悪で、しかも熱の偏りがヒドいので割れの原因にもなってしまう。また、万一割れた場合、有機溶剤は基本的に可燃性なので、流出しないように装置全体を大きなバットの中で完結させておくと事故を防ぐことができる。

チラーは冷却水を上の冷却管に流すもので、専用装置を買うとなると十数万円は軽くする。しかし、2〜3時間など数時間程度の冷却であれば、熱帯魚用の投げ込み式ポンプと発泡スチロールに入れた氷水（保冷剤利用でも可）で、まめに見ていればなんとかなる。なので、長引く実験でなければ、高額なチラーを最初から無理して買う必要はないだろう。もちろんあればそのまま安心して放置できるので楽チンなのだが、その辺は環境と財布に要相談といったところかな。

■Part3：あるといい合成に欲しい実験器具

刺激性の高い薬品を扱ったり、少量とはいえ毒性のガスが発生する実験、長時間に至るテストになってくると、こうした高価な器具も必要になってくる。難易度の高い実験にチャレンジしてみたくなったら、導入を検討してみよう。

●マグネチックスターラー
●耐薬実験デスク　●吸引濾過一式

どリスクはうなぎ登りになります。やはり専用器具の扱いをマスターして初めて自作が効く…という部分もあるので、やりたい実験に合わせて最低限の環境を構築していくことが重要となるわけです。

そこで、おうちラボを構築するにあたって、揃えておくべきアイテムについて解説しましょう。もちろん実験にもよりますが、これがあるといいよね！…から、これがないと始まらない…まで、ひとまず最小限の装備がこちらです。

※器材の写真はAmazonから。

有機化学の実験がバリバリできる
誤家庭ラボの構築 その2

中華製品の品質向上などにより、これまで高価だった実験器具が安価で調達できるようになってきた。これらを活用しつつ、あとはDIYも併せれば本格的なおうちラボが出来上がる！　text by くられ

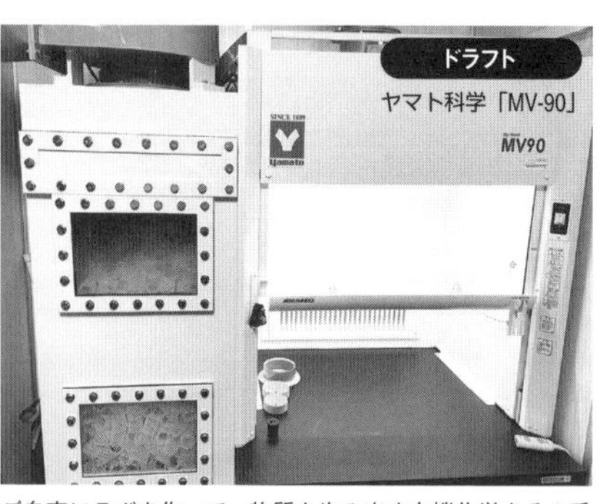

ご自宅にラボを作って、物質を生み出す有機化学をその手にしよう！

←ガラス器具はキッチン回りの収納棚などの中古や傷物を探すと、手頃な価格で便利なモノが手に入る

→有毒ガスが発生する実験を行う場合は、ドラフトが必須といえる

近年、「ご自宅ラボ」という言葉は、ｱﾘｴﾅｲ理科をスタートした時より、かなりカジュアルになってきた感があり、隔世の感を感じます。ただ悲しいことに、多くのご自宅ラボが、機械工作や物理実験に特化したものが多く、有機化学…という物質を組み合わせて新しい物質を生み出す科学分野をご自宅でやっている人は、非常に少ないといわざるを得ません。

まず学校教育において、化学の実験はほとんど行われなくなりました。中学校で硫化鉄を作る実験程度でも、危険な硫化水素が出るからダメ、アルコールランプは火災の原因になるから禁止。さらに最近では、カッターナイフなどハサミ以外の刃物さえ使用不可…という学校さえあります。

そして受験のための教育指導要領は十数年前、『図解　ｱﾘｴﾅｲ理科ノ教科書』にてその馬鹿馬鹿しさをおちょくった時と大差ない状態で、いまだに無意味な過去の内容に無理やり現代風のアレンジを付け焼き刃で足したような代物になっており、内容膨大の割に中身のない教科書で、教える側も大混乱です。そんな状態でまともな実験をさせる環境が整うわけもなく、アスピリン（アセチルサリチル酸）の合成さえ見たことのある学生はほぼいません。

追い打ちをかけるように、テロや凶悪犯罪などに対する異常警戒で、ちょっと特殊な薬品や器具を取り寄せただけで、警察が事情聴取でやって来るのは日常茶飯事。今やおうちラボ勢も大変な状況です。

そんなこんなで、有機化学実験を家でやるのは無理なんでしょうか？

いえいえ、ちゃんとすればいいのです。資格をちゃんと取って、ちゃんと業者とやり取りして、ちゃんとした扱いを学び、その上でちゃんとしたラボを作ればいいのです。そして、費用を抑える部分は抑えて、楽できるところは楽をして…、ここではそうした本格ラボ構築についてガイドしましょう。

Memo:

基本編　薬品・器具の調達と水回りの構築

薬品の調達

基本的に無資格で手に入る薬品も多くあるので、中高生であればそうした薬品を購入して、実験してみるのがいいでしょう。相当に安全かつ、実際の勉強にもつながる実験が思った以上に可能です。そうした薬品及び薬品を使った実験は、『アリエナイ理科ノ大事典　改訂版・Ⅱ』（小社刊）でも数多く紹介しているので、本を見てみて下さい。

まぁ、硫酸や濃塩酸などを使った実験をしてみたい気持ちも分かりますが、まずはそれらを扱えるようになる程度の勉強はできているのかという意味合いも込めて、毒物劇物取扱責任者の資格の勉強も併せてしておくといいでしょう。ちなみにこの試験、受験する都道府県によって難易度が全然違って、地方の方が簡単という特徴があります。田舎に親戚などがいる場合は活用しましょう（笑）。

もっと自由に化学の実験を家でしたいんじゃ…という人は、とりあえず大学まで頑張って進学するのも手です。大学には出入りの試薬業者がいるので、資格を持っていることを伝えて、個人契約をしてしまえば完璧。

結局は「その人」の信用ですから、変なことをしなければ、ちゃんと薬品を正々堂々と買って実験できるのです。まぁそれでも、警察が家に来ることはありますが（笑）。ただその場合もきちんと実験内容を説明し、堂々としていれば何も問題はありません。別に警察も無実の人を捕まえたいわけではなく、あくまで犯罪を未然に防ぎたいだけなので、そこが合致していれば齟齬も無いわけです。

実験器具の調達

薬品に比べ実験器具の調達はここ10年、さらにここ数年、本当に良くなりました。まずネット通販サイトの台頭で、アズワンなどのメーカー品はMonotaROなどで買えるようになり、ぼちぼちの性能のものが普通に誰でも入手できるようになっています。ヤフオク!やメルカリなどで、中古の装置をあれこれ吟味していた時代もありましたが、今やはるかに良いモノが新品で

無資格で買える薬品

ドラッグストアやホームセンターで、手軽に購入できる試薬は意外に多い。酸・塩基系なら氷酢酸、アスコルビン酸、塩化コバルト…。アセトンやジクロロメタンといった有機溶剤などもある

性能が向上している中華製実験器具が激アツ！

AliExpress
https://ja.aliexpress.com/
日本語にも対応する中国の超巨大通販サイト。「Laboratory Equipment」などと検索すると、実験器具が大量に見つかる※

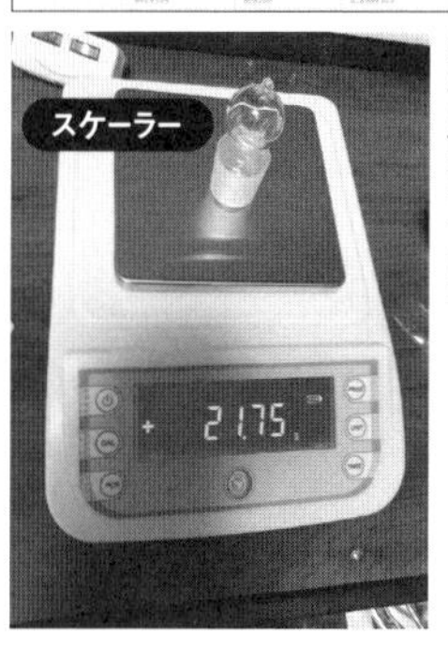

←中華実験器具は、特に計測器と光学系の進歩が著しい。スケーラー（はかり）などは国産メーカーの数分の1の価格で、十分な精度と使いやすさだ

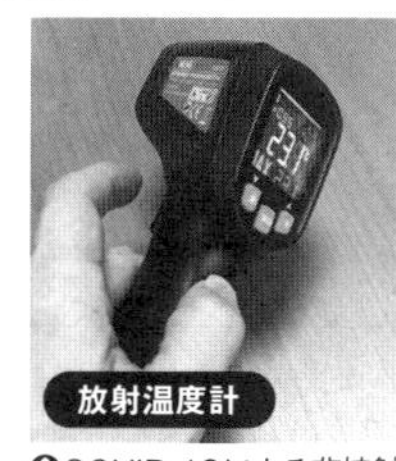

↑COVID-19による非接触温度計バブルのおかげで、高性能なモノが3,000～4,000円で買える。1,500℃まで誤差±1℃程度！

※顕微鏡のデジカメ化用マウンターも安価に揃う。専用品を国内で探すより断然安い。もちろんクオリティは申し分ない感じ。

手に入るのです。中古品はアタリを引けば悪くないのですが、壊れた場合の代替部品の調達とかに難があり過ぎて、長期的に安定して使うことになるとかなりの博打となります。

最近は、安物実験器具を作っていた中国メーカーの技術自体が極めて向上して、有名メーカーのクオリティと遜色ないモノが、AliExpressなど中華通販サイトで数分の1～10分の1という価格で手に入ってしまいます。大型の装置（ドラフトなど）は、送料なども考えてまだ国内メーカーの方がベターですが、逆転するのは時間の問題でしょう。

細かいガラス器具や実物を確認して買わないといけないモノは、実験器具を小売りしている専門店に直接出向いてみるのも手です。ちなみに、間違っても東急ハンズなど大型雑貨店で揃えようとしないことです。とっさの不足品を探すには便利なのですが、いろいろ買い揃えようとすると、大半が取り寄せになり、手数料が3～4割増しで乗っかってお金が余計にかかります。

水回りの構築

お金とスペースに余裕があれば庭にプレハブ小屋を建てたり、ガレージの一部などを改修して使う、また普段使っていない部屋を改造、もしくは1人暮らしならリビング全体をラボ仕様にリフォーム…なんてことができますが、水回りは地味に問題になります。しかし実際には、大規模に洗い物でもしない限り、ラボでは意外とそんなに使いません。ご存じの通り、不純物が含まれる水道水をそのまま実験に使うなんてことはないため、基本的にはちょっとしたすすぎ作業くらい。なので、ホームセンターなどに売っている蛇口付きの精製水を購入し、小さい水回りを作って、その中で排水は灯油タンクなどに集める程度の取り回しでも十分なことが多く、きちんとした上水と下水の工事まで必須ではないのです。

とはいえ、下水はともかく上水は通っていると便利なことは多いので、園芸用の水道配管を利用してラボに水回りを無理やり持ってくるのは割とアリです。「野外　流し台」などでネット検索すると、外で野菜洗いなどに使うための流し台がヒットするので、そういったものに園芸用の汎用ソケット（カチっとハマる水回りコネクタ）を取り付ければ、ワンタッチで水回りをラボ内に引き込むことができます。あとは壁に最小限の穴をあけ、園芸用ホースを通して設置すればOK。

排水は灯油タンクなどに溜めておくなどで十分ですが、庭の下水などまで延長してしまうのもアリです（高低差によって工事が難しい場合が多いが…）。

ラボ内に上水・下水設備を構築

水栓などは自分の好みにカスタマイズして、使いやすくしよう。分岐で延長できるアダプタは、便利なことが多いのでオススメ。ハンドシャワーがあると、洗い物や掃除も楽になる

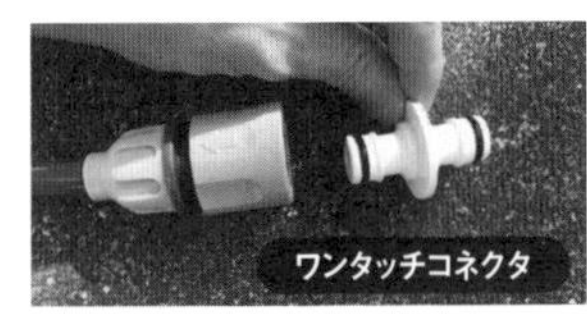

コネクタ同士を連結するためのアダプタもある。うまく活用しよう

屋外の水栓も、ワンタッチアダプタ対応に取り替えるとより便利になる。異形アダプタを付けるより水の抵抗が少ないし、緩みによるハズレ事故が少ない

Memo:

応用編 本格ラボ用ドラフトチャンバーを導入

強いニオイや有害なガスを濾過して、外気に逃す局所排気装置が「ドラフトチャンバー」です。特に有機化学実験で、少し派手なことをする場合は必須でありながら、安くない装置なので、すべてのハードルを上げているモノでもあります。

ドラフトには種類があって、単にガスを外気に捨てるだけのもの、徹底的に濾過して室内空気に循環させるもの、濾過して外気に捨てるもの…。そして濾過の方法も、活性炭フィルターを使うものや、シャワー洗浄を行うもの、シャワー洗浄＋遠心フィルターをかけるものなど、上を見ればキリがありません。

1番のオススメは、活性炭フィルターの入った外排気型です。塩ビ（プラスチック）の本体に、活性炭フィルターが付いていて、その上にシロッコファンが搭載されており、そこから排気する仕組みのものになります。設置するには、エアコン工事の外穴くらいを壁にあけて、外にカバーを付けるといった簡単な工事を行います。

本体が塩ビ製を推す理由は薬剤に強いからで、ステンレス製はサビにくいとはいえ、塩酸などの揮発性酸で裏側など見えない部分から腐蝕が起こりやすいのです。プラスチック製品の方が安くて安全性も高いのでオススメというわけです。

コの字の接続ジョイントの工事だけで数十万円の見積もり。このぐらい自前でできるわ！…と思ったが、異形ジョイントに苦労しまくり難儀した。幸い、POKAという天才が身近にいたおかげで、あっという間に仕上がった(笑)

自分は動画の撮影などで今後、長期的に実験を安全に行う必要性が出たので、大学の実験室などで使うクラスのドラフトを導入しました。今後、ガッチリしたドラフトを導入したいと考えている皆さんは、設置までの流れを参考にして下さい。

❶申し込み＋打ち合わせ

実験器具の問屋に、具体的な設置場所を伝えて、かかる費用の見積もりを出してもらいます。基本的にここでトラブルが起きることはそうそうないので、どこの実験器具問屋でも大丈夫でしょう。設置したいメーカーの製品が決まれば、今度はメーカーさんから担当者が出張してきて打ち合わせになり、全体の仕様が決まります。

❷コストカット部分を探す

ドラフト自体は100万円でも、工事費がさらに100万円以上かかるなんてことがフツーにあります。すべての工事を自分でやれば費用は安く上がりますが、きちんと動作しないと意味がありません。

例えば自分の場合、塩ビ管で本体とスクラバー（吸引したガスを水で洗う濾過装置）をつなぐ工事は、自前で行いました。これにより見積もりにあった数十万円の工事費を浮かせることができたのです。

また、電気工事に関しても、配線だけでも専門業者に依頼すると数十万円かかる場合があります。それを街の電気工事屋さんにお願いすれば、数万円に収まることも。なので、仕様書をもらったら自分でどこまでできるのかをしっかり考えてから、それぞれ発注すれば、相当なコストカットが可能でしょう。

❸設置＋工事の流れ

あとは設置と工事を待ちます。別でお願いしている電気屋さんなどがいる場合は、その日に合わせて来ていただいて、引き継ぎで工事をしてもらえるようにすればトラブルがなくうまくいくでしょう。

まとめ

とりあえず、こんな大がかりなドラフトチャンバーはまず一般のご家庭では不要ですが、こういうことも可能だという一例で見ておいて下さい(笑)。

ともあれ実験は「何がしたい」をまず決めて、「何が必要」というのを洗い出し、そのための設備や装置を集めて行うようにしないと、せっかくの装置も薬品も無駄になってしまいます。実験に計画性が必要だとは大学で山盛り教え込まれますが、個人でやる場合は、よりシビアにのしかかってくることを忘れないように。そして何より安全対策が重要です。この点については、130ページからの記事を読んで下さい。

リアル『ブレイキング・バッド』の世界…!?

保護基の用途とインスタント覚醒剤

2018年2月、「t-Boc Methamphetamine」という薬品を輸入した男が逮捕されたニュースに「賢い、カップ麺みたい！」と大変驚いた。何がどうオドロキなのか、その理由を解説しよう。 text by 淡島りりか

「*t*-Boc Methamphetamine」は具体的にどんなものなのでしょうか？ 「Methamphetamine」[02] は、ご存じの方も多いかと思いますが、つまりは覚醒剤のこと。海外ドラマ『ブレイキング・バッド』の作中で、ホワイト先生がもりもり作って売っていた、青いアレですね※1。当然ながら、日本国内で生活している以上は、使うことはもちろん、所持することもダメ。ゼッタイです。

そんなMethamphetamineに「*t*-Boc」基が付いた「*t*-Boc Methamphetamine」[03] はどうかというと、覚醒剤のような作用はありません。ですが、$CHCl_3$/TFAやメタノール/塩酸などの酸を加えて、30分ほど撹拌すると…Methamphetamineになっちゃうんです。まるでカップ麺かのごとく、お湯を注ぐだけでラーメンが出来上がるように、酸を混ぜ合わせるだけで覚醒剤が作れちゃうんです。逮捕された男は、*t*-Boc Methamphetamineを輸入して、それで覚醒剤を作ろうとしたんですね。しかも後処理はエバポするだけなので、別段精製の必要がありません。わーお手軽！

覚醒剤の分子構造変えた特殊薬品所持の男を逮捕　近畿厚生局麻薬取締部、薬品を初摘発

ツイート　反応　シェア 0　G+　おすすめ記事を受け取る

近畿厚生局麻薬取締部が押収したティーボック・メタンフェタミン入りのペットボトル＝21日、大阪市中央区

覚醒剤の分子構造を一部だけ変化させ、規制対象にならないようにした特殊な薬品を所持していたとして、近畿厚生局麻薬取締部が覚せい剤取締法違反（製造予備など）の疑いで、工場経営の横谷勝己容疑者（59）＝大阪市鶴見区鶴見＝を逮捕、送検していたことが21日、同取締部への取材で分かった。

鑑定の結果、簡単な化学処理を行うことで、覚醒剤そのものに変化させられることが

01 産経WEST

t-Boc Methamphetamineを違法に所持していたとして男が逮捕された。覚醒剤に換算すると約7・8kg分で、末端価格で約5億円相当だという

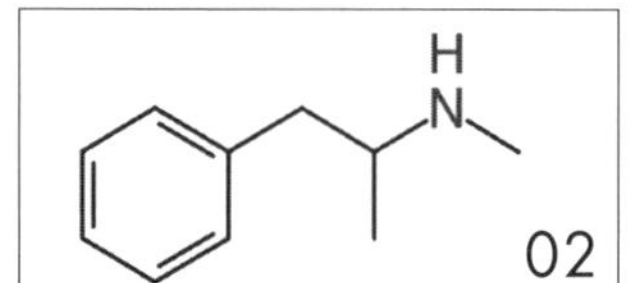

Methamphetamine

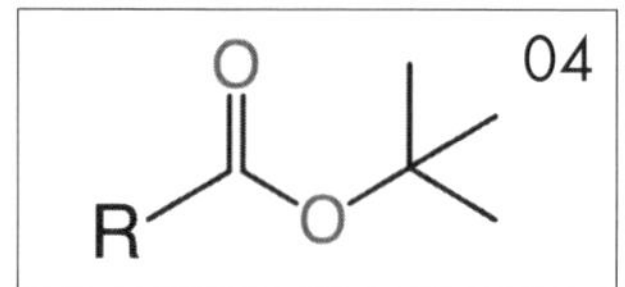

t-Butoxycarbonyl基。通称Boc

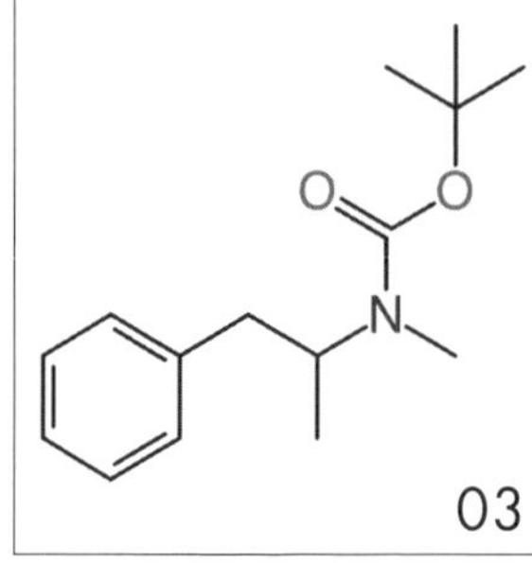

t-Boc Methamphetamine

Bocの正体とは一体？

このBocを外すには、人間が摂取することを考えると$CHCl_3$/TFAよりはメタノール/塩酸が適しているかなって思いますが、実際はどういう手段を使ってたんでしょうね。

Bocは「*t*-Butoxycarbonyl基」[04] といって、よく保護基として使われる構造です。反応を進める際に官能基が複数付いていると、1つだけ反応させたかったのに、それら全部と反応してしまった結果ゴミが出来上がることがあります。それを防止するために、反応してほしくない部分にプロテクティングを施すことで、目的の官能基だけを反応させられるワケです。

Memo: ※1　ブレイキング・バッド作中に出てくる青いメタンフェタミンは、現実では存在しない。
純度の高いメタフェタミンは白いので、精製すると青くなるということはない。

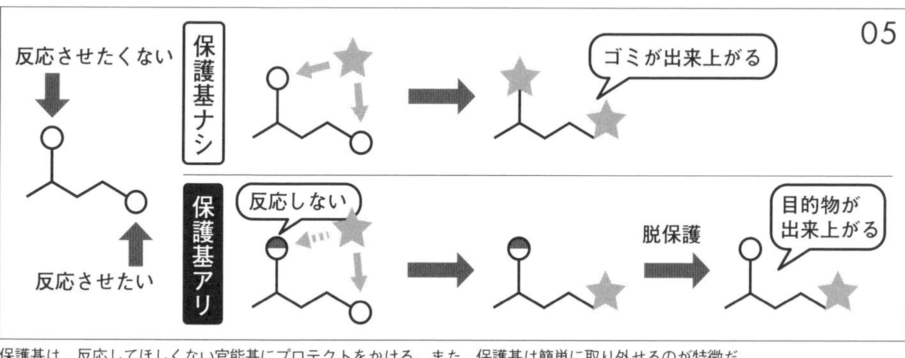

保護基は、反応してほしくない官能基にプロテクトをかける。また、保護基は簡単に取り外せるのが特徴だ

そのプロテクティングに使うのが、保護基［05］。被せものみたいなモノです。保護基を使用することで、反応に選択性を持たせることが可能になります。その理想的な保護基の条件は以下の通りです。

- ●付けるのが簡単
- ●反応させてる間に外れたり、いらんことしたりされない
- ●外すのも簡単

具体的な利用例としてまず挙げられるのが、塩基性や求核性を持ち、そして高い反応性を備えているアミン。Bocはその反応性の高いアミンを保護する上でのファーストチョイスといっても過言ではありません。これは、アルコールやフェノールの保護にも使われます。TEAやピリジンなどの塩基を用いて Boc_2O［06］と反応させることにより、簡単に導入可能。

脱保護は上記の酸を使うことで、これまた簡単です。副生成物はイソブテンと二酸化炭素。両方とも揮発性物質なので、溶媒とともにエバポするだけで除けてしまい、後処理が楽なのも利点の1つ。淡島はBoc大好きです。Boc_2Oは融点が22～24℃なので、その時のBoc_2Oの状態で季節を感じられるようになってきます。夏にBoc_2Oを量っていると、てろってろっに溶けてべったべったになりますが、それでも好きです。Boc考えた人、神ですよね。

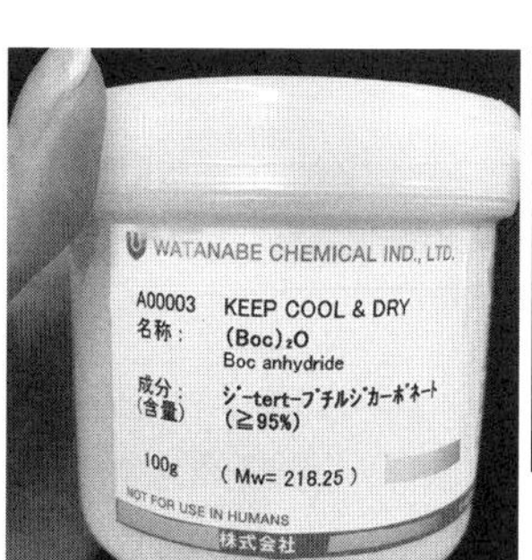

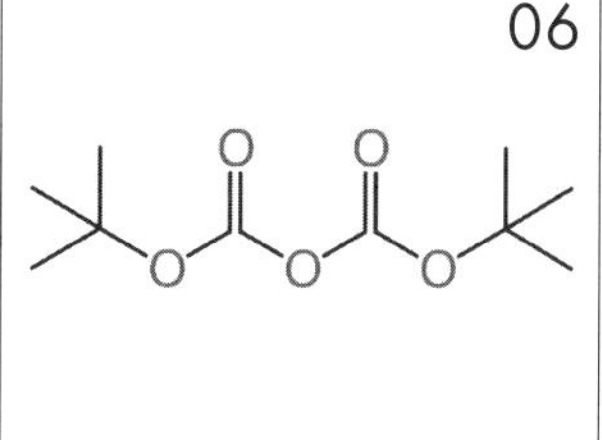

Boc_2O、ジ-*tert*-ブチルジカーボネート。Boc化試薬の1つで、アミンを簡単にBoc化でき、副生成物を出さない

ということで、有名どころの保護基を表［07］にまとめました。反応の条件や保護したい官能基によって可能性は星の数ほどあるので、詳しいことは分厚い保護基本を読むか、試薬屋さんの保護基カタログをめくって下さい。複雑な化合物を合成する際には、いくつもの保護基を併用する必要があり、それらが保護・脱保護でき、反応の過程で干渉し合わないように条件を設定するのは腕が要ります。修行して経験を積んで下さいね。

保護基のさまざまな用途

保護基は反応に選択性を持たせるという一般的な使われ方以外にも用途があるので、それらも挙げておきましょう。

❶溶解性を向上させる

有機溶媒に溶けにくい糖やアミノ酸などを溶かせる。

❷結晶性を向上させる

合成中間体を精製するのに再結晶させる場合、扱いやすくなる。

❸生物活性を変化させる

毒性が高い物質の場合、保護体になると毒性が低くなるケースが多い。

保護対象	保護	脱保護	備考
アミノ基 R-NH	t-ブチルカーボネート Boc_2O R-NH → Boc(t-Boc)基	強酸性条件 eg). TFA → R-NH ↑, CO_2↑	・後処理がラク ・塩基、求核剤、接触還元から保護
アミノ基 R-NH	クロロギ酸ベンジル Z-Cl R-NH → Z(Cbz)基	接触還元 → R-NH Me ↑, CO_2↑	・後処理がラク ・塩基、求核剤、強酸性から保護
ヒドロキシル基 R-OH	シリルクロライド eg). TBS Cl-SiR'$_3$ R-OH → シリル基 R-O-SiR'$_3$	酸性条件, H_2O or $F^{\ominus}$ eg). TBAF → R-OH	シリル基 小 ⟷ 大 外れやすい　外れにくい
ヒドロキシル基 R-OH	臭化ベンジル Br R-OH → ベンジル基 R-O	接触還元 → R-OH	・酸、塩基、求核剤から保護
カルボニル基 R(C=O)R' (H)	グリコール HO [ ]n OH R(C=O)R'(H) → アセタール O [ ]n O R R'(H)	酸性条件, H_2O → R(C=O)R'(H)	・塩基、求核剤、還元剤から保護
カルボキシル基 R(C=O)OH	エステル縮合 アルコール R'-OH R(C=O)OH → エステル R(C=O)OR'	塩基性条件, H_2O などで加水分解 → R(C=O)OH	・塩基、求電子剤から保護 07

❹揮発性を低下させる

エバポや乾燥する時に飛ばないので、扱いやすくなる。

❺構造解析をしやすくする

特徴のない分子に特徴を持たせることで、解析や検出が容易になる。

❻反応性を変化させる

保護基の嵩高さを利用して立体選択性を制御するなど、反応性を変えることができる。

以上の6点に加え、「規制をかいくぐって、覚醒剤を製造する」…と、冒頭で述べたような用途がこちらに追加されたわけです。簡単に構造を変えられて、簡単に元の構造に戻せるという点で、保護基は最適だと思います。*t*-Boc Methamphetamineは2017年に指定薬物として輸入や所持が規制されましたが[※2]、他にも保護基はたくさんあります。どうするんでしょうね、お役所様は…。

Memo: ※2　t-Boc Methamphetamineは2017年12月に指定薬物になっており、輸入及び所持もNG。

Chapter 03 Physics [物理]

米式バルブで超小型化＆排気高速化を実現
コンパクトサイズのエグゾーストキャノン開発

超強力空気砲「エグゾーストキャノン」の開発の中で、小型化＆高速化を目指した。キーとなるパーツは「米式バルブ」。これを用いた驚異の研究成果を2例紹介しよう。

text by yasu

Part1 超小型のペンシルエグゾーストキャノン

シャープペンと同等サイズのボディに、キャノンのメカニズムをすべて詰め込んでいる

筆者は現在までに20種を超えるエグゾーストキャノンを開発しており、それぞれに開発方針を設定しています。例えばチャンバーの大容量化やバルブ開放速度の高速化など、パワーアップ＆高性能化は男のロマンそのものです。一方、それとは異なるアプローチが「小型化」。エグゾーストキャノンのメカをいかに小さくしつつも、いかにパワフルな排気を生み出すか。それもまた、設計者としてのロマンであります。

ということで開発したのが、「ペンシルエグゾーストキャノン」。金属光沢が美しいアクセサリー級の仕上がりになりました。超小型とはいえ、その爽快感あるサウンドと文房具程度なら吹き飛ばせるその瞬発力は、エグゾーストキャノンのアクションそのものです。

↑サイズは小さいものの、部品の構成はエグゾーストキャノンそのものだ

←キャップを外すと米式バルブのピンが露出する

Memo:

ペンシルエグゾーストキャノンの設計

単管式でスリム設計に

極限まで小さく細く仕上げるため、エグゾーストキャノンの機構は、体積あたりの充填容量が大きく取れる「単管式」を採用します。

単管式で必要となるパイプやピストン類は、いずれも寸法を小型化したり、小さい部品を選定することで、直径φ20mm程度までの小型化は可能。しかし、単純なスケールダウンというわけにもいかないのが、エグゾーストキャノンの給/排気機構です。以下で詳しく説明していきましょう。

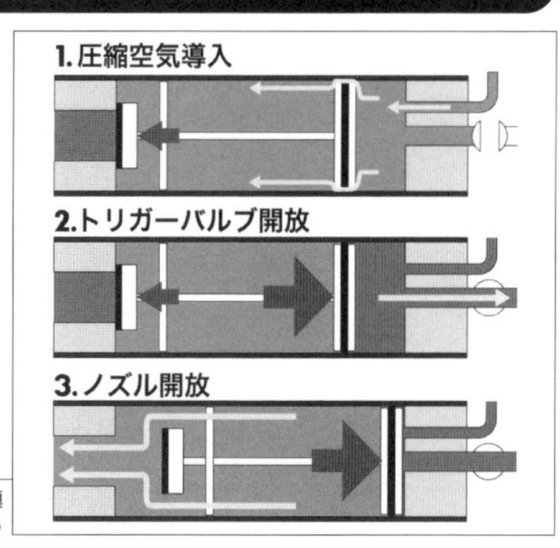

単管式エグゾーストキャノンの動作原理

単一のパイプがピストンのシリンダーと充填領域を兼ねるため、スリムな設計が可能になる

給/排気機構は米式バルブを採用

給/排気機構をいかに小型化するかが、今回の工作のポイントです。給気とはキャノンへの圧縮空気チャージ（上の図のフェーズ1）、排気はキャノンのトリガー（上の図のフェーズ2）に相当します。給気では内圧をリークさせずに保持する機能が、排気ではメインピストン駆動に十分な流量を簡単な操作でハンドリングできるだけのメカが求められるのです。

この給/排気のコントロールですが、市販の空圧用バルブはあまりに煩雑で大きく、超小型化には不適です。エグゾーストキャノンのトリガーとして定番のエアカプラも、そのサイズは依然として大きく、全体のバランスから逸脱してしまうことに…。そこで今回は、「米式バルブ」に改造を施し、超小型の給/排気機構を構築します。

米式バルブでシールを担うのが、弁体と弁座です。通常時、弁座はスプリングで常に上部の弁座に押し付けられていて、外部から内部へエアーは通しますが、内部から外部へのエアーは通さない逆止弁の構造となっています。通常の逆止弁と異なるポイントとして、米式バルブは弁体につながるピンを強制的に下方へ押し込むことで、流路が形成され、内部の圧力を抜くことが可能。この仕組みを応用し、超小型の排気弁に改造してやるという作戦です。

改造といってもやることはシンプルで、バルブの筒の上端部を切除し、ピンを露出させるだけ。これでピンに指でアクセスできるようになり、ピンをプッシュすれば内圧をリリース。本来の弁機能も残っているので、空気入れを接続すれば問題なく空気の導入と保持が可能となるわけです。これにより、シリンダーに収まるコンパクトな給/排気機構を実現します。

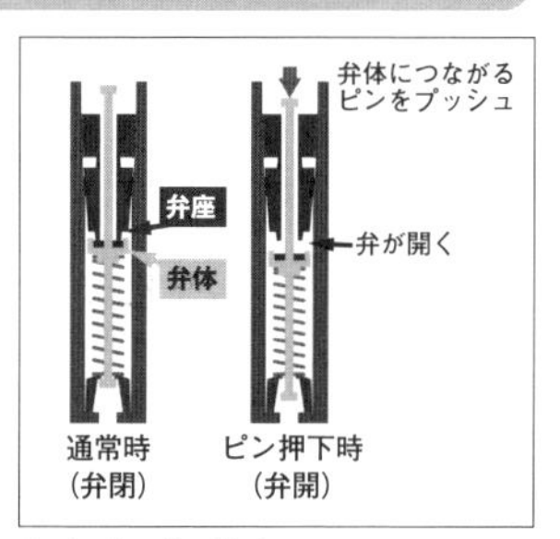

米式バルブの構造

自転車のタイヤに用いられる米式バルブ。弁体と弁座が逆止弁の役目を担っており、スリムな設計が可能になる

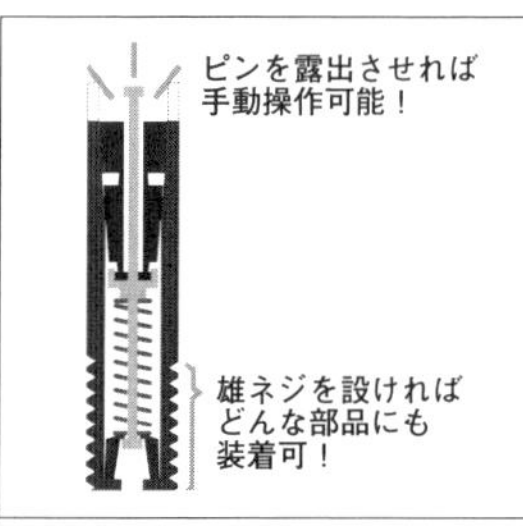

米式バルブ改造給/排気弁

米式バルブを改造して作る超小型給/排気弁。バルブ本体にダイスで雄ネジを成形すれば、任意の部品に簡単に取り付けることも可能になる

ペンシルエグゾーストキャノンの作り方

シリンダーには薄肉のSUSパイプを採用し、充填容量を確保します。ノズルと尾栓の素材は微細加工が容易な真鍮を採用。旋盤で外形を仕上げた後、周囲に固定用のネジ穴をタッピングします。尾栓には改造した米式バルブをマウントの上、携帯用に針金を曲げて作った金具を取り付けます。ノズルのシールは、簡易なゴムパッキン押し付け方式。ピストンユニットの先端にセメダインの「スーパーX」で接合します。ピストンは、ゴム板とワッシャーからなるサンドイッチ構造です。ゴム板の外周部にはテーパー加工を施すことで、簡易的な逆止弁機構を付与します。

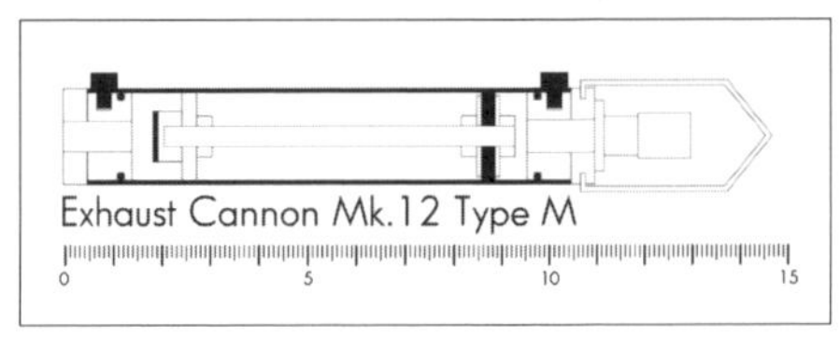

これらを一体にし、仕上げに針金を曲げて製作したパーツを取り付ければ完成です。

SUSパイプを切断し、ネジを通す穴を設けて小型シリンダーとする

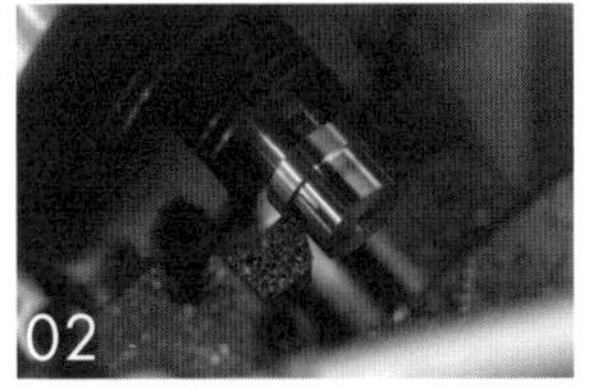

旋盤で真鍮を加工し、ノズルと尾栓を作製。真鍮は削りやすく、精密加工に向く

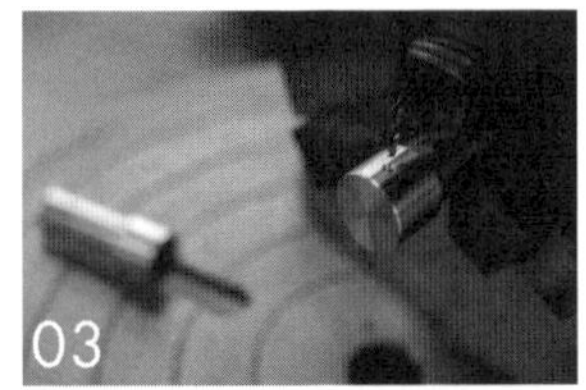

割出台とフライスを使って等間隔に穴をあける

周方向にM3雌ネジを3か所設ける。これでシリンダーと固定できる

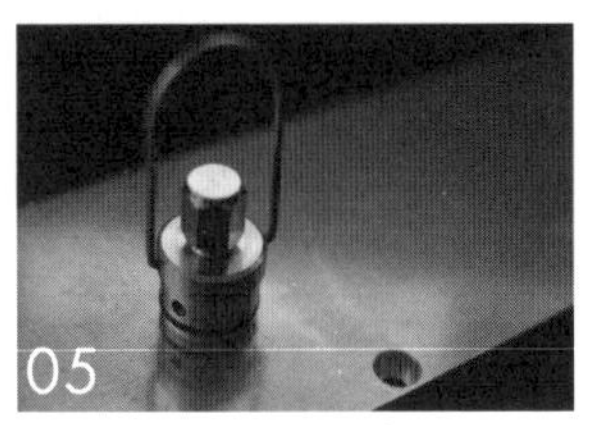

完成した尾栓。針金を曲げて作った金具がクール

小型のピストンユニット。M3寸きりボルトをベースに構築した

完成したら発射実験!

米式バルブのキャップを外し、自転車用フロアポンプを取り付けます。充填容量の少なさは圧力でカバーということで、ロードバイク用の小型ポンプで力の限り内部にエアを充填していきます。丁寧にバルブからポンプ継手を取り外したら、いよいよ発射テストです。

米式バルブ後端に露出したピンを指で一気に押し込むことで、バックチャンバーの圧縮空気が開放され、ピストンユニットがドライブ。これによってノズルが急速に開放され、小気味よい破裂音とともに圧縮エアが吹き出します。サイズと機能を両立した。給/排気機構の完成です！

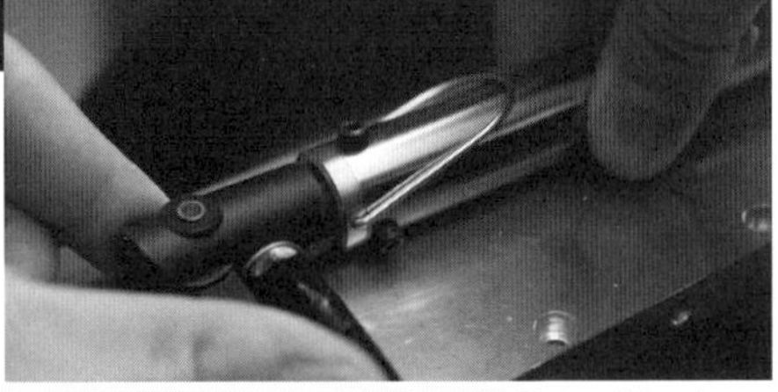

↑ポンプをつないでチャージ。ピンが露出していてもエア充填に支障はない

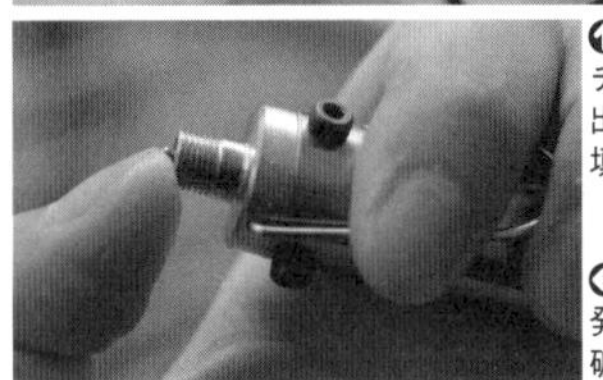

←ピンを押し込んで発射！　小気味よい破裂音が鳴り響く！

Memo:

Part2 プッシュトリガー式AEVエグゾーストキャノン

超小型のエグゾーストキャノンスイッチングとして確立した、米式バルブ改造排気弁。超小型キャノンであればダイレクトドライブが可能ですが、さすがにスペック重視の高速駆動キャノンのトリガーとしては力不足。しかし、AEVというテクノロジーと組み合わせれば、その限りではありません。

ということで、超小型キャノンに引き続き、米式バルブを使って、プッシュトリガー式の高速排気型エグゾーストキャノンの開発に挑みました。

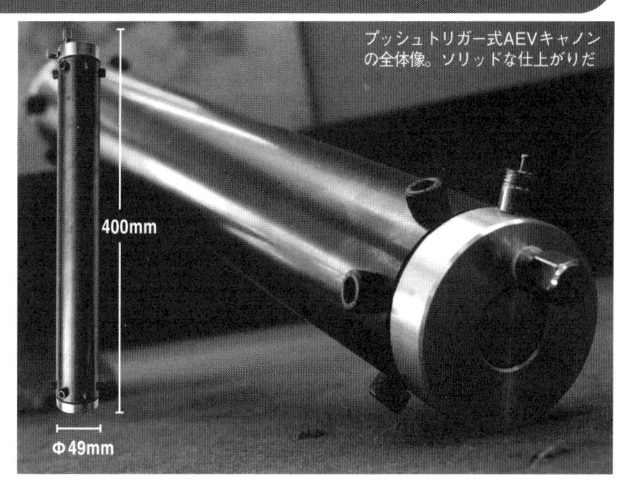

プッシュトリガー式AEVキャノンの全体像。ソリッドな仕上がりだ

AEVと米式バルブの融合

まずはAEV（Augmented Exhaust Valve）のおさらいから。AEVは単管式をベースに、メインピストンの高速化を目的として、ピストンユニット後端にAEVピストンを追加したシステムです。右の図の2までは通常の単管式と同じですが、3のトリガーバルブ開放からが大きく異なります。

トリガーバルブを開き、メインピストン背後の空間の圧力がわずかにでも下がると、ピストンユニット全体が後退を開始します。ここである位置まで後退すると、AEVピストンが塞いでいた排気ポートが開放。大面積を介した瞬間的な減圧により、ピストンユニットは猛烈に急加速し、結果、ノズル開放が極めて高速化され、排気のキレが圧倒的に向上します。

このAEVのトリガーに必要なのは、メインピストンの圧力バランスをごくわずかでも崩すことです。そのため、流量を稼ぐための大層なバルブは不要で、米式バルブ程度の排気で必要十分。つまり、189ページの米式バルブ改造排気弁を組み合わせれば、ピンをワンプッシュするだけでピストンを超高速ドライブ可能な、操作性に優れた高性能なキャノンを構築できるわけです。

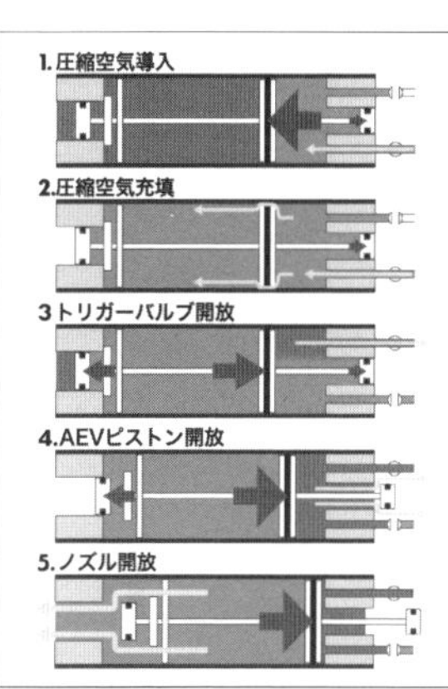

AEV搭載キャノンの動作原理

立ち上がりの鋭い排気がAEVシステム搭載キャノンの特徴だ

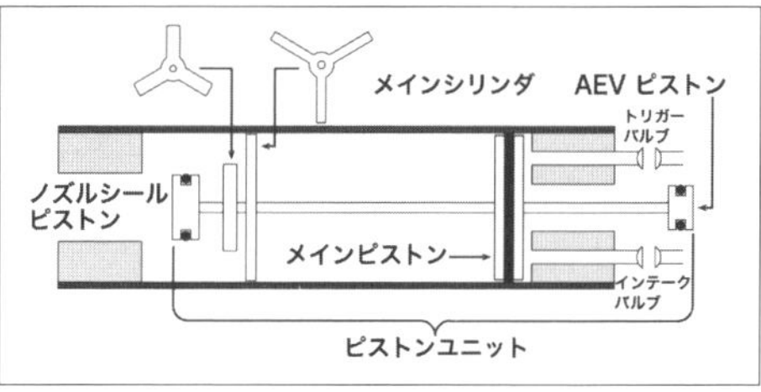

AEV搭載キャノンの構造図

メインピストンの尾栓側に、AEVピストンを追加している

プッシュトリガー式キャノンの作り方

駆動方式はAEVの特性を最大限活用できる、単管式とします。パイプには価格と外観性に優れたSTK鋼管を採用。電縫管（丸めた板材を溶接して成形した管）であるものの、内面の凹凸が少なく、Oリングを用いたシールが可能です。今回は手頃なサイズとしてSTK40（外形48.6mm）を使用します。パイプの両端へ割出台とフライス盤を用いて等間隔に6つの穴を設けます。加工後は割出台の掴み代をバンドソーで切断。穴あけや切断で生じる内面のバリはOリングを傷付けてしまうため、バリ取りツールやヤスリを用いて丁寧に取り除いて下さい。

ノズルと尾栓は、強度と加工性を併せ持ったアルミ合金であるA2017（ジュラルミン）を加工して製作。バンドソーで適切な長さに切り出し、これを旋盤で仕上げていきます。外径を切削したらセンターに穴あけ、中ぐりで拡張し、旋盤加工は完了です。先ほどのパイプと同様に、割出台＆フライス盤で等間隔に6つの穴を設けます。

尾栓には、今回のコアパーツである米式バルブを取り付けるので、エアの給気・排気用に2つの米式バルブを用意。いずれも片方をダイスで加工してM7のオネジを形成し、尾栓にねじ込めるようにしておきます。このうち排気用については、先端を旋盤で切削し、ピンを露出させておいて下さい。

メインピストンは摺動性に優れるポリアセタール樹脂、ノズルピストンとAEVピストンは外観性の観点で真鍮を選定し、いずれも旋盤で加工しました。組み上げて完成です！

STK鋼管を切り出してボディを作製

円周方向の加工が可能な割出台を使って、STK40のパイプに6つの穴を等間隔にあけていく

穴あけ加工後、掴み代部分をバンドソーで切除する。この時、切断面のバリ取りを忘れずに！

旋盤を使ってA2017丸棒に穴をあける。アルミ合金専用ドリルを使うと作業は非常にスムーズ

最後にパイプ内側と外側に面取り加工を施せば、STK鋼管の旋盤加工は完了だ

Memo:

ノズルと尾栓の製作

雄ネジを作る時はダイスを使用してネジ切りを行う。ここではM7を利用した

189ページを参考に、米式バルブを改造。ねじ込む際は、シールテープを忘れずに

ポリアセタールで成形したメインピストン。逆止弁構造とするため、Oリング溝の片側に貫通穴を設けた

ノズル／AEVピストンは外部に露出することになる。ゆえに、真鍮でカッコよく仕上げていく

プッシュトリガー式AEVエグゾーストキャノンを発射!

用意した各パーツを組み上げたら発射テストです。ピストンユニットを発射待機位置まで押し込み、給気用米式バルブから圧縮空気を導入。充填完了後は構えて、トリガーとなる排気用米式バルブのピンを押し込みます。するとその瞬間、恐ろしい速度でAEVピストンが尾栓から飛び出し、耳をつんざく爆音が発生！　安全性度外視の恐ろしい設計ですが、試作機なのでとりあえずヨシとします。

これだけの排気速度を有するキャノンを小さなボタンワンプッシュでスイッチングできるのは驚異的であり、AEVの流量増幅機構と、米式バルブの簡便な減圧機構が組み合わさった妙技といえるでしょう。

⬆AEVピストンを引き出した様子。ボタンを押すと瞬時にAEVピストンが飛び出し、これだけの大面積が形成される。発射時は、指を退避させておかないと危険である…

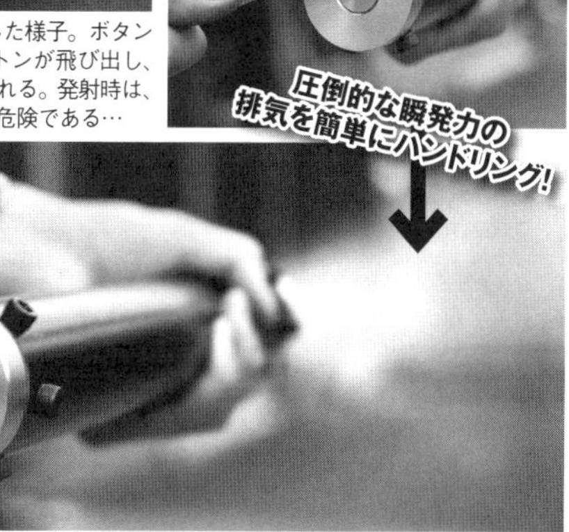

後端に設けた米式バルブからエアをチャージしたら、トリガーボタンのピンを押し込むだけで超高速駆動！

「ぼくのかんがえたさいきょうのぶき」を作る!

エグゾーストキャノンの金属加工の基本と実践

エグゾーストキャノンを実際に作ってみたいと思っても、金属の加工が必須であり、それがハードルの高さの主な要因となっている。ここでは旋盤加工の技術について解説していこう。

text by Liar K

エクストリーム工作を代表する機械といえば、『図解 ｱﾘｴﾅｲ理科ノ工作』でPOKA氏が考案した圧縮空気を発射する「エグゾーストキャノン」でしょう。その思想とインパクトから多くのメイカーを魅了し、それぞれが独自の理論を構築し発展させてきました。今日製造されているのは、3つの機構が主流となっています。簡単に説明すると、最初に考案されたのが「二重筒式」で、ピストンが摺動する内シリンダーとタンクとなる外シリンダーが同軸上に配置されるものです。その外タンクを排し、ピストンロッド外周上をタンクとするのが「単管式」。そして、排気弁部とタンクを独立させたのが「容量可変式」です。それらの機構は性能や製作難度などの点で、さまざまなメリット・デメリットがあります。

そんな中、私は2022年末に二重筒式の亜種ともいえる機構のキャノンを製作しました。二重筒式でありながらもタンク容量に拡張性を持たせた、yasu氏考案の先端バルブ式キャノンです。下の画像が、その設計イメージや実際の試射の様子です。

これまでのｱﾘｴﾅｲ理科シリーズにおいても、いくつものエグゾーストキャノンについて記事がありますが、興味を持ってもそれを自分の手で作るのは、基礎的部分の知識がなければ、なかなか難しいもの。そこで、材料選びの基本、加工用工具の選び方、そして実際の旋盤加工のポイントまで駆け足ではありますが、解説していきます。

材料選定の基礎知識

加工もしやすく丈夫で、耐食性も高く、手に入りやすい金属…と考えると、アルミニウムに行き着くでしょう。実際、卓上旋盤ではアルミでないとかなりしんどいです。そのアルミでもさまざまな種類があり、A5052、A2017、A7075、A6061あたりがメジャーどころ。それぞれの特徴を簡単に見ていきます。

先端バルブ式キャノンの発射テスト

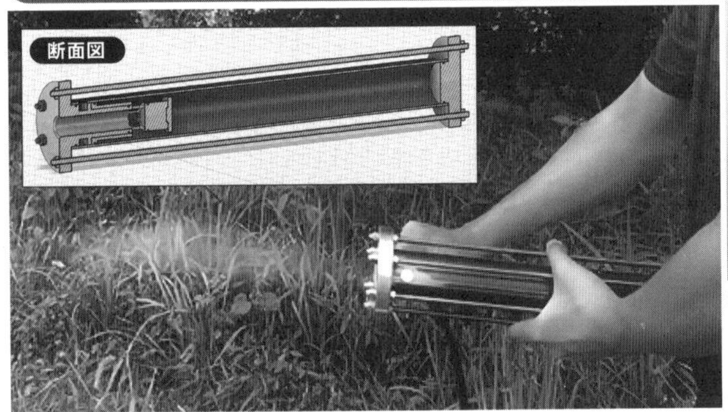

2022年末に製作した、先端ブルブ式キャノン。ノズルと内シリンダーが一体となっており、ノズルに尾栓以外の全部品を組み合わせている。金属加工の技術を身につければ、このように自らの手で具現化できるのだ

Memo:

A5052は最も手に入りやすいのですが、削るとむしれやすく良質な面は出しづらいです。ただし耐食性は高いので、液体を入れるとかそういう場面では使ってもいいかもしれません。

同じくA6061も耐食性に優れます。A5052よりも加工しやすい印象です。ただ少し値が張るのがネック。A2017は、加工もしやすく手に入りやすい材料です。強度が高いのが特徴ですが、耐食性は低めです。

そして、アルミの中で最強の強度を誇るのがA7075になります。しかし、耐食性はA2017と同じく低いです。難削材で加工しにくいといわれますが、個人的に最も扱いやすいと思ってます。多少値が張るのが難点ですけどね。以上の理由から、エグゾーストキャノンの材料としては基本的にA2017の利用をオススメします。

ミニ 金属旋盤

35,620円

工作機械というよりオモチャといった方が適当だろう。モーターのトルクが非常に低く、真鍮程度の柔らかい金属なら何とか削れるか…。その分、事故も起きにくいが

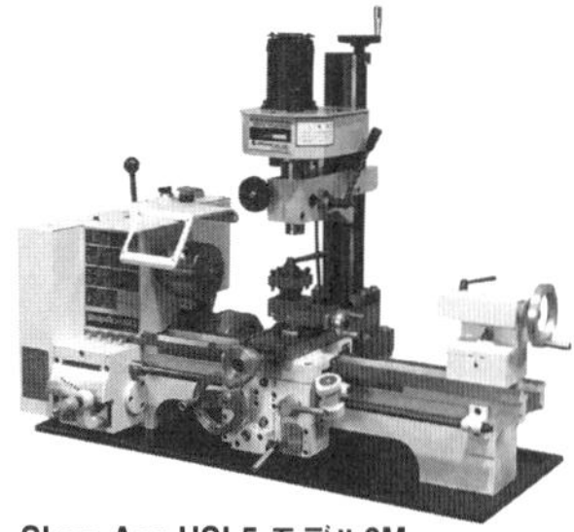

Shop-Ace USL5 モデル3M

640,000円～

旋盤の主軸に対しミーリングアタッチメントをラジアル方向に取り付けられる。同軸上に複雑な機構が組み込まれるエグゾーストキャノンの製作と相性が良い

旋盤旋削工具ホルダーセット

4,000円～

AmazonやAliExpressでは、数種類のバイトとチップのセットが数千円で売っている。ビギナーはとりあえずセットで買っておいて、よく使うものだけメーカー品にするのがベターだ

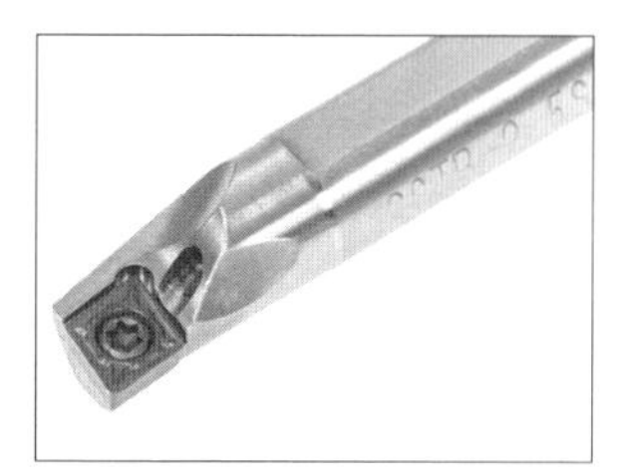

タンガロイ
内径用ホルダ A/E-SVUCR/L

17,000円～

使用頻度の高いバイトはメーカー品を選びたい。特にタンガロイでは卓上旋盤でも使える小さなバイトも取り揃えており、バイトの素材も豊富。経済面での折り合いもつけやすい

工具の選び方

恐らく、誤家庭で旋盤加工を行う方々の多くが、使い捨てのスローアウェイのバイトを使用しているでしょう。交換式なので、刃物成形のスキル不要で使えますからね。卓上旋盤用で広く流通しているバイトの多くは中華製ですが、懐に余裕があるならちゃんとしたメーカーの互換品を使いたいところです。各切削工具メーカーカタログの小型旋盤用から品番を探して、MonotaROやミスミ、Amazonなどを検索してみましょう。近所に工具商社があれば訪ねるのも手です。大体1本1万円くらいが相場かな。

また、刃部分のチップは研げば再利用できる超硬ノンコートを選びたいです。アルミの切削用だと「K10」と呼ばれる種類の超硬合金のもの。タンガロイの「TH10」、三菱マテリアルの「HTi10」、住友電気工業の「H1」がそれに相当します。材質はインサート型番の末尾に記載されていて、例えば「TNGG160404-01 TH10」といった感じです。

ちなみに、刃持ちを良くするためあえて刃先を丸くした「ホーニング刃」と呼ばれるチップもあります。その分、切れ味は落ちてびびりやすくなるなど、個人的にはデメリットの方が気になるところ。アルミの切削ではそれほど負荷がかからないので、「ホーニングなし」を選ぶのがベターと考えます。

加えて、偽物が流通していることにも気を付けたいです。チップの型番ではなく「旋盤 チップ」などと検索すると、真っ先に挙がってくるものや、中華系通販サイトのものは99%、粗悪なコピー品です。それらは正規品の約1/10程度とアリエナイ価格なので、ちょっと調べ

製品画像の出典

●寿貿易株式会社 https://www.kotobuki-mecanix.co.jp/

●タンガロイ https://tungaloy.com/jp/

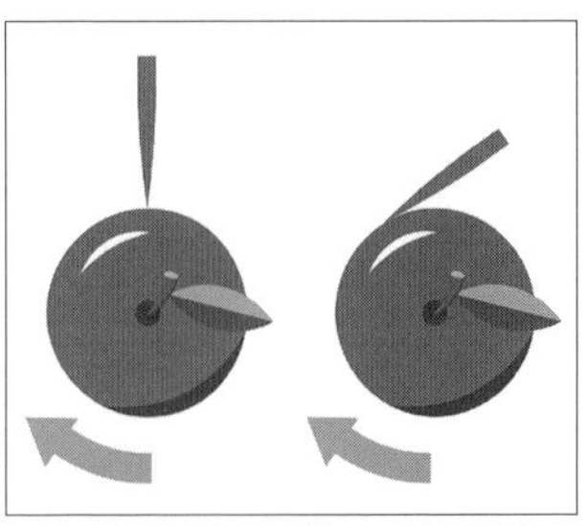

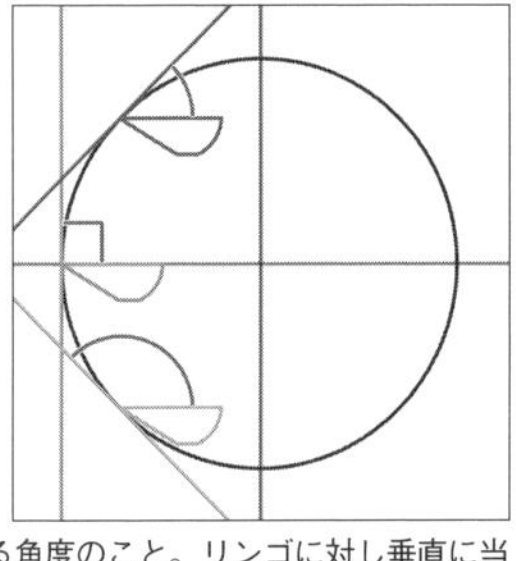

すくい角は、リンゴに対しての包丁を当てる角度のこと。リンゴに対し垂直に当てるとむきにくいため、適度に寝かせる必要がある。この考え方を旋盤加工にも応用すると理解しやすくなるだろう

アルミニウムの仕上げ加工にMCDチップを使うと、磨かずとも美しい鏡面を得られる。恋人がものづくり系女子なら、プレゼントにしてもいいかも(笑)

れば見極められると思います。

そして、究極に美しい面が欲しいという場合、「MCD」というチップがあることを覚えておくといいでしょう。MCDとはMono Crystal Diamond、単結晶ダイヤモンドのこと。アルミニウムの仕上げ加工に使うと、磨かずとも美しい鏡面を得られます。ただ、ダイヤモンドだけあって馬鹿みたいに高いです。中華製でも1万円超え、ちゃんとしたメーカー品だと軽く5万円近くします…。

切削油についても記載しておきましょう。アルミの加工では、加工中の熱や圧力によって工具の刃先に溶着し、切れ味が落ちてしまうことが少なくありません。そこで重要になるのが切削油です。加工時の摩擦や発熱を抑えられます。とはいっても、何か特別に専用の油を用意する必要はなく、灯油で十分というか、実はこれがアルミの加工にかなり適しているのです。モアベターを目指すなら、灯油とタップ・ドリルオイルを1：1で混ぜて下さい。

素材選びや工具については、こんなところです。以降では、美しく加工するための実践的な技術である「中ぐり加工」について紹介しましょう。

旋盤加工の実践知識

中ぐり加工とは、ドリルなどであけた下穴をさらに広げる内径加工法で、一般的なドリルでは対応できない大きな穴を高精度にあけられるのが特徴です。なので、加工したい穴の径より小さく、さらに加工深さ以上のバイトの長さが必要になります。私が今回作ったキャノンを例に説明すると…、Φ20mm×100mmの穴なので、バイトはΦ16mmで長さが100mm＋刃物台に固定する分必要ということに。

取り付けたバイトは一端が固定端、他端が自由端の片持ち梁の構造をとるため、突き出し量が大きくなればなるほど切削抵抗が刃先にかかった際のたわみは大きくなります。このたわみは、加工において「びびり」という加工面不良の原因となるのです。つまり、びびりを抑えるにはバイトのたわみを少なくする必要があります。

今回は突き出し量を100mmより短くできないのと、一般に扱われるバイトの直径も加工する穴径がΦ20mm以下だとΦ16mmが最大で断面二次モーメントもこれ以上大きくできないので、切削抵抗を減らすことに焦点を当てます。そのためにはバイトを鋭くする、刃先の角度を90°に近くする、1回で削り取る量を減らす、材料を削りやすい物にする…などです。バイトを鋭くするとは、専門的には刃先の接触面積を小さくし、さらにすくい角、逃げ角を大きくするということ。刃先の接触面積を小さくするとは、ノーズRを小さくするということで、ノーズRとは刃先に付けられた丸みのことをいいます。ノーズRが大きくなればなるほど、切削時の接触面積が大きくなり切削抵抗は大きくなるのです。ただし、ノーズRが小さ過ぎても刃先の強度低下となるので、半径0.1～0.2mmの丸みをつけるのがベターでしょう。

イメージしやすくするために、リンゴの皮むきに例えて説明します。左上の図版を見ながら読んで下さい。

すくい角は、リンゴに対しての包丁を当てる角度のこと。す

Memo:

くい角が0°の時、包丁はリンゴに対し垂直に当てることになり、この状態でリンゴを回すと、皮をむくというよりこそぎ取る感じになります。抵抗が大きく、リンゴの表面はガタガタで汚くなるのは想像できるでしょう。そこで、リンゴの皮をむく場合は包丁を少し寝かせて刃を入れますよね？　すくい角が大きくなると刃がスッと入りやすくなるのですが、寝かせ過ぎると今度は包丁の腹が当たって切れなくなってしまいます。これが逃げ角0°の状態。つまり、包丁の腹がリンゴに当たらない程度に、包丁を寝かせて刃を入れるのが理想なわけです。

これを旋盤加工に置き換えて考えると、すくい角をなるべく大きくしつつも、逃げ角も大きくすれば切削抵抗を低減させられる…ということに。ただし、すくい角と逃げ角を大きくしていくと、刃はどんどん薄くなっていきます。そうなるとわずかな負荷でパキッと刃が欠けてしまうので、その辺りの加減を調整しつつそれぞれ大きくとるのが重要なのです。

とはいえ、すくい角と逃げ角を自由に調整できるのは自分でバイトを成形する場合の話。使い捨てのスローアウェイバイトを使う場合は、どうすればいいのでしょうか。その答えは、バイトを取り付ける時の刃先の高さによって調整する…です。

交換式のバイトは、取り付け時の刃先の高さによって調整する。内径を加工する際は、バイトの刃先を上向きにして刃先が内径中心から高くすると、すくい角は小さくなり、逃げ角は大きくなる。なお、刃先の高さの確認は、旋盤のチャックに円錐型のモノを咥えさせてダイヤルゲージを当ててチャックを回転。ダイヤルゲージの針が振れないようにした上で、刃先高さの目安にすると正確だ。また、芯押し台に取り付けたセンターで代用することもできる

内径加工時にバイトの刃先を上向きに取り付けた場合、刃先が内径中心から高くなるとすくい角は小さくなり、逃げ角は大きくなります。逆に刃先を低くすると、すくい角は大きくなり逃げ角は小さくなります。つまり、刃物の腹が当たらないくらいまで刃先を下げると切削抵抗を可能な限り下げられるのです。ただし、ここではバイトのたわみを考慮しなければなりません。バイトの突き出し量が長い場合、いざ加工すると切削抵抗によるたわみによって刃先が下がってしまいます。そうなると刃先をギリギリまで下げた状態では、刃物の腹が当たってしまいうまく削れません。特にスローアウェイの場合、逃げ角は0〜11°と小さいものが多いため、それを考慮すると刃先は高くした方が無難です。今回はΦ16mmで突き出し長さが100mm以上あるので、刃先の高さは内径中心から0.5〜1.0mm高くする必要があるといえます。

まとめ

今回はエグゾーストキャノンを通じて、金属加工のイロハについて解説しました。内径加工法は旋盤加工で最も基本の技術でありながら、難易度が高いため、これをマスターすれば旋盤の基本は身についたも同然です。皆さんも旋盤を買って、「ぼくのかんがえたさいきょうのぶき」を具現化してみて下さい！

ダイソーの拳銃玩具を本格仕様にカスタム!

仁義なきチャカ

これまで音が鳴る玩具として、宝箱や小刀(ドス)を作ってきた。となれば当然の帰結として、次は音が鳴る拳銃だろう…。これにて「音が鳴る工作抗争」に決着をつける!

text by デゴチ

100均商品は再入荷されないことも多い。工作に使用するものは、2個以上確保しておきたい

After

改造後の動作テストの様子は、左のQRコードからTwitterの動画で確認できる

DFPlayer Mini

主な材料●音が出るアクションピストル:ダイソー/330円 ●DFPlayer Mini:200~300円 ●2WAYLEDライト:セリア/110円(LED、スイッチ、配線などを部品取り) ●microSDカード ●USBチャージャー:セリア/110円(昇圧回路を部品取り) ●瞬間接着剤

まずは分解。銃口パーツが接着されているので、カッターなどで強引にこじ開けたら、ネジを外していく。引き金を引くとレバーでスライドが後退し、一定の位置でスライド内のバネの力で戻る仕組みだ

今回、改造のターゲットにするのは、100円ショップ・ダイソーの「音が出るアクションピストル」。330円の玩具です。この効果音を自由にイジれるようにしたいということで、まずは内部を観察していきます。

分解するにはボディに数か所あるネジを外していくのですが、銃口部分は接着剤でパーツが固定されているので、気合いで引きはがします。引き金と連動して後退するスライド、引き金とスライド後端、銃口にそれぞれスイッチが配置されている構造です。グリップ部には単3形乾電池×2本が配置され、そのすぐ近くに音声ICの基板とスピーカーが内蔵。引き金を引くとスライドが後退して、一定の位置を過ぎるとバネの力でスライドが元の位置に戻ります。スライドの後端にもスイッチが配置されており、手でスライドを引いた場合はそのスイッチまでスライドが後退して「ガチャ」という音が再生。引き金を引き切るとその根元に設置されたスイッチが押されて「ドキューン」と発射音が鳴ります。銃口には電極が2本並んだスイッチが配置されており、サイレンサーの形をしたパーツを挿し込むとそのパーツに押されて電極が接触し、その信号によって引き金のスイッチを押した際の発射音が「ドキューン」から「ピチューン」に変更される仕組みです。すごい、よくできている。スイッチと音声ユニットだけでもう原価割れしそうですが、大丈夫なんでしょうか…?

Memo: 筆者の工作がいかに技術力を使わずアイデアだけで強引に乗り切っているかが、読者の皆さんにもバレ始めていると思います。とはいえ、手を動かす工作は作り続けてこそ技術の蓄積と向上がなされるものです。続けるためには、簡単、楽しい、面白い、そして安いという条件が必要なので、今回も懲りずに簡単工作です。

STEP1 効果音を追加する改造の方向性を検討

ここまで完成されているのであれば、引き金を引いて発射音が鳴った後に、追加で効果音を鳴らせばいいだけ。MP3モジュールの「DFPlayer Mini」(以下DFPlayer)を使えば簡単だろう…と考えました。ところが発射音の音声ICは、引き金のスイッチで端子をGNDに落とす処理をしており、DFPlayerで音声を再生するための端子処理と競合してしまいます。そのため、無理やりスイッチを追加することを検討しました。

追加場所の候補は、スライド内側で発射時のスライドの移動が本体フレームと干渉する部分。この位置に取り付ければ、発射時に連動してDFPlayerをON→再生できると推察したのです。しかしこの場所は、可動部であるスライドと非可動部の本体を配線で接続する必要があり、構造が複雑になります。限られたスペースでの配線は最小限に抑えたいので、この案は残念ながら却下です。そこで、音声ICを丸っとDFPlayerに置き換えることにしました。これなら本体側に配線をまとめられます。

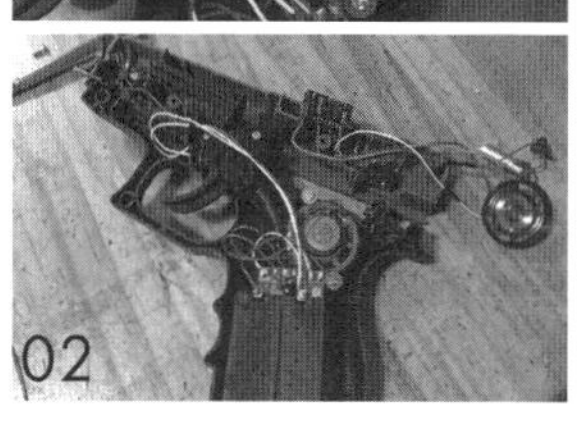

01・02：マイクロスイッチをスライド内側に付けて(瞬間接着剤で固定)、スライド後退時に追加の効果音をONする作戦だったが…。スイッチ位置と追加パーツ配置が困難だということが分かった　03：デフォルトの音声ICと併せて使うことを断念。DFPlayerに一本化するのがよさそうだ

STEP2 DFPlayerを動かすために電源を確保する

DFPlayerの動作には、3.3〜5Vの電源電圧が必要です。1.5Vの単3形乾電池×2本では、3V程度しかありません。3VでもDFPlayerの電源をONにできますが、音声の再生のために内部のアンプが動作すると消費電流が上がり、電源電圧が下がってしまいます。このような電圧の低下を「電圧降下」「ドロップ」などと言うと、なんか“知っている”っぽく見えるので覚えておきましょう(笑)。ともあれ、電圧が下がるとDFPlayerは正常な動作を維持できず、再生音が「ブブブブブブ…」とおかしくなります。

そこで、電圧を3V程度から5Vに高くするわけです。これを「昇圧」といいます。昇圧回路はそこそこ面倒なことをしているのですが、その仕組みは各自調べて下さい。乾電池×2本で簡単に5Vを得られる便利なアイテムが、USBチャージャーです。これは携帯電話の充電などのためにUSBの5V出力を得るためのもので、内部に昇圧回路を内蔵しています。この昇圧回路をいただいて本体に移植し、5VをDFPlayerに供給することにしましょう。

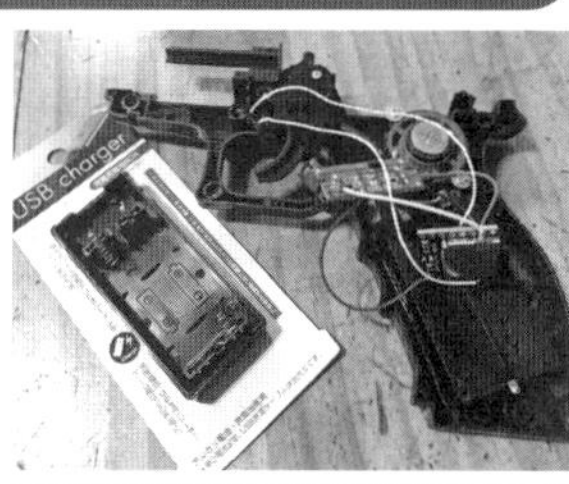

元の単3形乾電池×2本を電源に使うため、USBチャージャーの5V昇圧回路を銃グリップ部分に組み込む。銃の乾電池ボックスの電極を昇圧回路の電源端子へ接続し、昇圧した5V出力をDFPlayerのVCC電源端子へ接続する。なお、USBチャージャーは100均のセリアで購入した

STEP3 microSDカードを交換しやすくする

再生する効果音のデータをmicroSDカードに格納してDFPlayerに挿入するのですが、遊んでいる時に効果音のデータを変えたくなるかもしれません。そこで、DFPlayerの取り付け位置を工夫して、いちいち分解せずともmicroSDカードを挿し替えられるようにしましょう。具体的には、ピストルのグリップ底部にmicroSDカードのスロット部がくるようDFPlayerを配置します。この玩具のボディはプラスチック製なので、カッターナイフで削り、DFPlayerに実装されているmicroSDカードスロット部分が外に露出するように加工すればOKです。

01・02：グリップエンドからDFPlayerのmicroSDカードスロットが見える位置に設置するため、グリップ底部を加工する。カッターナイフで削っていくのは肉体労働だ…
03：スロット部が外部に露出しているため、microSDカードの交換が容易になった

STEP4 スイッチとLEDライトの設置

ボディを加工するついでに、電源をON/OFFできるスイッチも付けておきましょう。効果音がうるさいと怒られたらすぐOFFにできます。スイッチはさまざまな製品に使われていますが、今回はダイソー玩具の改造なので、同じく100均のセリアで売っているLEDライトからスイッチとLEDを流用することにしました。銃口から光を照射できたら面白そうじゃん！という程度の思い付きです。

このスイッチは単極双投という、1つの電極（単極）を2つの電極のどちらかに切り替えて接続できる（双投）ものを使います。電気の流れを2つの回路（分かれ道）のどちらに流し込むかを選べる…といったものです。今回のスイッチはさらに中間地点でオープン、つまりどちらの電極にも接続されない開放状態での維持も可能。よって、効果音で遊べるモードとOFFにするだけでなく、さらにLEDライトとして使えるモードの3つの状態を選択できるようになるのです。

手順は、ボディにカッターナイフでスイッチを取り付ける穴をあけて、スイッチを内側から瞬間接着剤で固定します。

01：セリアのLEDライトからスイッチをパーツ取りして流用。このスライドスイッチは、単極双投の3ポジション(ON-OFF-ON)だったので、効果音の反対側は拳銃型ライトに割り当てる　**02**：スライドスイッチをグリップ部に設置する　**03**：グリップにカッターナイフでスイッチ用の穴をあけて、瞬間接着剤でスイッチを固定。これで音がうるさいと怒られたら、すぐOFFにできる

Memo:

STEP5 細部を調整しながら組み立てる

おおむね準備ができたので、組み立ていきましょう。回路の構成は非常にシンプルです。DFPlayer、昇圧回路、電源スイッチ、LEDライトを追加する以外は、ベースとしたピストル玩具をそのまま利用しています。

DFPlayerには他の基板を接続するための端子が付いていますが、長くて邪魔なのですべてニッパーで切断。あとは回路図の通り、それぞれの配線をハンダ付けしていきます。配線は長いとボディに収めるのが大変になるので、多少の余裕を残しつつも長くなり過ぎないように調整するのがコツです。

電源スイッチは、グリップを握った時に邪魔にならない位置か再度確認しておきましょう。LEDライトは銃口に収まるよう、カッターナイフでスライドの銃口部分を少し削りました。スライドの動きに配線が引っかからないように取り回して、スライドとボディをネジ留めして組み立てたら完了です。

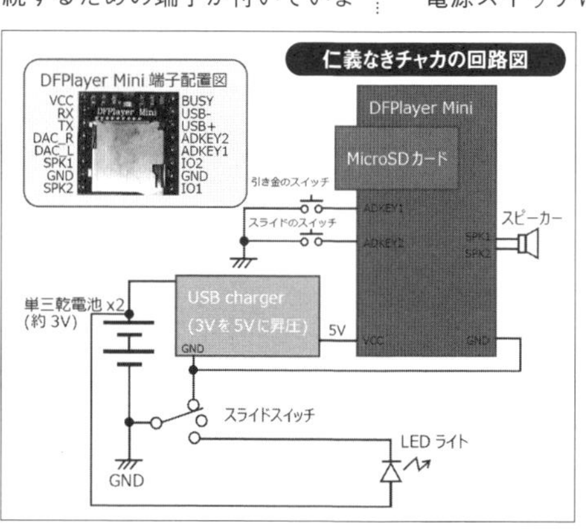

←すべてのパーツを配線して配置。何とか収まった

→LEDの反射鏡も銃口に収まったので、スライドに配線が干渉しないように調整してボディをネジで留める

STEP6 動作テストとドラマチックな遊び方

まずはLEDライトの確認です。追加して取り付けたスイッチをLED点灯側にすると、銃口から光が照射。銃型LEDとして使えるようになりました。

自分の好みの効果音を出す「仁義なきチャカ」として遊ぶ場合は、microSDカードに発射音などを格納します。DFPlayerの音声トラック再生のルールに則り「01」というフォルダを作成して、その中に拳銃の発射音の「001.mp3」とスライド動作音の「005.mp3」を格納すれば元の機能を再現可能です。発射音の後に映画のテーマ曲を追加したり、またはマシンガンやバズーカの発射音にしてしまうなど、応用は無限大でしょう。準備ができたmicroSDカードをDFPlayerに挿入し、電源スイッチをLEDとは反対側に切り替えてスライドを引くと「ガチャリ」、引き金を引くとスライドが後退した後で「ドキューン」と音が鳴り響きます。

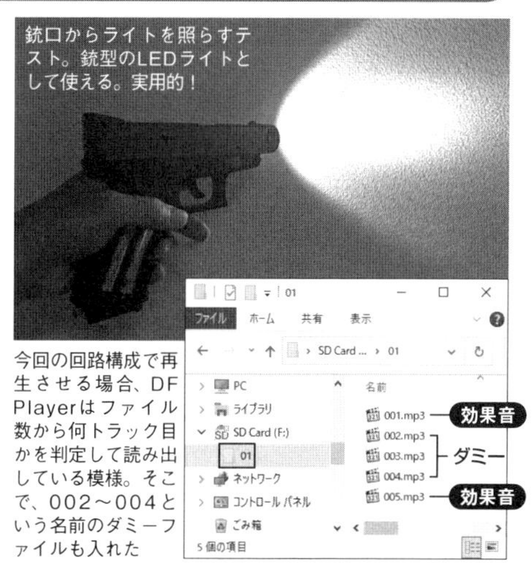

銃口からライトを照らすテスト。銃型のLEDライトとして使える。実用的！

今回の回路構成で再生させる場合、DFPlayerはファイル数から何トラック目かを判定して読み出している模様。そこで、002～004という名前のダミーファイルも入れた

フィクションを現実に！ 炎を纏う魔法剣…

ファイアソードの製作

ゲームやアニメに登場する炎の剣は、男子が憧れるロマン武器の一つ。刀身がメラメラ燃え続けるフィクションの魔法剣を、現実世界で完璧に再現する方法を考えてみた。

text by エメツ

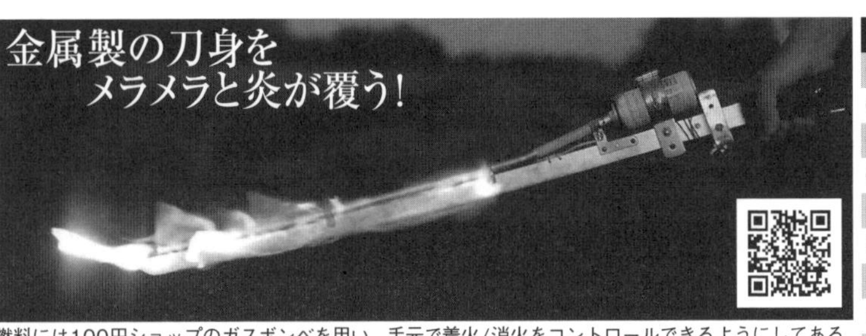

燃料には100円ショップのガスボンベを用い、手元で着火/消火をコントロールできるようにしてある。柔軟な操作が可能なので、突発的な戦闘にも十分対応できるだろう

主な材料

- アルミフラットバー
- アルミパイプ
- 高電圧モジュール
- 鉄サドル
- 自転車用空気入れ
- 立て管バンド
- ガラスクロステープ
- 単4形乾電池×2本
- 金具・ネジ各種

炎の剣は、古今東西の神話や創作作品に頻繁に登場するロマンあふれる武器です。見た目にインパクトがあるので、実際の作例も多くありますが、そのほとんどは一瞬のパフォーマンス用で、油を染み込ませた布の刀身にライターで着火するといった子供だまし的なシロモノばかり。そんな悠長なことをしていては咄嗟の戦闘ではやられてしまいますし、布の刀身では庭に侵入した植物系モンスターさえ倒せないでしょう。そこで、金属性の刀身に着火装置を兼ね備えた、実用性の高いファイアソードを製作することにします。

目指す動作としては、グリップに配置したレバーを握るとガスボンベと着火装置のスイッチが同時に押され、ガスの放出と着火が連動して行われるのが理想です。放出されたガスは刀身に取り付けられたパイプを通り、そこに掘られた溝から吹き出るので、刀身全体を炎が包むようなイメージ。レバーを離せば燃料供給が停止するため、出火と消火を自在にコントロールできる仕組みです。

グリップ以外の主な部品はすべて金属製ですが、ガスボンベはコンビニなどで手に入るものをそのまま流用するので、気密性などを考慮する必要はありません。また、全体的な構造にも精密加工を一切要求しないため、ちょっとした電動工具があれば、意外と簡単に作り上げることができます。見た目の割にハードルはそれほど高くありません。永遠のロマンをその手に収めるべく、少しだけ頑張ってみましょう。

それゆえ、工作と実験・検証には細心の注意を払う必要があります。さまざまな部品を販売者の意図しない目的で使用し、ほぼ制御不能なかたちで炎を扱うため、すべては自己責任になります。そして自分が死ぬだけならまだしも、他人の土地や家を燃やすなど周囲に迷惑をかけることは絶対に避けなければなりません。

というわけで、製作の前にいろいろと準備を整えておきましょう。周りに燃えるものが無いスペースを確保し、整備された消火器を配置。そして、訓練された監視者のもとで作業して下さい。あとは遺書を残したら、さあ、作業開始です！

Memo: 上記QRコードを読み込めば、ファイアソードの製作工程をYouTubeでも見られる。
●YouTubeチャンネル「十束玩具開発」…https://www.youtube.com/@user-fg2mv6qz1b

STEP1 グリップに着火装置を内蔵する

グリップ部の作業からスタート。3Dプリンターを使ってグリップを製作し、ここに着火装置を内蔵します。今回は着火のために火花放電を用いますが、大量のガスが高速で吹き出るので、電子ライター程度の放電ではうまく着火できません。そのため、スタンガンのように強力な連続放電が可能な装置を利用します。そういった「高電圧モジュール」は、AmazonやAliExpressなどの通販サイトで入手可能です。

これをグリップの内部に組み込み、外部へ配線を伸ばして起動スイッチを取り付けます。高圧端子は外に出しておき、2つのうち1つは刀身にネジ止めしておきましょう。ちなみに、グリップは強度的な問題や耐熱性を考えれば、塩ビ管で作るのがモアベターです。その場合は、市販の電池ボックスを使うなど各自で工夫して下さい。

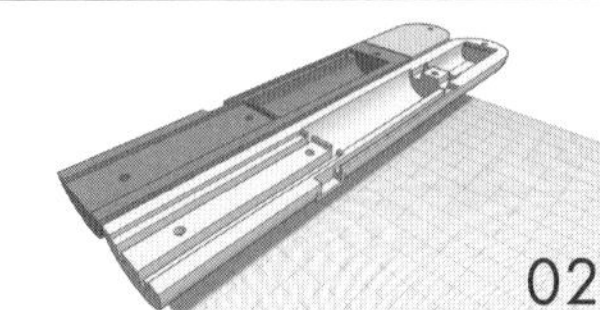

01：今回使用する高電圧モジュールは、Amazonで入手した入力3〜6Vのモデル。電源を乾電池にするなら出力は1万V程度になるので、出力は特にこだわらなくてもよい　**02・03**：3Dプリンターで自作したグリップ。高電圧モジュールを収めるだけでなく、電源用の乾電池、スイッチ類につながる配線スペースなどを設けた

STEP2 燃料ボンベと放出レバーの取り付け

次は燃料噴射装置の作成です。燃料には、100円ショップで売られている自転車用の空気入れを使います。この商品、内容物は空気ではなく可燃性ガスのLPG。しかもノズルを押すだけでガスが放出されるため、複雑なバルブや加工が必要ない便利な燃料タンクなのです。

レバーは鉄金具を曲げて作ります。2本の金具をネジで結合して曲げ、余った部分をグラインダーで切り落としたら可動域を確認して適当な位置に取り付ければOK。ボンベやスイッチの接触具合は後からでも調整できるため、この工程で悩む必要はありません。なお、赤色の糸を使ってレバーに日本刀風の柄巻を施すことで、雰囲気とレバーの保護を両立しています。

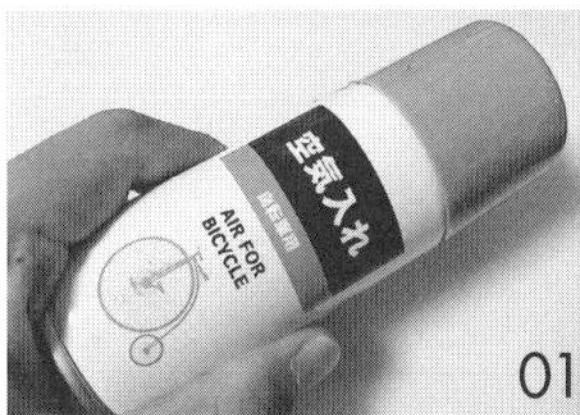

01：ガスボンベには、LPGが充填されている100均の自転車用空気入れを用いる。ガスライター用のボンベでもOK　**02**:細めの金属板2枚をネジ止めし、一方をレバー、もう一方を刀身固定用に折り曲げる　**03**：刀身にネジで装着した写真。レバーは保護用と装飾を兼ねて、日本刀風に柄巻きを施した

STEP3 刀身と燃料パイプの加工

刀身には、アルミ製のフラットバーを採用します。加工しやすいのもちろんのこと、銃刀法も回避するため非鉄金属を選びました。こういったロマン工作の場合、できるだけトラブルの元になる要因を除去しておくことも大事です。アルミフラットバーは、ハンマーで叩くと簡単に曲がります。好みの形になるまで叩いて成形しましょう。同様に、燃料パイプも曲げていきます。なるべく刀身と同じ曲線を描かないと、組んだ時に刀身が歪むので丁寧に進めて下さい。

刀身とパイプが曲げ終わったら、ディスクグラインダーでパイプに燃料放出用の溝を掘ります。多少溝が荒れても炎自体の形は変わらないので、ガンガン削ってOK。あとは刀身に穴をあけて鉄サドルでパイプを接合し、パイプの端をノズルに合わせて調整したら、ボンベ固定用の立て管バンドを装着します。

01：ハンマーでフラットバーを叩くと、叩かれた部分が伸びて反っていく。これを刀身の反りとする　**02**：刀身にガスを供給するパイプは、刀身のカーブに合わせて曲げていく　**03**：パイプの溝はアバウトでOK　**04**：刀身とパイプを、鉄サドルを使って固定する。パイプは溝を掘った側を刀身に向ける。なお、鉄サドルは無理やり曲げて刀身と接合するため、パイプより一回り大きなサイズを選ぶこと　**05**：パイプにガスボンベを取り付け、立て管バンドで固定する

STEP4 放電端子に耐熱処理を施す

着火用の放電端子は、炎に直接さらされながら高電圧を流す箇所なので、ガラスやセラミックなどの耐熱絶縁体で覆って保護する必要があります。今回はグリップから出ている導線を、ガラスクロステープで巻いて針金で止めました。全体が組み終わったら、レバーの曲がり具合やノズルの位置などを調節してボンベとスイッチの連動を確認。お好みで刀身に補強を入れたりしたら全工程の完了です。

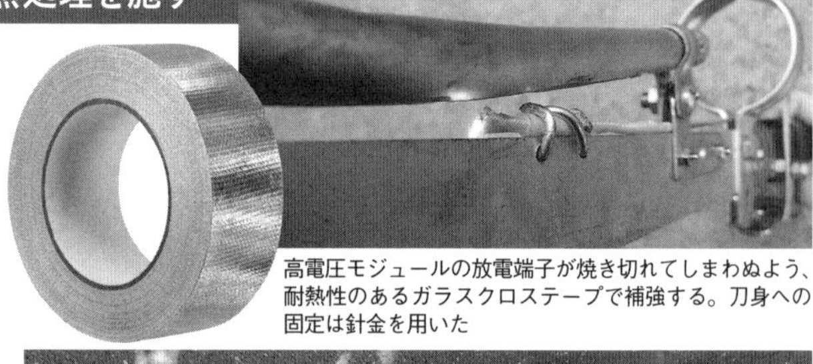

高電圧モジュールの放電端子が焼き切れてしまわぬよう、耐熱性のあるガラスクロステープで補強する。刀身への固定は針金を用いた

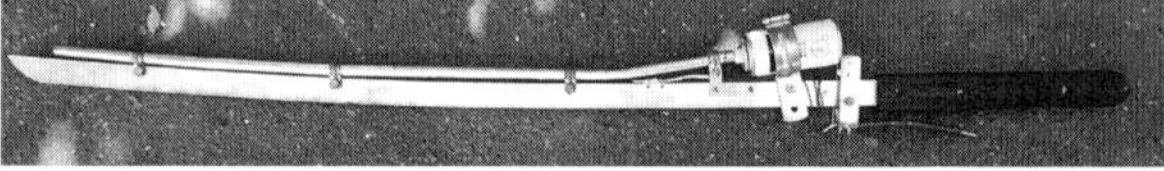

一通り組み上げた状態の写真。レバーの接触具合やノズルの位置などを、実際に起動しつつ確かめる。なお、雰囲気を出すために切先は日本刀のような形状に加工し、屋外での運搬時は耐火製の竹刀袋を用いた

Memo:

ファイアソードが完成! 炎の剣の動作テスト

細部の最終調整を行い、ガスボンベを装填して乾電池を入れたら、思いっきりレバーを握り込みます。…すると、一瞬にして刀身が炎に包まれました。動作テストは成功です！

起動時には強くレバーを握る必要があるためド派手な爆炎が立ち昇りますが、1度火がつけばレバーの握り具合によって火力の調節が可能です。安心して下さい。レバーを離せば火が消え、もう1度握れば再着火します。

手元で柔軟にコントロールできるので、突発的なモンスターとの戦闘にも対応できるでしょう。実戦向きのファイアソードが完成しました。

剣を構え、レバーごとグリップを握り込むと一瞬にして刀身が炎に包まれる。なお、着火時は大きめの炎が立ち昇るが、すぐに落ち着き手元で炎量をコントロールできる状態になる。実演する際は燃え移りを防ぐため、耐火性の衣類や防火ずきんなどの着用を忘れずに

グリップのレバーはガスボンベにも連結しているため、弱く握るとガスの供給が弱まりとろ火、強く握るとバルブが全開になり強火になる。消火する場合は、レバーから手を放すだけで簡単に火が治まる

注意

ロマンの対価は世間体です。その辺の公園でファイアした状態で振り回すと、近所の人から即通報されることでしょう。絶対にNGです。安全が確保されている私有地や、許可された管理区で消火の準備をした状態でテストするようにしましょう。しつこいようですが、炎は本当に恐ろしいので、十分注意して製作・実験するようにして下さいね！

杭加速＋圧縮空気＝スイカ割り専用決戦機械

エグゾースト パイルバンカーの開発

圧縮空気により杭を射出し、さらにその先端から余剰の圧縮空気を放出することで、一撃で鮮やかにスイカを爆散させる…。そんなスイカ割りに特化した専用機械を開発してみたぞ！　text by yasu

2021年夏、突如として発令された「スイカ割り工作コンテスト」。スイカを割る機械を作ればいいということなので、今までのすべての知識とノウハウを総動員し、最強の機械を開発することにしました。

コンセプトは「一撃で、確実に、鮮やかに」。開発コードネームは「エグゾーストパイルバンカー」。全人類のロマン兵器「パイルバンカー」のパワーソースとして、エグゾーストキャノンを適用します。圧縮空気の力で強力に杭をドライブするとともに、余剰の圧縮空気を杭先端から排気する仕組みです。強力な杭のインパクトでスイカに亀裂を入れ、さらに杭から放たれる圧縮空気で内部からスプリット。完成すれば一撃で、確実に、そして鮮やかに、スイカを割ることができるハズ!!

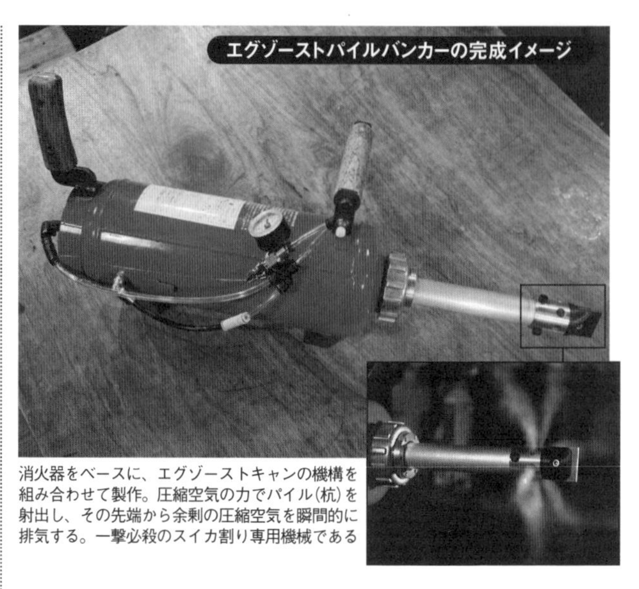

消火器をベースに、エグゾーストキャンの機構を組み合わせて製作。圧縮空気の力でパイル(杭)を射出し、その先端から余剰の圧縮空気を瞬間的に排気する。一撃必殺のスイカ割り専用機械である

設計方針

今回のアクションを整理すると、次の通りです。

①圧縮空気充填
②発射トリガー
③圧縮空気がパイルに急速供給され加速開始
④加速された杭が終端に到達、急停止
⑤杭の先端から余剰の圧縮空気が排気される

①②③までのアクションは二重筒式のエグゾーストキャノンそのものですが、従来にないアクションである④⑤をいかに再現するかが機械設計のポイントとなります。

まずは紙ベースで機構を検討。その後、3D CADを用いた詳細設計を経て、ついに成立性のある設計が確立しました。装置は主としてラジアルインテークバルブ、パイルユニット、シールブッシュ、インパクタ、そしてエアチャンバーからなります。各ユニットの詳細については208ページからの製作編で解説するので、ここでは右ページの図版とともに動作の流れを見ていきましょう。

1.圧縮空気導入

エアチャンバー及びラジアルインテークバルブ（以下RIV）に、

Memo:

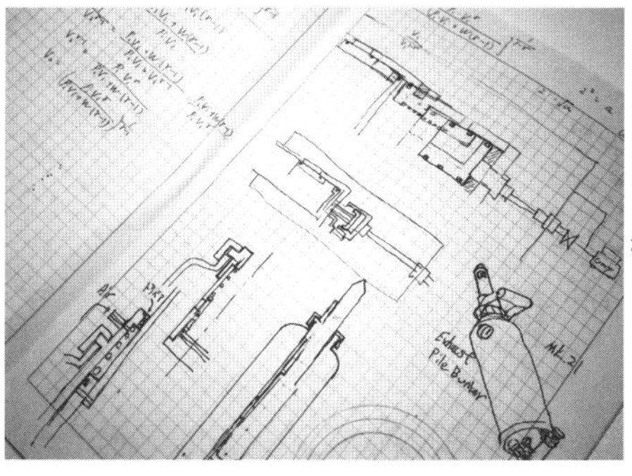

⬅紙とペンで機構を検討。アイデアを整理し、クリアにすることから始める

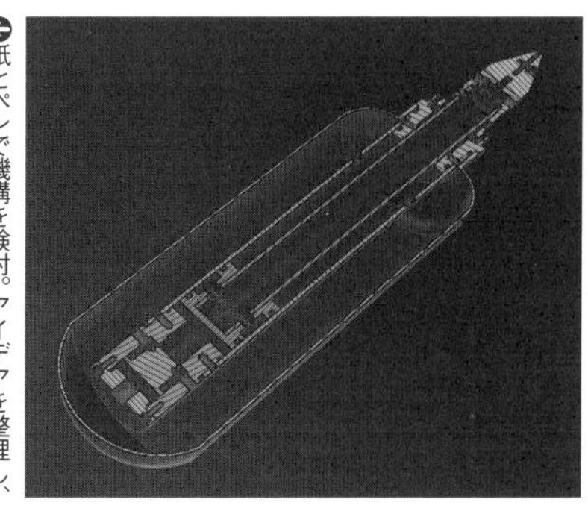

⬅エグゾーストパイルバンカーの構造。パイルを射出する機構を消火器に組み込でいる

外部から圧縮空気を供給する。黄色い矢印が圧縮空気の流れで、赤の矢印が圧縮空気によって生じる荷重の向きを表す。圧縮空気が導入された段階では、すべてのピストンとパイルは図の位置で固定され、動き出すことはない。

2.RIVバックチャンバー減圧

装置の発射トリガーとしてRIVユニットのピストン背後空間を急減圧することで、ピストンには右向きの荷重が発生。急速に右へ加速し始める。

3.RIV全開→パイル加速開始

やがてRIVのピストンは右端に到達し、これによってエアチャンバーの圧縮空気はRIVユニットを介して急速にパイルユニットへ流れ込む。こうしてパイルには瞬間的に左向きの荷重が発生し、加速を開始する。

4.パイル加速

圧縮空気の力を受け、猛烈な加速を受けながらパイルが左へ移動する。

5.パイル停止&圧縮空気排気

パイルが左端に到達すると、パイル及びパイルシリンダー双方に設けたポートが接続。チャンバー内部の余剰圧縮空気が、パイル内部とインパクタを通って瞬間的に大気中へ排気される。またパイルは、シリンダー左端の圧縮空気をさらに圧縮し、これがエアクッションとして作用することで､衝突せず停止する。

以上が、エグゾーストパイルバンカーの動作原理です。RIVユニットの減圧をトリガーに、すべてのアクションがシーケンシャルに展開。杭加速と圧縮空気排気が同時に展開するいまだかつてない設計となります。そして地味に最重要項目なのが、5の停止アクション。今回のエアクッション機構なしで高速のパイルを受け止めた場合、間違いなく装置は自壊します。これを安定して停止させ、繰り返しの使用に耐えられるようにしてこそ「機械」を名乗ることができるというわけです。

ということで、いよいよ製作です。旋盤、フライス盤、ボール盤、溶接機、さらに3Dプリンターと、あらゆるツールを駆使して気合で作っていきます。

Mechanism of
Exhaust Pile-Bunker

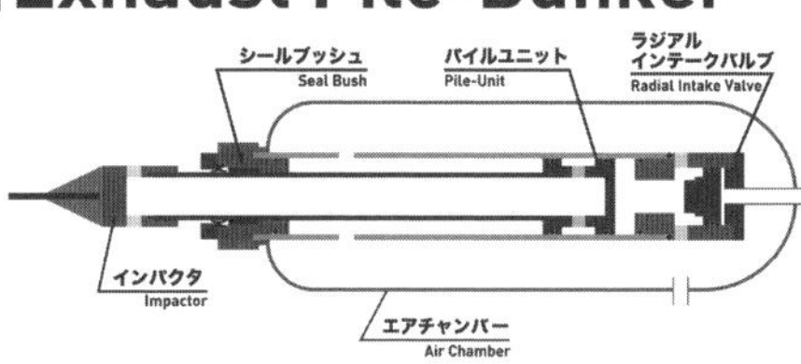

⬅今回は複雑な装置のため3D CAD上で詳細設計を行い、図面も作成した

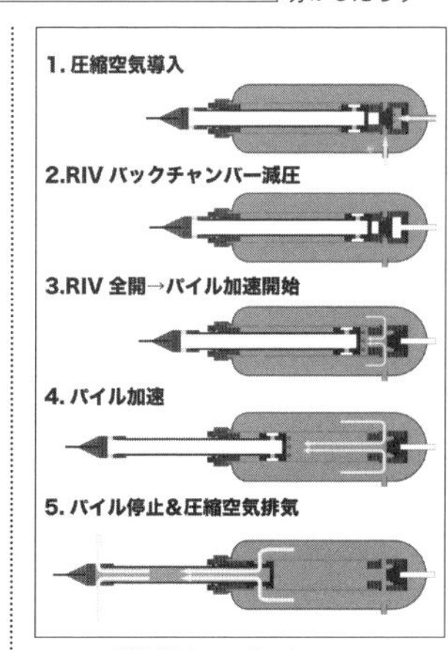

⬇動作シーケンスを図解。圧縮空気によってパイルが加速・射出される流れが分かるだろう

STEP1 ブッシュの製作

最も複雑な部品であるブッシュの加工です。消火器と内部ユニット一式の取り合い部品であり、また加速されたパイルの停止時、衝突のエネルギーを受け止めなければならない可能性もあります。そこで素材には、加工性と強度を両立したA7075（超々ジュラルミン）を選定しました。軽量なアルミ合金でありながら、強度は炭素鋼をも上回る恐るべき素材です。価格はA2017（ジュラルミン）の1.5倍程度であり、そこまで高価というわけでもありません。唯一、耐食性に難があるため、防錆には気を付けます。

なお、ブッシュには消火器との取り合い以上に重要な役割があり、一つはパイルの摺動保持、そしてもう一つはシールです。この実現のため、ブッシュにはドライベアリング、そしてパッキンを取り付けます。

ブッシュの構成部品。エアのシールとダストシールを兼ねる阪上製作所のPDUパッキンと、それを保持する環状フランジ

01：ブッシュの内径は、旋盤の中ぐりバイトで仕上げた。はめ合い公差はH7　**02**：万力を使ってドライベアリングを垂直に圧入する　**03**：多機能なブッシュが完成。パイルとはガタなくスムーズに摺動する

ドライベアリング

ドライベアリングは、摺動専用の素材でできた円筒です。これをブッシュ内部に圧入することで、高い内径精度と摺動性、耐摩耗性が1度に得られる便利な部品です。ただし、圧入側の穴が部品の要求通りできていないといけません。内径はH7公差が要求され、今回のφ34に対してはφ34＋0～0.025mmの範囲。最低でも0.01mm単位で計測できるデジタルノギスを使って丁寧に加工していきます。穴が加工できたら、圧入です。挿入部にはかじり防止のために、あらかじめ潤滑スプレーを吹き付けておきます。そしてドライベアリングを穴にあてがい、万力やボール盤などを用いてゆっくり垂直に押し込んでいくのです。失敗すると台なしなので、慎重に行いましょう。

シール

従来ならばとりあえずOリング！でしたが、今回はちょっと特殊です。というのも、パイルは外部に露出するため、パイルリロード時にこの表面に異物が付着していると、シールを傷付けリークの原因となってしまいます。そのため通常、このような軸のシール部位には圧縮空気のシールとは別に、「ダストシール」と呼ばれる異物の侵入を防ぐ専用のシール部品が必要となるのです。

今回は調査の結果、圧縮空気のシールとダストシールを同時に行えるシール部品を発見。阪上製作所の「PDUパッキン」は、1つの部品に2つのシールリップを有する非常に便利な部品であり、これ1つで今回のアクションを成立させることができそうです。取り付け穴は相変わらずH7精度であるため、ここも慎重に加工します。なお、このパッキンを保持するための環状フランジも別途旋盤で製作しておきます。

ということでブッシュが完成しました。パイルの摺動保持、シール、内筒との取り合い、シール。さらに消火器との取り合い、シールなど、1つの部品に多くの機能が詰まっています。

Memo:

STEP2 RIV（ラジアルインテークバルブ：Radial Intake Valve）ユニットの製作

「Radial Intake Valve（RIV）」とは、今回の杭加速を担うユニットであり、エグゾーストキャノンの機構を凝縮したものとなっています。ケーシング、ケーシングカバー、そしてピストンの3部品から構成され、ケーシングカバーに設けたポートを介して圧縮空気の流れを制御する仕組み。アクションとしては、『図解 アリエナイ理科ノ工作』に登場する消火器キャノンのピストンユニットと同等のものとなっています。

ピストンは、摺動性に優れるポリアセタールで製作。旋盤でOリングの溝を含めサクサク削っていきます。ケーシングとケーシングカバーは、A2017の丸棒から削り出し。ブッシュと同じく周方向にいくつも穴あけを施す都合上、加工にはやや神経を使います。

ピストンが摺動するシリンダー部にエア用ポートが6つ形成されますが、このエッジ部はバリ取りツールでかなり念入りに面取りを施すのがコツ。この作業を怠ると、スムースなピストン摺動が妨げられるどころか、Oリングのむしれや切断など故障の原因となります。特に丁寧な作業が必要です。

RIVユニットの構成部品。大きくケーシング、ケーシングカバー、ピストンの3部品からなり、複数のOリングも使用する

⬆6つのエア導入ポート用に側面を加工。フライスと割出台を組み合わせて慎重に行う

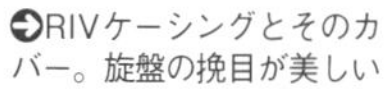

➡RIVケーシングとそのカバー。旋盤の挽目が美しい

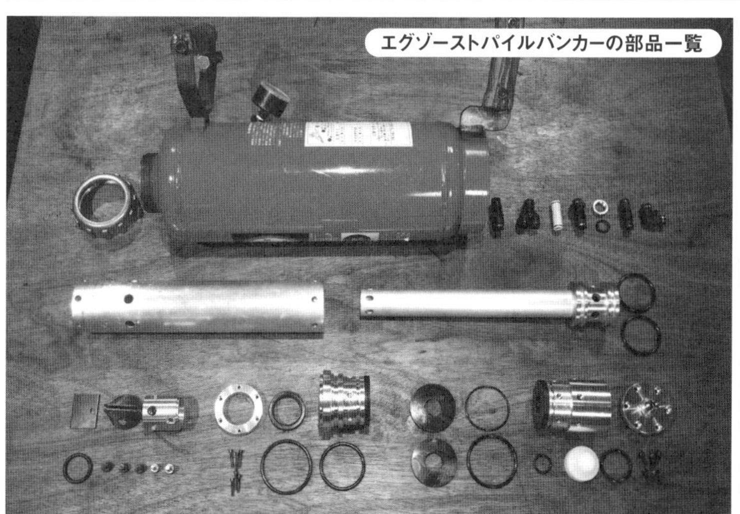

材料系

- 消火器
- 超々ジュラルミン（A7075）丸棒
- ジュラルミン（A2017）丸棒
- ポリアセタール丸棒
- アルミ丸パイプ
- 鉄フラットバー
- 木材
- ゴム板

空圧部品系

- 手動3ポート弁
- 逆止弁
- 急速排気弁
- 隔壁ユニオン
- 各種継手
- 圧力計
- PDUパッキン（阪上製作所）
- 各種Oリング
- Φ6チューブ

STEP3 パイルユニットの製作

今回の主役がこのパイルユニットです。圧力を受けて加速するだけではなく、余剰のエアをパイルを介して排気するというアクションが課せられています。部品は主に2つからなり、1つは本体から射出されるパイル、そしてもう1つがこのパイルの加速と圧縮空気のスイッチングを担うパイルピストンです。

パイルの加工

高速化の観点で、必然的に素材は軽量なアルミ合金となります。A5056のt3丸パイプは、買った時点でそこそこの外径精度で仕上がっているため、そのままドライベアリングやシールと摺動させられるのがポイント。ここまで長い部品を精度良く仕上げるのは、卓上旋盤ではなかなか難しいものです。市販品をうまく使って楽できるところは楽しましょう。パイプの片方にはエアの通り道となるφ10の穴を等間隔に6つ、割出台とフライス盤を用いてあけていきます。スポッティングドリルでガイドを作り、切れ味の良いφ8ドリルで貫通。最後に、φ10エンドミルで仕上げましょう。

なお、パイルの先端には、後述するインパクタ取り付け用の穴も設けておきます。

パイルピストン

パイルピストンは、A2017の丸棒を加工して製作。内部にはパイルとの嵌合用の穴を設け、外周部にはOリング溝を2つ設けます。エグゾーストキャノンのようにピストンを高速駆動させたい場合、JIS通りのOリング溝設計では潰し代が大きく、摺動抵抗が大き過ぎるケースも。その際は具合を見ながら溝の深さを追い込む、あるいは内径の小さなOリングを使用するなどイレギュラーな手法で対応します。今回はあえて3サイズ小さなOリングを使い、シール性を維持しつつも摺動抵抗をギリギリまで抑えました。こちらにも放射状に6つのφ10の穴を設けたら、パイル本体と接合します。これには金属同士の接合に定評のある、セメダインの接着剤「メタルロック」を使用。パーツクリーナーで徹底的に脱脂の上、両者に塗布したらハンマーで奥まで打ち込み、一晩放置して完成です。

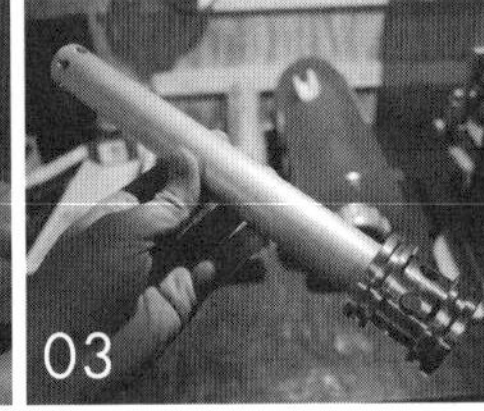

01：パイルの素材はA5056のt3丸パイプ。ピストンはA2017の丸棒を加工して製作。それぞれ必要な穴を設けている
02：パイルとピストンをメタルロックで接着
03：両者が強固に固定&シールされ、一体となればパイルユニットの完成だ

STEP4 インパクタの製作

パイル先端に取り付け、杭加速のエネルギーを対象に伝達する役割を担うのがインパクタであります。余剰圧縮空気の排気も、このインパクタを介して行われるので重要な部品です。このインパクタの先端には、スイカを割るためにチゼル（たがね）を設けます。t3の鉄板を切断し、先端はグラインダーと砥石でシャープに仕上げます。なお、チゼルホルダーは3Dプリンターで作りました。切削加工では難しい曲面を容易に出力できるので便利です。ホルダーとパイルとは、A2017丸棒から削り出した部品を介して接続されます。部品にはエア放出用に6つのポートをフライス盤で設けています。

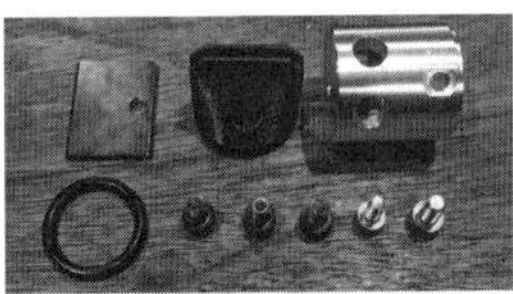

インパクタの構成部品。炭素鋼、PLA、アルミ合金から作る

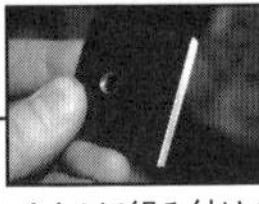

パイルに組み付けたところ。チゼルは鉄板を成形し、砥石で研いで仕上げた

Memo:

STEP5 エアチャンバーの加工

空気タンク兼本体フレームに使うのが、ｱﾘｴﾅｲ工作ではおなじみの消火器です。消火器は耐圧容器として設計され、底部は内圧に強い球状、内面には非常に分厚い防錆塗装がなされており、エアチャンバーとしてもってこいなのです。

RIVユニットとの接続のために必要なのは、最下部への穴あけのみ。ケガキをして、ポンチを打ち、小さいドリルから徐々に穴径を拡張し、最後はリーマできれいな円形に仕上げます。

続いて、RIVユニットのケーシングカバーにφ6チューブを接続し、ここに隔壁ユニオンをセット。これを消火器内部から先程設けた穴に挿し込み、外側から付属のナットで締め上げることで、消火器内外は隔絶され、またチューブと外部も完全に隔絶できます。これで消火器本来の耐圧構造を活かしつつ、外部から内部のRIVユニットを操作が可能になるのです！

これ以外にも圧縮空気充填用ポート、圧力計ポートが必要なので、下穴を設けた後に、1/8の管用タップで仕上げます。

残る加工は、射出時の持ち手となるグリップ類の取り付け。腰だめで打てるようなイメージに仕上げていきます。トリガーハンドルは、鉄のフラットバーと木の棒から成形。グリップも同様の素材で作ります。こちらは直接、消火器に溶接して固定。木のグリップはベルトサンダーで形を整えて、握りやすいよう調整しましょう。

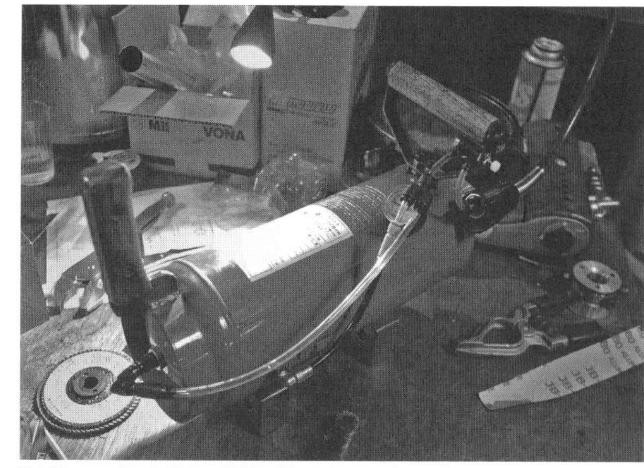

消火器にハンドルとグリップを取り付けたところ。無骨な仕上がりがクールだ

01：消火器の底部に、隔壁ユニオン取り付け用の穴を設ける。大径なのでリーマで仕上げる　**02**：側面をタッピング。各種継ぎ手を取り付けるため、φ8.5のドリルで穴あけの後、管用タップで1/8のメネジを設ける　**03**：トリガーハンドルを成形し、消火器にネジで固定。ハンドルにはエア制御のための3ポート弁が付く　**04**：RIVユニットに隔壁ユニオンを接続。エアチャンバーに挿入した際にこのユニオンだけが露出する構造とする　**05**：トリガーハンドルと同じく、木の棒と鉄のフラットバーでグリップを作る。スラストを受け止めるため、手になじむようベルトサンダーで仕上げる

STEP6 パーツの組み上げと発射テスト

エアチャンバーの加工が終わり、すべてのパーツが用意できたら、いよいよ組み立てです！

内筒後端にRIVユニットを取り付けて、パイルユニットを挿入し、前部にブッシュユニットを取り付けたらコアユニットは出来上がり。それぞれの接続時には、潤滑のためにシリコングリスを十分に塗布しておくのがポイントです。

続いて、このユニット一式を消火器内部に挿入し、STEP5で説明した隔壁ユニオンを底部に固定。消火器本来のユニオンナットを手でキュッと締め上げれば、固定は完了です。消火器本来の固定機構をそのまま流用しているので、取り付けと取り外しが極めてスムーズな設計となっています。

最後は配管です。基本的にすべて、ワンタッチ継手とφ6チューブで構築します。コンプレッサーからのエアは一旦3ポート弁でせき止められ、これをONすると2方に分岐。片方はRIVユニットに、もう一方は消火器チャンバーに送られます。この動作により、RIVユニットのピストンは充填位置にシフトし、消火器の内圧が上昇していきます。この内圧は、消火器側面に取り付けた圧力計を介してモニタリング可能です。弁のトリガーを押し続ける時間に応じ圧力は高まり、トリガーを離すことでパイルが起動します。

ユニオンナット締め付け 消火器に元々付属するユニオンナット。これを閉めれば、コアユニットと消火器を固定できる

内部ユニット RIV・パイル・ブッシュの各ユニットが一体となったコアユニット

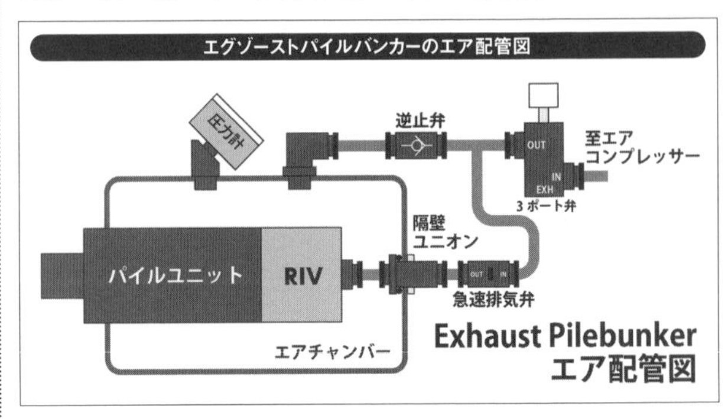

起動テスト

ということで、1か月の開発の末、ついに完成しました！ 外観は一見荒々しく、レジスタンスがスクラップを組み合わせて構築した特攻兵器のような趣です。エアコンプレッサーからのホースを本体につなぎ、トリガーを押し込むと、内部に圧縮空気が充填され、圧力計の値が上昇していきます。充填が完了したらしっかり構え、トリガーを離すと…。その瞬間、肉眼では捕らえられない速度でインパクタが発射！　同時に激しい爆音を伴いつつ、先端から6方に余剰の圧縮空気が排気されました。

凄まじい速度で飛び出すインパクタの速度は約81km/h。加速に要する時間はわずか8ミリ秒と、驚異的な加速度です。しかしながら動作において、金属同士の接触は生じておらず、エアクッション機構が適切に動作していることが分かります。何回動かしても壊れない。これこそ機械設計における大きな喜びの一つです。

先端から6方に放たれる余剰エアは断熱膨張によって霧となって可視化され、さながらリアル重火器におけるマズルフラッ

Memo:

爆音と共にインパクタが飛び出し、先端から圧縮空気が排気される。空想のロマン武器がついに具現化されたのだ

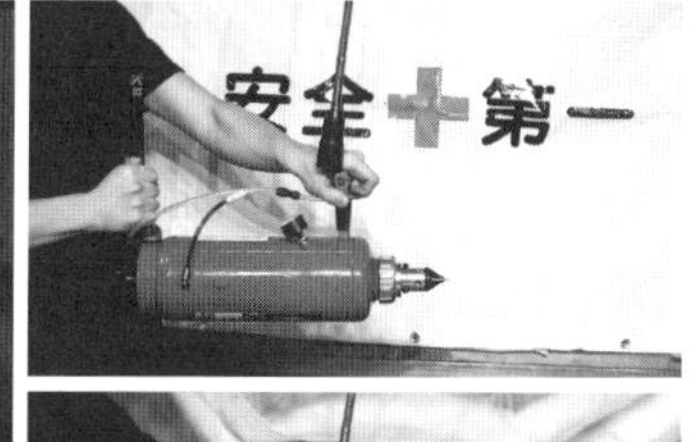

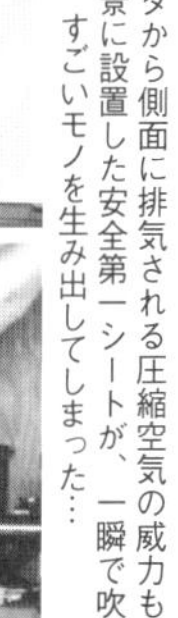

インパクタから側面に排気される圧縮空気の威力も抜群。背景に設置した安全第一シートが、一瞬で吹き飛んだ。すごいモノを生み出してしまった…

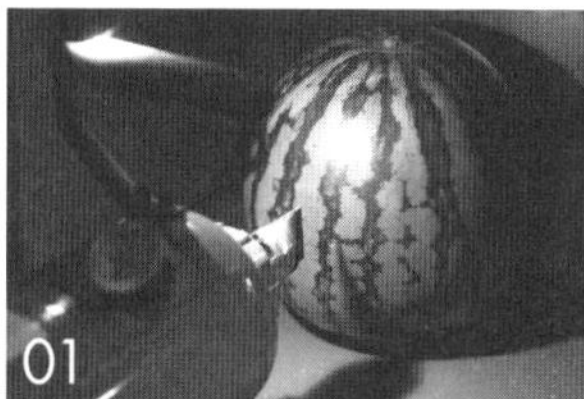

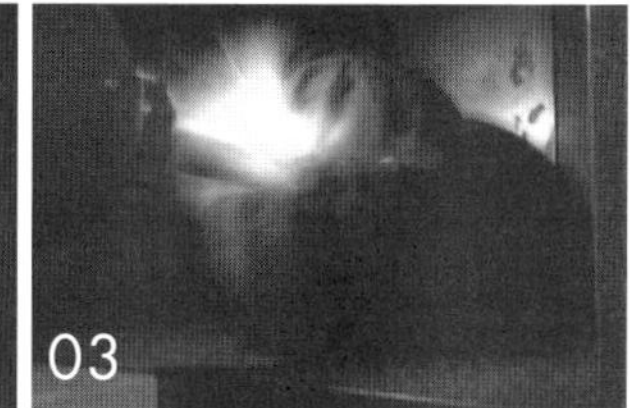

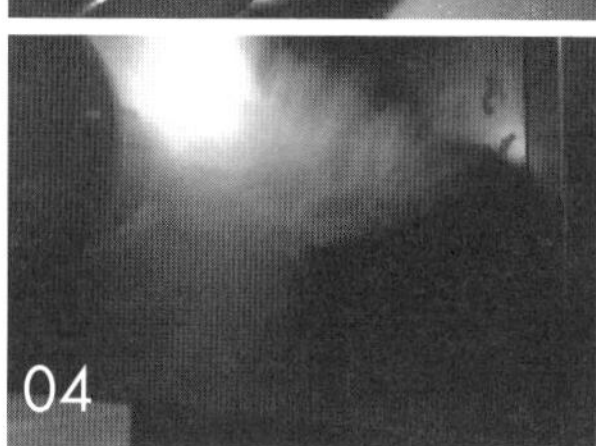

01：スイカ割りのデモンストレーション。エグゾーストパイルバンカーをセットし、スイカに向けてトリガーをリリース
02〜04：スイカが爆散するまでの流れはスローモーション映像をキャプチャした
05：完璧に割れたスイカ！　ロマン兵器は実用性を兼ね備え完璧に動作した!!

シュのよう。そのパワーは強烈で、周囲のオブジェクトを薙ぎ払い、通常のエグゾーストキャノンと遜色ないパワーです。

いざ…スイカ割り！

リアルパイルバンカーでスイカを割るなんて、人類史上初の試みでしょう。テーブルにスイカをセットし、パイルバンカーに0.9MPaの圧縮空気を充填します。そして、覚悟を決めてトリガーをリリースした瞬間、爆音とともにスイカ果汁の霧が眼前に出現しました。霧が晴れるとスイカは見事に分割！　実験は成功です…!?

あまりにアクションが早過ぎたため、パイルバンカーの動作をスローモーション映像で確認します。トリガーをリリース後、スイカにインパクタが侵入。すると先端のチゼルによって縦溝が形成され、インパクタ側面から放たれる圧縮空気によってさらに4つにスプリット。そして瞬く間に爆散し、あとに残ったのは、スイカ果汁の霧と見事に分割された大きな塊でした。完璧に動作している!!!!!!

今回の工作のまとめ

技術と時間と体力を全投入し、1か月で最高にクレイジーなロマン武器が完成しました。スイカ割りはもちろん、ゾンビパンデミックが発生した折にも大変頼りになる実用品です。

従来のキャノン開発から一歩進んで、今回はエグゾーストキャノンをパワーソースにしたガジェットですが、またもやその圧倒的ポテンシャルを再確認できました。キャノン工作の可能性は無限大です！

電動キックボードを驚異のサイズに魔改造!?

日本最小
原付バイク化計画

中華製の電動キックボードを金田バイク風にカスタマイズし、“自作バイク”としてナンバーを取得した。今度はボディを極限まで切り刻み、人が乗れるギリギリのサイズを目指す！

text by デゴチ

ベースの電動キックボード

ベースはAmazonで購入した中華製の格安電動キックボード。保安部品を付けるなどして、ナンバー取得を目指したのだが、販売証明書が発行されなかったため苦戦した…

2020年 オリジナルの金田バイク化

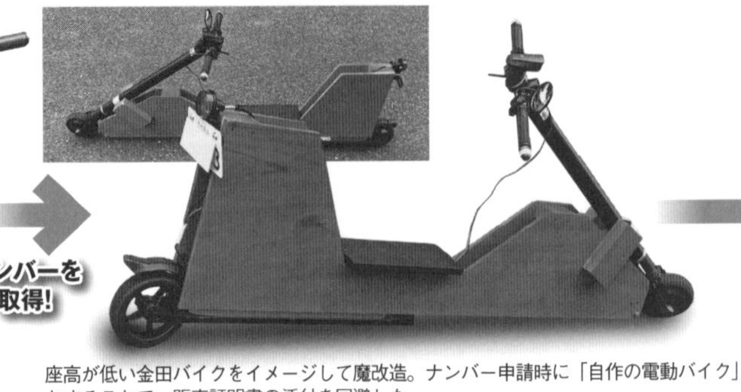

座高が低い金田バイクをイメージして魔改造。ナンバー申請時に「自作の電動バイク」とすることで、販売証明書の添付を回避した

ここ数年、街で見かける機会が増えた電動キックボード。近年の道路交通法（以下、道交法）や道路運送車両法（以下、車両法）などの法律の改正で「公道の走行が可能となりました」と銘打った、さまざまな製品が販売されるようになりました。販売数が多くなれば入手しやすくなるため、これをベースにいろいろと改造してみるのもアリかと思います。

筆者は以前、ガソリンエンジンのポケバイを電動化して原付に改造しました（『アリエナイ工作事典』）。日本の車両法には、原付バイクの車体サイズの規定は「最大長さ2.5m、幅1.3m、高さ2.0m以内」とあるだけです。つまり、小さい分にはどれだけ小さくても、特に怒られないのでは？と解釈しました。そこで今回は、公道を走行できる日本最小の電動原付バイクを作れたら面白いと思い、電動キックボードを改造して超小型電動バイクを作ってみることにしたわけです。ベースとしたのは、Amazonで購入した格安の電動キックボード。同じく『アリエナイ工作事典』では映画『AKIRA』に登場する通称「金田バイク」をイメージして改造したのですが、これを再活用することにします。ちなみに、ちゃんとナンバーを取得したので、合法的に公道走行が可能でした。

さて、小さいバイクを作るといっても、実際に乗れなければ楽しく遊べません。そこで、人間が乗ることができる最小のデザインを検討しました。まず、標準的な大人の手足・胴体・頭のバランスに整えた紙人形を作り、バイクにまたがった際の手足の位置を確認することからスタート。バイクに乗る紙人形の形を調整して、人が乗って運転できる体勢となるバイクのサイズを推定します。結果、全長600mm程度のサイズという見通しが立ちました。日本最小の公道走行可能な原付バイクの座を勝ち取りたいところです※1。

Memo: ※1 日本最小をうたうCK Designの仔猿 Ko-zaru ST31A。31cc4stガソリンエンジン搭載の超小型原付で、サイズは全長825mm、

2021年 超小型電動バイクに魔改造

ハンドルにつながるバーと足を載せるデッキをカットして、全長600mm程度に縮める。このバーに内蔵されていたリチウム電池などは、外部に専用ケースを作り収納することにした。シートを設置すると、計算通り乗れる。具体的な改造手順は216ページから！

一般的な大人のバランスに調整した紙人形で、バイクにまたがった際の手足の位置を確認。全長６００mm程度であれば、実際に乗れることがシミュレーションできた

主な材料	
●電動キックボード：編集部所有／約35,000円	
●保安部品各種	●配線、ハンダ：適量
●デスクトップPC用電源回路部品：バッテリーコネクタ	
●自賠責保険12か月：コンビニなどで手続き可能／7,060円	

主な工具	
●ドライバー	●ソケットレンチ
●モンキーレンチ	●六角レンチ
●ラジオペンチ	●ニッパー
●ドリルドライバー	●ハンダごて
●3D CAD：Fusion360	●3Dプリンター
●電動ノコギリor金属用ノコギリ	●ボール盤or金属用ドリル

道路運送車両の保安基準（原動機付自転車）		保安基準のざっくりとした内容（濃いグレーが改造など対応が必要）	今回の対応チェック
第59条	長さ、幅及び高さ	長さ2.5m、幅1.3m、高さ2.0m以内	○
第60条	接地部及び接地圧	タイヤは道路を壊さないこと	○
第61条	制動装置	ブレーキは前輪、後輪それぞれに付けること	○
第61条の3	排気ガスの発散防止	排気ガスはきれいにすること→電動ならば不要	—
第62条	前照灯	運転時、前照灯は常に点灯していること	○
第62条の2	番号灯	ナンバーが夜でも見えるようにすること	○
第62条の3	尾灯	時速20km未満ならば省略可能	○
第62条の4	制動灯	時速20km未満ならば省略可能	—
第63条	後部反射器	後部反射器が付いていること	○
第63条の2	方向指示器	時速20km未満ならば省略可能	○
第64条	警音器	警音器を付けておくこと	○
第64条の2	後写鏡	バックミラーを付けておくこと	○
第65条	消音器	排気ガスのマフラー付けること→電動ならば不要	—
第65条の2	速度計	時速20km未満ならば省略可能	○
第66条	乗車装置	座席があればOK	○

STEP1 電動キックボードの分解方法

改造するには分解が必要です。金田バイクもどきを製作した際は、分解せず車体をそのまま流用してデザインしましたが、ラジオライフ編集部に確認したところ、「何をしてもOK」という言質が取れたので、豪快に分解していくことにします。

まずは、ハンドルと人が乗るデッキをつなぐバーの部分から。外観からすると、このバーに制御回路やバッテリーが入っているはずなので、何としても分解する必要があります。じっくり観察したところ、外装パーツを外した後のネジ穴のさらに奥に、イモネジがあることが分かりました。イモネジを6角レンチで外すと、このバーを分離でき、中から制御回路を引き出すことに成功したのです。

この制御回路はバー内部に収まっているバッテリーとつながっていて、さらに配線は前輪のインホイールモーターにまで接続されています。各種配線はコネクタで接続されており、これらを外してバーからバッテリーなどを抜き出すと、主要パーツをすべて取り出せました。

各種パーツの中で、最もスペースを取っているのが細長いバッテリーです。リチウムイオン電池で定格出力電圧は25.2V、容量は6Ah。昔からアニメなどで電動ロボットが爆発炎上するシーンを見て、なぜ燃料を積んでいないのに爆発するのかと疑問でした。搭載している大容量のリチウムイオン電池がダメージを受けたら爆発炎上する可能性があるので、最近妙に納得しています。ということで、リチウムイオン電池を取り扱う場合、誤って工具で刺すなどして傷を付けると破裂や炎上する恐れがあるため、十分ご注意下さい。

このバッテリーは、18650型のリチウムイオン電池を7本直列にして、それを3並列で使っているようです。18650型×1本で3.7V、2Ahなので計算は大体合っています。細長い形は扱いにくいためバッテリーをコンパクトに組み替えて、バイクのフレームも自作して小さくする方法も考えましたが、バッテリーの分解はハードルが高く危険なので現実的ではないと思い、今回はあきらめました。

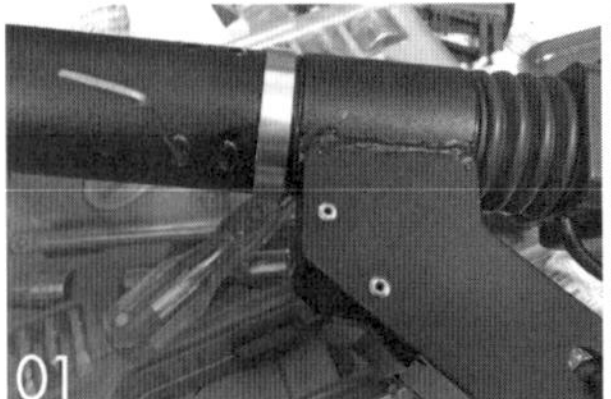

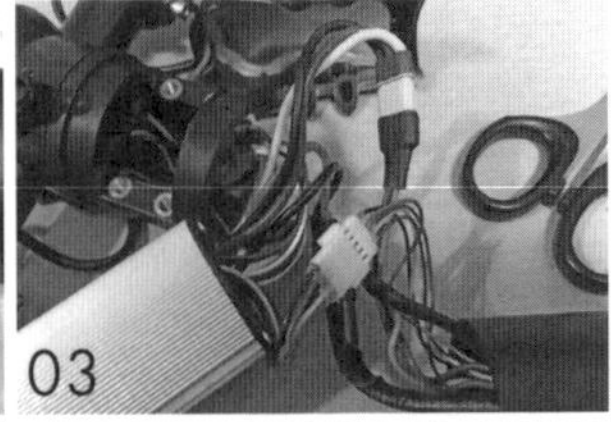

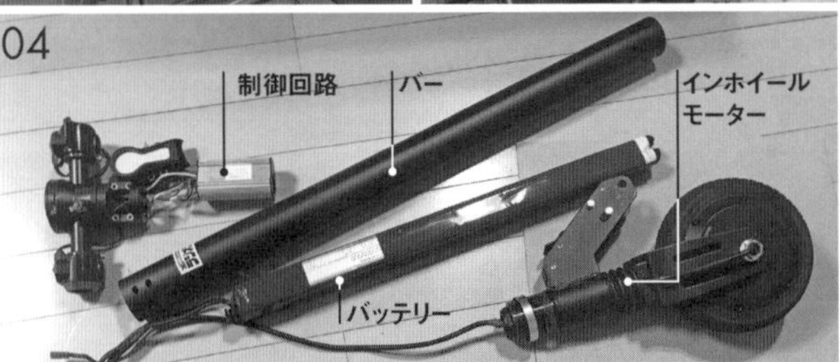

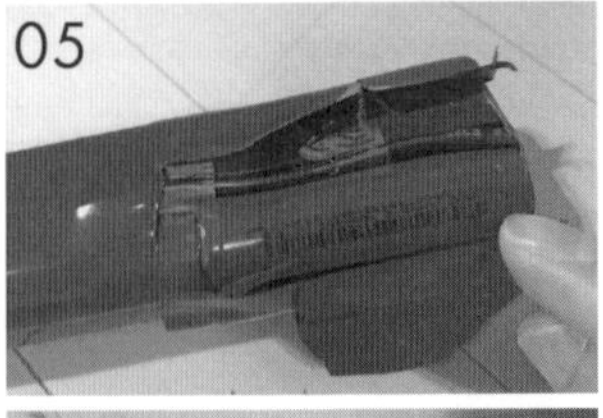

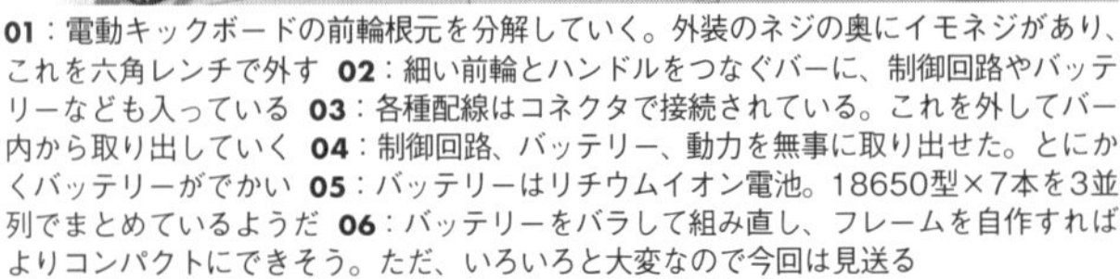

01：電動キックボードの前輪根元を分解していく。外装のネジの奥にイモネジがあり、これを六角レンチで外す **02**：細い前輪とハンドルをつなぐバーに、制御回路やバッテリーなども入っている **03**：各種配線はコネクタで接続されている。これを外してバー内から取り出していく **04**：制御回路、バッテリー、動力を無事に取り出せた。とにかくバッテリーがでかい **05**：バッテリーはリチウムイオン電池。18650型×7本を3並列でまとめているようだ **06**：バッテリーをバラして組み直し、フレームを自作すればよりコンパクトにできそう。ただ、いろいろと大変なので今回は見送る

Memo:

STEP2 小型化するためには切断あるのみ

分解できたので、実際に改造していきます。小型化するために、バッテリーや制御装置が収納されていたメインフレームであるバーをざっくりと150mm程度になるようにカット。このバーはアルミ製なので、電動ノコギリを使えば容易に切断できました。ハンドルに付いている操作/表示ユニットからの配線と、モーターからの配線を通すために、切断したバーにドリルで穴をあけます。

ここで1度、ハンドルとデッキ部分を取り付けて全体のバランスを確認しておきましょう。うーん、…バッテリーが邪魔です。そして、バイクというには胴長過ぎますね。長いバッテリーを収めるためのレイアウト案もいくつか考えましたが、どうにもうまくいかないので、このことは一旦忘れて、デッキ部分を先に処理することにしました。

デッキ部分もアルミ製なので、ここも電動ノコギリで簡単に切断可能です。バーとデッキ部分をつなぐ折りたたみ可能な金具はネジ留めされているため、切断したデッキ部分にも取り付け用のネジ穴をドリルであけておきます。デッキ部分に付いている駐輪用スタンドも、位置を変更。スタンドの取り付け金具用の穴もドリルであけ、6mmのタップでネジを切ります。切断したそれぞれのパーツを組み上げて、スタンドも取り付けると、小さなスクーターのようなバランスの取れた形になりました。車体はこれでヨシ。

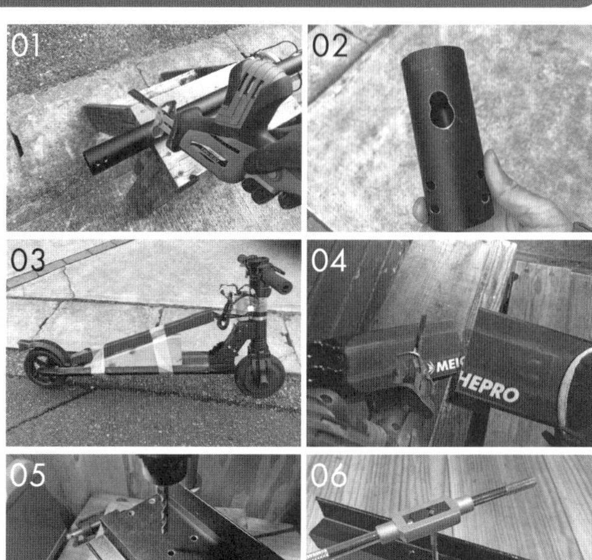

01：編集部に再確認して、分解どころか切断まで…。電動ノコギリでキレイに切れました！　**02**：使うのは短い方で、配線を通すために側面にドリルで穴をあける　**03**：短くしたバーにハンドルとデッキを仮組み。デッキが長過ぎてアンバランス。長いバッテリーも邪魔で、配置を試行錯誤するも正解が一切見えない。1度忘れよう…　**04**：バイクらしいフォルムにするため、デッキ部分も切断。やっちゃった…もう後戻りできない…　**05**：バーにジョイント金具を取り付けるネジ穴をボール盤であける　**06**：サイドスタンド取り付けネジの穴もあけて、ネジを切る

ジョイント金具とスタンドを取り付けて、全体を組み立てる。デッキが短くなったことで、バランスが良くなった

STEP3 折りたたみ機構を活かした電気系統の製作

車体が完成したので、次は電気系統を製作していきます。この車体はハンドルとバーの部分が根元で折りたためるのが特徴です。その機構は小型化しても使えるため、バッグに入れて持ち運べたら面白そうなので、折りたたんでも電装系などのパーツが邪魔にならない形状を考えることにしました。バーを倒した状態で確保できるスペースは、縦横100mmほど。このスペースに合わせて、制御回路を収めるケースを3Dプリンターで作ります。サイズが合うものが見つかれば、市販の適当なプラスチックケースでOKです。

続いて、先送りにしていた「でかいバッテリーをどうするか」問題。悩んだ末、バッテリーをバイクの“キー”として扱う方式を捻り出しました。乗車時に、制御回路に挿して電源を供給するわけです。電源が無ければ動かないので盗まれない…、これは完璧な作戦でしょう！

バッテリーは25Vの直流を扱うので、耐圧が高く丈夫なケーブルとソケットが必要です。そこで目をつけたのが、デスクトップPCの電源回路。交流100Vコンセントから、給電するためのソケットとケーブルを流用することにしました。ソケットからのバッテリー電源を制御回路の電源コネクタ配線にハンダ付けし、操作/表示ユニットとモーターとも配線すれば、電装系の出来上がりです。設計通り、制御回路とバッテリーのソケットを収納したケースは、折りたたんでも本体に干渉しません。

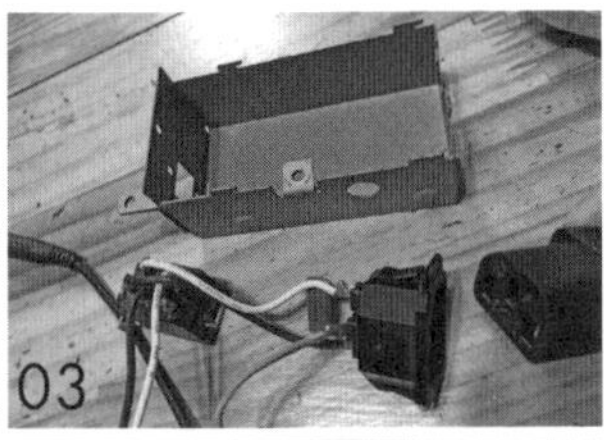

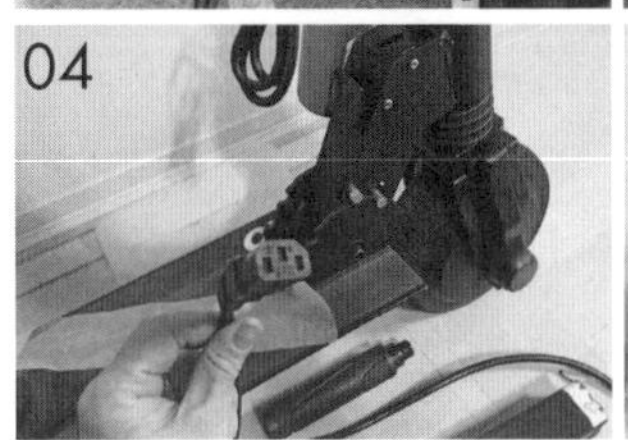

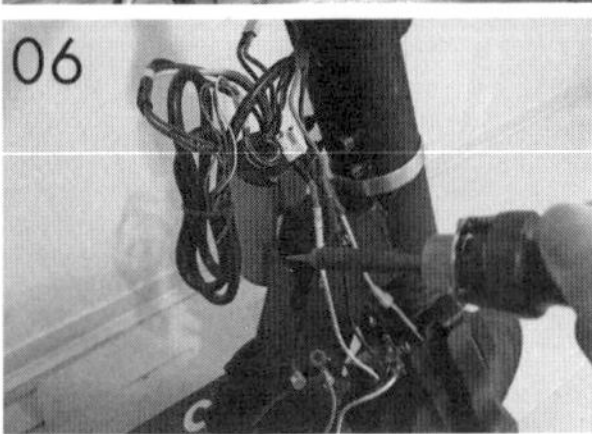

01：ジョイント金具の部分で折りたためる。この状態でも制御回路が干渉しないスペースのサイズを確認。制御ボックスは縦横100mmの範囲内で設計する **02**：バッテリーを無理やり車体に収納せず、乗車時にセットする方式に **03**：バッテリーコネクタを作る。PC用電源から100V用コネクタを流用 **04**：バッテリーの直流25Vは怖いので、コネクタは端子が露出していないメス側を使う **05**：バイク側にソケットを付けて配線する **06**：込み入った配線を適度な長さに調整してハンダ付け **07**：制御回路とバッテリーコネクタのケースは、3Dプリンターで製作した。折りたたんでもケースは干渉しない

Memo:

STEP4 ナンバーを取得して日本最小バイク公道デビュー！

原付が公道走行するために満たすべき車両法の保安基準は、215ページの表の通りです。今回製作した最小バイクでは、備え付けのライトを電源ON時に常時点灯するよう内部の配線を変更し、常時点灯している必要がある前照灯として対応するようにしました。ナンバーの照明はナンバーを取り付ける金具に尾灯と一緒に付いているのでOK。バックミラー・警音器・方向指示器は、後付けでハンドルに取り付けました。あとはナンバー取得のため、標識交付申請書と届出書を用意して近くの役所で申請すればOK。無事ナンバーがもらえたら、コンビニで自賠責保険に加入すると合法的に公道走行可能です！

出来上がった超小型バイク諸元は全長620mm、全幅500mm、全高500mm、重量は9.2kgとコンパクトにまとまりました。ハンドルの両端に方向指示器を付けたので、全幅が500mm程度となり、ここだけは目標としていた430mmを超えているので、「ほぼ日本最小電動原付バイク」ぐらいが誇大広告にならなくていいんじゃないでしょうか。なお、イスを設置して実際に乗れることを確認しています。

バックミラーや方向指示器などの保安部品を、限られたスペースに取り付けた。これでナンバー取得のための条件をクリア

各種保安部品とシート（木製）を取り付け、全長は620mm

高さはミラーまで入れると500mm、車幅は500mm

全高500mm

全幅500mm

バッテリーの電源ケーブルを制御回路に挿し込んで起動。なお、このバッテリーを背負って運転することになる

■バッグに入れて持ち運べる！

ハンドルを取り外し、バーの根元のジョイント金具のロックを外すと折りたためる。これならスポーツバッグなどに入れて、持ち運びが可能だ。キーとなるバッテリーを外していてもコンパクトさゆえ、その辺に駐車したら手で持って盗まれてしまうという事態を回避できるだろう。

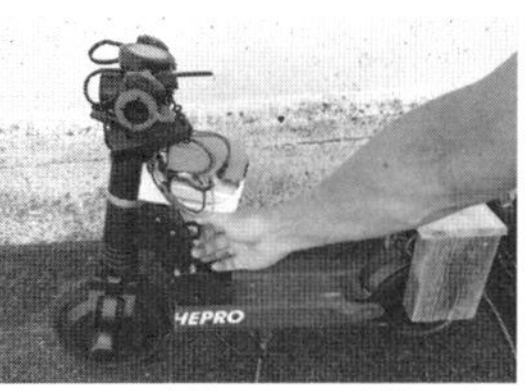

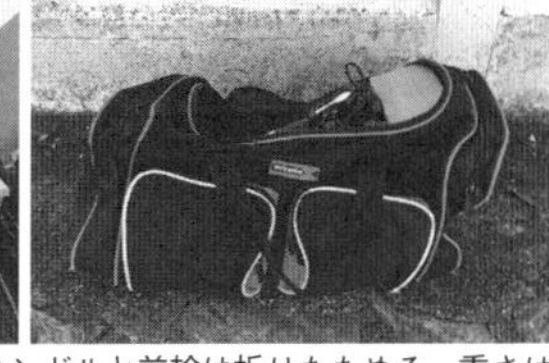

ジョイント金具のロックを外せばハンドルと前輪は折りたためる。重さは9.2kgなので片手でも運べる

今回の改造もやることが多いものの、技術的にはそれほど難し過ぎることはありません。こういった可搬できる乗り物ジャンルの工作も、今後増えてくるんじゃないかなと思います。

マキタのバッテリーをマルチ電源に!

電動工具用バッテリー フル活用術

有名メーカー製の電動工具に使われるリチウムイオンバッテリーは、高品質なスグレモノ。工夫次第でモバイルバッテリーや、ポータブル電源として使うことも可能なのだ!

text by Pylora Nyarogi

活用1 モバイルバッテリー化

電動工具のバッテリーをモバイルバッテリー化するアダプタは、工具メーカーから純正品をはじめ各種市販されていますが、出力が5V2A程度とイマイチ。スマホの多くが18W以上での充電に対応していることを考えると力不足です。また、最近は240W給電が可能なUSB PD EPRという規格が普及し、高出力なモバイルバッテリーやACアダプタから、USB Type-Cコネクタを通じてノートPCなどの大電力機器への給電が可能になっています。そこで、ノートPCへの給電にも対応すべく、大電力なUSB出力アダプタを自作してみましょう。

ベースとするのは、どこの誤家庭にもあるマキタのバッテリー。他に用意するのはUSB給電モジュールと、モジュールを埋め込むためのバッテリー用アダプタです。このアダプタは本来、バッテリーの電源端子から直接電源を取り出すためのものですが、今回はこのアダプタ内部に無理やりモジュールを埋め

活用1 マキタの18Vバッテリーをモバイルバッテリー化

使用するアイテム

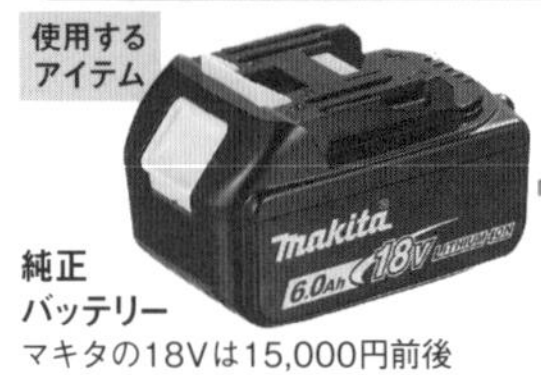

純正バッテリー
マキタの18Vは15,000円前後

＋

USB給電モジュール
AliExpressで500円ほどで購入

＋

アダプタ
AliExpressで500円ほどで購入

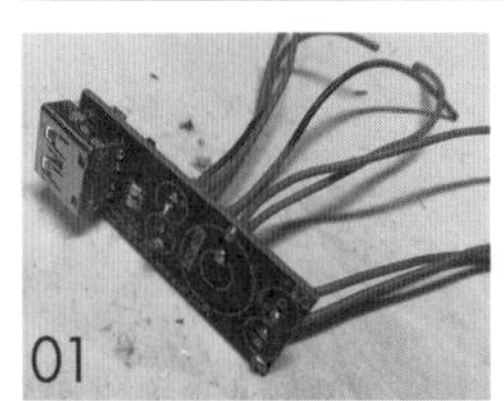

01：電解コンデンサには極性があるので間違えないように　02：パーツ同士が近いのでショートには気を付けよう。部品の足はすべて熱収縮チューブなどで絶縁しておきたい　03：モジュールの電源に、バッテリーからの電源配線をつなぐ。配線は長過ぎないように適度な長さでカット

ノートPCに給電する場合は、別途「USBトリガー」と呼ばれるデバイスが必要。これはUSB電源から任意の電圧を取り出すためのもので、使用する機器の電源電圧に合わせて使用することでUSB PDに非対応の機器にも給電が可能になる

Memo:

込んでコンパクトな完成品を目指します。ただし、使用したモジュールは電解コンデンサとインダクタがかさばっているため、このままではアダプタ内部に組み込めません。そこで、電解コンデンサとインダクタを取り外し、ケーブルで部品の足を延長して、アダプタ内部の空間に強引に押し込みます。基板と部品をグルーガンなどで内部に固定したら、USBの出力端子が露出するようにアダプタに穴をあければ完成です。

活用2 ポータブル電源化

電動工具のバッテリーから100Vが出力できるアダプタが中華通販サイトなどで売られていますが、社外品なので品質は疑わしいところ。バッテリーからの直流を交流100Vに変換しているわけですが、安価な製品では容量も小さく、出力される電圧の波形も正弦波ではないものがあります。ということで、続いて電動工具のバッテリーを使用した、実用的な容量のある正弦波出力のポータブル電源を製作しましょう。

使用するアイテムは3つ。マキタのバッテリー、そしてインバーターとコンバーターです。まずは、直流を交流に変換するインバーターの調達。カーバッテリーから交流100Vを得るためのインバーターが各社から発売されているので、使いたい機器の消費電力に応じて選定しましょう（今回は300Wの正弦波モデルを採用）。これらのインバーターは先述したようにカーバッテリーに接続して使用するため、対応する入力電圧は12V前後です。そこで、24V車で12V駆動の機器を使用するためのDC/DCコンバーターを使用します。これは、24Vまでの電圧を12Vに降圧するためのものです。電動工具のバッテリーは電圧別に数種類ありますが、14.4Vと18Vのバッテリーであればこの DC/DCコンバーターを通すことで12Vへの変換が可能。これで工具用バッテリーでインバーターを使えます。

最後に、アダプタとコンバーター＆インバーターを2本のネジを貫通させて固定。これをマキタのバッテリーに合体させれば完成です。動作確認したところ、無事に100V駆動の機器を動かすことができました。

活用2 マキタの18Vバッテリーをポータブル電源として使う

使用するアイテム

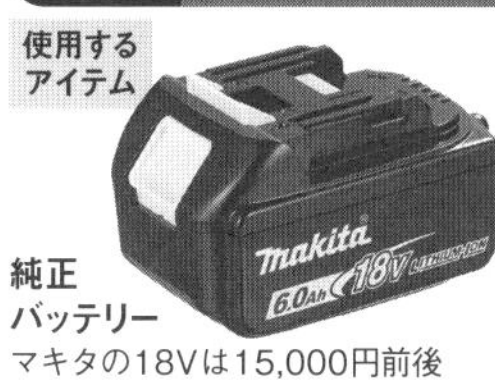

純正バッテリー
マキタの18Vは15,000円前後

＋

インバーター
300WタイプをAmazonで6,980円で購入

＋

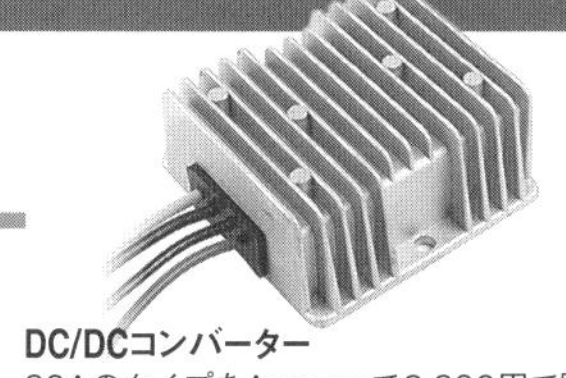

DC/DCコンバーター
30AのタイプをAmazonで2,890円で購入

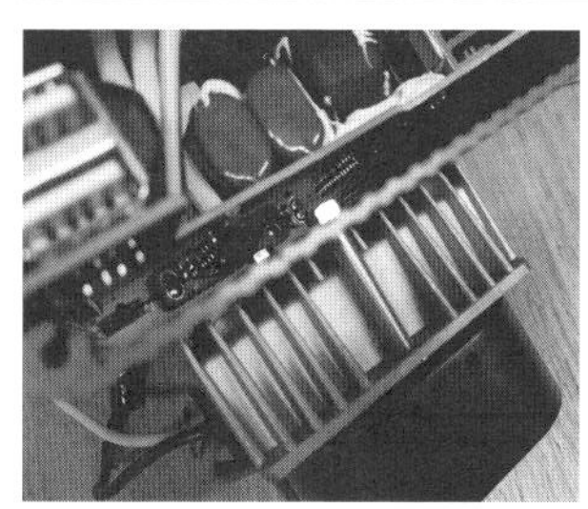

➡動作確認したところ、100Vの製品を動かすことに成功した。裏ワザ的な使い方として、スライダックで出力側の電圧を制限するという方法がある。突入電流を軽減したり、消費電力の大きい機器を（パワーを抑えながらにはなるが）駆動させられる※

⬅各パーツをネジで固定。インバーターの筐体に穴をあけて貫通させる。それほど強度を必要としないので、結束バンドや両面テープで固定してもいいだろう

※USBアダプタもポータブル電源も、バッテリーをセットしたままにしておくと、じわじわとバッテリーが消費され、放置するとバッテリーが過放電してしまう。
使用しない時はバッテリーを外しておくか、バッテリーからの電源ラインにスイッチを設けると過放電を防げる。

凶電工作で学ぶコイルの性質と昇圧

映画の爆弾はアリエルの?

コイルガンやレールガンを作るために必須の昇圧回路。コンデンサを用いるものと（CW回路）、コイルを用いるものの2つに大別できるが、ここではコイルによる昇圧回路を解説する。 text by シラノ

問 右の回路図は、コイルに電池がつながって、コイルに対して電池は電流を流し続けている状態です。スパークギャップと呼ばれる「→　←」の部分に高電圧がかかると、この間に放電が発生して爆弾が起爆します。AとBのスイッチは映画に出てくる、2本のうちどちらかを切ると爆発する爆弾のケーブルを模したものです。どちらかを切ると十分な電圧がスパークギャップにかかります。なお、スイッチの遮断は十分早く行われるとします。

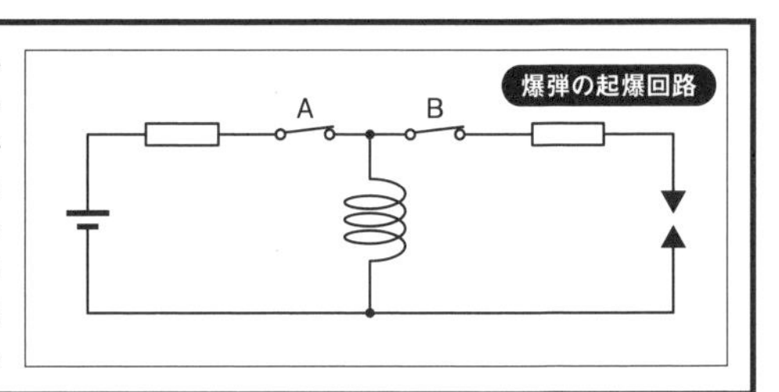

突然のクイズスタートとなりましたが、ここではコイルを用いて昇圧する方法を学んでいきましょう。

まずは昇圧に必要な概念である「起電力」「誘導起電力」「インダクタ」について説明した後で、昇圧方法の具体例を解説。初心者向けの内容になるので、詳しい方にとっては大雑把過ぎたりくどい説明に感じるかもしれませんが、ご了承下さい。

コイルを使うことで簡単な昇圧回路が作れる。コイルに流れる電流を遮断することで起動力が生じる

❶起電力って何のこと?

閉回路において、電荷に対して仕事をし、電流を流し続けようとする原因を起電力と呼びます。回路に電荷の流れである電流を流すには、何かしら外部からエネルギーを供給し続け、電荷を高い電位に運んでやる必要があるわけです。例えば、電池は化学エネルギーを電気エネルギーに変換することでこの仕事を実行。また、ヴァンデグラフ起電機などは力学的な仕事によって電荷を運び、この起電力を生じさせているのです。

起電力と電位は混合されがちですが、電位差とは違い、非保存力のした仕事からも定義される点や、そもそも電場によらない点で異なります。式でいうと、起電力は閉回路において、電荷に外部から仕事をする要因として定義され、電源が電荷qにする仕事をWとすると、その電源の起電力εは以下のように定義されます。

$$\varepsilon = \frac{W}{q}$$

❷磁場を抑える誘導起電力

起電力を生じさせる原因の一つに、誘導起電力があります。中学生の時に習う「コイルに磁石を近づけた時に電流が流れる」という現象の原因になるものです。磁石の周りにできている磁場は、コイルを貫く量が変化すると、その変化を妨げようとする方向に電流を流そうとするような起電力が生じます。磁石を遠ざけたり近づけたりする例が有名ですが、実際にはコイル自体に流れる電流を変化させることでも、この起電力は生じ

Memo:

るのです。
例えばコイルに流れている電流が増加したとしましょう。電流が増えるとコイル内に作っている磁場の大きさが増加し、コイルはこの磁場の大きさの増加を抑えるために、誘導起電力を生じさせます【01】。
数式を用いて表現するなら、コイルを貫く磁束をϕとし、そのコイルの起電力をVとすれば以下のようになります。

$$\varepsilon = \frac{d\phi}{dt}$$

❸インダクタの性質

さて、説明が少し難しかったと感じた人もいると思いますが、ぶっちゃけてしまうと、ここまでの基礎的な部分は具体的な応用知識をたくさん知ってから、その後にゆっくり勉強していけばよいのです。まずはインダクタ（コイル）という部品がどういう性質を持つのかをしっかり覚えて、その性質を使ってどういったことができるのかを知識として蓄えて下さい。その蓄えられた知識が体になじんでくると、基礎的な説明が分かりやすくなってきます。
端的にいえば、インダクタの性質は2つあります。

1 インダクタに流れている電流が増えようとすると、その電流が増えないように電流を減らすような起電力が生じる。

2 インダクタに流れている電流が減ろうとすると、減らないように起電力が生じる。

この2つをまとめると「電流の変化を妨げようとする」ということになりますが、ここはあえて2つに分けた方が理解しやすいと思います。もしくは「コイルに流れていた電流を一定値に保とうとするような起電力を生じさせる」という言い方もでき、これが直感的に伝わりやすく便利かもしれません。
ともあれ、この性質は非常に重要で、電流の変化を妨げようとする能力を用いて昇圧を行うことができます。ここまでで出てきた起電力は、もちろんコイルの誘導起電力であり、この性質はコイルがコイル自身に作っている磁場を保持しようとするために生じるものです。この誘導起電力は「逆起電力」とも呼ばれます。
数式にするなら、コイルに流れる電流をI、コイルの持つインダクタンスという量をLとし、そのコイルの起電力をεとすると以下のようになります。

$$\varepsilon = L\frac{dI}{dt}$$

インダクタはエネルギーを蓄えることができ、そのエネルギーはこのような数式になります。

$$U = \frac{1}{2}LI^2$$

誘導起電力発生の仕組み 01

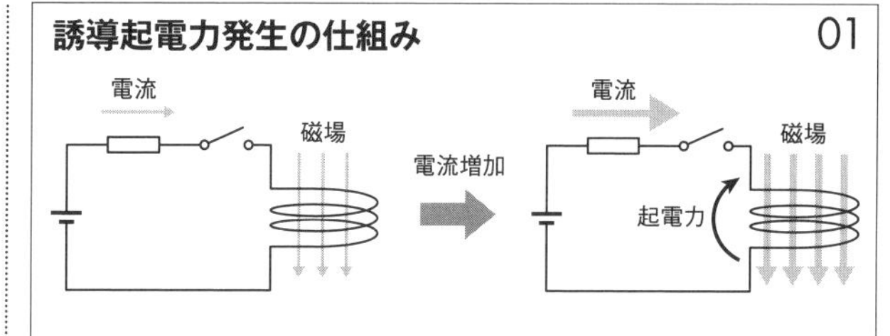

コイルに流れる電流が増える際は、“コイルに流れる電流が増えない”ように起電力が生じる

昇圧を可能にするもの

「昇圧」というのは、低い電圧の電源から高い電圧の電圧源を引き出すことです。例えば、電池のような低い電圧の電源から高電圧を得たい時などに用います。ア理科で有名なものでいえば、使い捨てカメラのフラッシュ用の基板でしょうか。
昇圧という行為は意外と難しいです。というのも、昇圧をするということは結局、電荷を高い電位まで運ぶということであり、そのためには電荷に対して何かしらの力を与えて仕事をし、その位置エネルギーを増やす必要があります。このためには何かしら起電力を要しますが、その選択肢が少なく、現状最もよく使われるのがコイルの誘導起電力なのです。

クイズの解答

というわけで、冒頭のクイズの答え合わせです。
答えは、左側の電池に直接つながっているAのスイッチです。右側のBのスイッチを切っても何も起こらないので、当たり前といえば当たり前な感じがしますが（笑）。

このクイズで着目すべきは、コイルが電流を保持しようとする性質です。コイルに流れている電流を突然切ると、その電流は行き場を失い、無理にでも電流を流そうと高電圧が発生します。これは、電流によってコイル内部に磁場が発生していたのが、電流が途切れると突然消え始めることに起因します。電磁誘導の法則で知られるように、磁束が変化するとコイルには起電力が発生します。今はこの磁束の変化が激しく、起電力が大きくなっていると考えればよいでしょう。

現実問題、スイッチでの電流の遮断は大抵の場合は非常に早く、コイルに流れている電流をスイッチで遮断しようとすると、その起電力によって火花が散ります。大電流が流れている電線をぶった切ろうとすると放電が生じるのも、これが原因の一つ。リレーなどを用いる際にも、コイルの電流をオフにする時にはこの起電力が生じてしまうため、回路に高電圧がかかる可能性があります。これを防ぐために、ダイオードをインダクタと並列につなぎ、逆起電力による電流をダイオードに逃がすようにする必要があります【02】。

ちなみに、私は電磁開閉器にこのダイオードを挿入するのを失念していたため、回路をすべて破壊した経験が…。そのおかげで、今ではコイルの性質が頭に焼き付けられています（笑）。

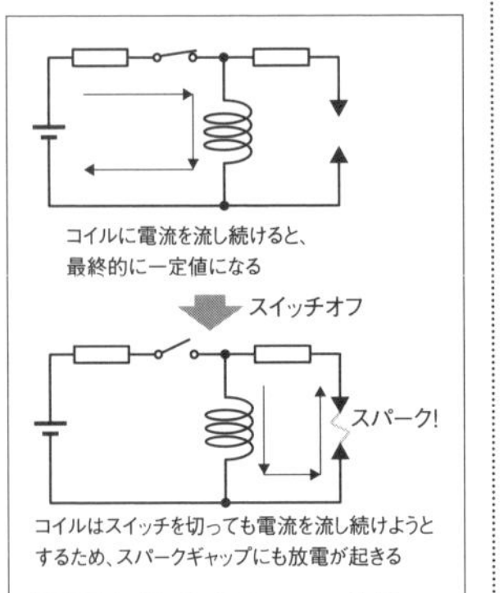

解答 爆弾が起爆するのは左側のAのスイッチ

昇圧チョッパの昇圧方法

以上のように、インダクタに流れている電流を高速で遮断することで、高電圧を生じさせることができます。この性質を上手く使った回路が「昇圧チョッパ」です。ここでは簡単な説明に留めておきますが、昇圧チョッパは非常に優秀な回路で、凶電工作でも大活躍中。マスターしておいて損はありません。

大雑把に説明をすると、昇圧チョッパの回路【03】ではスイッチをオンにしている時、電源によってインダクタに流れる電流がどんどん増加していきます。こうして電流が大きくなったところでスイッチをオフにすると、インダクタには今まで流れていた電流を流し続けようと起電力が発生（【03】でいえば、ダイオードに電流が流れるような起電力）。そしてこの時、インダクタに生じている起電力が電源の起電力に上乗せされ、コンデンサに蓄えられることになり、結果、昇圧が可能になるというわけです。実用の際にはこのスイッチをトランジスタやMOS-FETなどを用いて回路を作ります。

さて、ここまで誘導起電力やコイルの性質、昇圧チョッパの回路などについて要点を説明をしてきました。何となくの雰囲気はつかめたのではないでしょうか。もちろん、きちんと理論を学んでこの雰囲気を自分の血肉にするのが大事ですが、ひとまず難しいところは置いておいて、雰囲気と現象を知ることからスタートでOKです。そして知識や経験を積んだら、少し難しい教科書や専門書などを参照していけば、物理学をより身近な理論として学ぶことができると思いますよ。

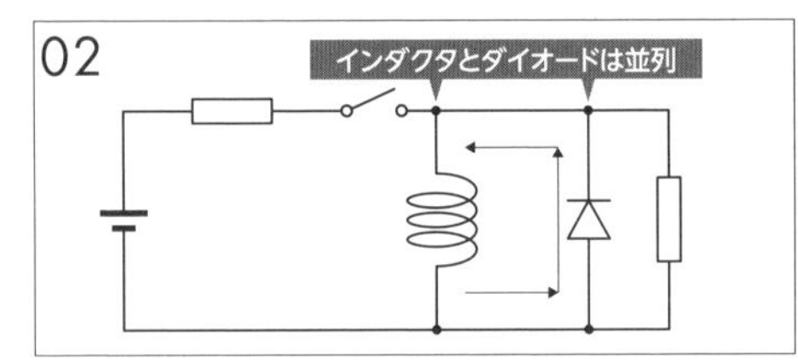

リレーなどを用いる際は、回路に高電圧がかかってしまうのを防ぐため、ダイオードをインダクタと並列につなぐ

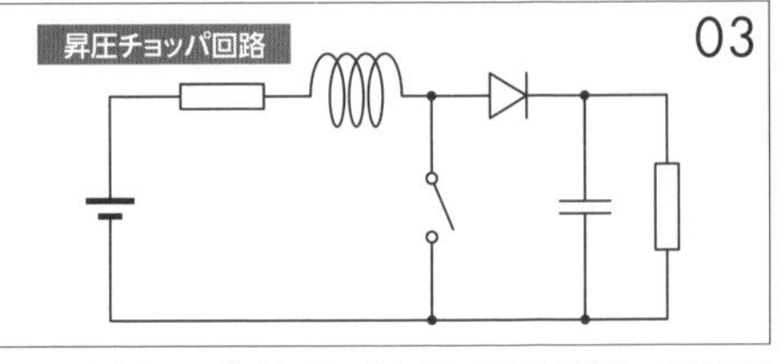

スイッチをオフにするとインダクタに起電力が発生。ここに電源の起電力が加算されることで、昇圧が可能になる

Memo:

フィクションのあのシーンを自宅で完全再現！

安全に瓶で人を殴る冴えたやり方

脳天でド派手に砕け散るものの、無傷で済む飴製のビール瓶。ちょっと試してみたいけど、ネット販売されている劇用の小道具は1万円とお高めのようだ…。ならば、自作するしかない！ text by デゴチ

映画やアニメで、登場人物がガラス瓶を武器にして敵と戦うシーンがあります。『天空の城ラピュタ』の冒頭でも囚われの身となっているヒロインのシータが、無線通信に気を取られているムスカ大佐を背後からガラス製の瓶で殴打する場面が有名ですね。普通に考えて、瓶で人をぶん殴ったらそれなりのダメージを負うことは間違いありません。それでは実写映画で、瓶による殴打はどのように撮影しているのでしょうか。ヘルメット内蔵のカツラを使うこともできますが、多くの場合は飴製や樹脂製の壊れやすい空き瓶の小道具を使っています。

飴や樹脂などは熱可塑性といって、温めると柔らかくなり温度が下がると固くなる性質があるので、加熱して瓶の形の型にそれらを流し込んで、冷まして固めて作っているのです。昔は飴製がメジャーでしたが、飴の元なる砂糖は吸湿性が高く、熱にも弱いため現場で扱いづらいという声も…。そこで最近は、ダミーガラスポリマーという樹脂を使うこともあるようです。

前置きが長くなりましたが、つまり、この瓶で殴る＆殴られる体験をしてみたいと思いました。劇用の小道具として、飴細工の割れる瓶が販売されているのを見つけたんですが、1本1万円ほどが相場のようです。しかも、「配送時に割れても補償は無い」と念押しされ、遊びでやるにはコストが高過ぎます…。

私は強欲なので欲しいモノは欲しいです。買える物は買いますが、価格が高いとなると簡単に決断はできません。そこで今回は自作することにしました。ビールの小瓶をモデルに、手軽に買える甘味料などを材料として作ってみます。手順としては大きく2つ。シリコーン樹脂で型を作り、その型に飴を入れて固める…という流れです。

手順1 ビール瓶の型作り

割れる瓶は形がリアルでないと面白くありません。そこで、本物のビール瓶の型をシリコーン樹脂で作ることから始めます。ビール瓶を挟むような形で型取りをするために、ビール瓶を水平に置いた状態で紙製の筒の中で保持して、その中にシリコーン樹脂を流し込む方法を考えました。そのため、型枠の中でビール瓶を保持するための治具を3Dプリンターで作成します。その治具を型枠の紙筒に取り付けて、型取りの準備は完了です。

割れる瓶は、食べられる飴で作るので、一応安全を考慮して、型には食品用シリコーン樹脂を使います。このシリコーン樹脂はA液とB液を同量ずつ混合して硬化させるタイプなので、A液とB液を各250gずつ混ぜて500gで瓶の半面の型を取ることに。シリコーン樹脂を流し込みやすいように、型枠の紙筒には一部穴をあけておくと便利で

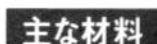

主な材料

- ビール瓶：334mL（小瓶）
- 食品用シリコーン樹脂：1kg
- 紙筒：直径80mm
- パラチニット：150g程度
- 食紅：緑、赤

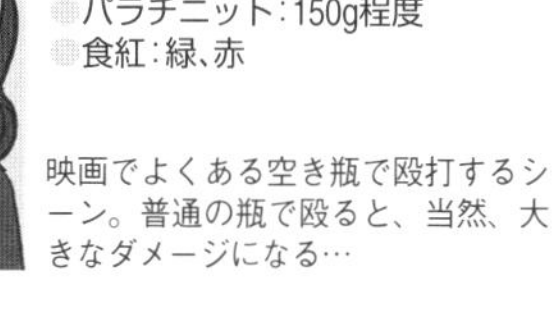

映画でよくある空き瓶で殴打するシーン。普通の瓶で殴ると、当然、大きなダメージになる…

手順1 ビール瓶の型作り

01：シリコーン型を作るために、ビール瓶を固定する必要がある。そのための治具を、3Dプリンターで製作。直径は型枠の紙筒に合わせて80mm　02・03：紙筒にビール瓶を入れたら、この治具で固定する。3Dプリンターが無ければ、ガムテームなどで固定してもいい。臨機応変に。これで型枠の出来上がりだ　04：型取りには食品用シリコーン樹脂を使う　05：ビール瓶の型は半分ずつ作るので、シリコーン樹脂はその分だけ用意する。A液とB液は250gずつ混ぜる　06：型枠の側面に穴をあけておく。ここからシリコーン樹脂を流し込んでいく　07：12時間以上放置し半分が固まったら、残りの部分にもシリコーン樹脂を充填する　08：シリコーン樹脂が硬化したこと確認して、型枠から取り外す　09：半分に割ってビール瓶を取り出したら、型が完成

す。12時間ほど経過するとシリコーン樹脂が硬化するので、もう半面にも同じ量のシリコーン樹脂を流し込みます。

同量混合する食品用シリコーン樹脂は、主液に硬化剤を少量滴下する工業用シリコーン樹脂と比べて、完全に硬化するまでの時間が長いです。食品用シリコーン樹脂を使う時は、気長に10時間以上待ちましょう。硬化後、型枠から外せばシリコーン型の完成です。

手順2 飴で割れる瓶を作る

この型を使って、実際に割れる瓶を作っていきます。飴に使用するのは「パラチニット」です。還元パラチノースという人工甘味料で、透明な飴細工を作る時に使われます。上白糖やグラニュー糖よりも吸湿性が低く、加熱しても茶色く変色しにくいのが特徴です※。パラチニットは製菓材料店や通販で、500g 1,000円程度で買えます。

今回割れる瓶のベースにしたのは、容量334mLのビール瓶です。この瓶を作るのに必要なパラチニットは約150g。また、ビール瓶特有の茶色を出すために、着色料として緑と赤の食紅をそれぞれ1サジずつパラチニットに混ぜておきます。あとはこれを鍋やフライパンに入れて、弱火でゆっくり加熱していくと、溶けて飴状になります。箸などでよくかき混ぜて、含まれていた水分を飛ばしながら焦げ付かないように緩やかに加熱して、溶かしていきましょう。飴の温度は、150〜160℃程度が目安です。あまり加熱すると泡立ち過ぎて、それを型に入れると気泡だらけの瓶になってしまいます。火力を弱めるなど調整して、できるだけ泡立たない透明な飴にするのがコツです。

あとはこの飴をシリコーン型に素早く流し込んで、注ぎ口から型の内側全体まで飴が行き渡るように型を回転させます。型が円筒形だと、この回転させる作業がとても楽でした。

Memo: ※砂糖が過熱により茶色くなるのは、メイラード反応やカラメル化など化学的な話が関係してくる。ここでは省略するので、各自自由研究しておいて下さい。

手順2　飴で割れる瓶を作る

10：人工甘味料のパラチニットを溶かして飴にする。334mLサイズの瓶では150g使う。なお、パラチニットは透明なので、ビール瓶の茶色を食紅の緑と赤で再現する。1サジずつ加えればOK　**11**：フライパンで焦がさないように弱火で150℃程度に温めると、溶けて飴状になる　**12**：グツグツと泡が出たら火を調整して気泡を消し、滑らかな液状になったら型に注ぎ入れる。型を回転させて、まんべんなく飴を行き渡らせるようにしよう　**13**：飴が固まるのに30分ぐらいかかる。扇風機で一気に冷やすと、より割れやすくなる。型から取り出して完成。注ぎ口も完璧に再現され、色味もイイ感じだ　**14・15**：いざ、瓶殴りの試技。粉々に割れた！　割れる様子はYouTubeで確認できる

なお、飴を流し込む時は、火傷しないように革手袋をはめるなど、各自対策して下さい。高温の溶けた飴は、まとわり付いて危険です。そして、型に入れた後の飴もしばらく高温状態なので取り扱いは慎重に。

型に入れた飴は、室温にもよりますが、10分程度で流動性が下がり、さらに30分程度放置すると常温に戻ります。溶けた物質は急激に冷やすと結晶が大きくなって固く脆くなりやすいと中学生理科で習ったような気がするので、筆者はこの冷ます工程で初期の10分以降は扇風機の目の前に置いて一気に冷やすことにしました。

温度が下がったら、型から割れる瓶を取り出します。取り出して少しすると空気中の湿気のためか、表面がベトベトしてくるので、キッチンペーパーなどで表面を撫でてべたつきを除去するといいでしょう。ある程度サラサラになると、それ以降はベトつかない状態をキープできるようです。

割れる瓶の試技

完成した割れる瓶を実際に使ってみます。筆者は何回か作って試しているので、150gの量の飴細工であれば、叩いてもその衝撃でケガをすることは無いとは思います。ただ、割れた飴の破片で切れたりする可能性は無きにしも…なので、もし実際に作って試す場合は、保護メガネを着用するなど十分安全に配慮し、自己責任でお願いします。筆者は責任負えませんぜ…と、免責を一応させて下さいお願いします。ともかく、皆さんご安全にヨシ（と言って全力で殴打）。

なお、実際にぶっ叩くと本当に気持ち良いぐらい瓶はバラバラになります。その代償に、頭や体にも割れた飴の粉が降りかかり、辺り一帯、飴の粉だらけになるので、屋外でやるか、掃除しやすいフローリングにシートを敷いておくなど、後始末の覚悟もお願いします（笑）。

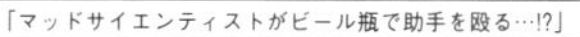
YouTube
「マッドサイエンティストがビール瓶で助手を殴る…!?」

なんでも濃縮して未知なる世界の扉を開く

界面前進凍結濃縮装置の理論と実験

濃いはおいしい。グツグツと煮込むのも1つの手だが、それでは風味が失われてしまう場合がある。ここでは冷やすというアプローチで、麦茶と飲むヨーグルトを濃縮してみよう。

text by yasu

毎年恒例(!?)になりつつある、Twitterで開催される夏の工作コンテスト。2022年のテーマは「ひんやり工作」でした。そこで開発したのが、寒剤・凍結・流体が複合したロマンガジェット「界面前進凍結濃縮装置」です。

さて皆さん、「凍結濃縮」という操作をご存じでしょうか。ここでいう濃縮とは、任意の水溶液から溶媒である水を選択的に除去し、これに溶けていた溶質成分の濃度を上げる操作を指します。例えば、果物を絞った果汁から高濃度の果汁エキスを作ったり。はたまた醸造酒からハイアルコールで芳醇なお酒を作ったりなども、濃縮操作でなされるものです。

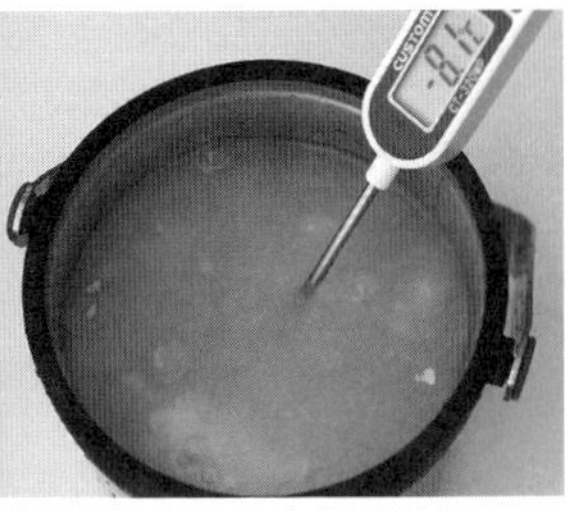

水とエタノール消毒液を混ぜ合わせ、任意の低温を得られるよう寒剤を調製する

この濃縮操作にはさまざまな手法があります。最もシンプルなのが加熱濃縮。要するに鍋で水溶液をグツグツ煮込んで、水分を揮発させる方法です。ただし、この方法では水溶液全体が100℃という高温になるため、熱による溶質への影響が避けられません。特に香りや味を重視する食品分野では致命的です。

この加熱濃縮を減圧環境化で行い、沸点を下げて濃縮時の温度を下げたのが減圧蒸留ですが、加熱が必要なのは変わらないため、熱影響は避けられません。そんな入熱を一切伴わず、むしろ低温環境下で行える濃縮操作こそが、冒頭で述べた「凍結濃

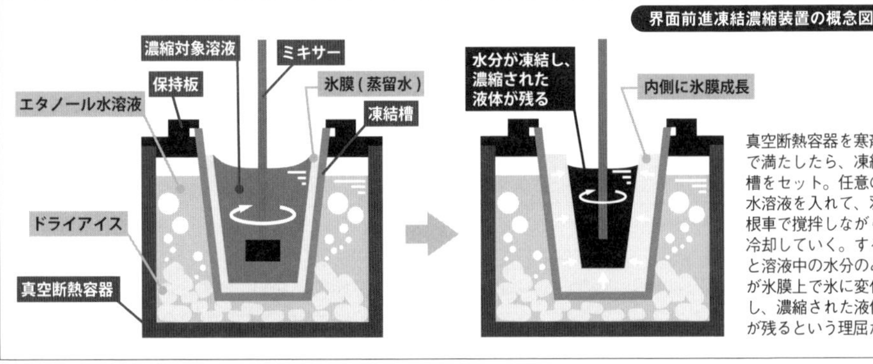

真空断熱容器を寒剤で満たしたら、凍結槽をセット。任意の水溶液を入れて、羽根車で撹拌しながら冷却していく。すると溶液中の水分のみが氷膜上で氷に変化し、濃縮された液体が残るという理屈だ

Memo:

縮」なのです。

冷凍したスポーツドリンクなどを溶けかけの状態で飲んだ時、異様に甘く、逆に残った氷はまるで味がしなかったという経験は多くの方がお持ちでしょう。これは凍結濃縮の原理そのものです。つまり、対象とする液体を凍らせて氷のみを除去すれば、欲しい成分を濃縮できるというわけです。

前述のスポーツドリンクの例のように、液体を均一に冷却して氷の結晶を成長させ、この氷を濾過などで除去して濃縮する方法は「懸濁結晶法」と呼ばれています。この手法は一見シンプルで簡単なように思えますが、氷の結晶を小さな粒状で成長させるのが難しく、システムとしてはかなり大掛かりになります。

これに対し、濾過工程が不要で、システムがより簡素な手法として、「界面前進凍結濃縮法」があります。寒剤で氷の融点以下に冷却された凍結槽の内部に水溶液を入れ、これを羽根車で撹拌するだけの、非常にシンプルな構成です。

手順としては、まず凍結槽内面に蒸留水の氷膜を種氷として成長させ、ここに濃縮対象の水溶液を注ぎます。これを羽根車が撹拌しながら冷却することで、溶液中の水分のみが氷膜上で氷に変化。やがて氷膜は分厚く成長し、水分を奪われ濃縮された液体は中央に溜まります。あとは、これを分離すれば濃縮完了というわけです。

このように、システム自体は意外と簡素。ということで今回は、極力身近にある物を活用し、「界面前進凍結濃縮装置」を構築していきます!

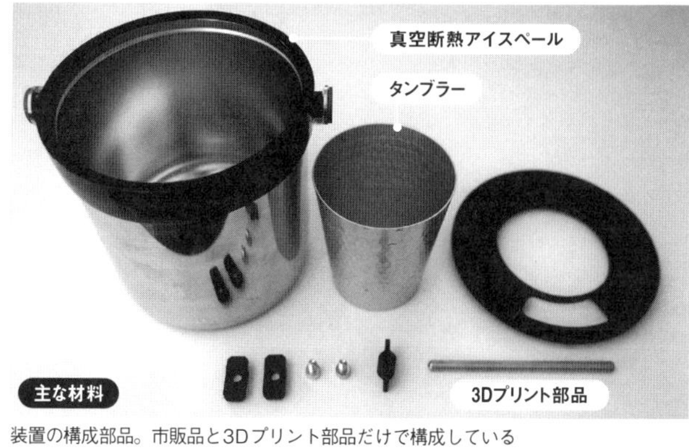

装置の構成部品。市販品と3Dプリント部品だけで構成している

ひんやりの主役は寒剤

文献調査の結果、水ベースの溶液を凍結濃縮させるなら−10℃程度の寒剤温度がベターのようです。ここで、大型の装置であれば専用のチラー(冷凍機と冷媒循環装置のセット)で凍結槽を冷却しますが、小スケールではもっと簡単な方法があります。それがエタノール水溶液&ドライアイス寒剤です。

エタノールの融点は−114.1℃。これに水を加えたエタノール水溶液はその濃度、いわゆるアルコール度数に応じて融点を任意に制御できます。具体的には度数が18%の時に、−10℃程度の融点となるのです。ここにドライアイスを放り込めば、温度はエタノール水溶液の融点で固定され、簡単に維持できます。ちなみに、無水エタノールにドライアイスを放り込めば、−78℃の寒剤が完成するので、今後、何かの機会にいろいろ実験してみたいですね…。

濃縮の様子
界面前進凍結濃縮装置の使用シーン。溶液を冷却しながら羽根車で撹拌するというシンプルな仕組みだ

装置は4要素で構成

装置は228ページの図の通りで、主に4つの要素からなります。①寒剤を保持し保温するための真空断熱容器、②濃縮液体を投入する凍結槽、③凍結槽と断熱容器を固定する保持板、④液体を撹拌するミキサーです。

❶真空断熱容器

ズバリ、サーモスの「真空断熱アイスペール」を流用します。

容量は1.3L、実勢価格は3,300円であり、非常にコストパフォーマンスが高いです。

❷凍結槽

熱伝導率が高く、かつ薄肉の形状がベスト。いろいろ探した結果、アルミ製のタンブラーを選定しました。銅ほどではないにしろ熱伝導率に優れ、厚みも1mmと薄肉で十分な品質です。

❸保持板

アイスペールとタンブラーの寸法に合わせて製作する必要がありますが、こんな時こそ3Dプリンターの出番。実際に寸法を測り、これを3Dモデルに反映し、半日で出力完了。ネジ止めのストッパーでタンブラーを固定し、アイスペールにはめ込めば、ペール内面の溝にパチっとハマって固定できます。一部が開口しており、ドライアイスの追加投入も可能。設けたφ3穴には寒剤温度を測るための温度計が挿し込めるようになっています。

❹ミキサー

ミキサーの羽根車も3Dプリンターで出力。ステンレスパイプに圧入したら、どこの誤家庭にもあるボール盤にチャックしてミキサーの完成です。

凍結濃縮実験

装置が用意できたので、早速実験してみましょう。まずは下準備として、スプレーボトルに入れた蒸留水と濃縮対象の液体を、凍るギリギリの温度まで冷却します。こうすることで後の凍結濃縮における時間短縮につながるのです。筆者の自宅冷蔵庫にはサーモスタットが追設されており、庫内温度を任意に変更できます。サーモスタットの設定温度を1℃に設定し、サーミスタを冷却対象とともに冷凍庫に放り込めば、凍るギリギリを容易に狙えるわけです。実験前日に用意しておきます。

実験当日になったら寒剤の調製。消毒液でもホワイトリカーでも、適当なアルコール水溶液に水を追加投入し、度数を合わせたら、断熱容器（アイスペール）に入れます。そこに砕いたドライアイスを投入。ドライアイスはアイス屋さんで入手するのが手っ取り早いでしょう。十分に撹拌して温度計で測温し、目的の温度に達していればOKです。ずれていた場合は、水溶液の濃度を調整して下さい。

寒剤が準備できたら、凍結槽と保持板をセット。蒸留水を凍結槽表面にスプレーして、氷膜を形成します。この氷膜が無いと、水溶液中の水分が凍るきっかけを得られないまま、溶液全体の温度が融点を下回ってどんどん低下し、ある時に限界を迎えて全体が一瞬で凍結してしま

Memo:

01：種氷生成。冷やした蒸留水をスプレーして、タンブラーの内側全面に種氷の膜を作る　**02**：形成された氷膜。ここを起点にして氷が成長するので、非常に重要な工程だ　**03**：麦茶濃縮開始。1℃まで冷却した麦茶を凍結槽に注ぎ、濃縮していく　**04**：30分ほどで麦茶の濃縮が完了。圧倒的に黒くなった麦茶が生成された　**05**：左が濃縮後のもの。色には違いが出たが、味にはそれほど違いは出なかった　**06**：続いて、飲むヨーグルトの濃縮実験。こちらは見た目に差はないが、味は全くの別物が生まれた。う、うまい!!!

います（いわゆる過冷却状態）。氷膜を凍結槽内面にあらかじめ成長させておくことで、水溶液と氷膜の界面のみで水分が凍結し、外から内へ、穏やかに凍結が進行していくのです。

ここでいよいよ濃縮対象の液を凍結槽へ投入し、羽根車を取り付けたボール盤に設置します。500rpm程度で羽根車を回転させて、界面前進凍結濃縮のスタートです。実験に用いる飲料は、麦茶と飲むヨーグルトの2つ行います。

CASE1 ▶ 麦茶

茶色くて香ばしい麦茶を、さらに黒く濃厚にしてやろうという魂胆です。撹拌しながら冷却を続けていくと、次第に氷の層が分厚くなっていきます。氷層の色は白く、一方の液相は黒さを増してきており、凍結濃縮の原理が正しく再現されていることが分かります。

30分後の溶液を見ると液相は真っ黒。取り出した液体と、氷を溶かして得た液体とを比較すると、その差は明らかです。さて、肝心の味はというと…、うーん、こちらは思ったほど差がない…？　氷だった部分の方が、若干味が薄い程度でした。麦茶を麦茶たらしめる溶質については、濃縮効果が薄いのかもしれません。

CASE2 ▶ 飲むヨーグルト

今度は確実に差が出る水溶液として、あらゆる溶質が溶けまくった飲むヨーグルトでテストしてみます。色の変化は全体が白いため見て取れませんが、濃縮が進むに連れ液相の粘度が上がっている気がします。3倍に濃縮が完了後、飲み比べてみると、その差は笑えるほど明らかでした。とにかく濃くて甘くて酸味が強くて、うまい!!!!!　飲むヨーグルトを構成するあらゆる味の成分が濃縮され、非常に高級リッチな飲み物に変貌しています。果汁の濃縮に使われることが多い凍結濃縮法ですが、やはり甘い溶液の方が効果が出やすいようです。

実験を終えて

そんなわけで、無事に日常品を組み合わせて界面前進凍結濃縮システムを構築し、溶液を濃縮することに成功しました。今回は飲むヨーグルトで成功を収めましたが、ここから広がる可能性は無限大。聞くところによると、仮に日本酒・ワイン・ビールなどの醸造酒を凍結濃縮すれば、甘さとアルコールが超濃厚になって新世界が開けるとかなんとか…!?　まあ、いろいろとアレでややこしいので筆者はやりませんけどね（笑）。とにかくこの先は、君の目で確かめてみてくれ!!!

炎を燃やしながら冷やす仕組みとは!?

蒸気圧縮冷凍機型 缶ビール冷却装置

毎年恒例になりつつある、Twitter上で開催している夏休みの工作イベント。2022年のテーマは「ひんやりする物」だった。まさしく逆転の発想といえる、ユニークな装置が完成！

text by デゴチ

2022年夏にTwitter上で開催した「ひんやり工作コンテスト」で、筆者が連想したのは「キンキンに冷えたビール」です。どんな方法でビールを冷やすか考えたところ、加熱の極みである、炎を出しながら冷却できる装置を思いつきました。

蒸気圧縮冷凍機の仕組み

冷却に使われる現代の主な技術は、蒸気圧縮冷凍サイクルによるもの。高圧の液体の圧力を下げて気化させ、その気化熱で冷却するという原理です。身近なところでは、冷蔵庫やクーラーなどで使われています。

高圧の液体をイチから作るのは大変ですが、今は100均で入手可能です。例えば、高圧ガスがスプレー缶に入った「自転車の空気入れ」。これは液化石油ガス（LPG：Liquefied Petroleum Gas）で、可燃性ガスなので火をつけたらフツーに燃えます。ライター用のブタンガスと大体一緒です。一定の温度下でガスが大気圧に開放されると缶の中の圧力が一瞬下がりますが、液化ガスが気化して飽和蒸気圧を保ちます。この気化により周辺の熱が奪われるため、冷たくなるというわけです。

「可燃性ガスが出て火をつけたら炎が出るけど、缶は冷たくなる」というこの現象が面白いと

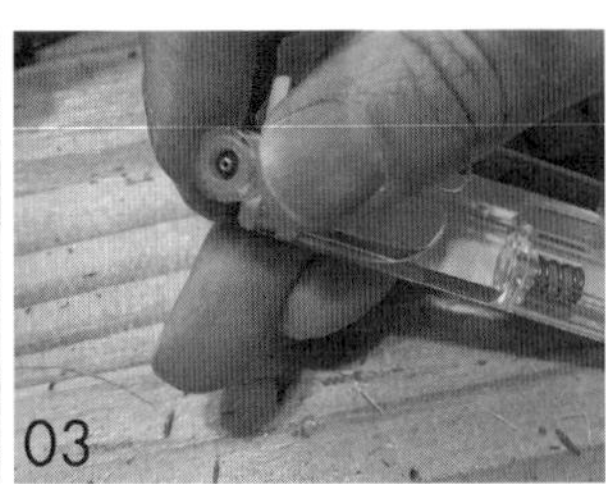

01：3Dプリンターで、なまし銅管を一定の角度で曲げるための治具を製作。できたら実際に銅管を曲げていく　**02**：缶ビールにピッタリと巻き付くことを確認　**03**：この銅管に液化ガスを充填し、ガスを放出できるようにする。材料は、100円ライターの注入弁とエアダスターとカプラプラグを流用　**04**：100円ライターの注入弁を取り出してネジを切る　**05**：カプラプラグの内側にもタップを立ててネジ切り。ここに注入弁を取り付ける　**06**：ガスを放出するエアダスターを取り付けるカプラに、エポキシ樹脂接着剤で銅管を接着。LPGの圧力は常温で2気圧程度なので、こんな適当な接着でもなんとか耐えられる。注入弁の方も銅管と接着する

Memo:

思ったので、それを具現化する装置を製作することにします。名称は「炎上凍結くん」です。

炎上凍結くんの製作と実験

構想としては、液化ガスを充填した銅管を缶ビールに巻き付けておき、その銅管からガスを放出して缶ビールの温度を下げることを考えました。銅管には曲げ加工が容易で熱伝達率も高い、冷媒配管としては定番の「なまし銅管」を使います。これを缶ビールにピッタリなサイズに巻ける治具を、3Dプリンターで作ることから始めます。具体的なその手順は下記の通りで、パーツが揃ったら、銅管を固定する部品も3Dプリンターで作って組み立てれば完成です。

ということで、本当に缶ビールの温度が下がるか実験してみましょう。銅管に付けた注入弁

主な材料
- なまし銅管：φ4mm、長さ10m
- 自転車空気入れ(LPGガス)
- ガス補充機能付き100円ライター：注入弁
- カプラプラグ
- カプラソケット
- エアダスター
- エポキシ接着剤

に空気入れの缶を逆さにして、液化ガスを充填します。その状態でエアダスターのレバーを握ると、ガスがプシューと噴出。ちなみに、ここにライターで点火すると地獄の業火のような炎が出るので、皆さんはマネしないで下さいネ。SNSで炎上するとアカウントが凍結してしまうので…。まあ、とにかくガスを噴出することで銅管は冷たくなりました。動作としては意図通りで、実験はひとまず成功です。

続いて、どの程度の「ひんやり」具合かを確認するため、装置にセットしたアルミ缶に50mL程度の水を入れてテストしました。気温30℃の状態で、充填したガスを一気に抜くと、エアダスターは冷えて結露が発生。ただ、アルミ缶の中の水温は30℃から29.5℃に変化しただけです。液化ガスの気化熱で缶を冷却する仕組みを実用化するためには、液化ガスを貯蔵するタンクの追加や、液化ガスの気化をより効率的に銅管部分で発生させる方法など、構造的な改善の余地がまだまだあることが分かりました。今回の実験結果を参考にして、他の工作にも応用できればと考えています。

07：缶ビールに銅管を固定するパーツをCADで設計し、3Dプリンターで出力　**08**：すべてのパーツが揃ったので、組み立てれば「炎上凍結くん」の完成。美しい配管にうっとり　**09**：ガスは缶を逆さにして注入弁から充填する　**10**：エアダスターのレバーを握るとガスが噴出して、銅管が冷えていく　**11**：ガスはLPGなので火気厳禁。点火するとこんな感じでファイヤーしてしてまうので、マネしないように(筆者は十分安全に考慮して検証している)　**12**：ガスを出し切るとエアダスターの温度が下がり結露した。缶の水は、30℃から29.5℃に低下。実用化するにはさらなる研究が必要だ

Twitter
凍結炎上くんの動作テストの様子（ファイヤー）

力が欲しいか？欲しいのならくれてやる…的な

巨大グーパンチ装置でスイカを割ってみる

夏の風物詩であるスイカ割りに、圧倒的パワーで対峙してみたい。そこで、質量×加速をお見舞いできる超巨大ロボットハンドを、相変わらずのテキトー工作で作ってみることにした。 text by デゴチ

2021年の夏休みは、自由研究の工作でスイカを割る装置を作りました。夏休みの自由研究って小学生で終わりだと思っていたのに、まさか大人になってもやることになるとは思いませんでした（笑）。

この自由研究はTwitter上で告知をして開催した工作コンテストで、毎年恒例の行事となりつつあります。2020年のテーマは水鉄砲でしたが、2021年は「スイカ割りができる道具を作ること」。スイカを割る方法は人それぞれで、高電圧印加や高圧ガス注入による爆破などを行う強者もいましたが、私は最も単純な“打撃”によるスイカ割り装置を作りました。

打撃によって物を壊す

「物を壊す」とは、形のある物を砕いたり変形させたり傷付けたりして、元の機能を喪失させることをいいます。素手で物を壊すことが難しい場合、人類は道具や武器を使うのです。…ということで、ホームセンターに武器の材料を買いに行きました。ホームセンターの売り物の中で最も優秀な武器になり得るものは何だと思いますか？　チェーンソー、釘打ち機、グラインダー、包丁、鉈などは攻撃力が高いのですが、動力が必要だったり、取り扱う際に自分もケガをする恐れがあります。

薬理凶室でこの話題になると決まって最終的には「鉄パイプが最強」という結論に至ります。質量のあるものを速く振り回すことができれば、対象物にその「質量」と「速さ」の運動エネルギーをダメージとして与えることが可能。このあたりの物理では運動エネルギーや運動量、

装飾のための巨大義手は、以前作ったものを再活用する。ハンドルをつかむと、ワイヤーで接続された指がニギニギと動くようになっている

主な材料

●3mm厚のスチール平板(910mm／500円) ●SPF材(910mm／300円) ●ステンレス取付金具(200mm/110円) ●反射バンド4本(220円) ●M3ネジ×2本 ●木ネジ×4本 ●グルーガン用樹脂 ●瞬間接着剤 ●スイカ1玉(1,000円)

デゴチ
@degochiyakuri

スイカ割り工作コンテスト開催です！
概要：スイカを割る物を自作して人気投票してワイワイ楽しむ
期日：2021年8月31日23:59までに製作
規定：構造、材料等自由。スイカ割りの概念に則り食べられるように割ればOK
参加者は #スイカ割り工作コンテスト のハッシュタグ付きで製作過程や作品をツイート！

2021年の夏休みにTwitter上で開催した「スイカ割り工作コンテスト」。主催者の筆者ももちろん参加した

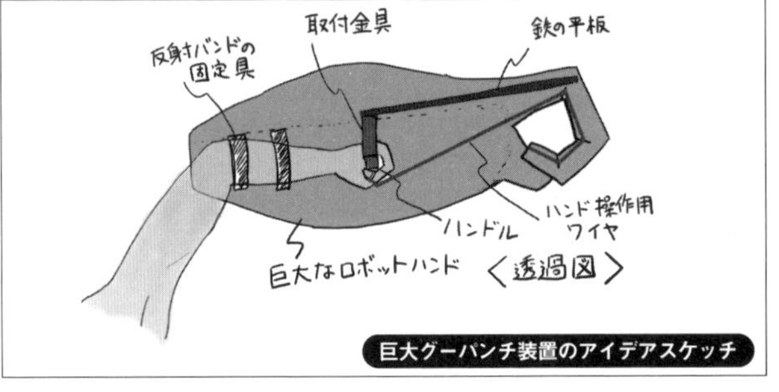

巨大グーパンチ装置のアイデアスケッチ

Memo:

01：鉄の平板を450mm程度に切断。金属用ノコギリでもいいが、電動ノコギリなら数分でカットできる　**02**：ハンドル取り付け用の金具を万力で固定して曲げる　**03**：平板と取り付け金具をネジ留めする　**04**：SPF材をカットしてハンドルを作り、取り付け金具に固定　**05**：平板、取り付け金具、木製ハンドルをネジ留めして組み立てたところ。パイルバンカーのようなダガーのような異形な鈍器が出来上がった…

力積など似たような言葉が多くて混乱するかもしれませんが、優秀な筆者は「重くて速く動く物は、なんとなく強そう」と理解しているので、重い鉄の平板を仕込んだ大きなロボットハンド型の「巨大グーパンチ装置」を作って、それでスイカを潰すことにしました。

材料は重い鉄の平板

前節で一瞬考えることをあきらめかけましたが、運動エネルギーについて考えてみましょう。運動エネルギーKは「質量m[kg]」と「速さv [m/s]」の2乗をかけて、それを半分にすると計算できます。

$$K=\frac{1}{2}\mathrm{mv}^2$$

物理って記号にすると単位なのか量記号なのか、よく分からなくなりますよね。ここでいう質量のmは量記号で、具体的な数値の代わりに使われるものです。[kg]のキログラムは国際的に決められた単位、国際単位系（SI）での記号で日常でも使います。量記号とSI単位を一緒に書く時は、両者が混ざると分かりにくくなるのでSI単位は大カッコでくくることが多いです。速度のvも量記号。で、速度vは「1秒の間に移動するメートル」なので、メートル毎秒を［m/s］と表します。このメートルの［m］と質量の量記号mが同じだから混乱しますよね。え、私だけ…？

閑話休題。今回は鉄の平板を使用します。長さ910mm、幅30mm、厚さ3mmの平板は数百円で買えます。この平板を450mm程度使うとしたら、重さは約300g。300gの物体を手に持って素人がパンチを繰り出すスピードを秒速10m程度と仮定すると、運動エネルギーは約5ジュールです。5ジュールといわれてもピンとこないかもしれませんが、釘を木材に打ち込めるぐらいのエネルギーとイメージして下さい。

装置の製作手順

鉄の平板をそのまま振り回すだけだと工作とはいえないので、この板をハンマーのように真っすぐに打ち付ける、パイルバンカーのような形に仕上げることにしました。真っすぐ打ち付けるのであれば、握り拳のような形の方が面白いと思うので、以前作った巨大義手を流用することにします。

まずは鉄の平板を450mmに切断。3mm厚の鉄ですが、電動ノコギリを使うとものの数分で作業は完了します。平板に取り付け金具をネジ留めするので、直径3mmの穴をあけておきま

今回のような細いハンマー風の構造であれば問題ありませんが、鉄の平板の先端と側面を尖らせて刃のような形状にしてしまうと、左右対称で両側面に刃が付いた剣（ダガーナイフ）状になり、こちらは55mm以上の長さのものは銃刀法に抵触します。そもそも遊ぶ時に危ないので、決して尖らせたり刃を付けたりしないようにご注意下さい。

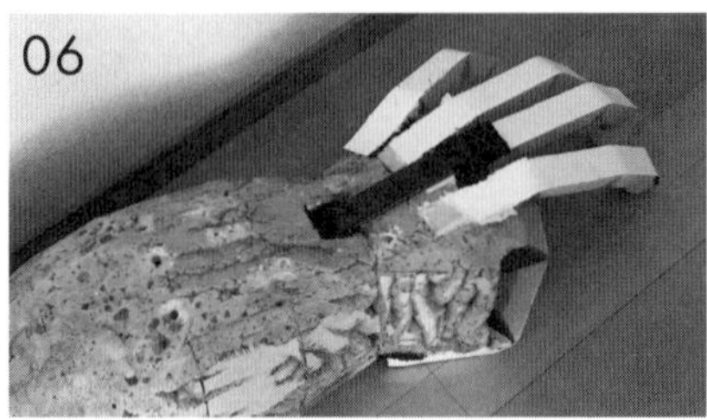

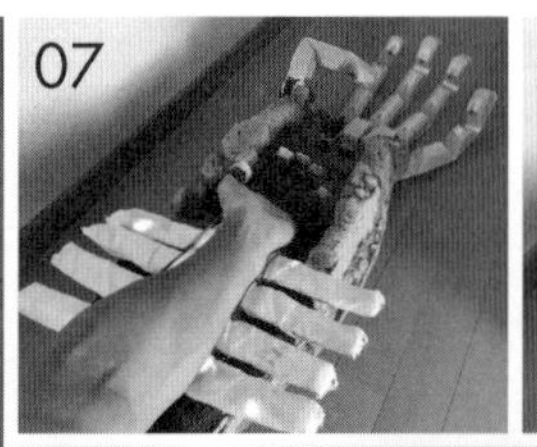

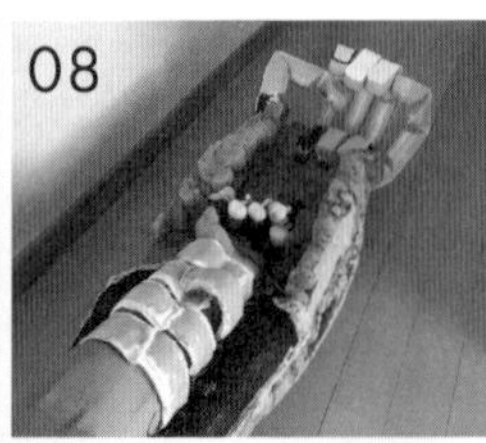

06：この巨大義手は発泡材のスタイロフォームで作ってあるので、加工は容易だ。手の甲のやや下部分に穴をあけて、そこからパイルバンカー的な鈍器を挿し込む　**07・08**：巨大義手の内側に反射バンドを取り付け、腕を簡単に固定できるようにした　**09**：スイカの中身をくり抜いて先に食べておく。代わりに水風船を仕込む　**10**：瞬間接着剤でスイカの皮を貼り合わせる。この作業は生まれて初めてだったが、瞬間接着剤の主成分であるシアノアクリレートは水分で硬化して接着するので、湿り気のあるスイカの皮でもなんとか固定できた

しょう。ハンドル用の取り付け金具は、少し開き気味のコの字型に。手で曲げても問題ありませんが、万力に挟むときれいに曲げられます。形を整えた取り付け金具とカットした平板をM3のネジで留めたら、ハンドルとしてSPF材を100mm程度に切断したものを木ネジで取り付けて金具に固定。これでパイルバンカーのような鈍器パーツが完成です。ストⅡのバルログやアメコミのウルヴァリンの爪みたいですが、刃は付いていないので鉄板の質量を単に打ち付けるだけのただのハンマーといったところ。なので、これを巨大義手に挿し込んで見た目を変えるわけです。

このままだとハンドルを握るだけになって安定しないので、腕の部分を義手と固定できるようにします。そこで便利なのが、腕に巻き付けて使う反射バンドです。巨大義手に4本ほど取り付けると、腕を押し付けるだけでバチンとバンドが腕に巻き付いて装着できるようになります。これで「巨大グーパンチ装置」の完成です。

スイカ割りの試技

今回のコンテストでは、食べ物を無駄にしないことを重視しているので、「割ったスイカは食べること」というルールを設けています。そこで、事前にスイカを包丁で切って、中身をくり抜きスタッフがおいしくいただきました。中身が空洞だとスイカ割りの条件が変わるので、風船に水を入れてスイカの皮を瞬間接着剤で接着します。

すべての準備が整ったので、スイカ割りの試技です。スイカを台の上に置き、「巨大グーパンチ装置」を左手に装着。そのままスイカに叩きつけます。装置のハンドルを握る手に伝わる衝撃とともに、スイカはパッカリと割れました。爽快です！

スイカ割り試技の様子。鉄板を仕込んだ巨大義手でスイカをぶん殴ると…、見事真っ二つに！

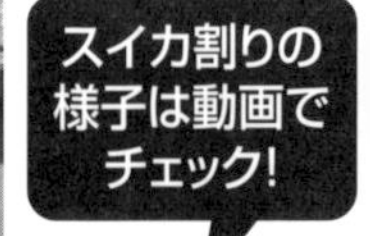

Memo:

投げ銭を重力で引き寄せる悪魔の募金箱！

重力コイン回収機で宇宙を語る

作品展示の際、お気持ちをいただく募金箱がただの箱では味気ない。ついつい、お金を投入したくなるような悪魔の仕組みを取り入れてみよう…。お金と一緒に経済も回していくぅ！ text by デゴチ

ここでは、イベントなどで作品を展示した時に、投げ銭を募ることができる募金箱を製作します。作品の面白さで投げ銭をゲットできればそれが最良なのですが、あいにく筆者の工作は万人にウケるとは限りません。そこで、たとえ作品がしょぼくてもつい募金をしたくなるような仕掛けを作ります。

参考にしたのは、科学館や動物園などで見かける「くるくるコイン募金箱」。漏斗のように中心が凹んだ円形の枠にコインを転がすと、中心の重力に引かれる天体のように周回しながら中心の穴に近づいて行ってコインが落ちます。その不思議な動きを見たくて何度も硬貨を投入したくなるという、悪魔の機械です。恐らく1987年にアメリカの特許の「コイン回収のための娯楽装置」が、商品として出回ってきたのが最初だと思います【02】。2023年の時点では特許期限が切れていますし、自作しても問題ないでしょう。これを柔らかい素材で作って重力を調整可能にすることで、科学教材作品を装った投げ銭回収機に仕上げるって作戦です。いかがでしょう？

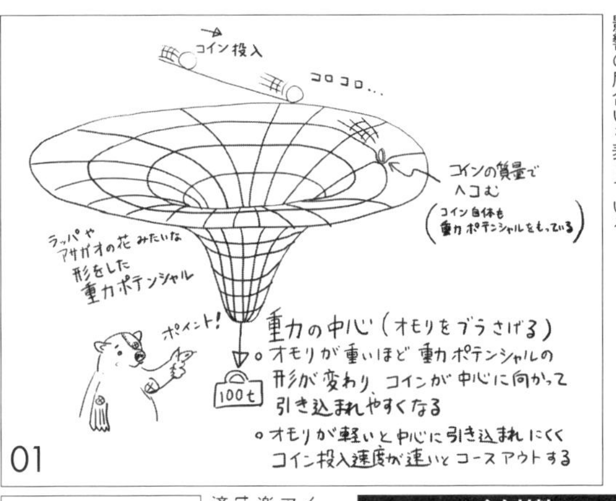

重力ポテンシャルのイメージ図。中心の凹みが重力の大きな天体で、その周辺の曲面の傾きがその地点の引力の影響の度合いを表している

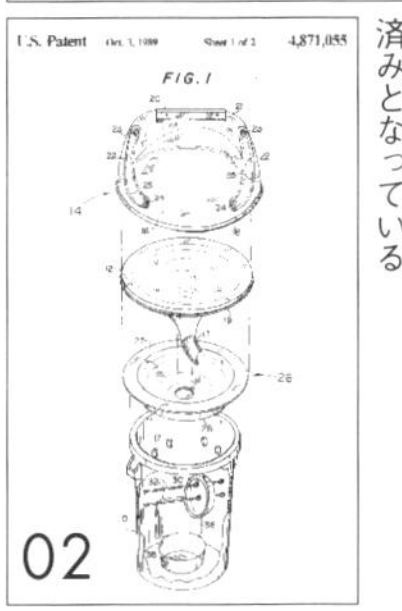

くるくるコイン募金箱は、1987年にアメリカで特許「コイン回収のための娯楽装置」(Amusement device for collecting coins: US4871055A)として登録済みとなっている

主な材料

- ストッキング布：600W×600Hmm（手芸ショップ／約500円）
- 後ろガラス用サンシェード（ダイソー／110円）
- 洗濯バサミ（ダイソー／110円）
- 園芸用グラスファイバー棒：2m×4本（ホームセンター／360円）

工具

- 裁縫セット
- ミシン
- ラジオペンチ
- ニッパー
- ノコギリ
- 3Dプリンター
- 3D-CAD（Fusion360、スライサーはUltimaker Cura）

構造の検討

ラッパや漏斗、アサガオの花のような形を「フラムの双曲面」といいます。似たような形状で重力ポテンシャル（ある点における重力の位置エネルギーの大きさ）を表すことができます。重力に引かれる天体の動きは、感覚的にこの曲面にボールを転がすイメージです【01】。この曲面にボールを転がすと、恒星を周回する惑星の運動を再現可能。中心部のオモリの重さが恒星の質量代わりで、この重さが

円形布と台の製作

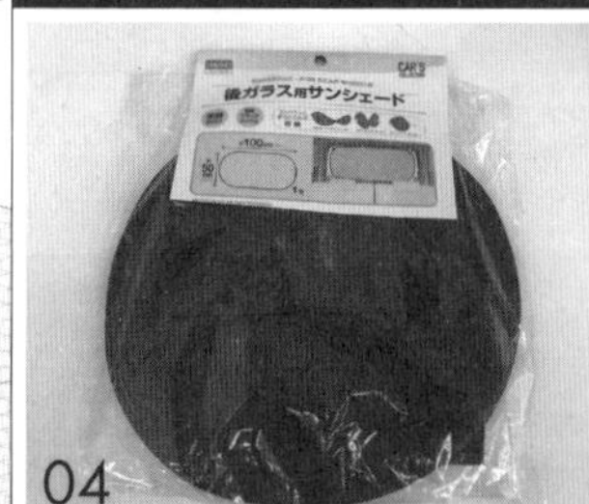

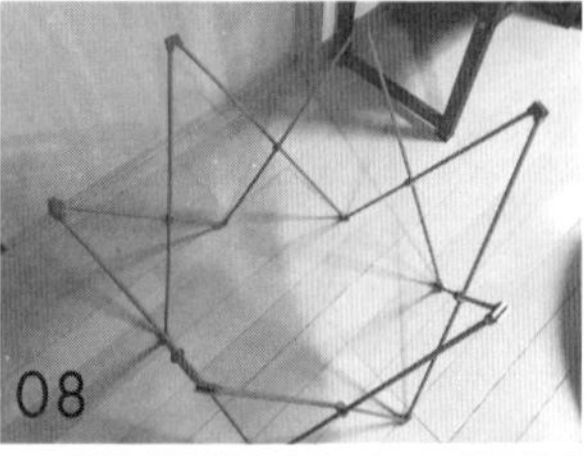

03：重力コイン回収機の設計図。まずは円形布とそれを支える脚を作っていく　**04**：クルマの窓に取り付けるサンシェードの板バネを流用する　**05**：サンシェードの板バネは金具で留めてあるので、ラジオペンチで引っ張れば抜ける。ニッパーで切断して長さを調整しよう　**06・07**：グラスファイバー棒と円形布を接合するためのパーツは、3Dプリンターで作った　**08**：パンタグラフ機構で組み立てた脚。ぎゅっと真ん中に脚を寄せることでコンパクトに持ち運べる

大きいと曲面の勾配が大きくなります。…自分で説明しておいてなんですが、物理の講義に使えそうな立派な科学教材っぽいですね。この曲面はただの三角錐ではなく、パラボラと逆の反り方をした曲面なので、円形の枠に柔軟な膜を張り、それを中心で引っ張ればそれっぽい形になります。試しにゴミ箱にストッキングを張り、中心部にオモリを吊り下げてみると、狙い通りの曲面が出来上がりました。ヨシ、これでいきましょう。

名前は重力に引かれてコインが周回しながら穴に吸い込まれていくので、「重力コイン回収機」とします。

曲面のための円形布の製作

重力コイン回収機は、コインが回転して転がる様子を楽しむものであるため、円形布は直径約600mmと大きめに設計しました。ここで使うのは、ストッキングのような伸縮性のある布とサンシェードです。

まずは布を直径600mmの円に裁断し、外側をぐるっと折り返して縫います。そこに、クルマ用のサンシェードから取り出して直径600mmとなるように、ニッパーなどでカットした板バネを挿し込んでいきます【04・05】。これで、きれいな円形をした布パーツが完成。最初はフラフープにフックで布を引っ掛けたんですが、その際に生じるシワによってスムーズにコインが転がりませんでした。シワがないように仕上げるのがコツのようです。

円形布を置く台の製作

続いて、円形布を置く台を作ります。円形布は外周に板バネを入れているだけなので、サンシェードと同じく折り畳みが可能。イベント会場に持ち運べるよう、台も折りたたみ式にしましょう。それには、棒状パーツをパンタグラフ機構で組み合わせればOKです。使うのは、園芸用のグラスファイバーの棒。600mmの長さに切断したものを、12本用意します。

棒の接続部は輪ゴムや紐で固定してもよいのですが、手軽に精度を上げられる3Dプリンターで作りました【06・07】。見た目も良くなります。あとはこれらを組み合わせれば台の完成です【08】。

Memo:

オモリとコイン投入口の製作

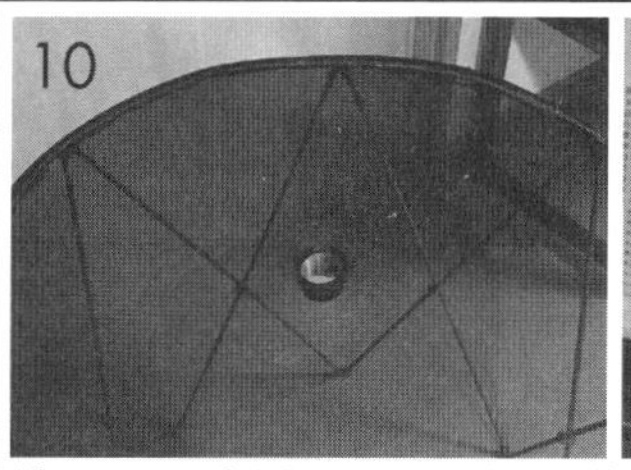

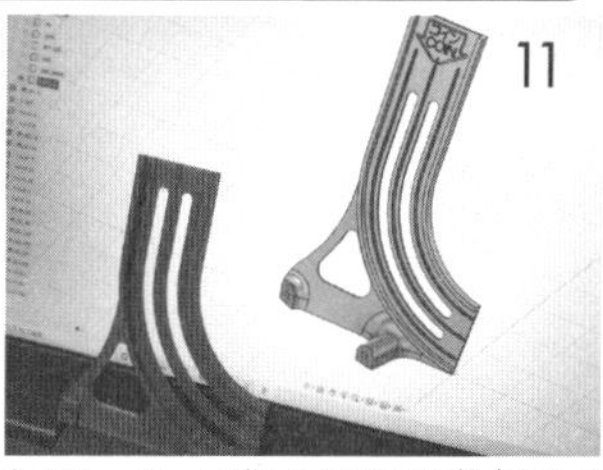

09：コイン回収パーツも3Dプリンターで製作。オモリは水を入れたペットボトルを使うため、ペットボトルのフタを強引にネジで留めた　**10**：円形布に穴をあけて、そこにコイン回収パーツを固定した　**11**：コイン投入パーツも3Dプリンターで製作。見た目が完全にプラレールやんけ。100円ショップで売っている玩具のレールを流用できそう

重力コイン回収機の完成!

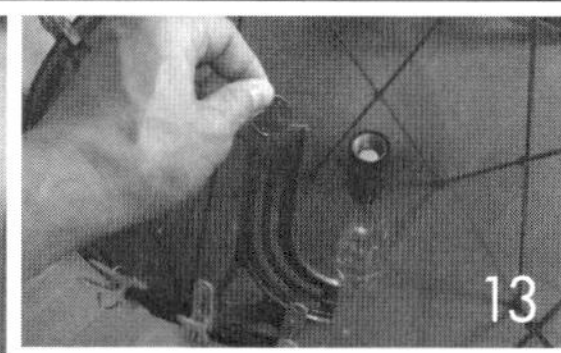

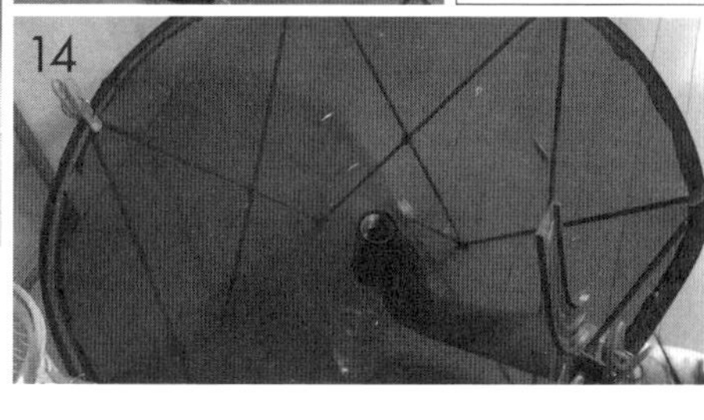

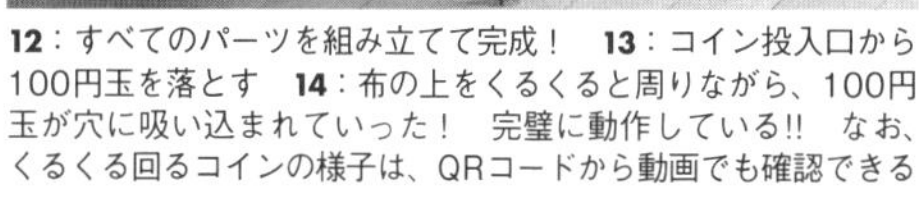

12：すべてのパーツを組み立てて完成！　**13**：コイン投入口から100円玉を落とす　**14**：布の上をくるくると周りながら、100円玉が穴に吸い込まれていった！　完璧に動作している!!　なお、くるくる回るコインの様子は、QRコードから動画でも確認できる

コイン回収パーツの製作

円形布の中心をオモリで引き下げ、コインを落とし込む回収パーツも、3Dプリンターで製作。オモリはペットボトルに水を入れて吊り下げたいため、コイン回収パーツにペットボトルのフタをネジ止めします【09】。3Dプリンターが無い場合、コイン回収パーツはインスタントコーヒーの瓶でも代用可能。瓶のフタにコインが通る穴をあけて、円形布の中心に挟んでフタをすればOKです。

重力コイン回収機の使い方はコインを縦にして転がすだけなので、原理的には二つ折りにした紙にコインを挟んで転がしてもいいのですが…。しかしこれは募金箱。説明しなくてもコインを投入することを見学者に“分からせる”必要があります。そこで、それっぽいコイン投入パーツを、3Dプリンターで製作しました【11】。

コイン投入のテスト

とりあえず試作品なので、円形布と台、コイン投入パーツは雑に洗濯バサミで固定【12】。これで準備完了。コインを投入パーツに沿って落とし込みます。するとコインは、くるくると円形布の曲面を周回しながら中心のコイン回収パーツに落ちていきました。次いで複数枚のコインを連続で投入しても、それぞれがくるくると中心に向かって周回しながら落ちて行きます。計算通り！　完璧に動作している!!!【13・14】

ついついコインを入れたくなってしまう、重力コイン回収機の完成です！

科学の力を駆使して頑固なサビを一網打尽！

今日から使える サビ落としテクニック

朽ちかけた金属製品も、サビを落とせば元の輝きを取り戻せる可能性がある。その方法はヤスリで磨くだけではない。電気分解や超音波洗浄など4つの技法を解説しよう。

text by Pylora Nyarogi

海外のYouTubeでは、「Old Rusty Tool Restoration」的な動画が人気なようです。さまざま技法を駆使して古びた道具を修復するといったもので、特に視聴者を熱くさせているのがサビ落とし。

サビは見た目が悪くなるだけでなく、摺動部の固着や腐食による強度低下など実害を伴うため、きちんと除去したいところです。紙ヤスリやワイヤーブラシでの研磨が一般的ですが、ここでは少し変わった方法を紹介します。サビ落としの方法をマスターすれば、身の回りの鉄をきれいにしたくなるハズ。アンティーク品の修復や、工具・パーツなどの日常的な道具のメンテナンスなどに使えますよ。

手法1▶電気分解

電解質溶液を電気分解してサビを落とす方法で、工業的には「外部電源式の電気防食」と呼ばれる処理です。海外の物理工作系YouTuberの間では、「Electrolysis Rust Removal」として知られます。

その方法は、プラスチック製の容器に炭酸ナトリウムなどの水溶液を作るところからスタート。対象物を電源の負極に、酸化させる適当な金属を正極に接続すると、対象物が陰極となり還元反応が起こります。陽極の表面が完全に酸化されてしまうと電流が流れなくなるので、掃除や交換を行いつつ反応を進めていくのがコツです。

この時、電源には適当な直流電源を使用します。カーバッテリーの充電器を流用するのが手っ取り早いのですが、降圧トランス＋整流器といったセットアップでも可能。

処理中は、電流・電圧をしっかりとモニタリングして下さい。溶液中で電極同士がショートすると危険です。また、反応中は酸素と水素が発生するので

YouTubeで「Old Rusty Tool Restoration」と検索。サビだらけの工具や家電を新品のように修復する動画がたくさんアップされている。人気コンテンツだ

手法1　電気分解

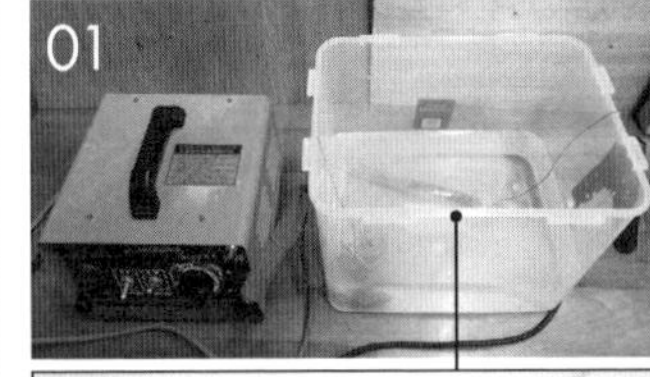

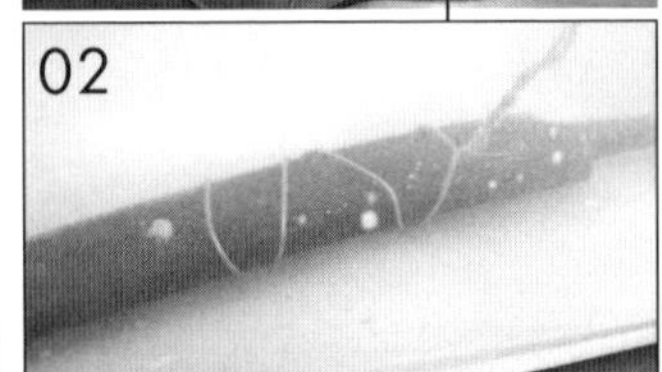

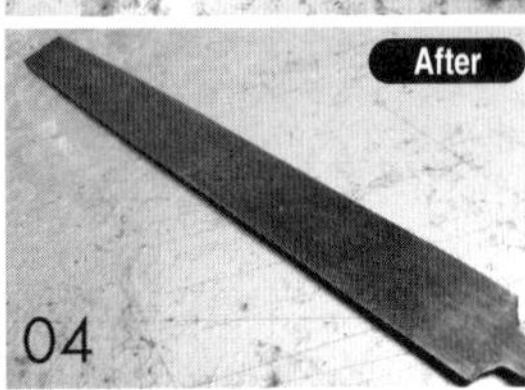

01：電気分解によるサビ落としのセットアップ　**02**：金属ヤスリを炭酸ナトリウムの水溶液に沈めて反応をチェック。電気分解が進み、陰極では水素が発生する。ちなみに陽極は酸化する　**03・04**：金属ヤスリの全体をびっしり覆っていた赤サビが除去された。処理後の表面には良性の黒サビが形成されている

Memo:

換気はマストです。

手法2▶酸洗い

酸でサビを腐食させて除去する方法が「酸洗い」。上述の電気分解と併用も可能です。

酸洗いに使われる酸は数種類あり、被膜形成作用のあるリン酸が含まれている専用の薬品もありますが、手軽かつ安価なのは塩酸を主成分とするトイレ用洗剤。10%ほどの塩酸なので、適宜薄めてから対象を浸せばOKです。ただし、長時間浸け過ぎると鉄自体が腐食してしまうので、サビが落ちたことを確認したら確実に洗浄・中和を行いましょう。酸が残っていると腐食が進んでしまいます。

また、強酸を扱うので、保護メガネや手袋などを着用することもお忘れなく。安全に作業しましょう。

手法3▶超音波洗浄

超音波によって洗浄槽内でキャビテーションを起こし、その衝撃波でサビを落とします。やり方は簡単で、水で満たした洗浄槽に対象物を入れるだけ。超音波洗浄機のスイッチを入れると、すぐにサビが水中に漂っていく様子が確認できるでしょう。洗浄後の槽内の水を観察していくと、サビによって茶色く濁っていきます。

これは物理的な方法なので、完全にサビを落とし切ることはできませんが、特殊な薬剤を使わないので手軽かつ安全なのが最大のメリットです。表面の赤サビを除去する程度であれば十分役立つ方法でしょう。有機的な汚れを落としたい場合は、洗浄槽内の水に洗剤を混ぜると効果的です。

手法4▶火で炙る

ガスバーナーなどで炙り、サビだけでなく表面の汚れもろとも落としてしまう荒業です。油や埃などの有機物も、炭化・揮発させることが可能。鉄の塊など、強熱しても問題の無い対象に限られる方法ではありますが、固着した部品同士を剥離させる際などにも使える、非常に強力な手段です。頑固にサビついたボルトやナットも、炙った後に注油し、ハンマーなどで数度衝撃を加えれば緩めることができます。

まとめ

ここで紹介した4つの方法は、特に複雑な形状のパーツのサビを落とすのに有効です。作業をする際は、ワイヤーブラシや潤滑剤などを併用すると効率がアップします。なお、繰り返しになりますがいずれの方法でも、処理後は速やかに洗浄・注油して下さい。

他にも、バレル研磨、専用の薬剤やレーザーを利用した方法など、サビの除去にはさまざまなテクニックがあります。対象物の形状や特性に応じて使い分けましょう。

手法2　酸洗い

酸洗い後の表面は、サラサラした独特の仕上がりになる

手法3　超音波洗浄

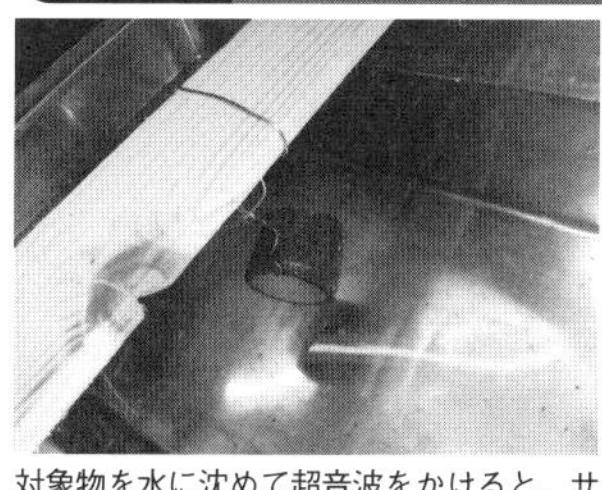

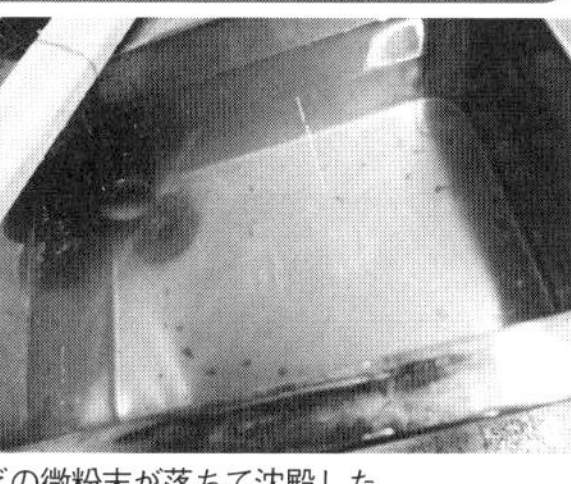

対象物を水に沈めて超音波をかけると、サビの微粉末が落ちて沈殿した

この方法では完全には落とし切れないが、表面に浮いたサビは除去できた。特殊な薬剤を使わないのがポイントだ

劣化した工具を金工必須アイテムとして蘇らせる!

0円で作れるバリ取りツール

エグゾーストキャノンなど、金属加工にはバリ取りが必須。その専用ツールが市販されているが、手近なアイテムで自作可能だ。使い古したセーバーソーやドリルビットを再利用しよう! text by Liar K

皆さん、バリ取ってますか? 研削や切削を行うと、必ず発生するのがバリやカエリ。そのままにしておくとそれらが引っかかって部品同士がピタッと組み合わさらなかったり、ケガの原因にもなります。特に、かの「エグゾーストキャノン」では気密やピストンの摺動が重要なので、バリがあってはエア漏れやピストン速度低下などの動作不良を起こしかねません。今回は、そんなバリ取りに欠かせないツールのお話です。

市販のバリ取りツール

まずは市販されているバリ取りツールで、代表的なものを紹介していきます。

カウンターシンク

φ20mm以下の比較的小さな穴のバリ取りに重宝するのがこれ。穴加工した際のエッジのバリやカエリを取ったり、面取りに用います。使い方はボール盤やドリルドライバーに取り付け、対象の穴にカウンターシンクの先端を挿入。穴のエッジ部に刃が当たるようにして、穴軸と同軸に押さえつけます。

バリ取りカッター

一方でこちらは、大きな穴のバリ取りや面取りに使用します。使い方は刃で穴のエッジをなぞっていく感じ。カウンターシンクよりも扱いにコツが必要で、力を入れてしまうと刃が食い込んでエッジがエグれたり、角度に気を付けないと刃がエッジ以外に当たって穴の内面に傷が付くこともあります。慣れるまで練習が必要です。

ヤスリ

最もポピュラーなバリ取り工具。鋼に細かな刃を付けてそれで削り取ります。また、紙ヤスリはバリ取りや面取りした後のエッジをさらに滑らかなRにするために用います。仕上げ後の仕上げという感じですね。筆者は扱いやすさと入手しやすさから、3Mのスポンジ研磨剤「スーパーファイン」を愛用。アルミがかなりきれいに仕上がります。

このように市販品はいろいろありますが、筆者は金欠のため手が出せません。そこで、ヘタった工具を加工してバリ取りツールを作ります。

外周エッジ用ツールを自作

1つ目は、外周のエッジに使用するツール。ベースはバイメタル製のセーバーソー替え刃です。

グラインダーでセーバーソーの刃を削り落とし、長方形に形を整えたら、板厚が0.5mmくらいになるまで切断砥石を使って溝入れ。最後にグラインダーで切れ刃を作れば完成です。油砥石やハンドラッパーで刃を研いでやると、切れ味が向上して長持ちします。使い方はエッジに刃を当てて、そのまま引くだけ。簡単にバリ取りが行える上、コツも不要です。

■代表的な市販のバリ取りツール

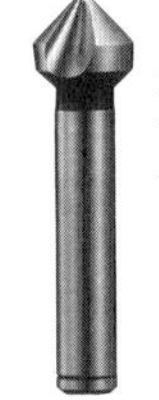

カウンターシンク
ハンディタイプもあり、違いは自らが手を捻って回す必要があるという点だけ。コツ要らず。

バリ取りカッター
ノガ社の製品が主流だが、最近はジェネリック品も出回っていて安価で手に入る。

ヤスリ
金属加工のバリ取りには、ペンくらいのサイズのダイヤモンドヤスリがお勧めだ。

Memo:

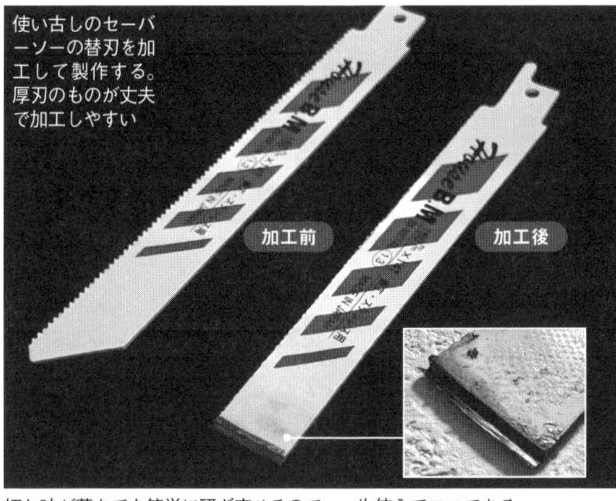

切れ味が落ちても簡単に研ぎ直せるので、一生使えてエコである。さまざまな金属加工に必須のアイテムとして役立つハズだ

Tool 1 外周エッジ用ツール

加工方法

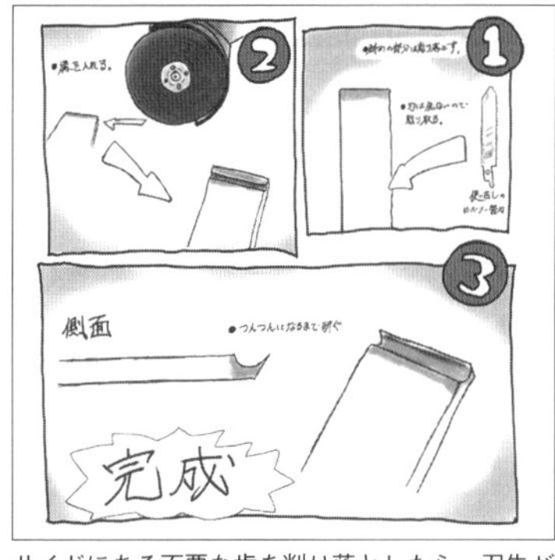

サイドにある不要な歯を削り落としたら、刃先が鋭く尖るまで、グラインダーで研削する

Tool 2 穴用ツール

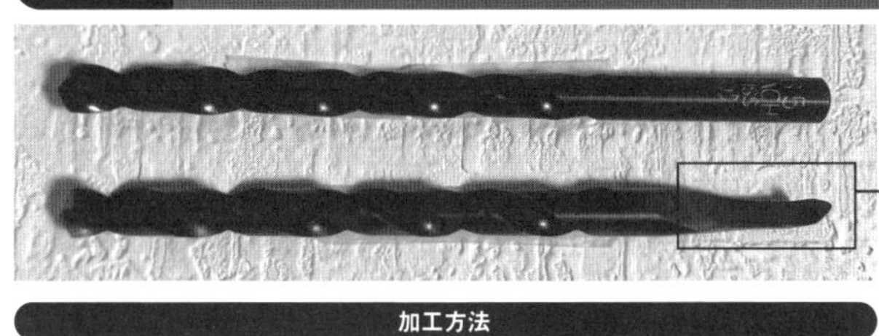

ドリルのシャンクを利用して製作。外周エッジ用ツールに比べて製作難度は高い

加工方法

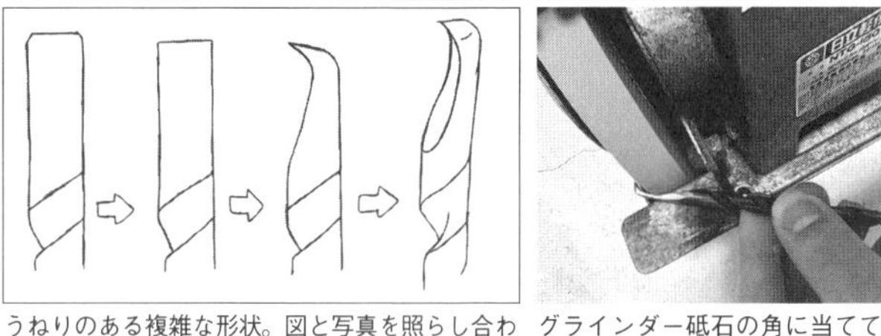

うねりのある複雑な形状。図と写真を照らし合わせて確認してほしい

グラインダー砥石の角に当ててえぐりながら刃を作っていく

使用方法

エッジを刃でこそぎ取っていく。力を入れ過ぎないようにするのがポイントだ。板やパイプの穴あけで発生する、ドリルの抜け側のバリも取ることができる。パイプ外周に穴あけし、さらに組み立て時にOリングが通過するエグゾーストキャノンの製作では、特に重宝するツールといえる

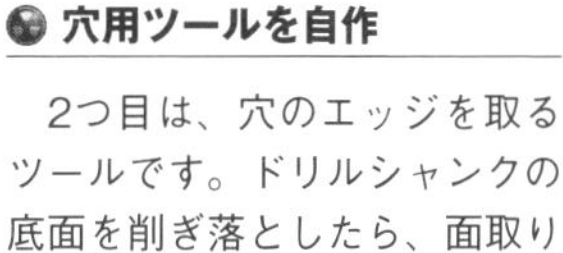

穴用ツールを自作

2つ目は、穴のエッジを取るツールです。ドリルシャンクの底面を削ぎ落としたら、面取り部をピン角に削ります。次にグラインダー砥石の角を利用して、ドリルのシャンクの方を加工。シャンク底面で刃を作る感じです。最後に側面を削って、先ほど砥石の角で削った部分が刃になるように加工します。

使い方はバリ取りカッターと同じなので、多少コツが必要。特に力の加え方は慎重に。力が必要な時は、刃の切れ味が落ちている可能性もあるので再研してみて下さい。

筆者は基本的に自作したこの2つのツールとスポンジ研磨剤にて、仕上げを行っています。アルミや焼き入れしてない鉄など被削性の高い材料ならばこのバリ取りツールで加工可能です。これらがあるだけでプロダクトのクオリティがぐーんと上がり、さらには自らの研削加工能力向上も見込めるのでぜひ1度作ってみては！

小型機でバリバリ溶接するためのTips

家庭用溶接機入門

ハイパワーガジェットの製作において、金属同士の接合は必要不可欠な技術といえる。その中でも、最も強度を出せるのが溶接だ。溶接機の選び方から作業のコツまで解説しよう。 text by Pylora Nyarogi

溶接が加工の選択肢に入ると、そこら中にある鉄が材料に見えて来ます。ということで、小型溶接機を150%使いこなすコツを紹介しましょう。

溶接機の選定

ホームセンターなどで市販されている100V駆動の溶接機は主に2種類あります。「被覆アーク溶接機（手棒溶接機）」と「半自動溶接機」です。手作業で行う手棒溶接は最も簡易な形式の溶接で、材料や電流などの条件に応じて溶接棒を変えることでさまざまなケースに対応可能です。しかし、きれいに仕上げるにはある程度の慣れが必要になるため、未経験者は半自動溶接の方が扱いやすいでしょう。ワイヤーが一定の速度で自動的に供給されるので、難易度は低くなります。小型の機種でもそれなりに実用的です。

また、溶接機は電源の違いで「交流溶接機」と「直流溶接機」に分類できます。交流溶接機は安価ですが、インバーター制御の直流溶接機の方がアークが安定し、ブレーカーが落ちにくいのです。

これらを踏まえると、家庭用として使うのなら、直流タイプのノンガス半自動溶接機がオススメ。二酸化炭素などのガスを使用しないノンガスの機種はワイヤーが高価だったり、スパッタ（火花）が非常に多かったりしますが、ガスボンベを導入しなくていいので手軽です。上記の条件を満たすものは、2万～3万円台から入手できます。購入する際は、消費電力や定格使用率（≒連続使用可能時間）も併せてチェックしましょう。

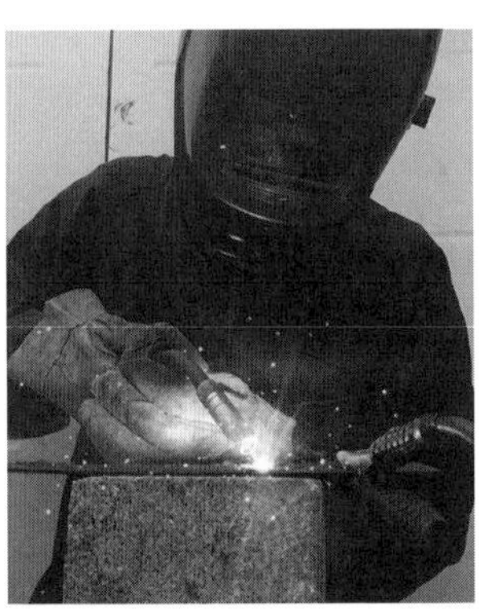

←母材と電極が接触することで放電が発生し、それにより金属同士が溶け合って接合される。多量の火花が出るため、長袖の作業着と革手袋などの保護具は必須だ

↑溶接の必須アイテムである遮光面。左は手持ちタイプ、右が自動遮光面。ノーブランド品でも自動遮光面を用意したい

被覆アーク溶接機（手棒溶接機）

最もポピュラーな溶接機だが、中級者以上向け。溶接棒を母材に接触させると、アークが発生して溶接棒自体が溶けていき接合される仕組み

半自動溶接

初心者向けの溶接機。ノズルからワイヤーが自動で供給されて、それと連動してアークが発生する。前面のスイッチで、電圧やワイヤーの送り速度を調整できる

欠かせないサブアイテム

溶接はアーク放電で材料を溶

Memo:

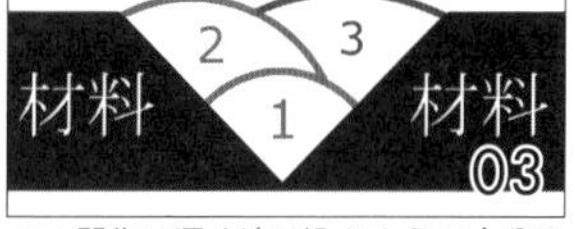

01：開先は深く溶け込むように十分に削っておく　02：数回ビートを重ねると、時間はかかるが分厚い板もしっかりと溶接できる。DIYレベルなら十分だろう　03：3回ビードを重ねた場合の断面図。数字は溶接の順番を表す

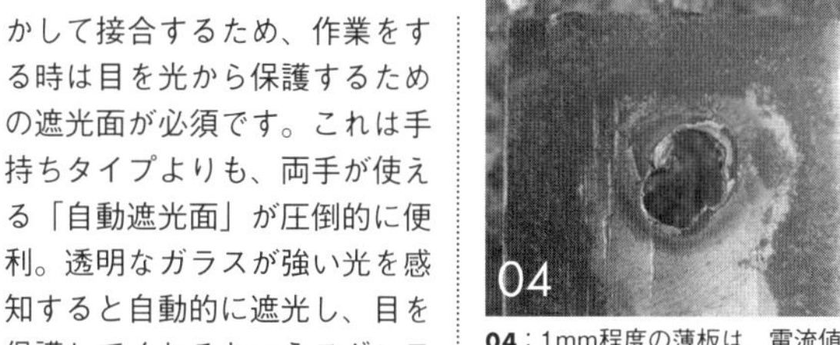

04：1mm程度の薄板は、電流値が大きいとすぐに穴があいてしまう。慎重に作業を進めよう　05：消火器を改造したエグゾーストキャノンのフランジ部。溶接＋ハンダで気密が保たれている

かして接合するため、作業をする時は目を光から保護するための遮光面が必須です。これは手持ちタイプよりも、両手が使える「自動遮光面」が圧倒的に便利。透明なガラスが強い光を感知すると自動的に遮光し、目を保護してくれるというスグレモノです。溶接の開始位置もはっきりと分かるので、作業性も損ないません。大手メーカー品は数万円以上しますが、ノーブランド品なら十分な性能のものが3,000円台から入手できます。1度使うと、手持ちの遮光面には戻れません。

そして、溶接の前後に母材を磨くためのワイヤーブラシも用意しましょう。母材の表面に酸化被膜などが形成されているとアークが飛ばず、溶接は不可。特に小型の溶接機では、これが顕著に現れてしまいます。ワイヤーブラシで材料をきれいに磨いておけば確実にアークが飛びますし、溶け込みも良くなるのです。さらに、作業後に溶接部を磨いて、しっかり接合できているか否かを確認するためにも使います。

分厚い材料は開先を設ける

100Vの溶接機は、鉄工所で使われている大型のものと比較すると当然ながらパワーが劣ります。3mm程度の鉄板であればそのまま溶接しても十分な強度が出ますが、分厚い鉄板を溶接する時などはパワー不足を工夫で補う必要があります。

どうするのかというと、写真【01】のように溶接する部分を大きく面取りしておくのです。この面取りを専門用語で「開先」といいます。V字の溝を完全に埋めるように、場合によっては複数回に分けてビードを置いていくと9mmほどの分厚い材料もしっかりと接合できるのです【02・03】。

溶接の作業ポイント

実際に溶接する時は、電圧や電流を状況に応じて調整しなければなりません。この調整が細かくできる機種ほど、きれいに溶接できるといえます。電圧が低過ぎるとアークが安定しませんし、電流が大き過ぎると材料に穴があいてしまいます。少しずつ様子を見ながら、適切な値を探っていきましょう。

作業中は、溶かしたい部分がしっかりと溶けているかどうかを遮光面越しに確認しながら、徐々に感覚をつかんでいきます。分厚い材料を溶接する場合は、アークが発生してから材料が溶けるまでに少しのラグが発生するため、焦らずゆっくり確実に溶け込ませていくこと。

溶接に慣れれば圧力容器を製作することもできますが、たとえ完璧な溶接ができなくても、DIYレベルであれば溶接とハンダ付け＆ロウ付けを併用することで、簡単に気密を保った接合が可能です。ハンダ付けとロウ付けだけでは強度に不安が残りますが、溶接で強度を確保した後に隙間にハンダやロウを流し込めば完璧です！

参考文献
●『第2版 溶接・接合便覧』（溶接学会編／丸善出版）

強靭な鉄筋もぐにゃりと曲がるハイパワー!

LPガスバーナーで作る高カロリーなガス炉

刃物の焼入れや大物のロウ付けをするなら、カセットガスバーナーでは力不足だ。ワンランク上の火力を期待できる、LPガスを燃料とする高カロリーなバーナーとガス炉を製作してみる。 text by しろへび

LPガスはプロパンとブタンの混合物で、加圧して液化した状態でボンベに入れて扱われます。燃焼範囲はおよそ2.1〜9.5%と幅があるため、容易にバーナーを自作することができるのです。完全燃焼後は二酸化炭素と水蒸気になり、煤で部屋が汚れたり、火の粉で火災になる心配が少ないのもメリットです。

ガスの混合と保炎

LPガスを燃焼範囲内で空気と混合するために、小さな穴からLPガスを噴き出させる必要があります。噴き出したLPガスは周りの空気を巻き込みますが、巻き込む空気量はLPガスの流量に比例するため、バルブでガスの量を変えても適切な混合比を維持することが可能。1mmくらいの穴と、40A×20A径違いソケットの相性が良く、調整不要で安定した燃焼ができるかと思います。これにはドリルで1mmの穴をあけてもいいのですが、M6のネジを切ってノンガス半自動溶接機用のチップを使うと、直径0.6〜1.6mmくらいの間で微調整が可能で便利です。

問題は、どのようにして燃焼を持続させるか…です。径違いソケットの40A側からチップでガスを吹き込むと、20A長ニップルの中で空気と撹拌され、火種と出会うと燃焼しますが、すぐに消えてしまいます。これは混合ガスの供給速度と、燃焼する速度が釣り合っていないためで、このバランスを取るのは非常に難しいようです。

そこで混合ガスの流れを乱し、炎の渦を作る保炎部を用意して燃焼を維持します。市販のガスバーナーの筒を覗き込むと、羽のようなものが見えると思いますが、これがガスの流れを乱す役割をしているのです。ここでは羽ではなく、筒の断面積を急に増やすことでガスの流れを乱

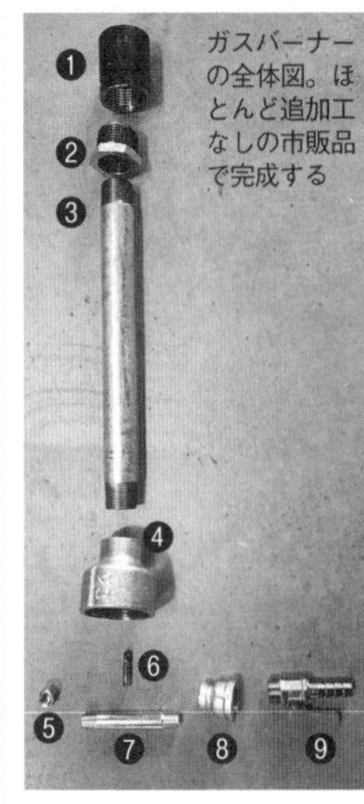

ガスバーナーの全体図。ほとんど追加工なしの市販品で完成する

ガスボンベの取り出し口は、専用の規格品。市販の調整器を介すことで、ガス漏れの恐れなく接続できる上に、圧力調整も可能になる

主な材料

❶ストレートソケット:25A(保炎部) ❷ブッシング:25A×20A(保炎部と混合筒の接続用) ❸長ニップル:20A×150〜250mm(LPGと空気を混合する筒) ❹径違いソケット:40A×20A(大径から空気が入る) ❺六角キャップ:6A ❻ノンガス溶接用チップ:0.8〜1.6Φ(LPGの出口) ❼長ニップル:6A×75mm(以下LPGの流路) ❽径違いソケット:10A×6A ❾小型ボールバルブ:10A× 10.5mm
その他:工業用LPガスホース(プロパン配管用)、ガス調整器

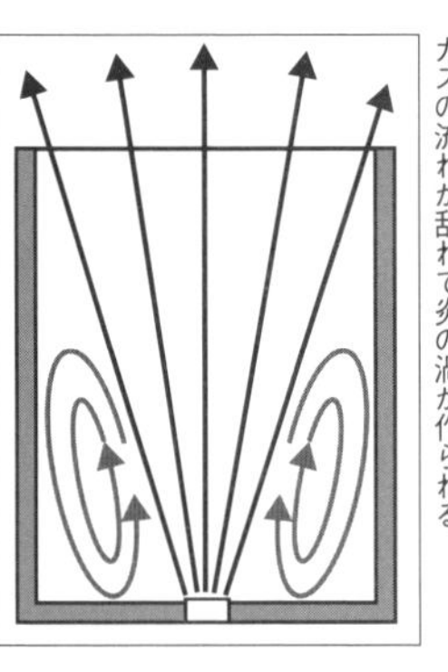

保炎部は流路の断面形状を急に大きくすると、ガスの流れが乱れて炎の渦が作られる

Memo:

LPガスを燃料とするバーナーの作り方

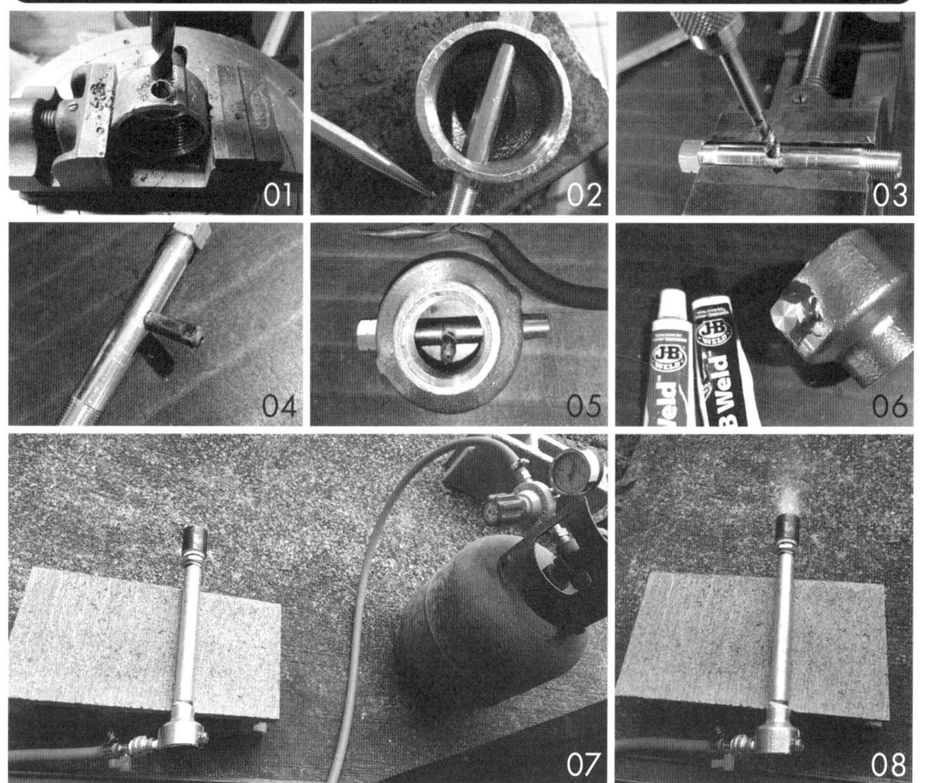

01：6Aの長ニップルは外径が約10.5mmなので、11mmのドリルがちょうどいい。径違いソケットの中心を通るよう穴を貫通させる　**02**：径違いソケットの中心を狙い、長ニップルにけがく　**03**：5mmの下穴をあけ、M6の雌ネジを切る　**04**：チップを交換することで、直径0.8〜1.6mmの間で調整できる　**05**：ガスの噴き出し口が径違いソケットの小径側を向くよう調節する　**06**：直接火は当たらないが、熱に強い接着剤を使う。溶接やロウ付けなら万全　**07**：ガスバーナーとLPガスボンベをホースで接続　**08**：高カロリーガスバーナーの完成！

す狙い。20Aから25Aへと直径が太くなると段差の部分で流れが乱れ、一部は逆流して渦を作ります。この炎の渦が後から来た未燃焼ガスを着火し、安定した燃焼を続けることができるわけです。

LPガスバーナーの製作

このガスバーナーは一部パーツの加工が必要なものの、市販パーツをねじ込んで組み立てるだけで簡単に作れます。

まずはパーツの加工から。40A×20A径違いソケットに穴をあけ、片側を6A六角キャップで塞いだ6A×75mm長ニップルを通します。段違いソケットの中央を狙い、長ニップルにセンターポンチを打ったら、センターポンチの位置にLPガスが噴き出す穴をあけます。微調整が不要な場合は直径0.8〜1.0mm程度の穴を、微調整する場合はタップでM6の雌ネジを切りましょう。そして、径違いソケットに長ニップルを固定。溶接ではなく接着で十分ですが、念のため、熱に強い「J-B Weld」の使用をお勧めします。

残りの材料は、ねじ込むだけでOK。ネジ部に厳密な気密は必要ありませんが、一応シール

ガスボンベを利用したガス炉の作り方

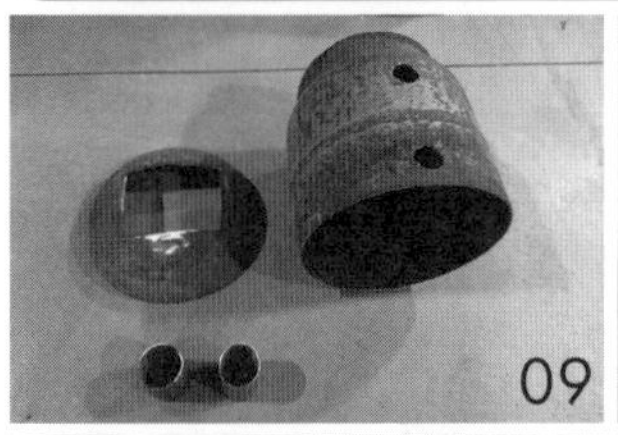

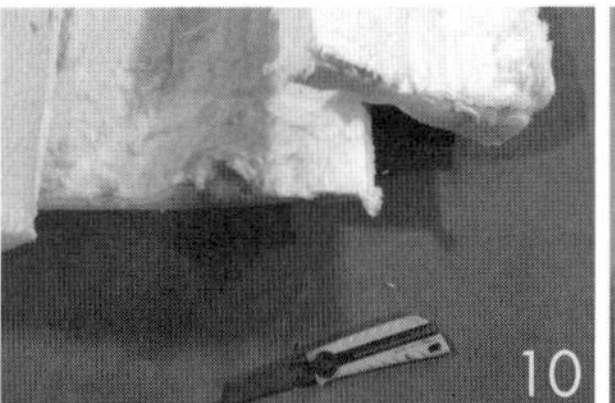

09：ディスクグラインダーなどで、空のガスボンベを切り開く。今回はバーナーをもう1つ作ったので、穴も2つあけている　**10**：セラミックウールは、陶芸用の炉の材料として入手可能。1,000℃以上の高温に耐えられる　**11**：ガスバーナーを突き立てるために、25Aストレートソケットより、ひと回り太い単管パイプを溶接した。ついでに脚も溶接しておこう　**12**：火種を用意してからガスを流さないと非常に危険　**13**：加熱中は耐火煉瓦でフタをするとよい　**14**：強靭な鉄も、飴のように曲げられる！

テープを巻いておいた方が安全です。ノンガス用チップを交換するつもりなら、接着は必要ありません。1/8長ニップルに高圧ガスホースをつなぐ際は、ボールバルブ付きのホースニップルを使った方が取り回しが良くなります。

LPガスは、家庭向けのガスコンロ用だと圧力が3.3kPaしか出ず連続で燃焼しないので、不十分。20～30kPaほどは必要となるため、小型ガスボンベを用意しましょう。今回製作したバーナーは着火機能が無いので、火種に向けてガスのバルブを開くと、安定した火を得ることができます。赤・紫・オレンジの火が出ている場合は不完全燃焼している状態なので、有害な一酸化炭素が発生している可能性もあります。そんな時はチップを1サイズ小さくして様子を見ましょう。

断熱した炉の製作

カセットボンベ式よりも高カロリーなバーナーが出来上がりましたが、開放されている中で使用するとどうしても温度が上がらないため、断熱した炉を作って、さらなる高温を目指します。断熱材には高温に耐えるセラミックウールを使い、適当なサイズの金属容器に詰め込みましょう。今回は、ガスバーナーの試運転で空になったガスボンベを使うことしました。

ガスボンベの加工は、中にセラミックウールを詰めるためにガスボンベを切り開き、作業用の穴とガスバーナーの火の入り口を作ります。セラミックウールはカッターナイフや手で簡単に割けますが、吸い込むと有害で肌にも刺激があるため、手袋・ゴーグル・マスクは必ず着用して下さい。炉のサイズに合わせてセラミックウールを切り取り、ボンベの奥と外周に詰め込みます。火の入り口のセラミックウールを切り取ったら、ボンベ前面とバーナー保持用のパイプを溶接すれば完成です。

ガスバーナーを突き立て、中に火種を入れてからバルブを捻ると、正面に立てないほどの熱量で燃焼しました。数分でセラミックウールが温まって炉が赤熱し始めるので、鉄筋を挿し込むと数十秒でこちらも赤熱。鉄筋を簡単に曲げることができました。大物のロウ付け、火造り鍛造、鍛接、熱処理のほか、ガラス細工や陶芸への利用も可能かもしれません。

Memo:

炎上を越えて溶かしちゃうほどのSNS映え!?

溶けて消えゆく「いいねチョコ」を作ろう

SNS映えして「いいね」をたくさんもらいたい！　ということで、名作映画のラストシーンを彷彿させる沈降型チョコを考案。手の形もいいねに似てるし…。Hasta la vista, baby !　text by デゴチ

チョコといえば溶ける、溶けるといえば『ターミネーター2』※ですよね。この映画のラストでは、未来から来たマッチョ型ロボットが話の都合上、その存在を消す必要が出てきます。特に印象的なのが、親指を立てて溶鉱炉に自ら沈んでいくシーン。これを再現する「いいねチョコ」を作りましょう。

チョコの構造としては、温かい飲み物に入れた時に、迅速に溶けて真っすぐに沈んでいく必要があります。ものを作る時は大抵の場合は丈夫に設計するのですが、今回はより壊れやすく作りたいです。そこで、チョコの下部を薄いスカートのような円錐形にする「プラン1」と、タコの脚のように細い脚部を作る「プラン2」を考えました。

↑映画『ターミネーター2』のこのシーンをイメージ。サムズアップしながらずぶずぶ沈んでいく…

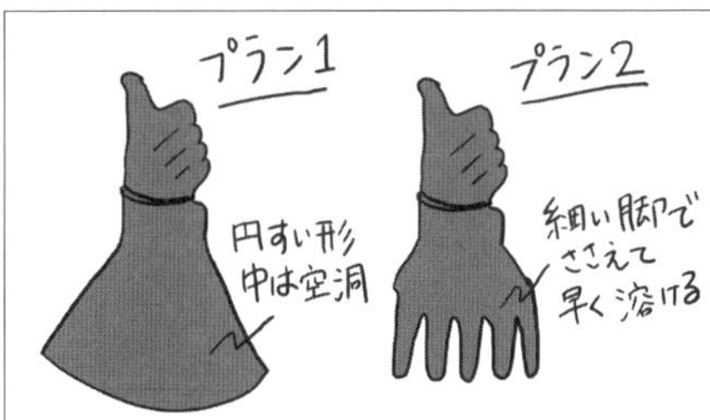

←手を液体に沈めるため、脚の部分は溶けやすくしなくてはならない。ということで、2パターン作ってみた

主な材料

小麦粘土(100円ショップで購入)　アルミ針金(100円ショップで購入)　テープ　紙コップ(4個)　食品用シリコーン樹脂(通販サイトで購入)　アルファベットチョコ　その他工具：ペンチ、ニッパー、ヘラ、割り箸、スパチュラ、3D CADと3Dプリンター（粘土で原型を作れば使わなくてOK）

小麦粘土で原型を作る

任意の形のチョコを作るには、粘土で原型を作り、それを元にシリコーン樹脂で型を作製。その型に溶かしたチョコを流し込んで、冷蔵庫で冷やすという流れです。ということで、まず最初にやるべきは原型作り。

食品を扱うので、原型は小麦粉を原材料にした小麦粘土を使います。原型のスケッチに合わせてアルミの針金で芯を作り、適当な台の上にテープで貼り付けます。その芯に粘土を付けて大まかな形を作製し、ヘラなどで細かく作り込んで指らしい形に仕上げていきます。

プラン2として挙げた細い脚部分は細かい作りなので3D CADで設計して、3Dプリンターで原型を作りました。これも粘土で気合を入れて作ることは可能ですが、便利に使えるものは積極的に使っていきましょう。

シリコーン樹脂で型を作る

原型ができたら、シリコーン樹脂で型を作ります。使用する

※ジェームズ・キャメロン監督のSF映画。1991年公開。ロボットに侵略されたひどい未来から、過去を捻じ曲げるために送り込まれたロボットが活躍する。筋肉ムキムキのアーノルド・シュワルツェネッガーの代表作。

材料は食品用シリコーン樹脂。模型用のシリコーン樹脂は工業用の縮合式シリコーンで、硬化剤にスズ化合物などの有害成分が含まれています。型として硬化した後もその成分は残るので、食品を扱う際はお勧めできません。

型作りでは、小麦粘土で作った原型を紙コップに入れて、動かないようにテープなどで底にしっかり貼り付けます。そして別の紙コップで作ったシリコーン樹脂（A液・B液ともに100gずつ配合）を気泡が入らないようにゆっくり流し込みます。3Dプリンターで作った細い脚の原型も同様に型取りです。

8時間ほどして樹脂がしっかり硬化したら、シリコーン型を紙コップから取り出します。シリコーン型は、固まったチョコを壊さず取り出せるよう、簡単に分割できるようにします。今回の場合は、親指の先端を中心に、手の甲側、手の平側で前後にシリコーン型が分割できるように、カッターナイフで切断。粘土で作った原型はもう壊れても問題ないので、カッターナイフの刃を原型に届くまでしっかりと入れて、一太刀でバッサリ切断します。これでいいねチョコのシリコーン型が出来上がりました。

いいねチョコを作る

型ができたので、やっと本題のチョコ作りです。チョコをきれいに仕上げるためには、チョコを溶かした時の温度管理が非常に大切です。それには「テンパリング」と呼ばれる作業が必要なのですが、今回はどうせ溶かして沈めてしまうので手軽さ重視でいきましょう。テンパリングは省略します。

チョコは名糖産業の「アルファベットチョコ」を使います。小さいので溶かす際の作業効率が良いですし、スーパーで手軽に入手できます。この一口チョコを1つお猪口に入れて電子レンジで50秒ほど温めると、イイ感じに溶けました。この溶けたチョコを割り箸やヘラなどで、分割したシリコーン型それぞれに塗り付けていきます。型に2mm程度の厚みになるようにチョコを塗り、10分ほど常温で冷まします。型を傾けてもチョコが垂れない程度まで固まったら、分割していたシリコーン型を合わせて、つなぎ目にさらに溶かしたチョコを塗り付けて接着。その後、冷蔵庫で3時間程度冷やせば、「いいねチョコ」の完成です。

同様に、プラン2の細い脚付きのチョコも作りましょう。こちらは脚部のシリコーン型に溶けたチョコを注ぎます。いいね型は、手の部分に溶かしたチョコを塗った後、型を合わせて手首の辺りに一口チョコを取り付けます。一口チョコを付けて平面となった底部に、脚部のチョコを取り付けたら作業は終了。これを冷蔵庫で3時間程度冷やせば、細い脚部付きの「いいねチョコ」も完成です。

チョコの溶け方をチェック

完成したいいねチョコが、温かい液体に真っすぐ沈んでいくかテストします。温めたホットミルクの中に、それぞれのチョコを入れていくと…。細い脚付きのチョコは早く溶けましたが脚の外周が狭いため、真っすぐに立っていることができず、倒れてしまいました。続いてプラン1。円錐型のチョコは、真っすぐな状態を保ち、そのまま親指を立てながらホットミルクに沈んでいきました。成功です！

原型は、１００円ショップで入手した小麦粘土で製作した。原材料は小麦粉・食塩・水なので安全だ

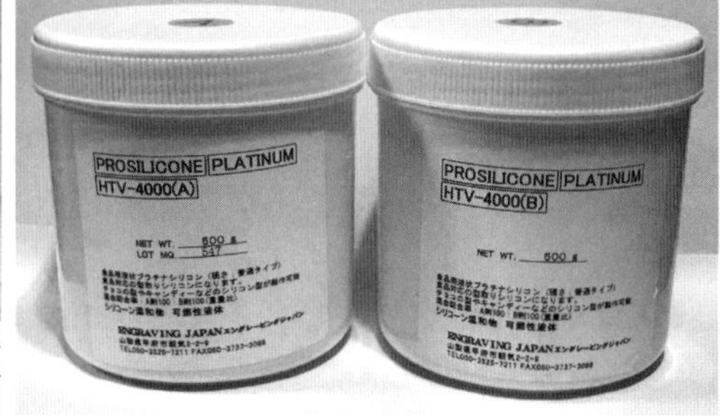

エングレービングジャパンというメーカーの食品用シリコーン樹脂を使った。ネット通販で3,000円ほど。これら食品用シリコーン樹脂は食品衛生法第370号の試験に合格した無害無臭な素材なので、そのまま食品を作る型として利用できる

Memo:

沈んで消える「いいねチョコ」の作り方

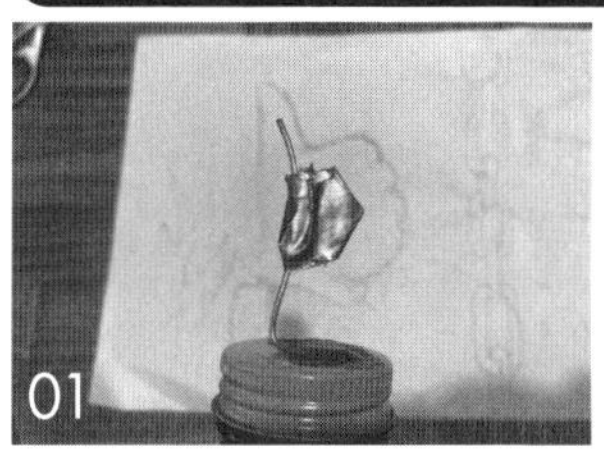

01

原型のスケッチに合わせて、アルミの針金とテープで芯を作る。土台は適当な瓶などでOK

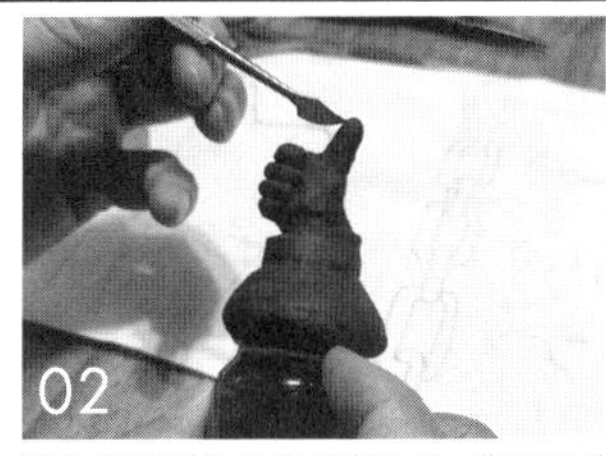

02

粘土を貼り付けて形を整える。表面がガタガタだと型を取る際に気泡ができやすいので、極力滑らかに

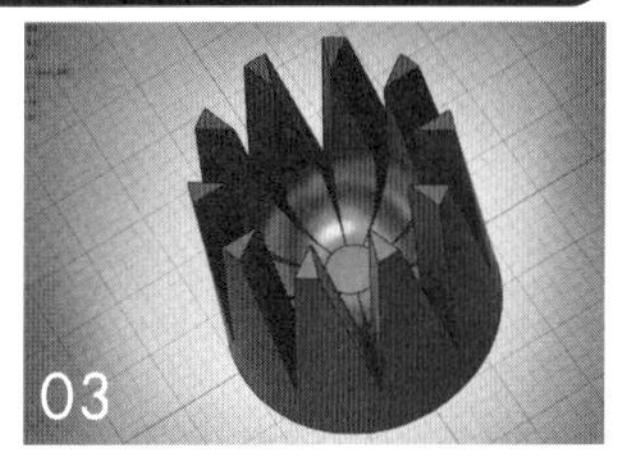

03

プラン2のギザギザの脚は、3D CADで設計して3Dプリンターで出力した。楽できるところは楽しよう

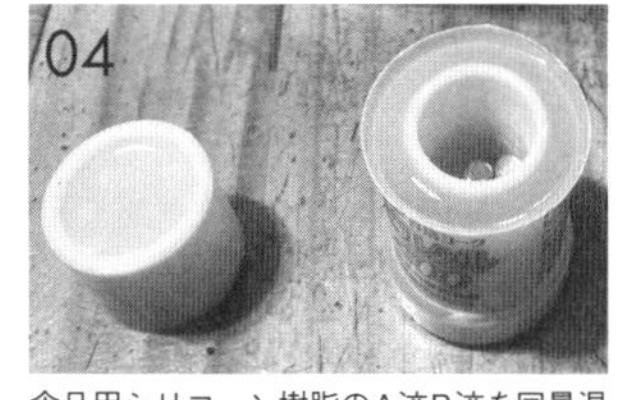

04

食品用シリコーン樹脂のA液B液を同量混ぜて180秒ほど手早く混ぜたら、原型を入れた紙コップの中に流し入れる。軽くトントンと揺らすと気泡が抜けやすい

05

シリコーン樹脂が固まったら、いいね型はカッターで真っ二つにカット。プラン2の脚は原型を引っこ抜く

06

おなじみの一口チョコを電子レンジで溶かしたら、シリコーン型に流し入れる

07

粗熱を取って冷蔵庫で3時間冷ます。完全に固まったら、シリコーン型から丁寧にチョコを取り外して完成だ

プラン1（円錐形）

プラン2（タコ脚形）

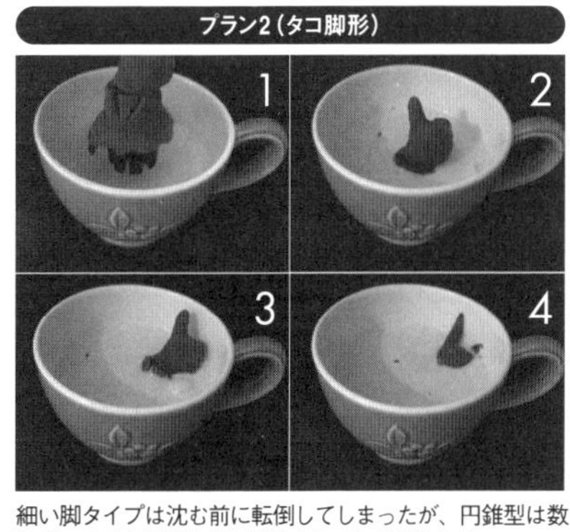

細い脚タイプは沈む前に転倒してしまったが、円錐型は数秒真っすぐな状態を保ち親指を立てながら沈んだ

沈む様を動画でチェック！

着色したオリジナルのロゴマークを刻む

3Dプリンティングによる刻印の技法

自作した工作物は性能を追求した上で、見た目にもこだわりたいものだ。そこで提案するのが、オリジナルロゴマークの刻印。3Dプリンターを活用するテクニックをお教えしよう。　text by yasu

3Dプリンターの目覚ましい性能向上に伴い、数万円の家庭用機器でも、アイデアと工夫次第で販売までを見据えた本格的な機器開発ができるようになりました。そうなると仕上げに入れたくなるのが、オリジナルのロゴマーク。自分の作り出したマシンに自分でデザインしたロゴが入ると一気に「プロダクト感」が増して、最高の気分に浸れます。

ロゴを印字する手法はいろいろあり、最も単純なものだとシールあたりですが、やはりこだわるならカメラのレンズのような彫刻をベースとした工法がロマンです。彫刻ベースでの施工となると、NCフライスを用いた高度な切削加工が必要に…。そんな時こそ、3Dプリントの可能性を試す時です！

ということで、「3Dプリンターを用いた刻印の技法」を解説していきます。作戦としては、3Dプリンターでロゴや文字などの凹型溝を成形し、そこに着色した樹脂を流し込むというもの。考え方は非常にシンプルですが、“製品”レベルにまでクオリティを上げるには、さまざまな工夫が必要です。それらのポイントを見ていきましょう。

刻印に最適化した設定

今回は直径40mm程度の円柱形部品の端面に、高さ3mm程度の英字の溝を刻印するという、かなり細かな刻印に挑戦してみました。文字のような細かいディテールの出力では、デフォルトのスライス設定のままではうまくいきません。3Dプリンターを適切にチューニングする必要があります。

調整するのは、①積層ピッチ、②シェル数、③インフィル、④インフィルオーバーラップ、⑤スピードの5項目です。

①積層ピッチ

今回のような特に細かな造形を行う場合、積層ピッチは小さいほどディテール再現の観点で有利です。

②シェル数

シェル数が1以上だと、図【03】の通り、刻印の輪郭におけるコ

01：刻印を活用して完成したプロダクト。刻印があることで、製品としての完成度がワンランクアップする　**02**：3Dプリンターは「Prusa i3 MK3S+」を使用した

Memo:

STEP1　3Dプリンターでロゴを刻印する

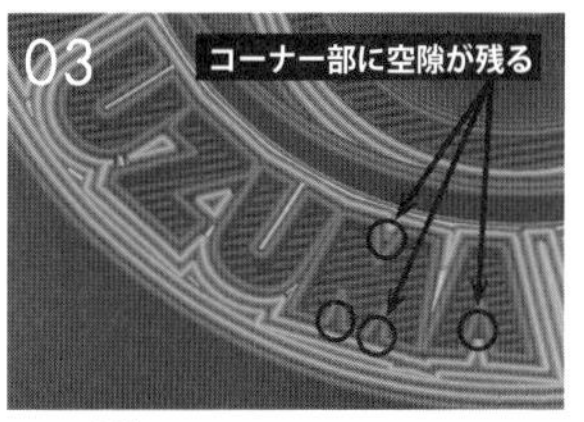

シェル数：4

シェル数：1
インフィルパターン：直線
インフィルオーバーラップ：40%

03：スライサー設定によるパスの違い。適切な設定を施すことで、刻印近傍の空隙発生を防止できる　**04**：プリント完了。適切なスライサー設定で、極めて高品質な刻印溝が形成できた

ーナー部にて、どうしても空隙が発生してしまいます。このままプリントすると、この空隙に後述する樹脂が入り込み、ノイズとなってしまいます。

ここでシェル数を「1」に設定することで、後述のインフィルがコーナー部のキワまで樹脂を充填できるようになるため、コーナー部での空隙発生を防げるのです。

③インフィル

入り組んだ輪郭のキワまでしっかりと樹脂を充填する観点で、「直線」パターンが最も有利になります。

④インフィルオーバーラップ

あらかじめプリントしたシェルに対し、インフィルのパスをどれだけ交差させるかを指定する本パラメータですが、コーナー部での空隙生成の防止を目的として、標準よりもやや高めの数値を入力しておくとベター。ここでは通常25%に対して、40%としています。

⑤スピード

細かいディテールを出力するにあたり、速度は遅ければ遅い方が有利に働きます。今回は25mm/sとしていますが、使用している3Dプリンターの実力値を見ながら、最適値を探って下さい。

ロゴを3Dプリンターで出力

そんなわけで、上記の通りに設定したら出力です。今回は深さ0.8mmの溝を出力したところ、エッジの立った見事な仕上がりを得ることができました【04】。しかし、よく見るとわずかな糸引きが刻印内部に取り残されているのが分かります。これらを除去するにはガスバーナーが便利です。表面を一瞬だけさらっと炙れば、細い糸は瞬時に溶融・収縮して、簡単に除去することができます。当然、熱し過ぎると溶けるので、やり過ぎには気を付けて下さい。

刻印の溝に色を入れる

続いて、3Dプリンターで刻んだ溝に着色加工を行います。今回は、最も高品質が得られる方法として、着色樹脂充填と機械加工を組み合わせた方法をご紹介します。用意するのは、以下の3つです。

- **2液硬化エポキシ接着剤**
- **アクリル絵の具**
- **ヘラ**

充填する樹脂は最も手軽なのが、100円ショップで手に入る2液硬化性のエポキシ接着剤。ここに、同じく100均で手に入るアクリル絵の具を適量混ぜ合わせ、任意の色に調製します。あとはこの混合材をヘラですき間なく刻印部に充填していくわけです。

STEP2 溝に着色してロゴを浮き立たせる

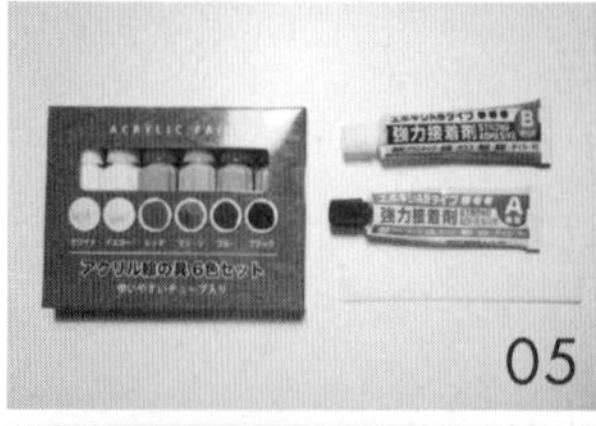

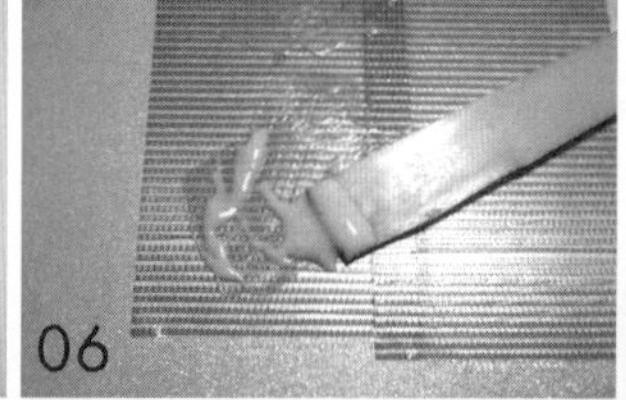

05：色を入れるためのアイテムは100均で手に入る。2液硬化エポキシ接着剤と、アクリル絵の具があればOKだ　**06**：混練作業。絵の具と接着剤をよく混ぜ合わせ、任意の色に調整する　**07**：着色したエポキシ接着剤を溝の中に隙間なく埋め込む　**08**：塗布後のプリント部品。少しだけ厚めに盛っておこう　**09**：刻印表面を、3Dプリントした樹脂ごと切削する。切削液による冷却を忘れずに！

機械加工で仕上げ

丸1日程度かけてしっかりと着色樹脂を硬化させたら、いよいよ仕上げです。

刻印面を旋盤やフライス盤などで切削し、充填したエポキシ樹脂と、土台である3Dプリント品の表面ごとさらうことで、美しい刻印面が得られます。切削にあたっては、切削液を用いた積極的な冷却が重要。さもなくば、樹脂が切削によって生じる熱によって軟化し、これが刃物に絡みついてきれいな表面が得られません。簡易的な方法としては、水をスプレーや刷毛で切削面に常に供給するのが美しく仕上げるコツです。

今回は旋盤で表面を仕上げてみました。完成品が上の写真【10】です。見よ、この美しき刻印の輪郭を！　カラーでお見せできないのが残念ですが、シャープなエッジとパキっとした黒・白・赤のコントラストを描いています。刻印近傍に空隙の発生も見られず、完璧な仕上がりです。

10：切削完了。エッジの立った完璧過ぎる仕上がりで、“プロダクト”感が出る。3Dプリンターを活用すれば、NC工作機械を使わなくても美しいロゴを刻めるようになる

今後ますます、3Dプリンターを活用した個人による機器開発が盛り上がっていくのは間違いありません。そうなった時のプラスαのテクニックとして、今回の刻印の技法をぜひ覚えておいて下さい。

Memo:

Chapter 04
Supplementary class
[補講]

国内で流通する象牙の真実

日本のハンコ文化の闇

高級ハンコの材料として重宝される象牙。ゾウの保護を目的に人工象牙が登場するも、高値で販売するために"本物"と偽る始末だ。ハンコ文化が招いた、愚かな真実を知っておこう。 text by 亜留間次郎

IT担当大臣とはんこ議連会長（現在は退任）が同一人物だったりで混乱してしまうこともありますが、日本のハンコ文化はゾウの保護とも真っ向から対立しています。「象牙　印章」でググってみて下さい。国際的に象牙の取引が禁止された現在も、象牙の印章はハンコ屋の重要な収入源になっていることが分かるでしょう。

日本で象牙を売買するためには、「特別国際種事業者登録」が必要です。環境大臣と経済産業大臣のどっちが認可しているのか不明ですが、実際に許可書を発行しているのは「一般財団法人 自然環境研究センター」という組織で、合法的に象牙の売買を行うにはここに登録する必要があります。

管理義務があるのは重さが1kg以上であり、かつ、最大寸法が20cm以上の象牙なので、ハンコサイズなら何でもアリです。一般人がネット通販で象牙を合法的に買える国は世界中で日本しか残っていません。中国ですら禁止されています。

日本には篆刻家（てんこくか）という本職のハンコ職人が昔からいますが、普通の人が買っていたハンコは文房具屋の人が彫刻刀で手彫りしていたものです。高度経済成長期に入ると、ハンコの単価が急激に高騰しました。社長や重役なら月収ほどのハンコで決済するもの…という、謎の社会通念が生まれたからです。その流れに沿って管理職の人も高価なハンコを買い求めるようになりました。

日本では権力と富の象徴として、象牙のハンコがありがたがられるようになった。ハンコ専門店では今も販売されており、朱肉の乗りが良く吸い付くように捺印できる…などと説明されている

ここで致命的な問題が発生したのです。一般人は篆刻家の流派どころか篆刻家の存在すら、ほとんど知りませんでした。「印章彫刻技能士」というハンコに文字を彫る職人の国家資格がありますが、残念ながら難易度は高いとはいえません。そして、後付けで生まれた利権囲い込みのための資格であり、篆刻家とは何の関係もありません。ゆえに、この資格を取得してもハンコ屋の跡取りでなければまず役に立ちません。本当にハンコを彫って食べていきたいなら篆刻家に弟子入りして、芸術家を目指した方が現実的といえます。

ハンコの文字の流派をきちんと知っているのは古美術関係者ぐらいで、ヘタしたら販売しているハンコ屋も知らないかもしれません。そのため、近代の高価なハンコは、まともに篆刻を学んだこともない開運印鑑などに代表されるインチキ・オカルトグッズになったのです。

高度経済成長に伴うオカルト化によって、原価が増えないのに販売単価が急騰したことで、ハンコの利益率は急上昇。その結果としてハンコを彫るのが上手な文房具店から利益率の低い文房具がどんどんフェードアウトしていって、ハンコ専業の店になっていったのです。ここで篆刻家は芸術に傾倒し、特に何

Memo:

アフリカゾウの保全及び象牙取引に関する我が国の考え方と取組み

野生生物は、生態系の重要な構成要素であるだけでなく、人類の豊かな生活に欠かすことのできないものとして、貴重な資源として利用されてきました。私たちは、野生生物を絶滅させることなく、持続可能なかたちで利用しながら、将来にわたって次世代に引き継いでいかなければなりません。

象牙についても、我が国ではこれまで、歴史的・文化的に、古くは根付、印籠、櫛、箸などの日常的な生活用品、近代では印鑑、和楽器などの原材料に利用されてきましたが、これらの象牙はアフリカ諸国等からの輸入によってもたらされてきました。

しかし、アフリカゾウは、密猟と象牙の違法取引によってその個体数を大きく減らした時期があります。このため、1990年に絶滅のおそれのある野生動植物の種の国際取引に関する条約（ワシントン条約）の下で象牙の国際取引は原則禁止となりました。一方で、同条約では、締約国の会議における決議などにより、野生動植物の持続可能な利用に基づく合法的な取引によって得られる収益は、違法な取引の阻止や野生動植物の保全のための資金を提供し得るとの考えが示されており、アフリカゾウの持続可能な利用ができなくなることは、その保全にも悪影響がでることが懸念されます。

日本では、象牙等の国際取引を規制するワシントン条約の実効性を高めるために、1992年に絶滅のおそれのある野生動植物の種の保存に関する法律（平成4年法律第75号）（種の保存法）を制定し、その後の改正により、違法な象牙の国内取引を防止するための管理制度の創設を行い、その適切な運用に努めてきました。

こうした取組みの結果、1999年と2009年には、生息が安定し絶滅のおそれの少ない個体群と位置づけられている南部アフリカ諸国のアフリカゾウのうち、自然死した個体などから集められた象牙が、条約の締約国の会議における決定に基づき、厳正な管理の下で日本に輸入されました。これらの象牙については、速やかに種の保存法に基づく登録等の手続きが行われ、国内における取引も厳格に管理されています。この輸入から得

経済産業省　https://www.meti.go.jp/

「アフリカゾウの保全及び象牙取引に関する我が国の考え方と取組み」として、日本の見解が示されている。1990年にワシントン条約の下で、象牙の国際取引は原則禁止となった

アフリカゾウ

印材として適した硬質な象牙が獲れるということで、アフリカゾウが密猟のターゲットになった。多い時で、年間約75,000頭のアフリカゾウが犠牲になったこともあったという

もしませんでした。芸術家として世俗のインチキ・オカルトなぞ無視したその姿勢は正しいのですが…。しかし、そのせいでハンコは篆刻から完全に乖離した存在になってしまいました。

そういった状況の中で、技術的な裏付けのない人たちは、高価なハンコを売るために高価で特別な素材を使うことにしたわけです。目を付けたのが象牙でした。象牙の利点は、特別な高級素材でありながら非常に彫りやすく、素人彫刻家でもそれっぽく彫れるという技術的難易度の低さがあります。今ならPCで制御された機械でも彫れるので、素人でも問題ありません。硬い石などに比べて非常に彫りやすい素材なのです。

象牙取引の問題化

この象牙目当てのゾウの大量殺戮が本格化したのは、1970年代に入ってからで、世界の象牙の40%は日本が消費していました。それ以前は、人工樹脂が発達したおかげで、象牙の需要が下がっていたのです。象牙の最大消費目的は、英語で「inkan and hanko（印鑑とハンコ）」と名指しされています。

日本人はハンコに適した硬質な象牙を買い求めたので、軟質な象牙は低品質品という扱いになりました。アフリカゾウばかり殺されたのは、アジアゾウの象牙が軟質で印材として適していなかったからです。多い時で年間約75,000頭のアフリカゾウが、象牙取引のために殺されました。20年余りで、130万頭が60万頭にまで激減したのです。

1990年からワシントン条約の下で象牙の取引禁止が始まったのですが、昔の在庫という建前で1997年まで南アフリカとジンバブエが日本への輸出を続けました。2020年1月10日、アメリカの環境調査団体のアラン・ソーントン代表は日本のハンコを名指しで非難しています。象牙取引じゃなくてハンコを批判しているのです。禁止から30年が経過したにもかかわらず、21世紀には日本のハンコは世界の象牙需要の80%を占めています。半世紀の間に世界シェアが40%から80%に増えて、年間2万頭のゾウが殺される原因になっているのです。国公認の象牙の合法取引業者が存在しているのは、世界中で日本だけ。2023年現在も象牙のハンコはハンコ屋の重要な収入源なのです…。

また、南アフリカのアパルトヘイトと、ジンバブエ・ムガベ大統領の独裁政権を経済的に支えていたのは日本のハンコでした。南アフリカが人種隔離政策で国際的に非難されて経済制裁を受けていた時代に、日本は南アフリカの最大の貿易相手国だったのです。当時、国連で問題視されていたのですが、好景気に頭が沸いていた日本人は非難されていることにすら気づいていませんでした。印刷に使った紙と、インク以下の価値しかないといわれるゴミになったジンバブエドルを刷る印刷代は、日本人がハンコの材料にする象牙を買った代金が充てられていたのです。究極のゴミ連鎖が起きていた当事者に、日本人が深く関わっていたのは笑えません。

つまり、ここ半世紀の間にアフリカゾウが激減した原因は日本のハンコであり、そのために

参考文献・資料など

●絶滅危惧種の取引の禁止「絶滅のおそれのある野生動植物の種の国際取引に関する条約」通称：ワシントン条約

●1992年（平成4年）に成立した「絶滅のおそれのある野生動植物の種の保存に関する法律」通称：種の保存法

殺されたゾウの合計は100万頭に達します。ゾウの命は、人種隔離政策とゴミを作るために消費されたのです。救いようがないとはこのことです。

21世紀になり、中国での象牙需要が急激に伸びているように見えますが、大半は香港経由で日本に持ち込まれています。中国人商人がアフリカから仕入れて、日本人に売っているのです。中国人にとって象牙は中継商品であり、自国消費を目的としているわけではありません。ハンコは日本国内の問題だけではなく、残念ながら世界的にも大迷惑な存在といえるのです。

象牙のハンコは儲かる

異常な数のゾウが殺された背景には、バブル時期のハンコが異常なまでの高級品だったことがありました。象牙1本から作れるハンコは数本程度な上に、「芯持象牙」という、中心部分の最も良いところだけ使ったハンコを消費者が喜んで求めたせいです。バブル期にはコレが1本50万円とかで売られていました。だいぶ落ち着いたとはいえ、今でも10万円以上します。

ググるとすぐに分かりますが、2020年現在も象牙のハンコはフツーに販売を継続中。国家公認の登録業者が、合法アイテムとして扱っています。ハンコ屋にとって象牙のハンコは、安く仕入れて高く売れる利益率の高い手放せない貴重な収入源なので、政治家と癒着してでもヤメられません。まあ、他に稼げる有力商品が存在しないので、何としてでもしがみつくし

朝日新聞 DIGITAL　速報　朝刊　夕刊　連載　特集　ランキング　…

トップ　社会　経済　政治　国際　スポーツ　オピニオン　IT・科学　文化・芸能

朝日新聞デジタル ＞ 記事

海外送付は違法の象牙印鑑、店の６割「売る」　覆面調査

有料会員記事

川村剛志　2018年10月15日 11時37分

シェア　ツイート list　ブックマーク 18　メール　印刷

ワシントン条約で輸出入が原則禁止されている象牙の印鑑について、国内のはんこ店に海外に持ち出すと伝えたうえで印鑑の購入を持ちかけたところ、６割近くが販売する意思を示した。そんな調査結果を、野生生物保護に取り組む国際ＮＧＯ「環境調査エージェンシー（ＥＩＡ）」がまとめた。象牙の需要がなくならず、国際的なゾウ保護の取り組みを阻害していると訴えている。

国内から象牙を不正に持ち出そうとした疑いで…

アラン・ソーントンが代表を務める、アメリカの環境調査団体・環境調査エージェンシー(EIA)。象牙売買については日本にて、定期的に覆面調査を行っている。象牙のハンコを国外に持ち出すことを説明した上で購入を持ちかけたところ、6割近くの業者が売る意思を示したとのこと…(『朝日新聞DIGITAL』2018年10月15日参照)

かないともいえます…。象牙の取引を完全非合法にすると、日本のハンコ屋は衰退し、IT化がイッキに進むかもしれません。

人工樹脂の発達

象牙は既に人工的に大量生産が可能になっているので、ゾウを殺す必要は一切なくなっています。人工象牙のコストが安過ぎて、手間をかけて生きているゾウから採取しても業者が損するだけです。なので、悪どい業者は今も本物が流通しているかのように見せかけるために、アホな犯罪者に高額買い取りを持ちかけて密猟や密輸をさせて、自分で警察に通報して摘発させます。そして環境保護団体を食いつかせ、象牙は今も裏ルートによって流通しているとでっち上げて、自分のところの人工品を本物に見せかけているのです。

元々人工樹脂は、象牙の供給不足を解決するための代用品として開発されてきました。販売開始時のセルロイドは、象牙の代わりとして売られていたのです。その後も新しい素材が開発され、シャネルは大衆向けの商品に人工象牙であるガラリスを使い、今もアンティークジュエリーとして残っています。

現代の象牙の真実

そんな人工樹脂の中で、牛乳と卵の殻に触媒にチタンの粉末を加え、簡単に人口象牙を量産する方法を編み出した日本人発明家がいました。さらに、バームクーヘンのように年輪の積層構造を作ることで、本物と見分

Memo: ●特定外来生物による生態系等に係る被害の防止に関する法律
https://elaws.e-gov.go.jp/search/elawsSearch/elaws_search/lsg0500/detail?lawId=416AC0000000078
●特定動物リスト　http://www.env.go.jp/nature/dobutsu/aigo/1_law/sp-list.html

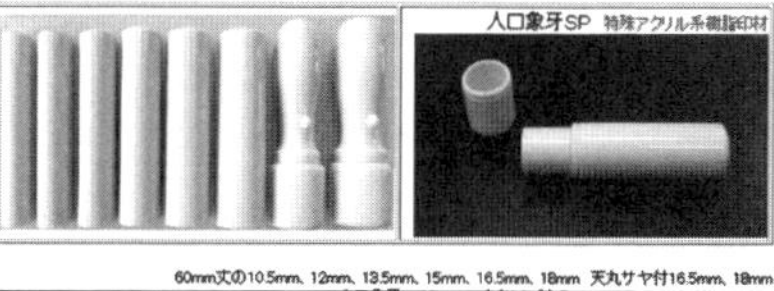

人工象牙の印材

NCI JAPAN　http://ncijp.com/

現在は、ハンコの素材として人工象牙が普及している。大正時代に第一次世界大戦の影響もあり象牙は供給不足に。そこで、安価な人工樹脂が発達することになった

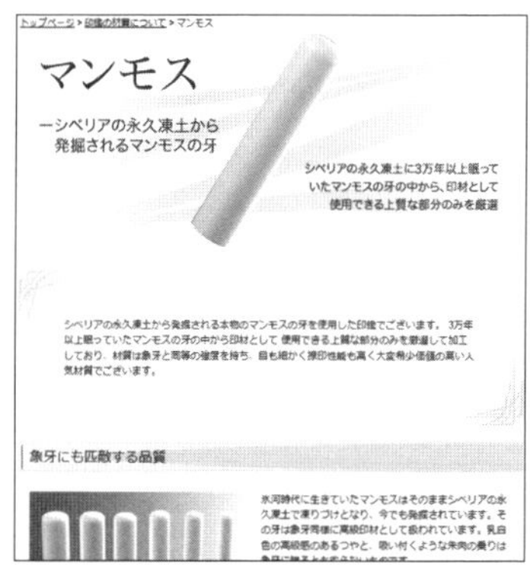

マンモス牙のハンコ

某ネット通販サイトでは、象牙よりも高級品としてマンモス牙のハンコも販売されている。既に絶滅した動物ならルールの適用外ってコト!? より闇が深い…

けがつかない、どこを切っても芯持象牙になる金太郎飴のような人工象牙も爆誕。既に象牙の需要が落ち込んでいた時代だったので、象牙にそっくりなプラスチックに需要はなかったものの、偽物の象牙として裏で量産されたのです。

微量成分を調べると触媒のチタンが検出されるので、昔はこれが真贋鑑定のポイントになっていましたが、今は中国人が重金属触媒を取り除く技術を生み出し、本物と偽物を区別できなくしています。つまり、現在、中国から持ち込まれている象牙の正体は人工象牙です。現代の1本10万円以上する「芯持象牙」の正体は、人工象牙のバームクーヘンの芯の部分になります。大きな象牙の塊は規制が厳しいので、ハンコ屋には規制除外になる輪切りにされた円盤状で納品されるのが通例。そのため、形から天然物か人工物かを見分けるのは困難です。

では、どうして合法な人工象牙ではなく、規制される象牙として売られているのかというと、人工象牙だと正直に言った瞬間に、価値が激減するからです。象牙の買い取り価格は1kg1万円以上で、塊が大きいほどkg単価は上がっていき、1本の牙の原型を保っていれば非常に高額で取引されますが、人工品なら1kg500円もしません。本物なら1万円以上なのに人工物なら500円の価格差があるにもかかわらず、上述した通り真贋鑑定は実質不可能という状態。本物の象牙のハンコなら1本10万円以上なのに、人工品だと1,000円なら、誰もが本物だと言い張ります。そのためには、特別な手段で手に入れた本物の合法な象牙という、商品価値を維持するための設定が必要に…。喧嘩もしたことないチンピラが「俺は人を殺したことがある」と、街中で虚勢を張っているようなハンコ屋の虚しい嘘の嘘なのです。そこまでしないと、現代のハンコ屋は経営が成り立たないほど衰退しています。

象牙のハンコは違法!?

2021年に開催された東京オリンピックで、問題視されていたことの一つが、世界中から東京に集まった観光客が象牙のハンコを自国に持ち帰る可能性でした。日本では象牙の持ち出しが違法だし、日本以外の国では象牙製品を外国で購入して持ち込むことが犯罪になるので、日本土産を持った観光客が大量の犯罪者になってしまう可能性が示唆されていたのです。日本人の感覚でいえば、大麻合法の国で大麻を買って日本に持ち込んで逮捕されるような感じといったところでしょうか。

象牙製品の日本からの持ち出しと、多くの国では持ち込みを違法としているため、象牙のハンコを持つ人は海外出張には気を付けて下さい。渡航先の国の空港で見つかったら、軽くて没収で罰金、ヘタしたら強制送還で入国できなくなります。観光旅行ならまだしも、ビジネスでの渡航だと、最悪の場合は懲戒解雇の可能性もあるでしょう。それが実印だった場合、没収されると絶対に返してくれないので結構シャレになりません。国際的なビジネスマンなら、象牙のハンコを使うのは止めた方がいいです。

●特定外来生物等一覧　https://www.env.go.jp/nature/intro/2outline/list.html
●2020年1月10日　アラン・ソーントン
Allan Thornton, President, Environmental Investigation Agency US

家にいながらあらゆる防災情報を入手する!

危機管理アプリ&サイトの使い方

籠城戦にあって大事なのは「外」の情報をいかに集めるか…。新型コロナ以外でも、防災情報の有無は生死を分ける。そんな危機管理に有効なアプリ・サイトをご紹介。

text by Joker

国内最速レベル! 防災情報を素早く入手する

「特務機関NERV」という、各種防災情報を発信するTwitterアカウントがあります。名前の由来はアニメ『新世紀エヴァンゲリオン』に登場する組織で、非公式ながら版権元から"公認"を受けて運営されている防災情報アカウントです。最大の特徴はなんといっても情報の速さ。そのスピードはまさに国内最速レベルで、2023年1月30日現在、フォロワー数は187万人を超えます。

そこから派生する形で開発されたのが、「特務機関NERV防災」アプリです。天気や台風情報はもちろん、地震・津波・噴火の速報など、ありとあらゆる防災情報を1つのアプリ上からチェック可能。また、Twitterのように全国の情報をカバーするだけではなく、アプリは位置情報や指定地域に基づいて自動でホーム画面に重要な情報をピックアップしてくれます。そのため、各々のユーザーが必要な情報を素早く入手できるようになっているのです。時系列に沿って災害情報の推移を確認できる、「タイムライン」機能も斬新でしょう。

特務機関NERV防災

価格：無料 入手先：App Store、Google Play

重大な防災情報はプッシュ通知に対応。地震速報なども、いち早く知らせてくれる

←ホーム画面には、位置情報などに基づいて必要な防災情報が抽出される

→対象地域の拡大縮小が自由にできる「雨雲レーダー」は、今後の予測も調べられる

←「タイムライン」で、時系列の防災情報を確認できる。気になる情報はタップして詳細をチェックしよう

プラスαで入れておきたい"鉄板"防災アプリ

NHKニュース・防災アプリ

価格：無料
入手先：App Stpre、Google Play

NHKのニュースや防災情報を確認できる。天気予報や速報も発信

Yahoo!防災速報

価格：無料
入手先：App Stpre、Google Play

Yahoo!提供の防災アプリ。新型コロナウイルス関連情報などもカバーする

ゆれくるコール

価格：無料（月額120円のプレミアムプランあり）
入手先：App Stpre、Google Play

地震・津波情報について、「ゆれ体感」「安否確認」といったユニークな機能がある

Memo:

ライブカメラで人の動きを監視する

2020～2021年に発令された緊急事態宣言により、外出自粛や店舗の営業自粛が要請されました。ゴーストタウン化した街中が、どのようになっているのか。この時、各地にあるライブカメラが、街の人出を確認する方法として打って付けでした。

2023年1月現在は、人出が戻ってきましたが、いつあの時のような状況になるとも限りません。安全な自宅から、外部の情報を得る手段として覚えておくといいでしょう。

ちなみにライブカメラは繁華街以外にも、空港や高速道路などにも設置されています。

LiveCam JAPAN

全国のライブカメラ

北海道	北海道						
東北	青森	岩手	秋田	宮城	山形	福島	
関東	東京	神奈川	千葉	埼玉	群馬	栃木	茨城
甲信越	山梨	長野	新潟				
北陸	石川	富山	福井				
東海	愛知	静岡	三重	岐阜			
近畿	大阪	兵庫	京都	奈良	滋賀	和歌山	
中国	広島	岡山	山口	鳥取	島根		
四国	香川	愛媛	徳島	高知			
九州	福岡	佐賀	長崎	熊本	大分	宮崎	鹿児島
沖縄	沖縄						

道路のライブカメラ　鉄道・駅のライブカメラ
世界遺産のライブカメラ　富士山のライブカメラ

LiveCam Japan
http://orange.zero.jp/zad23743.oak/livecam/

全国各地の状況を自宅でチェックできる！

全国の主要なスポットに設置されている、ライブカメラのリンク集。行政機関や観光協会、テレビ局などが配信している映像に加え、個人が設置したカメラ映像もある

渋谷スクランブル交差点（シブヤテレビジョン）

東京スカイツリー（ToyoComtec Live Channel）

新御堂筋線（hd kansai）

札幌大通り公園（STV）

東本願寺41（森信三郎商舗）

■定番ニュースアプリでも重大事件の情報をフォロー

情報収集といえばやはりニュースのチェックは重要。とはいえ、最近はスマホのニュースアプリを使えば、ごく短時間でロシア・ウクライナ情勢などの必要なニュースを効率的に閲覧できる。定番のニュースアプリから好きなものを選んで、とりあえずスマホに入れておくと安心だろう。

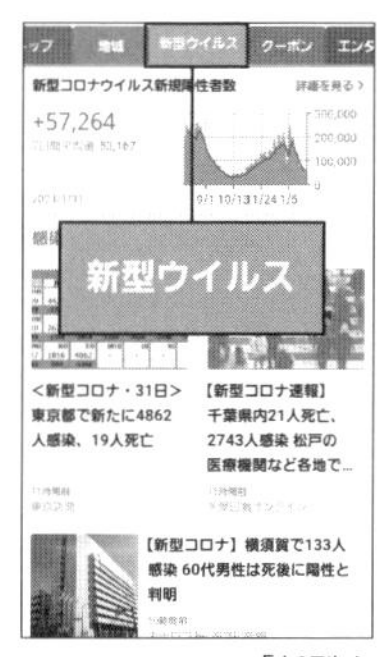

SmartNewsの「新型ウイルス」タブから感染者数や関連ニュースをまとめ読むことができる

Yahoo!ニュースでは、国内外のニュース映像が24時間見られる「ライブ」タブがある。配信局は日本テレビ・TBS・BBC（イギリス）の3局

WordPress記事をリッチに装飾しよう!

Markdown使いこなし実践テク

「アリエナイ理科ポータル」の管理・運営で使っているのが、CMS（コンテンツ マネジメント システム）の1つ「WordPress」。簡素なWebサイトを脱却するための装飾テクニックを解説しよう。　text by Joker

見出しや強調表現という最低限の装飾もせずに、テキストをベタ貼りしただけの簡素過ぎるWebサイトをたまに見かけます。作業負担の問題から小難しいことをせずに済ませる、あるいはやり方がよく分からないのでそうしている、…というケースもあるでしょう。

しかし、これは非常にもったいないことです。「Markdown」といわれるシンプルな記法を使えば、最低限の装飾をとても簡単に施せるようになります。

Markdownとは何か

ごく手軽に記述したプレーンテキストの文書を、Webサイトに使われているHTMLなどに変換できるフォーマットとして作られたのが、「Markdown」です。最大の特徴は記述がシンプルで覚えやすいということ。メールなどで使う装飾を入れる程度の手間でWebサイトの装飾が作れるので、プログラミング知識があんまり…という人でも気軽に挑戦できます。Markdownはさまざまな環境で使えるように実装されているので、ツールやエディタが変わっても使い続けられます。またHTML以外のものへのコンバータもあるため、いわゆる「方言」が多くあったりもしますが、とりあえずは基本さえ押さえておけば、実用上は問題ないでしょう。

装飾ナシのサイト

装飾アリのサイト

左は文字のサイズがすべて均一で、主張すべき点が分かりづらい。一方、右のサイトは見出しを囲んだり、文字のサイズを変えることで、何が書かれているサイトなのかが瞬間的に認識できる

Markdownの使い方

WordPressでMarkdownを使う場合、以前はプラグインなどの導入が必要でしたが、WordPress 5.0以降の標準のエディター「Gutenberg」であれば、初期時からMarkdownに対応しているので、特に意識することなく使えるようになっています。つまり、「ごく当たり前に使える」機能であるため、使わないのは損というわけです。

WordPress記事を書く場合、1度テキストエディターで書き起こしてからコピペする人、最初からWordPressのエディターで書く人がいると思いますが、いずれの場合もMarkdownは便利に使えます。

実践的なMarkdown記法

263ページでは、Webサイトのコンテンツとしてよく使うであろう記法に絞って、記入例を紹介します。どれもシンプルなので、実際に使っていけばすぐにマスターできるでしょう。例えば見出しのみ、リストのみといった使い方だけでもOKです。

Markdownは書き方によっては細かい指定が可能なものもあり、なかなか奥が深いのですが、分かりやすく便利なものを使っていくのが使いこなす近道でしょう。Webサイトを運営している方は試してみて下さい。

Memo: 「アリエナイ理科ポータル」 https://www.cl20.jp/portal/

Ⓐ 見出し

最も使用頻度が高い記法で、#の後に半角スペースで「見出し」が作れる。#の数を増やすごとに小さな見出しになっていき、HTMLのH1～H6に対応。WordPress上のエディターで使う場合も、例えば「##」と半角スペースを入力した時点で段落からH2の見出しにブロックが変化するため、非常に便利だ。

```
# 見出し1
## 見出し2
### 見出し3
```

Ⓑ 番号付きリスト

直感的で分かりやすいのが「番号付きリスト」。「1.」と番号にピリオドでそのまま番号付きのリストを作れる。番号は、途中から始めることも可能。

```
1. 番号付きのリスト
2. 数字にピリオド
3. 最後に半角スペース
```

Ⓒ 番号なしリスト

「- (ハイフンに半角スペース)」あるいは「* (アスタリスクに半角スペース)」で、「番号なしリスト」を作れる。行頭にタブ、または半角スペース4個を入れることで、1段深いサブアイテムを作ることも可能。

```
- 番号なしリスト
- ハイフンに半角スペース
    - 行頭にタブでサブアイテム
```

Ⓓ リンク付きテキスト

[表示するテキスト](リンク先のURL)と記述すれば、テキストにリンクを貼れる。WordPressのバージョンや使っているテーマ、プラグインにもよるが、そのままURLを貼ってブログカードにする方が楽で便利だが、使い所はある。

```
[アリエナイ理科ポータル]
(https://cl20.jp/portal/)
```

Ⓔ 引用とコード

「> 」と、やはり半角スペースを入れつつ、その後の文章を「"」で囲めば「引用」となる。また「```」とバッククオート3つで前後を囲めば、プログラムなどの「コード」の表記ができる。こちらは通常だと無視されるインデントなどの体裁を保ったまま表記できるのが便利。なお「' (シングルクォーテーション)」ではなく「` (バッククオート)」。

````
> ">に半角スペースと「"」で囲むことで、引用として表記できる"

```JavaScript
/*「`」三つで囲むと、プログラムのコードとして表記できる。*/
document.write(“Hello world!!”);
```
````

Ⓕ 斜体と強調

アスタリスク1つで囲んだ場合は「斜体」、2つで囲んだ場合は「強調」表現になる。これに関してはWordPressのエディターから指定した方が楽なこともあるが、とりわけ強調したいところを事前に指定しておくという用途には便利。

```
*アスタリスク1つで斜体*
**アスタリスク2つで強調**
```

まず覚えておきたいMarkdownの記法

WordPressのエディターでの表示

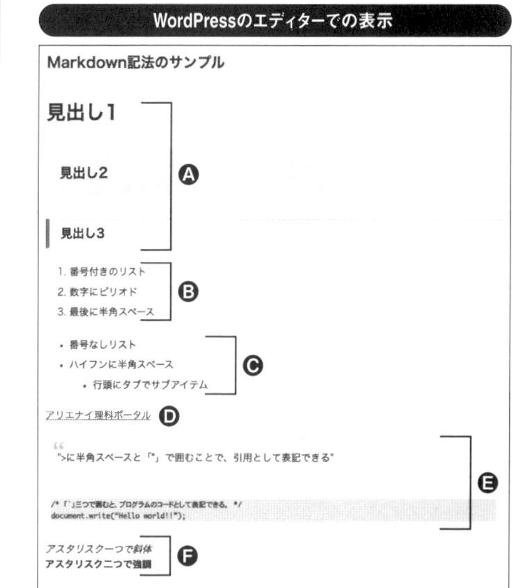

Webサイトではこう表示される

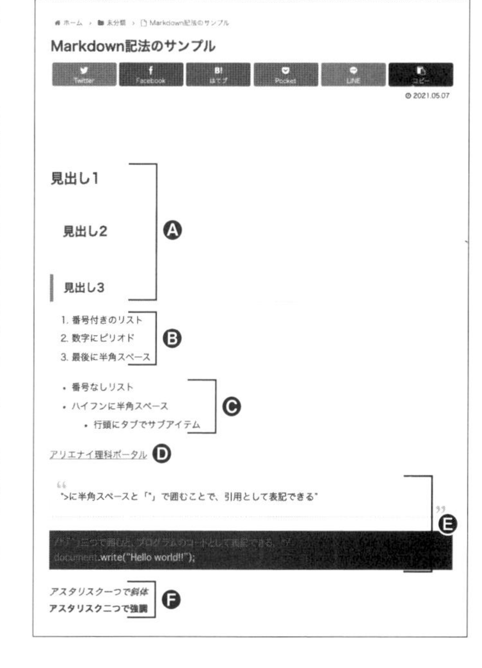

参考
●WordPress利用率　https://w3techs.com/technologies/overview/content_management

複雑な数式や化学式も美麗に表示！

古の組版処理システム「LaTeX」再入門

必ずしも新しいソフトが最良とは限らない。歴史がある「LaTeX」は、方程式や化学式の表示に関して非常に優秀だ。レポートの執筆やWebサイトの運営に便利なのでぜひお試しあれ。 text by Joker

「組版」は元々は活版印刷時代の用語で、今では原稿や図版をレイアウトして誌面を作っていく作業になります。この記事もそうして作られているわけですが、中でも40年近い歴史を持つ組版処理システムに「LaTeX」（ラテック、ラテフ）というものがあります。

画面上で視覚的に配置を決めていく最近のDTPとは違って、HTMLのようなマークアップ言語でソースを作り、プログラムのようにコンパイルして出力する形式です。そう聞くと、なんだか小難しくて、今のDTPの仕組みを使う方がいいんじゃないかと思われそうですが…。

しかし、LaTeXは特に数式の扱いに優れているため、今でも研究者や技術者の間でフツーに使われています。専門分野次第ですが、数学や計算機学などでは、標準的な論文執筆ツールでもあり、実際、私も大学生の頃は、LaTeXを使ってレポートから卒論まで書いたものです。

古くて今風ではないのですが、決して過去の遺物ではない、そんな組版処理システムが「LaTeX」なのです。実際、数式が山ほど出てくる専門書だと今でもLaTeXを使っているものもあるとか。

LaTeXは複雑な数式が簡単に作れる

```
f(x)=\dfrac{1}{\sqrt{2\pi\sigma}}\exp(-\dfrac{(x-\mu)^2}{2\sigma^2})
```

$$\longrightarrow f(x) = \frac{1}{\sqrt{2\pi\sigma}} \exp(-\frac{(x-\mu)^2}{2\sigma^2})$$

分数や積分などの複雑な数式や、化学式を使った文書を書く時に用いられる「LaTeX」。ルールに従って記入すると、きれいな数式が出来上がる

iWorkで「良いとこ取り」

LaTeXの良いところは、複雑な数式を簡単に扱えることです。上の数式のように、決まりごとに従って打ち込まれた文字列が、きれいな数式になります。

ぱっと見、超ややこしい文字列ですが、\（バックスペース※）から始まる指定の単語と{}の使い方さえ把握すれば、見た目ほど難しくはありません。その都度、テキストファイルをコンパイルしてPDFなどの文書に変換する作業をしてやらないといけないのが面倒なところなので

oku.edu.mie-u.ac.jp

TeX を使ってみよう

ファイル名は1.tex～999.texに限ります（適当に割り振られますが変更できます）。

処理結果は別の窓に現れます。結果の窓が現れないことがありますが，裏に隠れて見えないだけですので，何度も「処理」を押さないでください。

ファイルは他人に見られる可能性があります。あまり見られたくないものは最後に「関連ファイル削除」しておいてください。

ファイル名： 520 .tex

platex + dvipdfmx で PDF ファイルができます。

→ このようなサービスの作り方

Last modified: 2016-09-19 16:14:51+09:00

LaTeXを使ってみよう

https://oku.edu.mie-u.ac.jp/~okumura/texonweb/

LaTeXを試してみたいなら、このWebサイトを活用してみよう。ソフトをインストールせずに利用できる。お試し感覚で使えるのが魅力だが、コピペしてクリック一発でそのままPDFまで作成できるので実用性もある。本格的に利用する場合は関連ファイルの削除をお忘れなく

Memo:

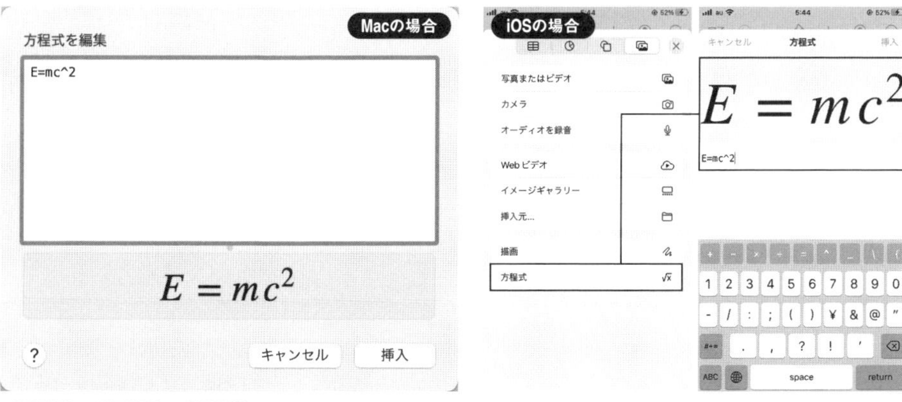

iWorkは書類作成の「Pages」、スプレッドシート作成の「Numbers」、プレゼン資料が作れる「Keynote」の3つがある。それぞれのアプリで「方程式」から、LaTeX式に入力可能。下付き文字が使えるので化学式も入力できるが、より容易な書き方ができるマクロパッケージ「mhchem」には残念ながら対応していない。テンプレ的な書式をコピペして直していくという作業もリアルタイムプレビューのおかげでやりやすい

すが、実はこれを極めて簡単に、それもLaTeXの細々とした決まりを知らなくても、数式の書き方だけ覚えればOKという方法があります。

それが、Mac／iOSのiWorkアプリを利用すること。Pages、Numbers、Keynoteでは、いちいちコンパイルしなくても、「挿入」メニューの「方程式...」から、LaTeX（及びMathML）形式での数式入力が可能です。

入力した数式はリアルタイムでプレビューされるので、非常に使い勝手が良いです。コンパイルしないと結果が分からない問題も、バッチリ解決されます。そして何より、NumbersやKeynoteでは、挿入した数式はPDFオブジェクトとして扱われ、サイズの拡大・縮小も自由自在。コピーして「プレビュー」アプリで新規作成すれば、PDFとして数式を取り出せます。

数式を取り扱う人にとっては大変に便利だと思うので、ぜひ活用してみてはいかがでしょう。

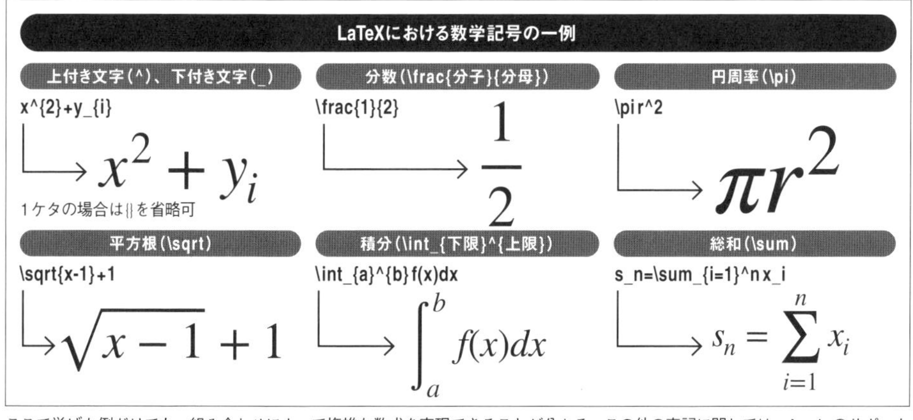

ここで挙げた例だけでも、組み合わせによって複雑な数式を表現できることが分かる。この他の表記に関しては、Appleのサポートページ(https://support.apple.com/ja-jp/HT202501)や、LaTeXの数式について解説しているWebサイトをチェックしてみよう

※Macの場合は設定やIM、エディターによるが、オプションキーを押しながら\で出力できる。

不正論文だと告発されないために知っておこう

実験ノートの正しい書き方

理科の実験を行う際には、過程や結果を形式に則って正しく記録しておく必要がある。成績や実績のためだけでなく、不正を疑われた時に自らを守る"証拠"となるからだ。

text by 亜留間次郎

日本には、科学研究の未来を閉ざすほどの盛大な不正をかましてくれた某リケジョがいます。その後も、忘れた頃にメディアに出てくるなど、日本は科学研究の不正にまあまあ甘い国といえるでしょう。

どれくらい甘いかというと、鎮痛剤の利権は結構大きく、麻酔科医による不正論文はかなり頻繁にあります。2010年にドイツのヨアヒム・ボルトが不正論文89本で世界記録を樹立して医師免許剥奪になっているのに対して、2012年に日本の某麻酔学者が不正論文172本で世界新記録を更新した時、大学を諭旨退職処分になるも、それ以上処分される前に自ら学会を退会するなどして巧みに処分を逃れました。世界記録更新の偉業にもかかわらず、医師免許は剥奪されていません。

医師免許を剥奪された無免許医というのはフィクションでありがちな設定ですが、医師免許の剥奪基準は国によって差異はあるものの基本的な考えは同じ。とはいえ、日本のように既得権益は神聖不可侵にして侵すべからずと、官僚機構が考えている国ではめったなことでは剥奪されません。それこそ研究論文が不正だろうと、インチキ療法で患者を何人殺そうと、実際に医師の処分を審議する「医道審議会医道分科会議事要旨」を見てみると、医師免許剥奪は年にホンの数人程度です。

医師免許の取り消しなどの処分を行うにあたっては、厚生労働省の医道審議会で審議されますが、日本の基準では医学論文の不正行為は「医事に関し犯罪又は不正の行為」に該当しないようです。その理由としては、所轄省庁が異なるからという説があります。

●論文不正 ➡ 文部科学省
●医師免許 ➡ 厚生労働省の医道審議会

「罰金以上の刑に処せられた医師又は歯科医師」に係る法務省からの情報提供体制というものがあり、医師が裁判で有罪になると法務省から厚生労働省の医道審議会へ通報され処罰されることになっています。が、論文不正に係る文部科学省からのきちんとした情報提供体制が存在しないため、不正行為として医道審議会に報告されないことが、免許取り消し処分が少ない原因となっているのではないか

医師法第四条

次の各号のいずれかに該当する者には、免許を与えないことがある。
一 心身の障害により医師の業務を適正に行うことができない者として厚生労働省令で定めるもの
二 麻薬、大麻又はあへんの中毒者
三 罰金以上の刑に処せられた者
四 前号に該当する者を除くほか、医事に関し犯罪又は不正の行為のあつた者

医師法第七条の2

医師が第四条各号のいずれかに該当し、又は医師としての品位を損するような行為のあつたときは、厚生労働大臣は、次に掲げる処分をすることができる。
一 戒告
二 三年以内の医業の停止
三 免許の取消し

Memo:

厚生労働省 医道審議会（医道分科会）

http://www.mhlw.go.jp/stf/shingi/shingi-idou.html?tid=127786

医師のチェック機関として設置されている。問題行動を起こした医師に対しての処分を審議されるが、医師免許の取り消し処分をされるのは年に数人程度。対応が甘いなどと批判されることが少なくない…

2019年1月30日　医道審議会医道分科会議事要旨

厚生労働省医政局医事課

○日時　平成31年1月30日（水）午前9時30分～午後1時00分

○場所　厚生労働省専用第21会議室（中央合同庁舎第5号館17階）

○出席者

大島伸一、楠岡英雄、清水貴子、田中秀一、藤宗和香、
堀憲郎、三村將、山口育昭、横倉義武

○議事

医師・歯科医師の行政処分について
医師17名、歯科医師7名に対する行政処分について諮問がなされ、審議の結果、医師13名、歯科医師7名に対する行政処分及び医師4名に対する行政指導（厳重注意）をする旨の答申をした。

［答申の概要］
（医師）13件
・免許取消…………3件（覚せい剤取締法違反1件、麻薬及び向精神薬取締法違反1件、準強制わいせつ1件）
・医業停止2年………1件（医薬品、医療機器等の品質、有効性及び安全性の確保等に関する法律違反、関税法違反1件）
・医業停止1年………2件（危険運転致傷1件、再生医療等の安全性の確保等に関する法律違反1件）
・医業停止10月………2件（公職選挙法違反2件）
・医業停止4月………1件（再生医療等の安全性の確保等に関する法律違反1件）
・医業停止3月………1件（診療放射線技師法違反1件）
・医業停止1月………2件（精神保健指定医の指定申請時における不正1件、精神保健指定医の指導医としての不正1件）
・戒告…………………1件（傷害1件）

（歯科医師）7件
・歯科医業停止3月………4件（電磁的公正証書原本不実記録・同供用2件、診療報酬不正請求2件）
・戒告…………………3件（傷害1件、暴行、脅迫1件、過失運転致傷・道路交通法違反1件）

と私は考えているのですが、いかがでしょうか？

一方、不正に厳しいのが欧米です。研究論文の不正で医師免許を剥奪された医師がかなりいます。実刑を食らった医師も含めて、3人を紹介しましょう。

麻酔科医 スコット・ルーベン

製薬会社から金をもらい、製薬会社に都合の良い架空の臨床試験を捏造。13年間に21の不正論文を発表し、数十億ドルの鎮痛薬の売上に貢献したという。この事件によりファイザー社の鎮痛薬「ベクストラ」「セレコキシブ」「プレガバリン」、メルク・アンド・カンパニー社の鎮痛薬「ビオックス」など多数の薬剤が有用性を疑われることに。世界中で数百万人の患者に悪影響を及ぼしたといわれている。2010年に医師免許剥奪。

生物医学研究者
アンドリュー・ウェイクフィールド

1998年に「新三種混合ワクチン予防接種で自閉症になる」という論文を、医学雑誌『ランセット』に発表。ワクチン接種を嫌う人々の英雄的な医師として崇められ、各国で新三種混合ワクチンの接種率の大幅な低下を招き、世界の多くの子供が麻疹（はしか）に感染し大惨事となる。現在も日本に大量に湧いている、反ワクチン派の元凶となった。2010年に不正が発覚し、論文は撤回され医師免許剥奪。

ホルモン補充療法研究者
エリック・ポールマン

2006年、世界で初めて不正論文で実刑を食らった。偽クレーム法（False Claims Act）という、公的研究費の不正受給を処罰するアメリカの法律によるもの。これは1540年にイギリスで生まれ1863年にアメリカでも可決された古い法律で、論文の不正に適用され実刑になったのは世界初だった。これ以降、不正論文は刑務所行きの対象となり、取り締まりは厳しくなった。

不正発覚後の処罰で最も印象的なのが、北朝鮮の金鳳漢（キム・ボンハン）博士です。1960年代に東洋医学におけるツボ・経絡には臓器があるとして、医学的根拠を提唱した「鳳漢学説」の創始者で、記念切手から自伝映画まで作られ、その映画は日本でも公開されました。しかし、そんな学説は捏造だと世界中からツッコまれることに。そこでの北朝鮮政府の対応は、そんな論文はありません、そもそも金鳳漢なんて人間は存在しません…とすべて無かったことにされました。恐らく処刑されたんじゃないでしょうか？

そういうわけで、金鳳漢記念切手はレアアイテムとして、切手コレクターの間では高値で取引されているそうです。

また、不正をしていなくても「この人痴漢です」と同様に、「この論文不正です」と告発されると、研究者生命が終ってしまう場合があります。プラズマ科学者の長照二博士が2006年に発表した論文データに不正があると、この研究に参加していた大学4年生が告発。その結果、長照二博士は2008年に仕事を首になり、裁判で争ったものの負

けてしまいました。

しかし、国内外の著名な科学者や研究者ら有志が「長教授を支援する会」を結成して応援し、長照二博士の論文はプラズマ学会では真正として扱われています。世界中の科学者から叩かれまくった、某リケジョとは逆です。私はプラズマの専門家ではありませんが、個人的には不正は無かったと信じています。

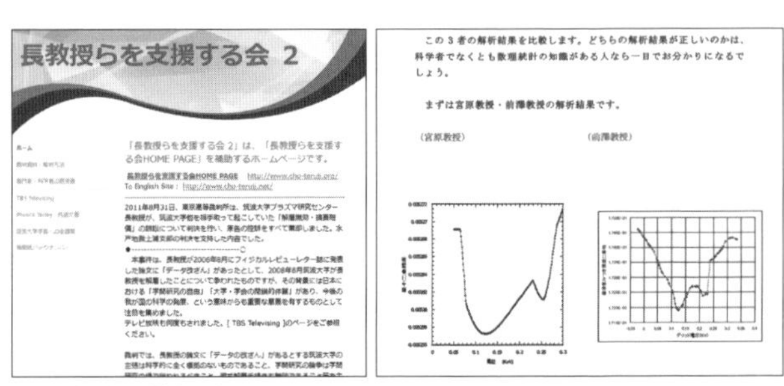

長教授らを支援する会

https://cho2.jimdo.com/

2006年、アメリカの物理学誌『Physical Review』に発表した論文にデータ改ざんがあったとして、長照二博士が筑波大学から解雇された。これに対し、国内外の著名な科学者や研究者らが支援。データの正当性を訴えた

実験ノートの重要性

現代日本は告発されたら人生終わりであり、理由があれば証拠が無くてもOKな暗黒裁判と化しています。科学の世界で自分の潔白を証明できる証拠となるのは、「実験ノート」です。長照二博士はプラズマの実験物理学者であり、その研究の性質上、手書きの実験ノートではなくPC上にすべて記録していたのが、裁判で不利に働いた一面があったのかもしれません。一方、某リケジョは不正を疑われた時に実験ノートを公表しましたが、とても科学者とは思えない子供の日記帳レベルであったため専門家たちからフルボッコにされました…。

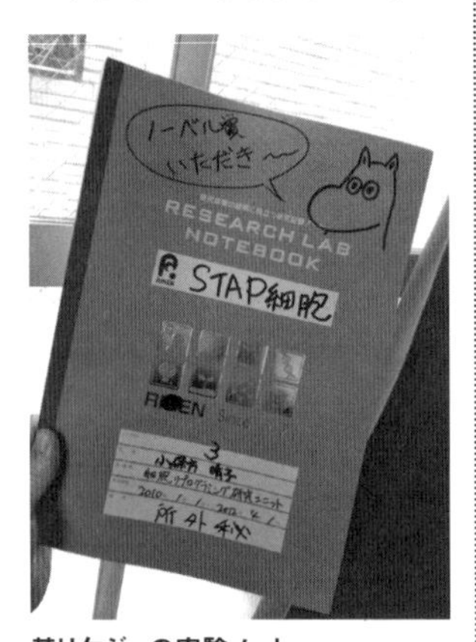

某リケジョの実験ノート

万能細胞に関する論文を科学誌『Nature』に発表したが、その内容は捏造と改ざんにまみれていたことが発覚。自業自得で地獄を見ることになった…。実験ノートはきちんと記述しよう！

実験ノートはかなり最近まで手書き至上主義で、手書きであることが必須とされてきたのですが、近年では電子化も進んでいます。まあ、韓国のように研究での不正が横行し過ぎたあまり、2010年に国家規格で実験ノートの書き方が定められた特殊な事例もありますが、多くの国の研究者の間では統一されたフォーマットはありません。業界の慣例や学閥による習慣などによってさまざまです。

学生の中には本人だけが読めればいいだろうと考える人も多いかもしれませんが、授業で実験ノートの提出があり成績に影響することもあります。また、捏造や剽窃などの不正、特許などの争いから自分自身を守るための証拠となることを考えると、裁判の証拠として通用する文書になるよう紙＆電子データを問わず、国際的に通用する規格で書く必要があるのです。最近は実験ノート用のソフトウエアも販売されていますが、日本の少ない研究予算を圧迫しそうなくらい高価なので、紙ノートは当分なくならないでしょう。

実験ノートの書き方

ということで、実験ノートを記載する際の、守るべき基準を紹介しておきます。

❶学術論文の標準形式である、「IMRAD（イムラッド）」に従った記述をすること。

❷紙媒体・電子媒体を問わず、ISO15489（記録管理）に準拠した記録方式であること。

❸他人が読んでも分かるように書き、第三者の定期的なチェックを受けること。

一見、難易度が高そうに見えますが、普通の中学校で行われる理科実験でも守るべき初歩のルールです。授業では、この3原則を守った実験ノートの書き方を指導しています。❶から具体的に見ていきましょう。

Memo:

■名義貸しのメリット・デメリット

研究者の世界には、贈与著者（gift authorship）という慣習がある。同じ研究機関で研究した知り合いの名前を論文に載せることで、研究実績を増やしてあげるという親切なのだが、その論文が不正だと発覚した時に経歴に傷が付くというデメリットも抱えている。偉い先生の名前を論文に載せることで権威付けに利用されることも多く、自分の名前で論文検索をしてみたら、関与した覚えのない論文に名前が入っていたなんてケースも…。名義貸し自体を否定するつもりはないが、信用できる相手だけにした方が無難だ。

❶に関して

実験する度に、IMRAD形式で記述すること。某リケジョのように日付すら適当で、「陽性かくにん！よかった」「10^5ずつ移植♡」なんて書き方の上、3年間でノート2冊なんてことではいけません。

IMRAD形式の記述例

項目	内容
日付	実験した日付を必ず書く。可能な限り時間も記載する。
タイトル	何の実験をするのか明確に書いておく。
要約	実験内容を簡単にまとめた一文を入れる。中学生の場合、実験名が要約を兼ねていることが多く、省略される場合も。
問題提起	何が分からないか、何を知りたいかを記す。
使用道具	試薬・器具・装置・実験動物など、実験に使用したモノをすべて書く。
実験方法	どんな実験を行うのか、手順を記載する。
実験結果	この実験で得られた結果を書く。
考察	得られた結果の意味や、自分が何を知り理解できたのかをまとめる。

特に最後の考察の部分は重要で、どれだけ深い考察ができているかで研究者としての資質が評価されるといっても過言ではないのです。学校の授業でも実験結果に対する考察がほとんどなく、結論しか書いていないと低い点数しかもらえません。

この考察は学術論文の質を評価するためのポイントでもあります。どこぞのサプリメントの論文みたいに実験結果に対する考察がほとんど無く、「効果ありました」としか書いていない論文の質は低いと見なされ、信じない方が無難といえるのです。

❷に関して

ISO15489（記録管理）を守るとか意味不明っぽいですが、中高生レベルなら、ちゃんと実験しました、嘘偽りの無い実験成果を書いてますと胸を張って先生に提出できればOKでしょう。

ちなみに、プロの研究者の世界になると「実験ノートは組織内での活動を正確に反映して、研究の支援だけでなく説明責任を果たす目的にも使えなければならない」として、以下の4原則があります。

1.真正性：権限のある人により作成されており、権限の無い人による変更や修正から守られていること。

2.信頼性：実験内容を正確に反映しており、実験の証拠となること。

3.完全性：完成され、変更されていないこと。承認された変更修正であっても記録され、追跡が可能なこと。

4.利用性：所在が明確で、検索・提示ができること。また、実験活動の中でノートの所在が確認できること。

❸に関して

中高生なら先生に読んでもらって、マルならOKということです。某リケジョのような小学生レベルの実験ノートを書くと、大学生以上であれば指導教員にボコられます。卒業はおろか博士号の取得も無理なはずなのですが、彼女は一体どんな手を使ったのでしょうか…。

日本の研究機関は予算不足の悪影響でチェック体制が適当なケースもありますが、研究費が潤沢な海外の研究機関ではチェック専門の職員がいます。定期的に査察されるので厳しいです。

皆さんも科学の実験をする時は、きちんとした手順で実験ノートをつけましょう。実験ノートを書くことで科学的な思考能力が鍛えられ、自分自身の財産と盾になります。

超音波で日本酒の力を極限まで引き出す

ウルトラソニック熱燗マシンの製作

日本酒に超音波を当てると、まろやかさが増すといわれている。これは試してみないと！　市販されている温調機能付きの超音波発生装置を流用し、至高の熱燗マシンを作り上げる。 text by yasu

寒さが身に染みる冬のど真ん中の今日この頃、皆様いかがお過ごしでしょうか。冬の酒といったら、もちろんアレですよね。そう熱燗。どんなに寒くても酒場でうまい熱燗が飲めるとなれば耐えられるし、何なら熱燗と共に外で立ち呑みというのもまた風流で、寒さ自体が酒のおいしさを倍増させてくれる不思議な飲み物であります。

熱燗の魅力はその温かさはもちろんですが、冷やのキリッとした感じからまた変わって、立ち上る優しい香り、そしてまろやかな味わいを楽しめるのも格別です。ここで重要なのは、お燗の温度。熱燗の世界では、35℃は「人肌燗」、40℃は「ぬる燗」、45℃は「上燗」などと各温度ごとに細かく名前が付けられているほど、その温度は重要なファクターとなります。そのため、熱燗を楽しめる居酒屋では「酒燗器」という温調機能付きのウォーターバスと温度計を活用し、お酒を任意の温度に調整して提供しているのです。

さて、この「まろやかさ」というファクター、実は温度以外にも人為的に生み出す方法があります。それが超音波加振です。

ウルトラソニック熱燗マシンの使用イメージ。純然たる実用品として、仲間内での日本酒会で大活躍する

酒中に強力な超音波を入射することでさまざまなメカニズムに起因し、そのまろやかさが短時間で爆増するこの手法は、酒の促成熟成メソッドとして広く知られており、ワインやウイスキー、そして日本酒にもその効果が認められています。

この超音波加振を行うにあたって、最も簡単なのが超音波洗浄機を用いることです。メガネ用の小型のものが一般的ですが、近年、大型タイプも安価で入手できるようになっています。しかもありがたいことに、洗浄効果アップを目的として温調機能付きの製品も出ているという…。これはもう世界初、「ウルトラソニック熱燗マシン」を作るしかありません！　適切な加熱と強力な超音波で、日本酒の持つポテンシャルを限界まで引き出す、最強の熱燗マシンを自作するのです。

といっても、今回の基幹となる温調ならびに超音波システムは超音波洗浄機に実装済みなので、電気的な改造は不要です。重視するのは酒器としての完成度。超音波洗浄機のメカニカルな外観を適切にカバーし、どんな居酒屋にあっても違和感のな

Memo:

い、温かみのある外観に仕上げていきましょう。

❶超音波洗浄機の選定

Amazonでは2023年1月現在、「超音波洗浄機」と検索すればとんでもない数の製品がヒットします。数ある候補の中から、今回の目的に適した機種を選定していきます。

●**サイズ**：日本酒を温める時に使うチロリが4つほど、余裕を持って収まるサイズのもの。今回は6Lの横長とする。

●**温調**：任意の温度に調整できるもの。余裕を持って80℃程度まで加熱できるとベターだ。ヒーター付きでも、温調非搭載の製品もあるので要確認。

●**超音波振動子出力**：大きければ大きいほどよい。

上記の条件に合致したのが、ONEZILI社の製品です。ヒーター容量は300W、超音波出力は180Wとなかなか強力で、容量も6Lとたっぷり入ります。これで価格が38,500円程度。サイズと性能から考えれば妥当でしょう。

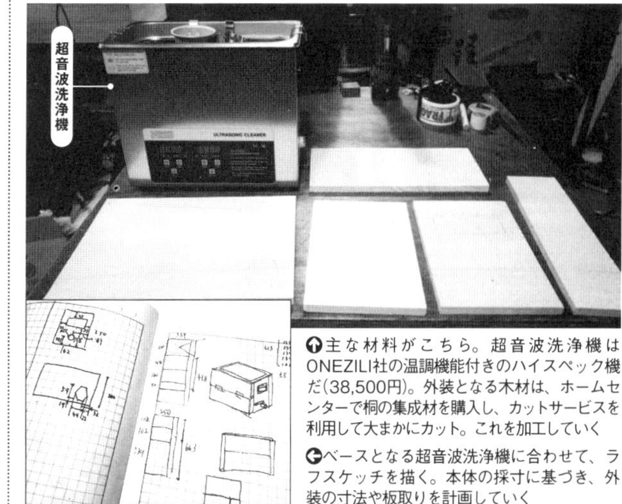

⬆主な材料がこちら。超音波洗浄機はONEZILI社の温調機能付きのハイスペック機だ(38,500円)。外装となる木材は、ホームセンターで桐の集成材を購入し、カットサービスを利用して大まかにカット。これを加工していく

⬅ベースとなる超音波洗浄機に合わせて、ラフスケッチを描く。本体の採寸に基づき、外装の寸法や板取りを計画していく

ウルトラソニック熱燗マシンの概念図
Conceptual Drawing of Ultrasonic Atsukan Machine

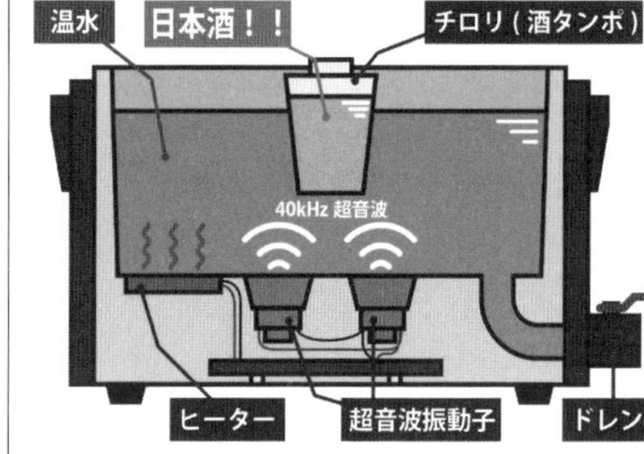

水槽に取り付けられたヒーターでチロリの日本酒を温め、そして超音波振動子が生み出す超音波でまろやかにする。テクノロジーの力で日本酒を進化させる

❷外装を作り込む

熱燗マシンといえば、ぬくもりを感じる木造の外装でしょう。そこで、超音波洗浄機のメタリックな外側を覆う木製の囲いを製作します。

適当なラフスケッチから図面を起こしたら、ホームセンターで木材を調達。今回は木目のきれいな桐の集成材をセレクトしました。ホームセンターの木材カットサービスを活用し、あらかじめ用意した図面の通りに板をカットします。

超音波洗浄機の側面はフラットではなく、取っ手や排水用のボールバルブなどがあり、これらとの干渉を回避するため板には穴あけ加工が必要です。ホームセンターの加工でこれらとのクリアランスを追い込むのは難しいため、自前のハンドツールでなんとかしましょう。

排水用ボールバルブに対しては、丸穴を設ければOK。直径はΦ25と大きいですが、木工用ホルソーと電動ドリルを使えば一発で穴あけ完了です。

厄介なのが取っ手用の角穴です。これは「マルチツール」と呼ばれる電動工具で加工します。高速で振動するブレードを木材に押し当てるだけで、直線上のカットが自由自在というニッチながら非常に便利な道具です。こうして穴を設けたら、棒ヤスリで整えます。

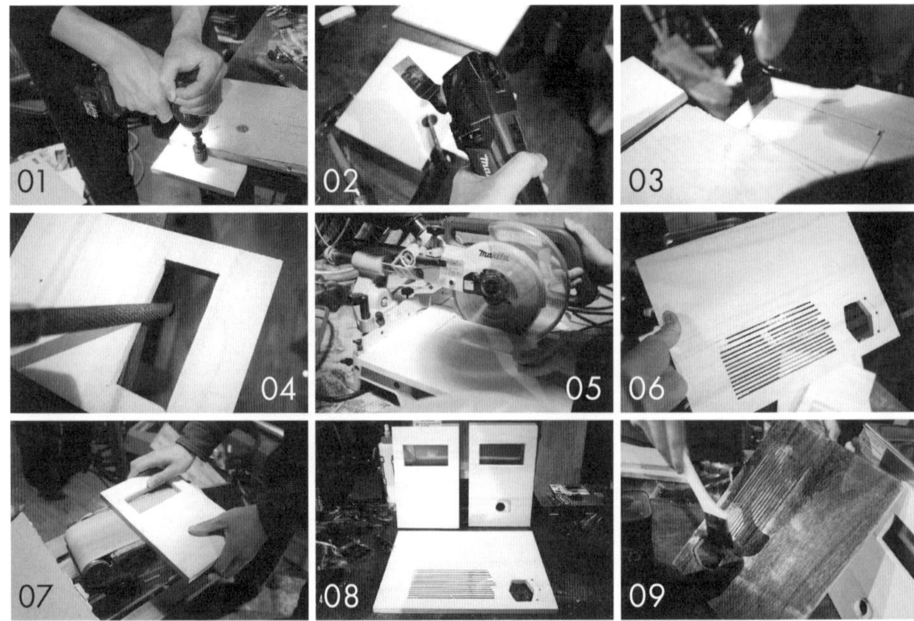

01：ドレン配管用の穴をホルソーであける　**02・03**：角穴の加工には、マルチツールが便利だ。直線的な加工がサクサクできる。あらじめ角に丸穴を設けておくと、きれいに仕上がる　**04**：バリなどを棒ヤスリで整えて滑らかに仕上げる　**05・06**：スライド丸ノコを使って、背面の放熱用のスリットを入れていく。シャープで美しいスリットに仕上がった　**07・08**：表面をベルトサンダーでサッと研磨したら加工は完了。次は塗装を行う　**09**：下地の色付けにオイルステインを用いる。塗り込むと木目がいい塩梅の茶色に染まっていく　**10**：次にウレタンニスを塗ってテカテカに。防水性も付与されて機能性も向上する　**11**：各パーツが揃ったので組み立てる。超音波洗浄機を囲むように、木ネジで木材同士を固定していく。下穴をあけて丁寧に進めよう　**12**：正面の操作

超音波洗浄機の背面には、放熱用のルーバーがあります。この機能を活かすべく、通気できるようスライド丸ノコでスリットを設けました。さながら往年のBRAUN製品のようなスタイリッシュさがあります。あとは表面をベルトサンダーで整えれば、木材加工は完了です。

次は塗装。オイルステインをハケで塗って、全体を深い茶色にします。最後にウレタンニスを厚塗りすれば、防水性と耐久性、そして外観性を兼ね備えた隙の無い仕上がりとなります。

組み立ては、分解時を想定して木ネジを使用。正面の操作パネル部は、蝶番で開閉できるようにしておきました。

❸マシンの完成と実験

ということで「ウルトラソニック熱燗マシン」の完成です。見た目の温かみは、まさに居酒屋で見る酒燗器そのもの。ここにチロリ（酒タンポ）を引っ掛けると…ほほう、これは良い。最高の外観の酒器であります。

正面板を持ち上げると制御部にアクセス可能。超音波入射時間と設定温度を入力できます。

超音波を入射するにあたり、媒質である水はその減衰を最小限に留めるため、1度沸騰させ脱気したものを使用（詳細は『アリエナイ工作事典』を参照！）。超音波を入射すると、爆音とともに水面が禍々しく波打ちます。これはかなり効きそうです。

熱燗用に最適な日本酒である鳥取の「辨天娘」を1合ほどチロリに注ぎ、これを槽の縁に引っ掛け、温度55℃で180Wの超音波を入射。10分ほど経ったところで、いよいよ試飲です。…うむ、これはすごい！　同じ温度で加熱したサンプルと比較しても、丸さが明らかに増しています。辨天娘は強力な米のうま味と酸味が特徴のパワフルな日本酒ですが、超音波を入射す

Memo:

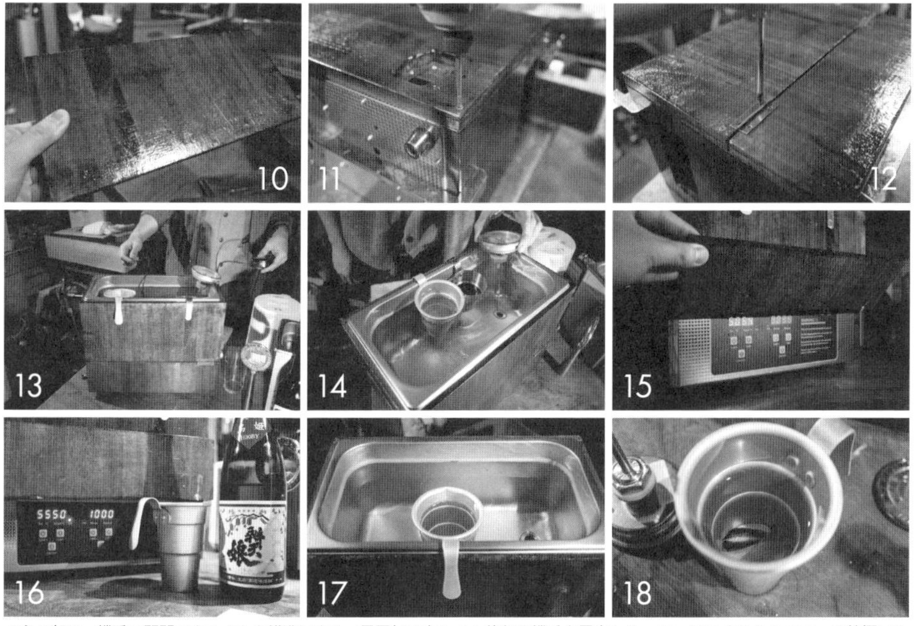

パネル部は、蝶番で開閉できるような構造にする。雰囲気に合うよう茶色の蝶番を用意した　**13・14**：ウルトラソニック熱燗マシンが完成！　最高のビジュアルで、チロリとの組み合わせは完璧だ。早く実験したい(笑)　**15**：正面板を持ち上げると、本来の制御部が露出。外観性を重視した作りになっている　**16**：熱燗が最高にうまい鳥取の「辨天娘」で検証実験を行う　**17**：温度は55℃に設定し、超音波を10分ほど与えていく。ただ温めるよりも丸さが増した　**18**：超音波でふぐヒレのうま味を抽出するという追加実験。日本酒の香りとふぐヒレのうま味が調和する、奇跡の逸品が出来上がった。理論値ヒレ酒！

ることでこれらがより調和した感じ。これは素晴らしい結果となりました。

さて、ここからはさらなる可能性の追求。ふぐヒレ酒です。ふぐヒレ酒は日本酒にふぐヒレを入れて熱燗にすることで、そのうま味を酒に移していただく乙な逸品です。このうま味を抽出するため、本来は70～80℃と非常に高温で熱燗にするのですが、ここまで温度を上げると日本酒の持つ繊細な風味がすべて吹き飛んでしまうという欠点がありました。

それを解決するのが、この「ウルトラソニック熱燗マシン」なのです。超音波には酒をまろやかにする効果に加え、固体中成分の液中への溶出を促進する作用があります。つまり、この抽出促進をふぐヒレに対して適用することで、日本酒の風味が最高に引き立つ低めの熱燗温度でもふぐヒレのうま味を抽出できるというわけです。

ということで、辨天娘にふぐヒレを投入し、55℃の条件で超音波を入射します。その結果は目論見通り。低温であっても滋味深いフグのうま味がしっかり酒に移っており、日本酒の風味と見事に調和しています。これは理論値です！

❹さらなる可能性

そんなわけで、最高に実用的な飲酒ガジェットが完成しました。その外観のおかげで酒の席にも調和しながら、テクノロジーの力でお酒ライフを1段階上の次元に持ち上げてくれます。

今回は熱燗を目的としましたが、例えばここに出汁とおでんダネを入れれば「ウルトラソニックおでん」、はたまた肉をくぐらせて「ウルトラソニックしゃぶしゃぶ」という可能性も十分考えられるでしょう。そんな夢のある次世代ガジェットを、皆さんもぜひご自身の手で作り込んでみて下さい。

市販品クオリティに仕上げる実践テクニック
ステッカー作りのノウハウ

「手作りステッカーセット」を使えば、誰でも簡単にオリジナル品を作れるが、ヘタすると素人感丸出しになってしまう…。データの作成から仕上げまで、実践テクをお教えしよう！

text by yasu

機械の自作を趣味にしていると、それをドレスアップしたくなるのが開発者の性。ロゴや機種名などのステッカーを貼ればプロダクトとしての完成度が一気に上がります。オリジナルステッカーはネットの印刷サービスを使えば作れますが、それなりにコストと納期が発生しますし、数枚だけ欲しい、あるいは納得がいくまで試作を繰り返したい場合には適しません。そこで、自宅で市販レベルのステッカーを作る方法を伝授。ノウハウを身に着けて、素敵なステッカー屋さんになりましょう。

工程1：印刷データの作成

PCでステッカーの印刷データを製作します。IllustratorやPhotoshopが定番ですが、InkscapeやGIMP、OfficeのPowerPointでもOK。Affinity Designerは7,000円で買い切りながら、Illustratorとほぼ同等の機能を有していてオススメです。

データの作成にあたっては、2段階で進めます。まずはステッカー単体でのデザイン、そしてそれを印刷するための割り付けです。単体でのデザインは自由にやって問題なし。コツが必要なのは割り付けです。割り付けでは後工程である「切断」を見据えてデータを作る必要があります。具体的には、カッター

ステッカー印刷データの作成手順。トリムマークの追加と塗り足しを行う。このひと手間がポイントになる。なお、背景が白の場合は塗り足しは省略してよい

耐久性・耐水性に優れた、市販レベルのステッカーを目指した

主な材料

●手作りステッカーセット(3M) ●インクジェットプリンター ●ドロー系ソフトウエアがインストールされたPC ●エアブロワー ●養生テープ ●薄手のタオル ●定規：30cm ●鋭角カッター ●カッターマット ●角丸パンチ

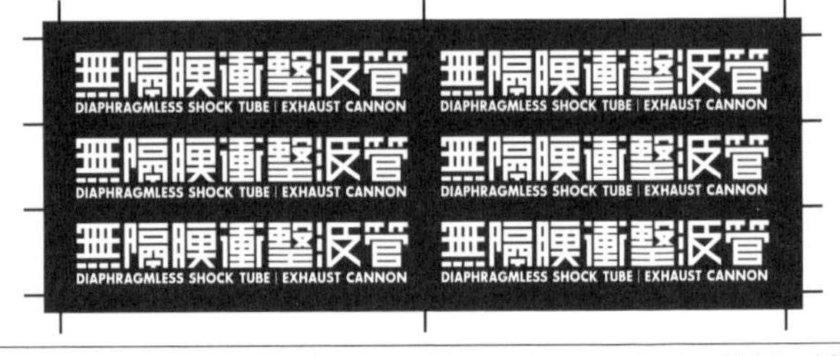

1度にたくさんのステッカーを作る際は、用紙サイズのアートボードにデザインを隙間なく配置し、それらの境界部にトリムマークを配置すればOK

Memo:

で切断する際のガイド線をあらかじめ印刷データに追加するのです。このガイド線は印刷業界における「トリムマーク（トンボ）」に相当。コレがあるだけで後の切断工程が非常に楽になります。

トリムマークの端部は、ステッカーのデザインから2〜3mm程度離して配置するのがコツ。これがデザインと接触していると、カッターで切断した際にマークがステッカーに入り込んでしまいます。そして最後に、「塗り足し」を追加。切断位置の外側まで背景と同じ色をレイアウトしておくことで、切断部に白地が残るのを防げるのです。

工程2：用紙への印刷

ステッカー用紙の選定こそ、本プロジェクトにおける最重要ポイントです。使うのは3Mの「手作りステッカーセット」。Amazonではa4サイズの5枚セットで1,400円程度で販売されています。少々値は張りますが、このセットには耐水性に優れた印刷用紙に加え、耐候性に優れた保護フィルムが同梱されています。印刷用紙にデザインを印刷した後、この保護フィルムを貼り付けてからカットすることで、屋外使用でも劣化しない高品質なステッカーを作れるというわけです。ということで、この用紙にステッカーのデータを印刷します。

工程3：フィルムの貼付

この工程は気泡との戦いになります。印刷用紙と保護フィルムの間に気泡が入ってしまうとせっかくのステッカーが台無しです。これが実際難しく、前知識なしでは間違いなく失敗しますが、数多の失敗を経て必勝法を編み出しました。順に解説していきます。

❶用紙のエアブロー

気泡の原因である塵やホコリを用紙表面から除去すべく、用紙全面にエアブローをしていきます。後述する貼り合わせ工程を見据えて、フィルムの台紙も入念にエアブローをかけておきましょう。

3Mの「手作りステッカーセット」。高品質な印刷用紙と保護フィルムがセットになったナイスなアイテムだ

❷用紙端部の貼り合わせ

3Mのステッカーセットのフィルム台紙は、端部の台紙を剥がせます。この部分を剥がして、印刷した用紙とフィルムを貼り

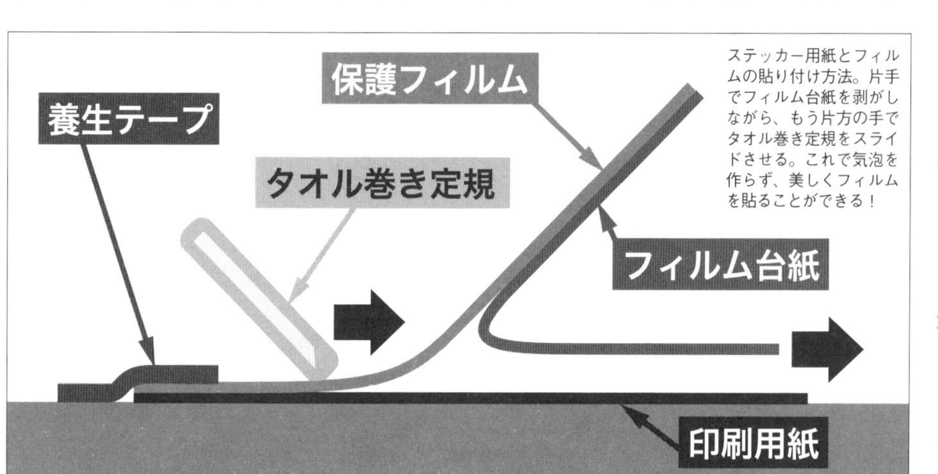

ステッカー用紙とフィルムの貼り付け方法。片手でフィルム台紙を剥がしながら、もう片方の手でタオル巻き定規をスライドさせる。これで気泡を作らず、美しくフィルムを貼ることができる！

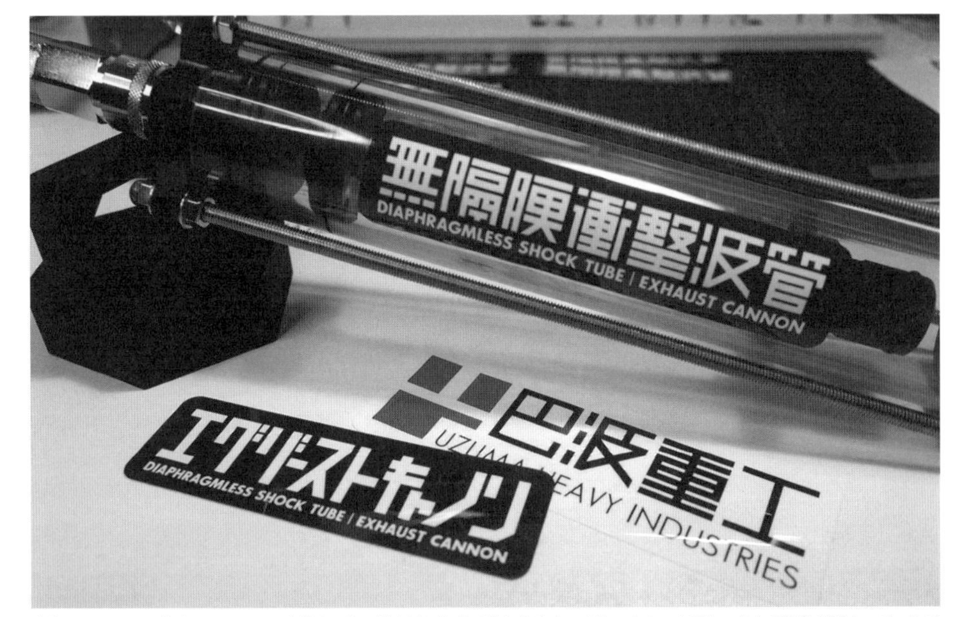

自作ステッカーの完成！　フィルムを貼ることで耐久性に加えて発色も向上。きれいなカット面と、角丸の印象が相まって、とても自作とは思えない。愛機のドレスアップや、同人イベントでの頒布などにも最適だ。皆さんも自作してぜひご活用下さい!!

合わせましょう。

❸用紙の固定

用紙を平らな机に置き、貼り合わせた箇所を養生テープを使って机に固定。

❹フィルムの貼り付け

フィルムを印刷用紙に貼り付けます。ここで活躍するのが薄手のタオルを巻き付けた定規。模式図の通り、片手で台紙を剥がしながら、タオル巻き定規でフィルムを用紙に押し付け、端部からゆっくりと貼り合わせていきます。タオルを巻いていることで滑りが良くなり、フィルムに傷が付くこともありません。ポイントは、定規で押し付けている部分以外でフィルムと印刷用紙が接触しないようにすること。コレさえ守ればOKです。

端から端まで貼り付けただけでは、まだ用紙とフィルムの間に隙間があり、発色にムラができています。そこで、タオル巻き定規の先端で何度もこすり、用紙とフィルムを完全に密着させるのです。この作業により、非常に美しい仕上がりとなります。

工程4：カッターで切断

カットの際はあらかじめ設けたトリムマークに沿って定規をセットし、カッターで切るわけですが、トリムマークの内側だけを切断するのがポイントです。こうすることで用紙がバラバラにならず、切断工程が非常に簡単になります。

これで四角いステッカーの完成ですが、さらにもう1工程を加えて、クオリティをアップさせましょう。それが角丸カット。ステッカーの角を丸くカットするだけの工程なのですが、劇的に“本物”感が出ます。加えて、角の部分からシールが剥がれてしまうトラブルも回避できて一石二鳥です。

カットには専用の「角丸パンチ」を使用するのがオススメ。サンスター文具の「かどまるPRO」は700円程度と安価ながら、R3・5・8mmの3パターンで処理できます。

これですべての工程は終了。さまざまな工夫の果てに、完璧なクオリティのオリジナルステッカーが完成しました。

Memo:

市販品クオリティの素敵なステッカーの作り方

01：手作りステッカーセットの印刷用紙にプリント。用紙は「写真用紙」、印刷速度は「きれい」に設定する　**02**：ブロワーを用いて用紙に付着した塵やホコリを念入りに除去する。カメラ用のエアブロワーが便利　**03**：印刷済みの用紙と、フィルムを貼り合わせる工程に入る。まずはフィルムの端部台紙を剥がす　**04**：印刷済み用紙とフィルムの端部をズレないように貼り合わせる。これで一辺だけが接着された状態になる　**05**：用紙が動いてしまうと作業しづらいので、先ほどの端部に養生テープを貼り、机に固定する　**06**：タオル巻き定規でこすって気泡を追い出しながら、用紙とフィルムを貼り合わせていく。コツをつかめば簡単だ　**07**：フィルムを貼った直後は発色ムラがあるので、タオルを巻いた定規の先端で何度もこする　**08**：外側からカットするとトリムマークが消えてしまうので、内側だけをカッターで丁寧に切っていく　**09**：正しく切断すれば、外枠はそのままに、ステッカーだけが分離する。12枚のステッカーが完成　**10**：角丸パンチにステッカーを挿し込んで押すだけで、容易に角を丸くできる。最近では100円ショップでも類似品が売られているらしい　**11**：下が角丸パンチで四隅を丸くカットしたステッカー。このひと手間でクオリティがアップする

心理的ユートピアを作ったマッドサイエンティスト

体罰が合法の狂気の楽園

体罰が黙認されていたのは昭和の時代まで。しかし、令和の世であってもこれが正当化される世界が存在する。今もアメリカで行われている、狂気を覗いてみよう。

text by 亜留間次郎

フィクションの世界には、マッドサイエンティストが自分が発明した機械を使って人を支配して狂ったユートピアを作る話がありますが、それを現実に作ってしまったマシュー・イスラエルという行動心理学者がいます。その施設とは「ジャッジ・ローテンバーグ・教育センター」。アメリカの闇が生み出した狂気の楽園です。

心理学的ユートピアとは

『Walden Two(ウォールデン・ツー)』という、アメリカでは非常に悪名高いSF小説があります。日本ではあまり知られていませんが、『心理学的ユートピア』というタイトルで翻訳されています。題名の「Walden Two」とは、作中の登場人物たちが作り上げようとしている架空のユートピアの名前で、日本語版の題名である「心理学的ユートピア」とは行動心理学に基づいて作られた理想郷という意味です。

作者はアメリカの心理学者で、行動心理学の創始者であるB.F.スキナー博士。「スキナー箱」と呼ばれる、レバーを押すと餌が出てくる箱に小動物を入れて、条件反射の研究を始めた人です。スキナー博士は現実世界の学術的な論文で、人間の自由意志を否定して、「人間の行動は条件付けによって決まる」という説を提唱しました。そして、フィクションの著書では、人間の行動は環境変数によって決定されるから、環境変数を人為的に調整すればユートピアを作り出せると提唱し、作中の人物が理想的な環境変数に調整された架空の共同体を作ります。

この本が悪名高い理由は、現実世界で作中のユートピアを作ろうとしたり、本当に作ってしまった現実とフィクションの区別がつかない人たちが何百人も出ているからです。「Walden Two」は、スキナー博士の理論が完璧に実行された思考実験の世界であり、フィクションの体裁で社会を再設計するプランを提示したものなので、現実に行うべきだと考える人が大量発生してしまいました。その結果、少なくとも10以上の共同体や集団が生まれ、いくつかは現在も存続しています。

狂気の楽園が誕生

さて、その中でも特に問題が大きかったのが、発達障害や自閉症の子供を専門に扱う、マサチューセッツ州にある「ジャッジ・ローテンバーグ教育センター」です。この施設はアメリカの行動心理学者であるマシュー・イスラエル博士が、1971年にロードアイランド州に、自閉症と統合失調症の2人と一緒に暮らす研究所を作ったのが始まり。この施設は拡大を続け、1975年には地域の障碍者施設を吸収し、1976年にはカリフォルニア州に第2センターを作ると、カリフォルニア州政府から子供1人あたり年間35,000ドル(約383万円)がもらえるようになって、さらに発展拡大しました。

ところが、入所していた9歳の少年が死亡した事件から調査が始まると、虐待だらけの障碍者強制収容所だったことが発覚。1985年にマサチューセッツ州児童局は、センターを閉鎖する命令を出したのです。

普通ならここでイスラエル博士は逮捕され、施設は閉鎖になるところだったのですが、彼は優れた行動力と政治力を発揮しました。逆に州児童局を訴えると、自傷行為を繰り返していた

Memo: 参考文献・画像参照など
●ジャッジ・ローテンバーグ・教育センター(Judge Rotenberg Educational Center) https://www.judgerc.org/

B.F.スキナー（1904〜1990年）

心理学的ユートピア（誠信書房）

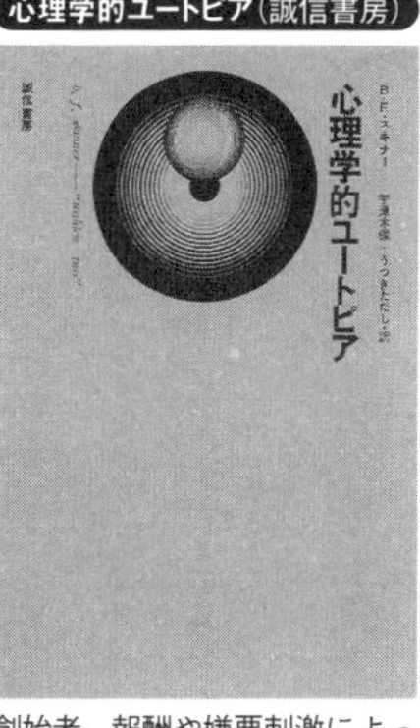

アメリカの心理学者で行動分析学の創始者。報酬や嫌悪刺激によって行動するようになるとして、「スキナー箱」を用いた観察・研究を行った。また、理想的な共同体を作る様子を描いたSF小説『Walden Two（心理学的ユートピア）』の執筆でも有名。本書はアメリカの思想家で作家のソローによる、自給自足の生活を描いた小説『ウォールデン：森の生活』をベースにしている

スキナー箱

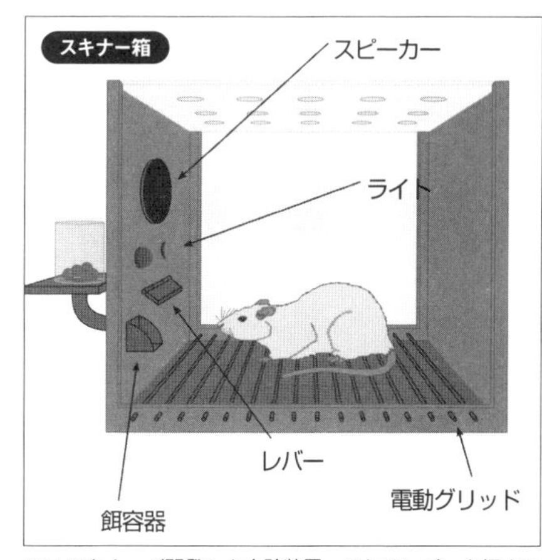

B.F.スキナーが開発した実験装置。これはレバーを押すと容器から餌が出てくるネズミ用のもので、条件付けの装置としてさまざまな研究室で用いられている

子供が治ったところを法廷で見せて、裁判官を味方につけて勝訴してしまったのです。州児童局は弁護士費用として58万ドル（約6,600万円弱）を払うハメになり、州児童局の長官は辞任しました。

その後、1994年に組織の名前を「ジャッジ・ローテンバーグ・教育センター」と変えて、再出発します。ここでイスラエル博士は、コンプライアンス的にも適法な虐待装置…ではなく、発達障害や自閉症の子供の行動を制御する道具を開発しました。そして、「痛みのコンプライアンス（Pain Compliance）」という概念を持ち出して、行動を制限するために痛みを与える体罰を正当化したのです。

この理論は元々、アメリカの司法省が犯罪者を制圧する時に、犯罪者に痛みを与えることを正当化するためのコンプライアンスだったのですが、医療現場に持ち込んで患者を治療するために苦痛を与えることを正当化する理論に再構築しました。

この道具は「Graduated electronic decelerator」、略して「GED」という正式名称があり、特許も取られています。日本語訳するなら「段階的電気減速装置」みたいな意味の分からない翻訳になりますが、これは残酷な道具に見えないように言葉をごまかしているせいです。イスラエル博士は、あらゆる手を尽くして他人に苦痛を与える体罰を合法化すると同時に、合法的な体罰に必要な道具として自分の発明を売りました。

すると、犯罪者の行動を制限する「スタンベルト（Stun belt）」として、教育センターだけでなく、連邦刑務所局や米連邦保安官、アラスカ・カリフォルニア・コロラド・デラウェア・フロリダ・ジョージア・カンザスを含む16州の矯正機関で導入される、ベストセラー商品になったのです。この道具の使い方はマンガに出てきそうな懲罰装置そのままで、施設の職員が名前と顔写真の付いたリモコンのボタンを押すと体に電気が流れて激痛が走ります。しかも、9歳ぐらいの小さな子供から使用できるものなのです。

使っている見た目からしてまずいモノ過ぎたので、自作自演で倫理とかコンプライアンスをごまかして合法化するのも無理があり、FDA（アメリカ食品医薬品局）から禁止処分を食らいます。しかし、利益が害を大きく上回る場合は使用すべきとの医療の原則を盾に、限定的に使えることにして使用を続けながら、コロンビア特別区巡回区控訴裁判所に控訴。そしてなんと2021年7月6日、FDAの禁止処分を覆したのです。コロンビア特別区、俗にいうワシントンD.C.にある首都の控訴裁判所の

自傷行為抑制システムに関する学術論文
●自傷行為抑制システム（SIBIS）の臨床評価　CLINICAL EVALUATION OF THE SELF-INJURIOUS BEHAVIOR INHIBITING SYSTEM (SIBIS)
https://onlinelibrary.wiley.com/doi/abs/10.1901/jaba.1990.23-53

アメリカの行動心理学者。学生時代に読んだ『Walden Two』に影響を受け、子供への体罰を合法化した施設を開設。人道的な面から反対する声もある一方、現実問題として自閉症などの子を抱える家族からの需要があり、現在も公金が投入され運営中。2021年には創立50周年を迎えた

マシュー・イスラエル

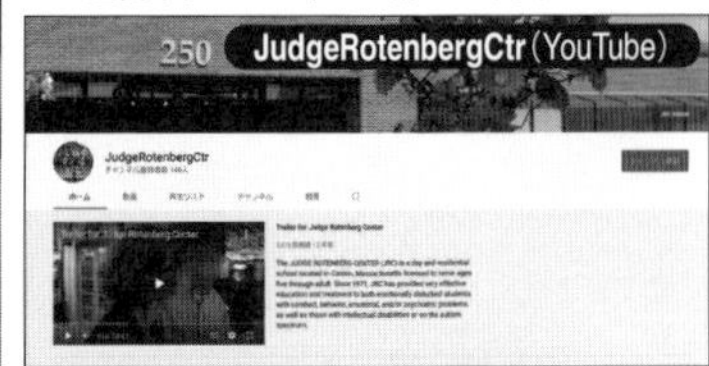

JudgeRotenbergCtr (YouTube)

ジャッジ・ローテンバーグ・教育センター

決定は全米に対して効力を発揮します。つまり、この記事の執筆時点ではアメリカのすべての州で、子供にGEDを使用することが合法なのです。

正義の議員の敗北

その後、マサチューセッツ州のブライアン・オーガスティン・ジョイス議員は、何とか邪悪な教育センターを潰そうと努めます。1997年にはマサチューセッツ州精神遅滞局という、精神疾患のある障碍者や病人を扱う役所を動かして閉鎖させようとしました。ところが、イスラエル博士はまたしても裁判官を味方につけて、「嫌がらせ戦争」と呼ばせ、閉鎖命令を無効にする判決を出させます。さらに、弁護士費用及びその他の費用の補償として、州精神遅滞局に150万ドルを支払うように命じさせた上に、裁判官は教育センターを規制する権限を州精神遅滞局から剥奪して、裁判所の権限にしてしまいました。結果、州児童局長官に続いて、州精神遅滞局長官まで辞任に追い込まれたのです。

その後もジョイス議員は、議会立法などを駆使して教育センターを廃止に追い込もうと奮闘したのですが、イスラエル博士のロビー活動と子供を預けている親の連携攻撃によってことごとく失敗しています。

2016年2月17日、FBIと税務署はジョイス議員のワシントンストリート法律事務所を強制捜査。高校生の息子の卒業パーティに選挙資金を流用したとか、クリーニング店にタダで洗濯させていたとか細かい倫理違反が出てきました。さらに2017年12月、法律事務所や個人事業を通じて100万ドルを超える賄賂を受け取っていた罪で起訴され、議員を辞職。そして2018年9月27日、自宅で睡眠薬のペントバルビタールを大量に飲んで死んでいるのが発見されました。

狂気の施設を閉鎖に追い込もうとした人が逆に追い込まれ、辞任させられて自殺しているのは謎過ぎます。

イスラエル博士のバックには、2019年までマサチューセッツ州下院議員を務めた政治家がいて、ロビー活動でも大金をバラ撒いています。この議員は議会で、教育センターの閉鎖に反対を続けていますが、賄賂とかで動いているのではなく、ここに弟夫婦の自閉症の息子、つまり自分の甥が入っているのが理由のようです。頭を壁に叩きつけて流血したり、嘔吐してはそのゲロを食べてまた嘔吐を繰り返して食道炎を起こし栄養失調状態になって、入退院を繰り返した挙げ句に医者にサジを投げられていました。そこで、1992年に12歳でジャッジ・ローテンバーグ・教育センターに入所し、30年近く入ったままです。

つまり、この教育センターは自傷行為を繰り返す面倒な子供を現実的に治療してくれる施設であり、治らなかったら死ぬまで閉じ込めておく公費運営される座敷牢として機能しています。座敷牢の中で電撃リモコンにより調教されておとなしく言うことを聞くようになった子供だけ

Memo: ●自傷行為抑制システム（SIBIS）を使用した自傷行為（SIB）の治療における正の副作用：SIBのオペラントおよび生化学的説明への影響
Positive side effects in the treatment of SIB using the self-injurious behavior inhibiting system (SIBIS): Implications for operant and biochemical explanations of SIB
https://www.sciencedirect.com/science/article/abs/pii/089142229490040X

Graduated electronic decelerator (GED)

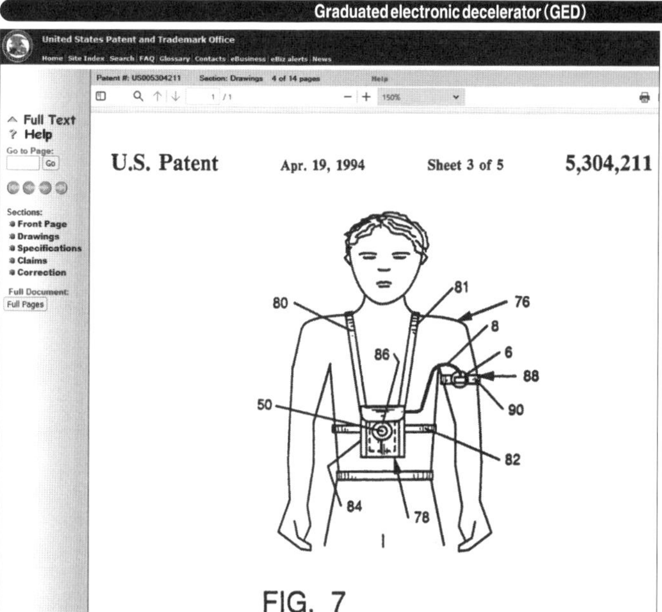

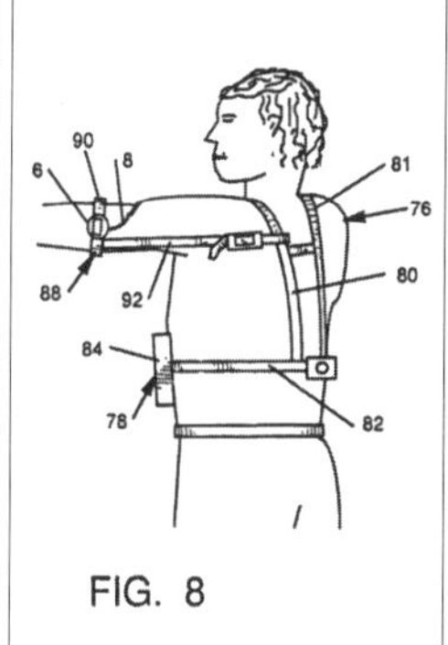

発達障害や自閉症の子供の行動を制御する道具として、イスラエル博士が開発。死なない程度に苦痛を与える合法的な道具として普及し、9歳の子供から使える。また、犯罪者の行動を制限する「スタンベルト」として、アメリカや南アフリカの刑務所などでも採用されている。これは1994年にアメリカ特許庁に申請された装置の図

が解放され、それ以外は死ぬまで閉じ込められる恐怖の収容所なのです。しかし、障害児を持つ親たちにとっては半分は治って帰って来るし、ダメなら最後まで公費負担で無償で預かってくれる理想的な施設ということ…。なので、子供が言うことを聞くようになったのを見た親からすれば、理想の治療施設に思えたのでしょう。

そして、議員のような親族の人たちにしてみれば、悪夢の子育てから解放してくれた理想の施設が無くなって、悪夢の日々が戻ってくるのが絶対に嫌だから猛反対したわけです。この議員は弟夫婦と同じ悩みを抱えている人たちを支持母体としており、彼らを守るために教育センターを守っているのであり、現実を知らない人権屋には死んでも負けられないという事情があったのです…。

嫌悪療法の功罪

人や動物に身体的な痛みを与えて言うことを聞かせる「苦痛による服従」は、古代より行われてきました。これは「嫌悪療法（aversion therapy）」と呼ばれ、好ましくない行動や思考を抑止するために不快な刺激やイメージを条件反応的に形成する方法で、一般には「パブロフの犬」として知られている古典的条件付けの原理を利用した行動療法の一つです。

つまり体罰は、行動心理学の創始者であるスキナー博士が示した条件付けによって人間の行動を好ましく矯正する手段として有効だったのです。この教育センターの根深い問題は、GEDに意外なほど効果があったこ

FOX NEWS　Login　Watch TV

U.S. - Published November 17, 2014 1:17pm EST

Settlement agreed to in lawsuit against Mass. special needs school that uses shock therapy

Associated Press

NEW You can now listen to Fox News articles!

BOSTON – The family of a former student who received electric shocks at a special needs school has agreed to receive $65,000 to settle a lawsuit claiming the treatment was inhumane and violated the student's civil rights.

The privately operated Judge Rotenberg Center in suburban Canton uses the controversial treatment, known as aversive therapy, to control aggressive behavior

電気ショックの体罰を問題視して訴訟

約4年間、ジャッジ・ローテンバーグ・教育センターに通っていたニューヨーク州フリーポートの少年（当時17歳）の母親が2006年に当施設を訴えた。2014年、65,000ドル（約7,387,000円）の和解金を受け取って和解したとのこと　（FOX NEWS参照）

●FOX NWES 「Settlement agreed to in lawsuit against Mass. special needs school that uses shock therapy」 https://www.foxnews.com/us/settlement-agreed-to-in-lawsuit-against-mass-special-needs-school-that-uses-shock-therapy
●United States Patent and Trademark Office　https://www.uspto.gov/

とでしょう。実際に子供を預けた保護者の多くが好意的に高く評価していて、「リモコンを見せるだけで子供が言うことを聞くようになった」と証言しています。親たちの多くは、重度の自閉症の子供らが自傷行為や危険な行動をとってケガをするのを防ぐ最後の手段として成功したと考えていました。

これは噂話とかではなく、虐待で訴えられた教育センターが法廷に証人として呼んだ保護者からの証言です。さらに、自傷行為を行う子供が電気ショックで体罰を与えると自傷行為を止めるというエビデンスを、論文にして出しています。

さて、ここでとんでもない仮説が出てしまったわけですが、昔は自閉症なんかいなかったといわれるのは、かつては子供を殴る体罰によって嫌悪療法を行うことで矯正していたからで、自閉症問題の顕在化は体罰禁止と表裏一体なのかもしれません。自閉症や発達障害があっても、自己の不利益になる行動を回避する能力は普通の人間と変わらないので、苦痛を受ける行為は普通の人間と同じように回避しようとします。

つまり、イスラエル博士は子供を虐待死させた失敗を反省して、死なないレベルで倫理的にも問題の無い合法的な苦痛を与える道具を開発して、現代でも子供が言うことを聞かなければ、聞くようになるまで体罰を与えればいい…。それでも治らないダメな子は死ぬまで監禁すればいい…と、恐ろしい結論に到達した本物のマッドサイエンティストではないでしょうか？

コーリンガ州立病院(Coalinga State Hospital)

2005年、カリフォルニアに開設された精神病院。性的暴行や児童性的虐待などで有罪判決を受けた囚人らが、「治療」という名目で隔離されている

グアンタナモ米軍基地(キャンプ・デルタ・ワン)

キューバにあるアメリカ南方軍の基地で、グアンタナモ湾収容キャンプが設置されている。アフガニスタンやイラクで、テロ行為に関わったとされる人物らが監禁・拘束中

そして、本物のマッドサイエンティストに本当に必要なものは、科学力よりも政治力だという現実を突きつけています。世界を支配できるほどの秘密結社や武装集団を作るのに必要なものは、科学力よりも政治力なのかもしれません…。

2021年時点では、教育センターに入っている1人につき年間275,000ドル（約3,124万円）がマサチューセッツ州の税金から支払われています。そして、同年に創立50周年となり、2023年現在も絶賛営業中です。アメリカにおいて「コーリンガ州立病院」や「グアンタナモ米軍基地」のような人権保障の及ばない人間を死ぬまで閉じ込めておく施設の需要は高く、そうした非人道的な施設を無理やりにでも合法化して運営することは大きな利益になっている闇の面があります。

アメリカ人はこれからも、狂気の楽園を必要とするのでしょうか？

Memo:	
	●ジェフリー・サンチェス マサチューセッツ州議員　https://en.wikipedia.org/wiki/Jeffrey_Sanchez_(politician)
	●ブライアン・オーガスティン・ジョイス州議員　https://en.wikipedia.org/wiki/Brian_A._Joyce
	●Wikipedia

Appendices
[巻末付録]
Best Buy

料理を科学でハックせよ!

最強の食品添加物

料理＝科学。科学の知識とちょっとしたテクニックがあれば、料理に本格的な味や風味を付け加えられる。そんな最強のアイテムは、ネット通販などで簡単に入手可能だ。

text by くられ

アスコルビン酸

この本の読者の多くは、既に購入済みであろう食品添加物。ビタミンCとしても知られる酸味料で、ネットで「アスコルビン酸 1kg」などで検索すると食品添加物用のものが見つかります。普段のジュース作りに添加したり、レモンティーのレモン代わりに一つまみ入れたり、また煮込み料理の隠し味にすると、油切れと口当たりが良くなります。

L-酒石酸

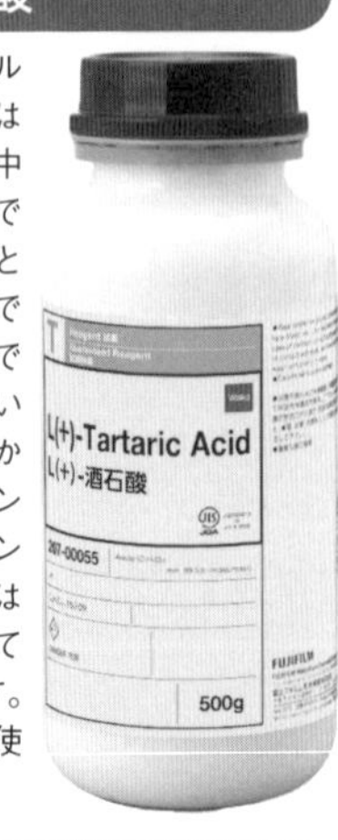

L-酒石酸もクエン酸やアスコルビン酸と同じ有機酸の一つではあるものの、こうした有機酸の中では最も高価。50g入りの小瓶で1,000円するものもあります。とはいえ、500gで2,000円程度で買えるものもあるので、そこまでハードルは高くありません。使い方は、しょうゆにほんの少し溶かしてポン酢にしたり、市販のポン酢しょうゆに少量足すだけでワンランク上のポン酢の味に。これは瓶を開けた時に一つまみ入れておくだけなので本当に手軽です。また、ジャムの酸味付けなどに使うと絶品になります。

香料／着色料

香料は用途別にさまざまな種類がありますが、意外と使用期限が短く、買い集めても出番がない…ということも。着色料は使用期限は長いものの、台所でこぼすとそこら中を色素で汚染するので、軽く濡らしたキッチンペーパーの上でフタを開け、閉める時もペーパーごしに触ること。軽く湿らせたペーパーでよく瓶の周りを拭き取り、飛び散るのを防ぎましょう。

改質デンプン

改質デンプンは各メーカーからさまざまな品質の商品が売られていますが、正直どれを使っても同じ。デンプン類には冷めても水分を手放しにくくする補助剤としての働きがあり、水溶き片栗粉を作る際に10%程度入れるだけで、あんの分解速度が変化し、時間が経ってもとろとろのままになります。同じ理屈で、ご飯に混ぜれば冷めてもモチモチになりますが、分量を間違えるとおいしくないので研究は必要です。

Memo: 画像参照
●富士フィルム和光純薬　https://labchem-wako.fujifilm.com/jp/
●日新製糖　https://www.nissin-sugar.co.jp/

ミック

化学調味料といえばグルタミン酸の「味の素」が有名で、次いで「ハイミー」などもスーパーでよく売られています。ハイミーでも十分ではありますが、和食を想定して配合されているので、煮込みや中華、イタリアンとなると少し力不足。そこで、洋食には業務用調味料「ミック」が便利です。「調味料 ミック」で検索すれば販売サイトを見つけられます。使い方は味の素と同じで、料理の最後の方に味を調えるように入れるだけ。ミックは海産由来のうま味成分を多く配合しているので、特にブイヤベースやコンソメなどとの相性が抜群です。

果糖

ザ・高い砂糖…といえる果糖。通常の砂糖（上白糖）が、1kg入りで150円程度なのに対し、100%果糖となると、なんと1袋600円以上。かなり高額の砂糖です。しかし、変な高級砂糖を買うより、この果糖だけを砂糖とは別に調味料入れに常備しておき、使い分けるようにすると、料理の甘さのキレが全く変わってきます。果糖のみでかなりシャープな甘みになり、食べ物の自然な甘さを際立たせる際に便利。また、その名の通り果物との相性が良いので、ジャムを作る時に使うと、ちょっとマネできない本格的な味になります。

グリシン

最近は「快眠サプリ」などとして売られていますが、中身は単純構造のアミノ酸。砂糖の半分程度の優しい甘みで、料理に加えるだけで劇的なおいしさアップを図れる使い勝手の良い調味料です。お米を炊く際、3合につき大さじ1杯程度入れると、米本来の甘みが出ているような炊き上がりになる上、制菌効果もあり夏場は傷みにくくなるというメリットも。肉系の煮込み料理との相性が良く、砂糖や塩と同じくらいのレベルで常備しておきましょう。カロリーも誤差の範囲です。

トランスグルタミナーゼ

タンパク質の中のグルタミン酸をつなげる酵素で、生肉を結着するための上級者向け添加物。スーパーのサイコロステーキは、挽肉をこうした結着剤で融合したもので、火を通してもなかなか崩れないスグレモノであり、あの加工を自宅でできるようになります。ただし、肉同士をくっ付ける酵素なので、誤って粉塵を吸い込んだり、目に入ったりすると自分もくっ付いてしまうため、使用時は保護マスクやゴーグルの装着が必須。熱を加えると無害化しますが、扱い方は熟知しておく必要があります。

●Amazon　https://www.amazon.co.jp/
●アスクル　https://www.askul.co.jp/

機械工作に役立つアイテムを手軽に入手！

ダイソー&MonotaRO ベストバイ

工作や実験で使える素材やツールは、身近なお店で手軽に買えるものも多い。ここでは、ダイソーとMonotaROで入手できる必携アイテムをピックアップした。ぜひお試しあれ！

text by POKA

ダイソー エポキシ2液混合タイプ強力接着

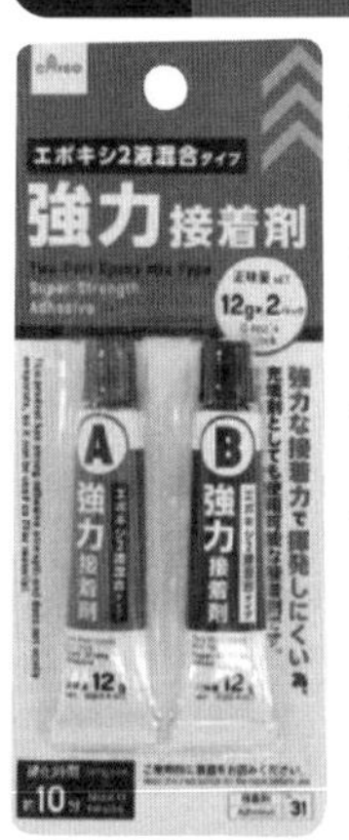

15分ほどで固まる、使い勝手の良い2液混合タイプの接着剤。有名メーカーに劣らない品質で、コスパも良好です。110円と非常に安価なので1回で使い切ってしまうのがベターでしょう。というのも、エポキシ接着剤は最適な混合比率の時に最大のパフォーマンスとなるので、1度に全量使い切ってしまう方が混合ミスが起こりにくいのです。

実勢価格110円

ダイソー 充電式扇風機

この手の小型充電式ハンディ扇風機は各種ありますが、基本的に内部には18650というリチウムポリマーバッテリーが内蔵。ハイパワーな充電式バッテリーで、LEDライトや電子タバコなどのパワーソースとして好んで使われています。ダイソーで手軽に入手できるので、工作物の電源として18650が欲しくなった際に、このミニ扇風機から取り出すのもアリでしょう。

実勢価格550円

ダイソー ボンド プラスチック用GPクリヤー

「ボンド」のメーカーであるコニシのOEMと思われるプラスチック用接着剤。接着が難しいポリプロピレンに使えるのがウリで、カチカチに固まるタイプではなくゴム弾性を持っています。

実勢価格110円

ダイソー 液晶保護ガラス

スマートフォン向けのガラスフィルムも、ダイソーで110円で安価に調達可能。各種窓材や簡易な平面が欲しい時に重宝します。表面がガラスで清浄なので、接着剤や薬品の調整などコンタミを嫌う用途に最適です。

実勢価格110円

ダイソー 着火剤（バーベキュー用／ジェルタイプ）

メタノールが主成分の着火剤。メタノールの燃焼は無色に近く見えにくいため、炎色反応の実験などに応用可能です。一方、毒性が強いので取り扱いは慎重に行う必要があります。

実勢価格110円

ダイソー 耐熱ガラスボウル

耐熱ガラス製のボウルも110円で購入可能です。耐熱なので、薬品を温めるなど簡易的な実験器具としていろいろと使えます。

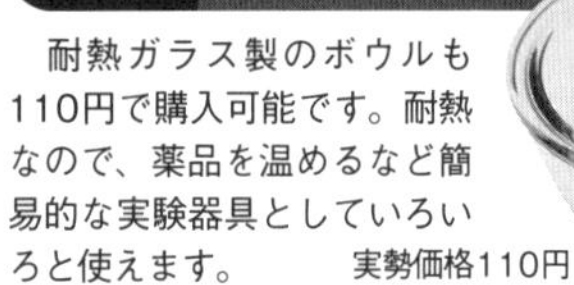

実勢価格110円

Memo: 画像参照
●ダイソー https://jp.daisonet.com/
●MonotaRO https://www.monotaro.com/

ダイソー　ネオナイス500mL

酸性洗剤の主成分は、塩酸・クエン酸・シュウ酸。塩酸が主成分のものは特に強力で、「サンポール」「ネオナイス」などが定番商品です。そのネオナイスなら、ダイソーで500mLボトルが調達できます。

実勢価格110円

ダイソー　ハイカーボン入ヘラ

炭素繊維が練り込まれた高強度のヘラ。先端部分も同じ素材なので、強度が必要な部品の補足パーツとして利用可能です。

実勢価格110円

MonotaRO　タッピングスプレー

ドリル加工やネジ切加工に必須の潤滑剤。ステンレスなどの硬い金属を切削加工する際には、なくてはならない必需品です。スプレータイプなので使いやすく、MonotaROオリジナルのPBは安価です。金ノコなどのハンドツールにも使えます。

実勢価格490円

MonotaRO　ガンクリーナー

本来の用途は塗料の洗浄剤ですが、安価な溶剤として便利です。主成分はジクロロメタンで、溶解性は非常に強力。加えて速乾性もあるので、油落としのほかに抽出などの化学実験にも利用できます。

実勢価格3,990円（4kg）

MonotaRO　ウィンドウォッシャー液

本来はクルマのフロントガラスに使う汚れ落としですが、安価な洗浄液として利用可能です。一般的な家庭用の中性洗剤とは異なり、香料や手の保護成分など洗浄成分と無関係な成分を含まないのがポイント。2Lで300円程度とかなり安価なので、じゃぶじゃぶ使えます。

実勢価格269円（2L）

MonotaRO　イソプロピルアルコール

クルマの燃料タンクに入った水を、ガソリンと混和させて除去するケミカルです。主成分はイソプロピルアルコール。プリント基板などのハンダ付けの際に併用する、フラックスの薄め液として使えます。また、基板上のフラックスを溶解して洗浄する洗浄液としても便利です。

実勢価格149円（180mL）

MonotaRO　アラミド手袋

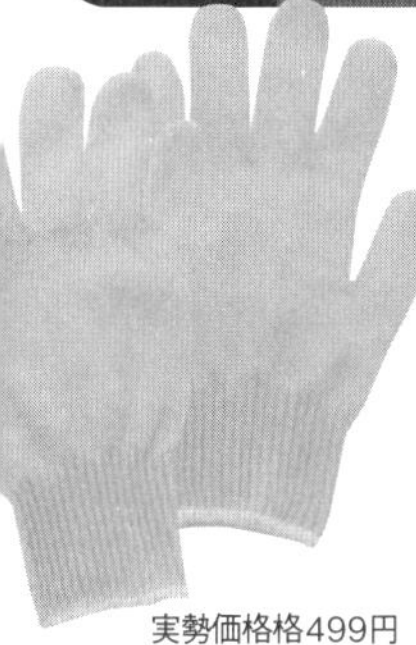

アラミド繊維により作られた高機能な軍手で、他の化学繊維と比べて非常に強靭なのが特長。特に刃物に対する耐久性が強く、端面の鋭い板金作業などに使われます。耐熱性も高く、溶接など一般的な軍手では溶けてしまうような高温を伴う作業にも対応可能。繊維自体は溶けるのではなく炭化するため、溶けた繊維が張り付いて工作物を汚すこともありません。

実勢価格格499円

MonotaRO　カラーガード

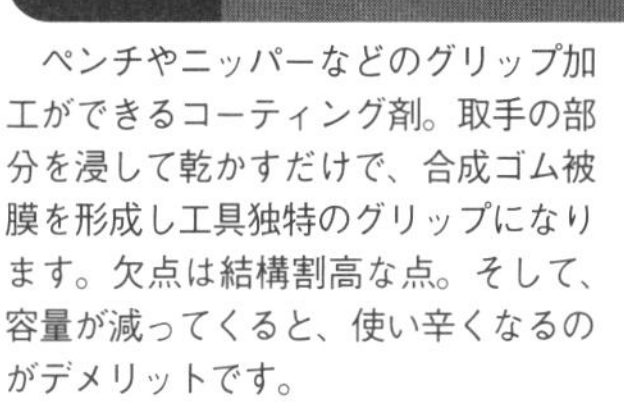

ペンチやニッパーなどのグリップ加工ができるコーティング剤。取手の部分を浸して乾かすだけで、合成ゴム被膜を形成し工具独特のグリップになります。欠点は結構割高な点。そして、容量が減ってくると、使い辛くなるのがデメリットです。

実勢価格4,690円(428.7mL)

QOLが爆上がりする持っておきたいお薬＋α

私的常備薬ベストバイ

体質や持病は人それぞれなので、全人類に向けて常備薬をオススメするのは難しい…。そこで、ここでは私がQOLを上げるために使っている個人的なベストバイをご紹介！

text by 淡島りりか

ロキソニン

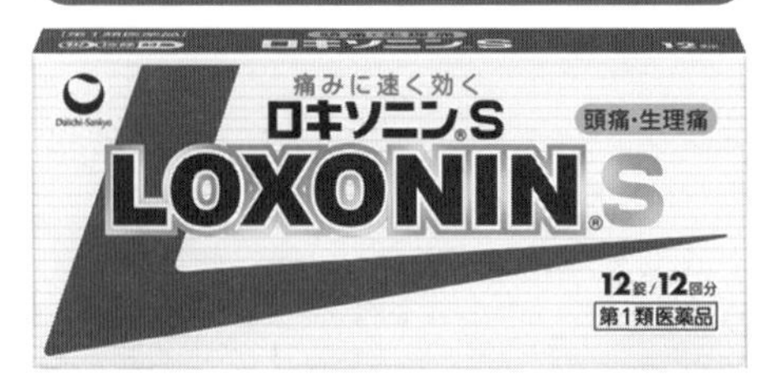

ロキソニン/ロキソプロフェンは、比較的胃腸障害が出にくく（胃粘膜透過活性が他より弱く粘膜細胞へのダメージが少ない）、血栓症のリスクも少ない（COX-2を選択的に阻害しない）解熱鎮痛薬。30分程度で効いてくれる上、日本の第一三共製ということもあり国内では他の追随を許さないほど広く使われている。私も痛みを我慢したくないので、常時持ち歩いているよ。

マーベロン（ピル）

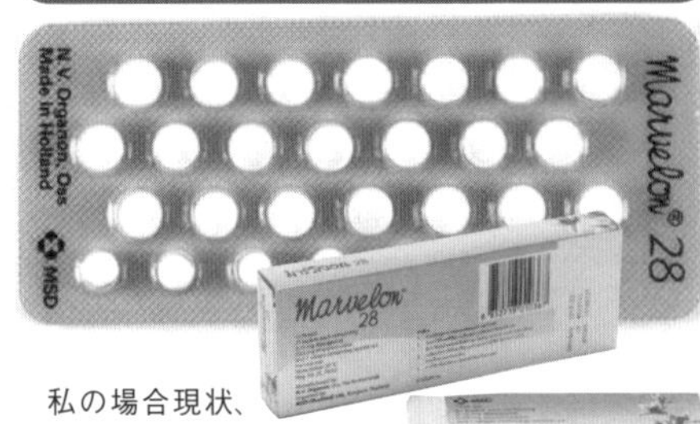

私の場合現状、これを連続服用することで月経（というか出血）を3か月に1回に減らせている。出血量も減るし、ニキビも減るし、気分も安定するし、傾眠も軽減する。食欲が爆発することもなくなり、ただただQOLが上がる。詳細は『アリエナイ理科ノ大事典Ⅱ』を参照。

トラフルダイレクト

口内炎ができた時、歯医者に行ける場合は大体サホライド/フッ化ジアンミン銀で焼き払ってもらうが、時間がない時は諦めて市販薬を使う。塗り薬は滞在時間が短いので、シール状の貼り薬をチョイス。お気に入りは、この「トラフルダイレクト」。競合品の「アフタッチA」という貼る錠剤に比べて面積も広い上に、薄くて貼りやすい。

ザ・ガード

お腹が張った時のために常備しているのが、ジメチコンが入った整腸剤。ジメチコンはシリコーン系消泡剤の一種で、消化管内にガスが溜まる症状を解消してくれる。ジメチコン単体では「ガスコン」という医療用医薬品があるが、「ザ・ガード」にはジメチコン以外に整腸剤らしく乳酸菌、ビフィズス菌、納豆菌などの各種菌、さらに制酸剤や各種健胃生薬が入っており、これを飲んでおけばお腹の不愉快な症状は大体改善する。

Memo: 画像参照
●第一三共ヘルスケア　https://www.daiichisankyo-hc.co.jp/
●興和　https://hc.kowa.co.jp/

五苓散（&メディキュット）

ロングフライトでは確実に脚が浮腫むので、機内では「五苓散」と着圧ソックスが必須。五苓散は体内の水の透過性を調整してくれる漢方で、血中の電解質濃度に影響を与えずにむくんでいる場合は水分を移動させて尿として排出し、脱水してる場合は水分を留める。どうもアクアポリンを阻害することで効果を発現させているらしいけど、詳しい作用機序は不明。二日酔いにも効果的といわれていて、溜め込まれた水分を二日酔いの原因物質とともに排出してくれるので、yasuさんがお酒を飲む前に服用しているのをよく見かける。「メディキュット」などの着圧ソックスはさまざまなタイプがあるが、脱ぎたくなった時にすぐ脱げる太もも丈の夜用のものを愛用している。

タンパク質・食物繊維

タンパク質と食物繊維は、いつもの食事で必要量を摂るのなかなか難しいので日常的に粉で補っている。プロテインは、就寝前に飲むと翌朝の体の軽さが顕著に変わるので面白い。人間の体は摂取したもので構成されていて、やはり建材不足の状況は良くない。同様にビタミンを摂ってるのに口内炎が治らない時も、プロテインを飲むと早く治る気がする。

ニベアクリーム

お薬業界では、保湿剤はヒルドイド信者とニベア信者が多い印象だけど、私はニベア派。顔面含め頭の先から尻尾の先？まで全身「ニベアクリーム」で保湿してる。匂いも良いし大体どこの国でも入手可能だし、コスパ最強でためらいなくいっぱい使えるし、本当に素晴らしい。家の至る所に大缶を置いてる。

京都念慈菴シリーズ

台湾の定番土産であるのど飴＆シロップのシリーズ。最悪なコンディションの喉でも生き返らせることができる最強の謎配合。以前、台湾で喉が死んでた時に台北在住の従妹にもらったところ、すこぶる調子が良くなったので大量購入した。台湾の医薬品の区分はよく知らないが、現地ではコンビニやスーパーでも普通に買えるので、ジャンルは恐らく食品なんだと思う。日本でも台湾系グローサリーストアとか、時々カルディにもある。フレーバーはレモングラスやタンジェリンレモンなどがあり、原味（プレーン）はドクターペッパーのチェリーみたいな味。のど飴の配合生薬は枇杷葉、金銀花、桔梗、甘草。シロップの配合生薬は枇杷葉、陳皮、金銀花、魚腥草、紫蘇葉、羅漢果、桔梗、玉竹、乾姜、甘草。ちなみに、京都念慈菴は香港で創業したのど飴や咳止めシロップの会社で、日本の京都ではなく、皇帝の住む世界の中心地「京」の都のこと。「念慈菴」はこの処方を受け継いだ人のお母さんの名前だそう。

Bootsの尿素バーム

ずっと10㎝近いハイヒール履いてると、オーダーメイドとはいえ力のかかる部分の皮膚がタコみたいに角化しがち。そこで英国の老舗ドラッグストアBootsのPBである「Cracked Heel Balm」という尿素バームを愛用してる。日本の保湿剤は尿素が入っていても20％程度でクリームタイプがほとんどだけど、これは尿素25％含有でベースがラノリン。風呂上がりにしっかり塗って靴下を履くのが日課。ちなみに現在のパッケージは、写真のデザインと少し変わっている。

ネット通販で手軽に研究室を構築できる

厳選！ 自宅ラボグッズ

一から本格的な研究機材を揃えようとすると、それぞれはお金がかかるもの。しかし、ネット通販で買える手頃な代替品を駆使すれば、安価に研究環境を整えられる。

text by レイユール

スターラー 実勢価格5,580円

スターラー(マグネチックスターラー)とは磁力を使って溶液を攪拌する装置です。化学の実験室では、もはや必須といえるほど便利な装置ですが、元々は科学機材メーカーしか製造しておらず、価格もかなり高価。しかし、最近は中国をはじめさまざまなメーカーが同様の装置を作り価格が下がってきました。さらに、電池式のポータブルタイプや、攪拌と同時に加熱もできる「ホットスターラー」もあるので、実験の用途に合った製品を選べます。なお、攪拌に使う攪拌子というパーツもセットで必要なので、付属しない場合は別途用意しましょう。

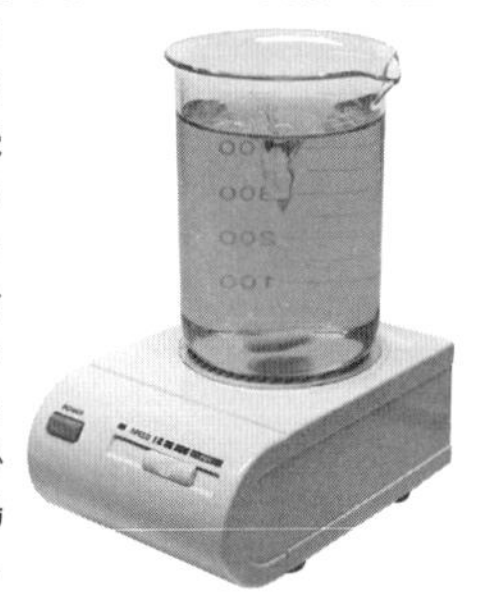

電気鍋 実勢価格2,300円

可燃性の物質を扱う有機化学の実験室では、直火による加熱がNGなので、「オイルバス」や「ウォーターバス」という装置で加熱を行います。専用装置は温度を正確に制御できる利点がある一方、お高いです…。そこで、ほぼ同様の機能を備える調理用の電気鍋の出番。量産されていることもあり、お手頃価格で入手可能です。温度制御は実験用のウォーターバスに比べると簡易的ですが、温度計を併用すれば十分使えます。

ウォーターバス

ラボジャッキ 実勢価格1,240円

実験装置を組み立てると、どうしても高さが合わない部分が出てきます。そういった時に便利なのが「ラボジャッキ」で、自由に高さを変えられる道具です。ハンドルで細かな高さ調節が可能で、装置を水平にセットしたり、途中で高さを変更したりと、さまざまな場面で活躍します。本体は金属製が多く、耐熱性にも優れている上、ステンレスやサビ止めの塗装が施されているものは多少腐食性ガスがある環境でも長持ちします。

インジェクター 実勢価格330円

「インジェクター」という名前で、接着剤やインクの移し替え用の針付き注射器（シリンジ）が売られています。針付きではあるものの、その先端は平らで医療用の注射針のように人に刺さるような構造ではないため、一般販売が可能になっているようです。実験室では突き刺して使うことはあまりないので、先端が平らでも問題ありません。注射器ごと重さを測れば、注入した溶液の重さを正確に測定できます。ただし、針はステンレス製が多いので塩酸など腐食性の薬品を入れる場合は1回しか使えません。

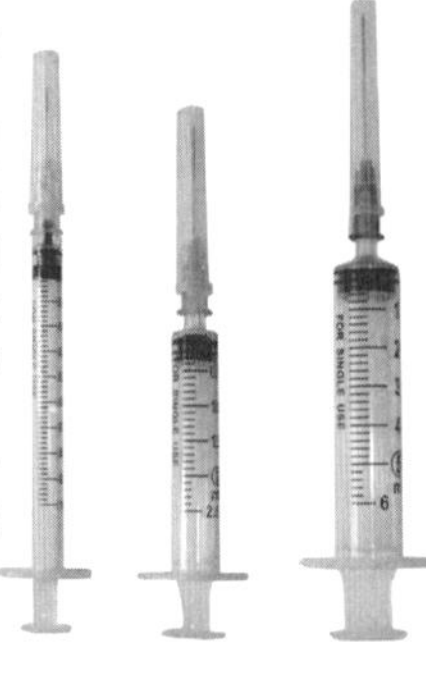

Memo: 入手先・画像参照

●Amazon　https://www.amazon.co.jp/

●アズワン　https://www.as-1.co.jp/

スケール　実勢価格2,900円

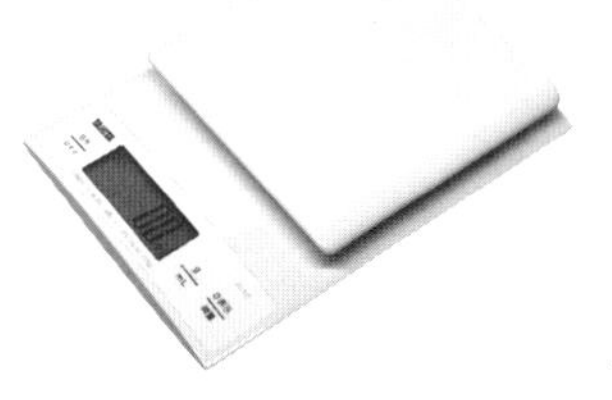

化学では重さを正確に測定する必要があります。おうちラボ初心者はここを蔑ろにしがちなので、まずは最低限の0.1g単位で測れるキッチンスケールを用意しましょう。いずれ0.01gや0.001g単位の電子天秤が欲しくなりますが、これらは高価な上、水平を出す「定盤」や校正を行うための「精密分銅」が必要になるなど、導入のハードルは高め。とりあえずは性能の良いキッチンスケールを使い、スキルと予算に合わせてグレードアップを検討していきましょう。

細管ブラシセット　実勢価格600円

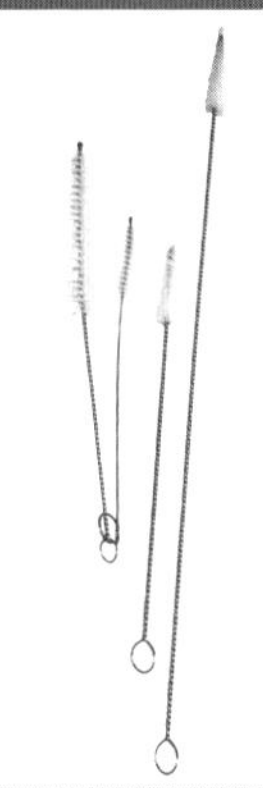

実験器具は細い管状のものも多く、これら洗浄する際に便利なのが細管用のブラシセットです。管の径に合わせて最低4種類程度は用意しておきましょう。毛の種類も多様にあり、豚毛やヤギ毛のものが使いやすいです。ただ、動物の毛を使ったブラシは塩基には弱いので薬品を使って器具を洗う際にはナイロン製がベターです。真鍮やステンレス製の毛は、器具を傷付けてしまうことがあるのでオススメしません。使用する実験器具の素材や大きさに合わせて、最適なものを選びましょう。

ヘリウムガス　実勢価格6,480円

アルカリ金属など、酸素・水分に影響を受けるような物質を扱う際には、フラスコの中を不活性ガスで満たす必要があります。実験室ではアルゴン・窒素・炭酸ガスなどをよく使いますが、これらを大型ボンベで用意すると保管場所も考慮する必要があり、値も張ります。大量に使用しないのであれば、風船用のヘリウムガスで代替可能です。100Lもあればしばらくは使えますし、大型ボンベに比べれば場所も取りません。また、1回分であれば缶タイプでも十分。ただし、変声用ガスは酸素が混ざっているので使えません。

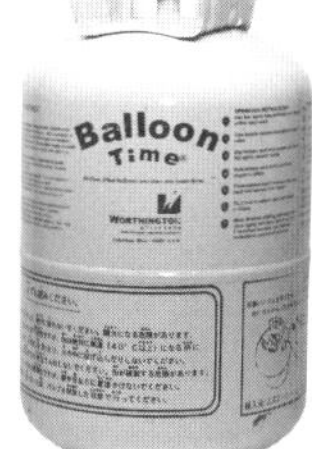

工業用精製水　実勢価格2,700円

実験に水道水を使うことは少なく、基本的には「純水」「精製水」「蒸留水」を使います。溶液を作る際はもちろん、器具のすすぎなどにも純水を使うので、ドラッグストアなどに売っている500mLサイズではコストがかかってしまうのです。ある程度実験をするのであれば、工業用の精製水を20Lサイズで買ってしまうのがベター。一般的な工業用精製水は、水道水をイオン交換樹脂の詰まったカートリッジでイオンを除去したもので、純度は超純水には及ばないものの、ほぼ実験に支障のないレベルです。

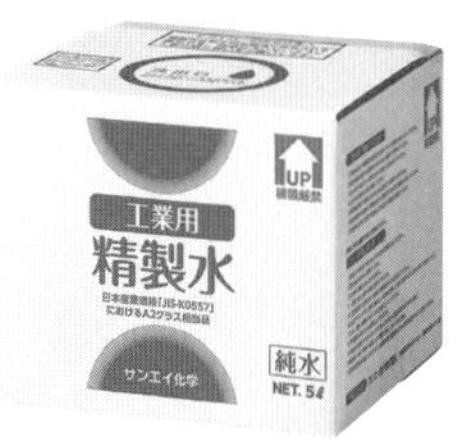

防毒マスク　実勢価格21,100円

実験中に停電などが発生すれば、ドラフトチャンバーなどの排気装置が停止して有毒ガスが流出してくることもあります。そうした非常時の対策として、「防毒マスク」を1つ用意しておくと安心です。有毒ガスが発生しない実験でも、酢酸などニオイの強い物質を扱う際に有効。有機系のガスなら、塗装用のものでもかなり防げますが、塩素や二酸化硫黄など酸性のガスには酸性ガス用の吸収缶が必要です。有害な粉塵から守ってくれる「防塵マスク」も、併せて導入を検討しましょう。

ロング手袋　実勢価格1,600円

一般的に実験室では使い捨てタイプの手袋を使いますが、毒性や腐食性が高い成分を扱う場合には、厚手で丈夫な手袋が必須。さらに液ハネの心配もあるので、選ぶならロングタイプが安心です。材質は「天然ゴム」「ニトリルゴム」などがあり、天然ゴムはさまざまな薬品に耐性がある一方、1度使うと侵されてしまうことが多く耐久性には難あり。ニトリルゴムは一部の有機溶媒は透過してしまうものの、無機化合物には非常に強く、また丈夫なので穴があきにくいという利点があります。使う薬品や用途に応じて選びましょう。

自宅でキャノン開発するための必携道具

流体機械工作用ツール

エグゾーストキャノンやエグゾーストパイルバンカーといった機械加工には、さまざまな工具や工作機械が必要になる。そんな流体機械開発をサポートする各種ツールを紹介しよう。 text by yasu

旋盤

対象物をチャッキング（固定）して回転させ、そこにバイトと呼ばれる刃物を押し当てて加工する工作機械。流体機械にはシリンダー・ピストン・Oリング溝といった円形形状が頻出しますが、手動のフライス盤やボール盤ではこのような円形加工はできません。旋盤はこうした加工を自由自在にこなす唯一無二の工作機械なのです。「卓上旋盤」と呼ばれる小型の旋盤は、100Vで駆動し、大人1人でギリギリ持てる重量ながら、最大φ80程度の丸棒を自在に加工できます。ただし、小型ゆえ汎用機と比較するとパワーや剛性は劣るほか、被削材はアルミ合金や銅合金など切削性の高い素材に限られます。加工にも時間を要しますが、小さくても旋盤は旋盤。携行型の流体機械を開発するには十分な性能です。価格は新品で10万円台と高価であるものの、最終的に入手することになるツールでしょう。

3Dプリンター

開発環境に革命をもたらしたのが3Dプリンターです。独自の「耐圧3Dプリントの技法」により、水や圧縮空気でもリークしない樹脂部品を簡単に作れるようになりました（『アリエナイ工作事典』参照）。従来、旋盤や後述の割出台で加工していた部品を一発で出力できる上、内径Oリングや複雑な内部流路など、通常では製造が難しい形状を簡単に作れるため、設計の自由度が飛躍的に向上。機械加工品に比べて精度は劣るものの、必要に応じて旋盤などで追加加工してやればOK。鋳造と同じ設計マインドが適用できます。オススメは、ダイレクトエクストルーダを搭載したパワフルなモデル。

Prusa i3Mk3s+

実勢価格12万円

Memo:

割出台

エグゾーストキャノンには、円筒部品の周方向に等間隔に穴やネジ穴を設ける加工が頻出します。それを担うのが割出台とフライス盤のコンビ。割出台は被削材を回転するチャックに固定した上で、さらにその角度を15°単位で調整できるのが特徴です。例えば、等間隔に6か所穴をあけたい場合は60°ずつ回転させて加工すれば、簡単に高精度な穴あけが可能。地味ですが､非常に重要なツールです。価格は、中古なら5万円以下で手に入ります。

バリ取りツールセット

加工後のバリ取りに特化したツール。先端工具を取り替えることで、さまざまなシチュエーションのバリを簡単に除去できます。パイプの内径やドリル穴に加え、φ18までのパイプ外周部のバリ取りも可能。バリ厳禁な流体機械においては、機械加工と常にセットで使用する必須ツールです。

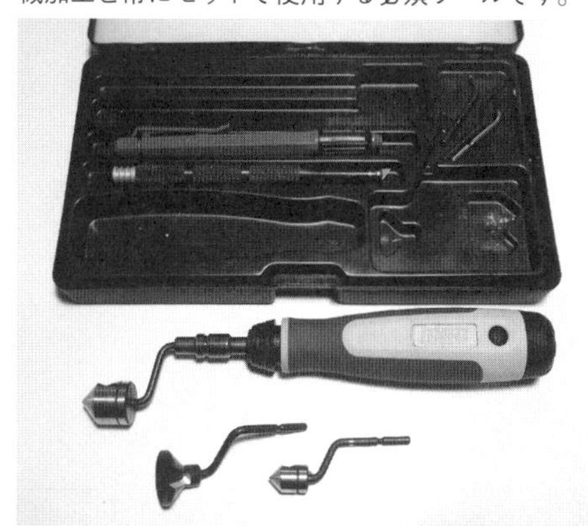

バンドソー

地味ながら必要性が高いのがバンドソーです。パイプや丸棒など、棒状の素材を高精度に切断することに特化した工作機械で、環状のノコ歯を回転させて素材を丁寧に切断できます。対象とする材質は金属・木材・プラスチックなど何でもOKで、1度使えば弓ノコや高速切断機には戻れません。旋盤とセットで用いられることが多く、長い素材をバンドソーでカットし、旋盤にチャックして加工という段取りが一般的。人気の機械で、中古でも5万円以上はします。

管用スパイラルタップ

配管部品を固定する管用雌ネジを加工するためのタップ。切り粉を排出しやすいという理由で、私はスパイラルタップを愛用しています。流体に用いる管用ネジには､PT（テーパーネジ）とPS（ストレートネジ）があり、雄ネジ側がPTであれば、どちらも漏洩なく適応可能。PSは浅い止まり穴にネジを切れるので、設計の自由度が増します。PSの1/8、1/4、3/8のスパイラルタップを揃えておけば、大抵の設計で困ることはありません。回転させるためには相応のパワーが必要なので、剛性のあるタップハンドルとセットで使用しましょう。

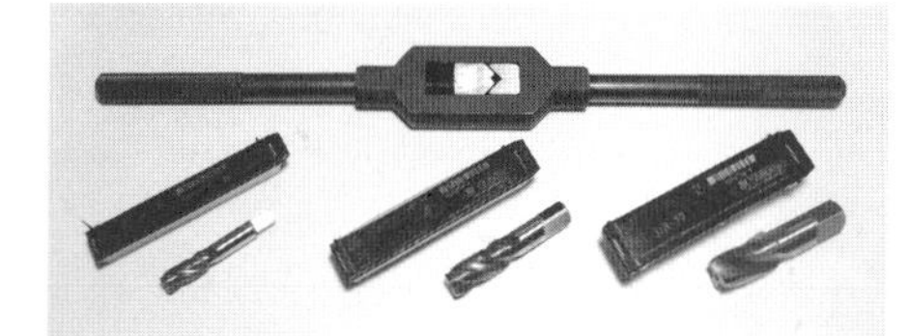

学校の教科書では得られない知る喜び

物理が楽しく学べる本

一般的に物理の勉強というと、高校の教科書をひたすら読んで公式を覚え、問題集を解いていくイメージ。それでは無機質で楽しくない。こちらを読んでみてほしい。

text by シラノ

物理学の勉強をしていると、公式や定義を覚えるのに集中してしまい、それらの公式がなぜ便利なのか、なぜそんな物理量を定義するのかについては蔑ろにしてしまいがちです。一部の学者には怒られるかもしれませんが、物理学とは本来、人間の便利さのために研究されてきた学問。どんなにややこしい物理的な概念も、実用された時の便利さの視点で見直せば理解しやすいものが多いのです。

例えば、モル（mol）という単位。いちいち「この溶液には1Lあたり6.02214076×10^{23}個のとある分子が入っていて…」なんていうのは面倒なので、「1 mol=6.02214076×10^{23}」と定義します。すると、「この溶液には1L当たり1molの分子が入っていて…」となるわけです。ほら、便利になりました。こういう話は、教科書の問題を解いているだけでは感覚が分かりません。ということで、ここでは物理学を学ぶ際に“その物理学がどう便利なのか”ということを理解しやすくするための読み物を紹介します。難易度だけでなく価格が高いも本多いので、まずは図書館で一読してみるのがオススメです。

この世界の謎を解き明かす 高校物理再入門

技術評論社　吉田伸夫著

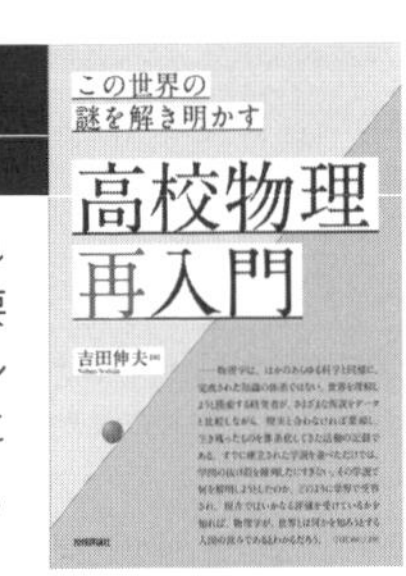

『完全独習　相対性理論』『宇宙に「終わり」はあるのか』などの名著を書かれた吉田伸夫氏による、高校物理を網羅的にまとめた本。物理学において最重要な概念であるエネルギーに主点を置き、高校物理を俯瞰している。高校レベルの電磁気学でつまづく理由は、大抵の場合が電磁気学自体というよりも力学における力学的エネルギーに対する理解不足にある。書名に「再入門」とあるが、むしろこれを入り口とすると後の理解度は格段にアップするだろう。

熱学思想の史的展開

ちくま学芸文庫　山本義隆著

磁力と重力の発見

みすず書房　山本義隆著

現在の物理学が、いかにして作られてきたかが分かる2冊。現行の体系的な教科書で物理を勉強していると、無機質な天下り的理論を感じる。しかし、物理学というものは、分かりやすく現象を説明しようとする人間の営みであり、人間の直観と合致するべきである。先人たちは誤解や失敗を繰り返し、その度に現象をどう理解してもらうかを議論してきた。この歴史を知ると、“なぜこんな考え方をするのか”が分かる。直感が少しずつ物理学的に調教されていくだろう。

Memo: 併せて読みたい各分野のオススメ教科書

- ●力学…『ファインマン物理学〈1〉力学』『過去物理学序論としての力学 (基礎物理学1)』『朝倉物理学大系 1 解析力学I』
- ●電磁気学…『電磁気学の考え方』『ファインマン物理学〈4〉電磁波と物性』『講談社基礎物理学シリーズ[電磁気学]』『理論電磁気学』『ジャクソン電磁気学』

物理学対話-古典力学から量子力学まで
エネルギーの物理学 力学、熱力学から統計力学まで

河出書房新社　砂川重信著

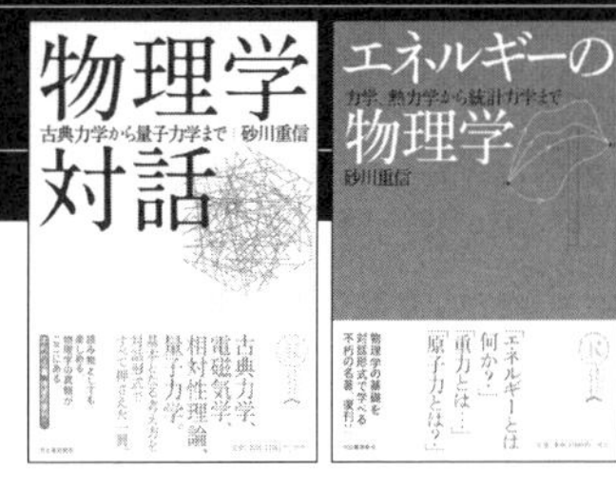

『理論電磁気学』で有名な砂川重信氏による、読み物寄りの2冊。なぜそんな物理量を考えるのかや、直観的な説明が豊富で面白い。良くも悪くも、物理学者の価値観や考え方が強く出ている内容で、物理学の考え方を知るには適している。難易度はやや高め。

ブルーバックスシリーズ

講談社

数多ある専門用語に慣れたいなら、このブルーバックスシリーズが適任といえる。本書は一般向けの読み物として刊行されているが、すべてを理解するのはかなり困難。なんとなく読むレベルでも十分で、現に今の私でも理解できない内容はざらにある（笑）。学生時代に読んで印象に残っているのは、『ゲージ場を見る』『余剰次元と逆二乗則の破れ』『超伝導の世界』『電磁波とはなにか』『二次元の世界』の5冊。これらは、私に直観的に納得できるような描像を与えてくれた。

物理の散歩道

岩波書店　ロゲルギスト著

現代でも科学書として他の追随を許さぬ名著。ロゲルギストとは、1950年代末から数十年にわたって活動した物理学者による同人グループである。定期的に集まり、物理という枠に縛られずさまざまな日常の出来事について議論し、その内容をエッセイとして発表した。それらをまとめたのが本書だ。疑問にも思わなかったような現象が、明快かつエレガントに説明されていく度、彼らへの感服が止まらない。エッセイ集なので、気軽に読めるのもGood。

高橋秀俊の物理学講義

ちくま学芸文庫　高橋秀俊著

統計力学や強誘電体の研究、パラメトロンやコンピュータの研究など幅広い分野で活躍した高橋秀俊氏。彼が日本物理学会誌で連載していた「物理学汎論」をまとめたのが本書だ。一見、内容は理論物理学っぽいが、じっくり読んでいくとむしろ工学や実験系の視点が強く、エンジニア気質の私と親和性が実に高かった。出会ったのは学生時代だったため当時は非常に難しかったが、理解したくなる魅力があり、ボロボロになるまで読み込んだ思い出の本。

物理学序論としての力学

東京大学出版会　藤原邦男著

本のはしがきに書かれた「たとえ結果的に見てその試みは失敗に終わっていようとも,力学を通じて物理学の何たるやを語ろうとした本であり…（中略）」の1文がすべてを表している。問題提起からモデルを作り、実際に実験を行って実証。そして、現象について丁寧な考察を繰り返す。まさしく、物理の面白さとはこういうところにあると気づかせてくれる。難易度は大学レベルで、試験のためだけでなく本物の物理学入門への架け橋となる良書である。

●熱力学…『よくわかる熱力学』『熱力学の基礎Ⅰ・Ⅱ(東京大学出版会)』
●統計力学…『統計力学入門 愚問からのアプローチ』『統計力学Ⅰ・Ⅱ（培風館、新物理学シリーズ）』

ゴミをお宝に変えるための知識と工具

ジャンク漁り必携工具

ジャンク漁りはライフワークの1つ。専門知識と工具があれば、元の輝きを取り戻せるからだ。分解・修理・改造に対応する、必携工具を紹介しよう。

text by Pylora Nyarogi

小型電動ドライバー 実勢価格3,200円～

近年普及してきた、一般的なドライバーと同サイズの電動ドライバー。機械を分解する際にあると非常に効率的で、1度使うと手離せなくなる。意外とトルクが強いため、プラスチックに対してのネジ締めなどは気を付けよう。また、機種によって操作感が大きく違う。ホームセンターでいくつか試してみよう。

ソルダーポット 実勢価格3,000円～

本来は配線や部品の足に予備ハンダ行うための工具だが、基板上からスルーホール実装の部品を外すのにも役立つ。ジャンク基板からの部品取りなど、主に基板本体や小さなパーツへのダメージを気にしなくてもいい場合に使用する。熱量が大きいので、加熱のし過ぎには十分気を付けること。

電動ハンダ吸い取り器 実勢価格20,000円～

基板にダメージを与えずに部品を交換したい場合は、ハンダ吸い取り器の出番。通常のハンダ吸い取り器はバネでピストンを引っ張ってハンダを吸うが、効率や確実性を求めるなら電動がオススメだ。足の多い部品を外す際に重宝する。市販品は2万円以上と高価だが、写真のようにポンプやバッテリーを組み合わせて自作することもできる。

Memo: 入手先

●Amazon　https://www.amazon.co.jp

●AliExpress　https://ja.aliexpress.com/　など

小型ビットセット　実勢価格2,000円～

六角対辺が4mmの小型のビットセット。100種類以上入ったものでも数千円で手に入る。1セットあれば、大抵の機器をバラせる。安価なセット品の場合、ビットの精度は微妙だが、ジャンクばらし程度なら大きなトルクをかけないケースがほとんど。とりあえず分解して中身を確認したい…程度の用途には十分だ。同じ規格のビットセットは100円ショップにもあり、このハンドルが流用できる。

コードレスリューター　実勢価格2,500円～

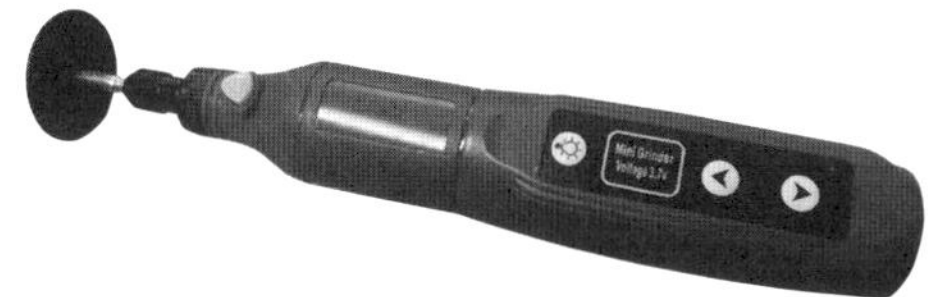

18650電池で動作する小型リューター。本体にケーブルを挿して充電するタイプが主流だが、個人的にはバッテリーを直接交換できる機種が好みだ。これならバッテリーが切れても充電を待たずに、セルを入れ替えればOK。すぐに作業を再開できる。パワーは弱いものの、プラスチックなどの柔らかい素材の加工なら問題ない。

クランプメーター　実勢価格3,000円～

回路を切らず、外から電流値を測定したい場合に用いる。購入する際は、交流・直流を測定できる機種がベストで、中国製なら3,000円台と非常にお手頃。単純に消費電力を測ったり、一次側と二次側を比較して効率を確かめたりするなど、活躍する場面は多い。

フレキシブルシャフト式リューター　実勢価格13,000円～

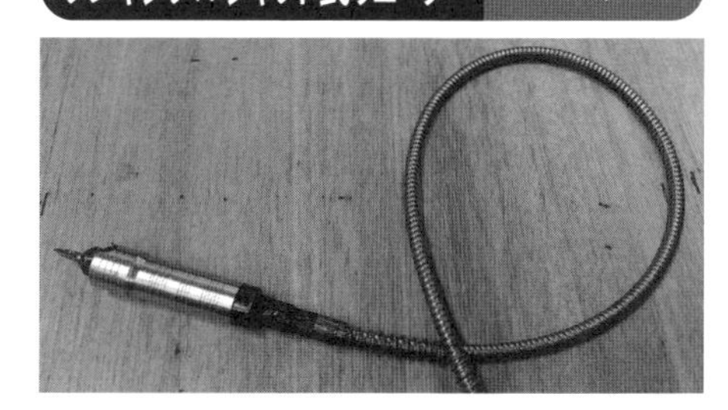

フレキシブルシャフト＋モーターのセットで使用するタイプのリューター。バッテリー式よりもパワーがあるので、金属加工に重宝する。モーターが分離しているので、手に持つ部分がコンパクトで軽いのもメリット。速度調整できるモデルを選ぶのがベターだ。

DCコネクタセット　実勢価格1,000円～

動作未確認のジャンクを入手した時に、真っ先に必要なのが電源の確保。中古機器は電源のACアダプタが付属していない場合が多いが、このセットと安定化電源があれば大抵のケースに対応可能だ。USB給電できないノートPCやデジカメを、モバイルバッテリーで動かしたい時にも使える。

ナイフ作りに欠かせない
金属加工の七つ道具

工作の素材として金属を扱えると、工作の幅がグッと広がる。ハードルが高く感じる金属加工だが、適切な道具を駆使することでその難易度は下がるのだ。

text by しろへび

インバーター式溶接機 実勢価格15,130円～

2万円以内と安価で手に入るようになった。トランス式の溶接機は10kg以上と重いが、インバーター式なら約4kgと軽くて扱いやすい。ただ、ケーブル類が短いモデルが散見されるので、必要に応じて自力で交換すれば選択肢は広がる。100VでΦ3.2mm、200VでΦ4.0mmくらいまでの溶接棒が使える。4mm厚くらいまでなら溶接できるので、アングルやチャンネルなどの形鋼メインならコレで十分。

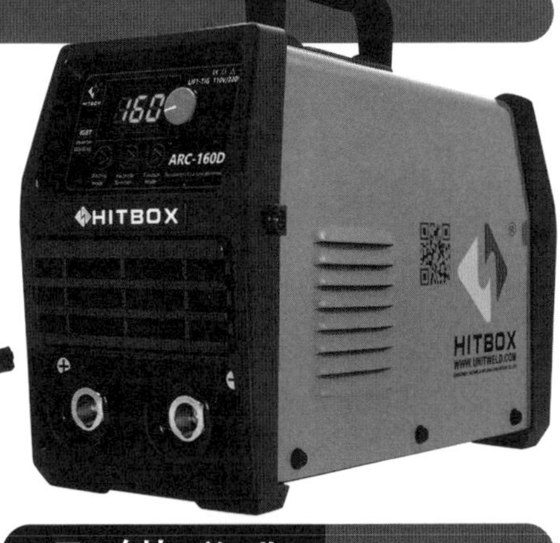

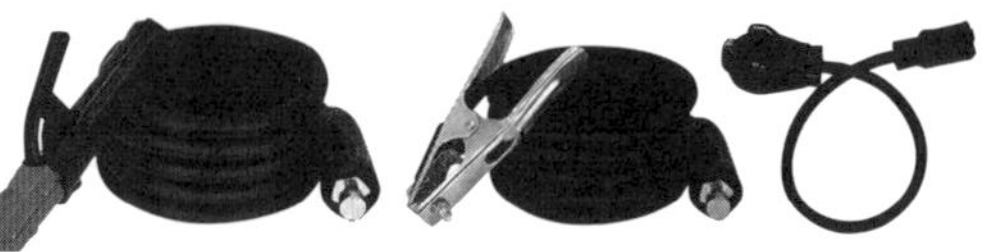

ターボラップリニア 実勢価格43,890円～

電動工具は回転工具が基本だが、平面や細い溝、奥まった部分は往復運動での研磨が必要になる。ターボラップリニアは、別途エアーコンプレッサーが必要になる工具だが、往復研磨が可能でフライス加工後のツールマークを消す時などに役立つ。製品によってストローク長が選べるので、購入時に最適なモデルをチョイスしよう。タッグを組む研磨材は、セラミックファイバーをスティック状に固めた「マイスターフィニッシュ」がいい。研磨力が強く、均一な仕上がりになる。

ロータリーツール 実勢価格18,400円～

細かい部分の研磨に使える電動工具。先端工具を取り替えることで、木工用ヤスリから金属用の切断砥石、ダイヤモンドヤスリ、穴あけ用ドリル、研磨剤付きのフェルトバフなど、幅広く使える。複数の太さのコレットがあり、多くの先端工具に対応しているのもメリットだ。本体は大きく重いため連続使用は疲れるが、パワーを考えると安価といえる。加えて丈夫なため、最初の1台としてオススメだ。長時間の研磨などが必要になったら、マイクログラインダーにステップアップしよう。

Memo: 入手先

●Amazon　https://www.amazon.co.jp/、https://www.amazon.com/

●MonotaRO　https://www.monotaro.com/

マジカット　実勢価格2,960円～

鋼材を削ってナイフを作る際、これ1本で荒削りから仕上げまでこなせる万能ヤスリ。細目・油目の工程を省略し、耐水ペーパーでの研磨に進める。メーカーはニコルソンがベストで、他メーカーの鉄工ヤスリに比べて幅広で鋭い切れ味の刃が並ぶ。弱い力でも削ることができるため、深い傷が入らないのも◎。ちなみに、裏表と側面に刃が付いており、側面の刃で不意に傷を付けてしまうことがあるため、不要ならグラインダーで削り落としてもOKだ。なお、アルミ加工用に適した、より目詰まりしにくい専用品もある。

ボール盤バイスクランプ　実勢価格3,250円～

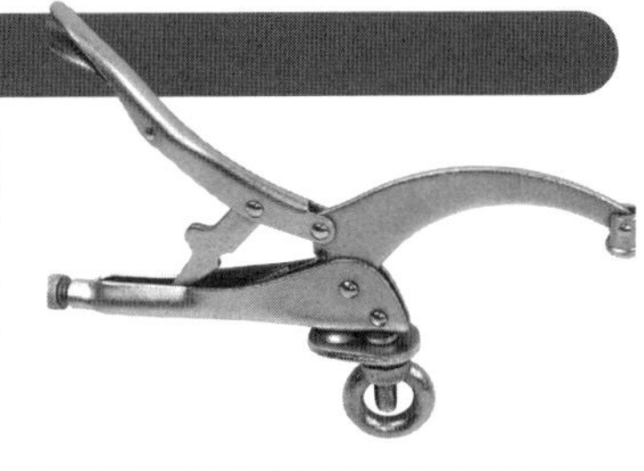

ボール盤作業の際は、ベタバイスやヤンキーバイスを使って、加工物を確実に固定するのが基本。しかし、ナイフのような薄く外形に平行部分が無いものの場合は、バイスでの固定が困難になる。ちょっとした穴あけだからと油断して素手で固定したりすると、ドリルの刃が食い込んだ拍子に加工物ごと回転して流血沙汰になってしまう。その点、バイスクランプはトグル機構を用いて下方向へ押さえつけるので、1度操作した後は手を離しても固定され続ける。リリースもワンタッチで便利だ。

気化防錆紙　実勢価格1,040円～

気化防錆剤が染み込ませてあり、シリコーンオイルとは別のアプローチでサビを防ぐ梱包資材。工具や刃物を包んでおくと、常温で気化した成分が直ちに金属表面に被膜を作りサビから保護する。防錆期間は、単に包むだけで数か月～1年。アルミ蒸着袋などの密閉容器を併用すると、さらに延びる。開封するとすぐに金属表面から揮発するため、洗浄も不要で扱いやすい。

シリコーンオイル　実勢価格3,730円～

工具や刃物などの防錆には酸素や水分を絶つ必要があり、一般的には油を塗るのが効果的。しかし、椿油など植物性の天然オイルは空気中でゆっくりと酸化し変質するため、場合によっては取り除くのがサビよりも難しくなる。一方、化学的に安定したシリコーンオイルなら、100℃以上の環境でも酸化せず安定した被膜を作り工具をサビから守ってくれる。ただし、スプレー缶タイプは使用中に結露する恐れがあり、防錆のつもりが水を吹き付けていた…なんてこともある。刃物の防錆にスプレーを使うなら、粘度100mm²/s程度がオススメだ。

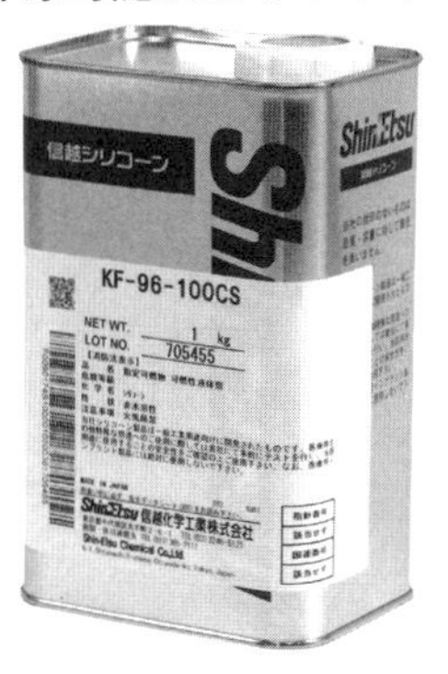

メタルロック　実勢価格960円～

市販品では最強クラスの接着剤で、特に金属同士の接着や炭素繊維強化プラスチックの接着には不可欠となる。主剤と硬化剤を目分量で同じだけ混合して貼り合わせると、5分程度で硬化が始まり、その後は約1時間で実用強度に達する。一般的な2液性のエポキシ接着剤とは違い、メタルロックはアクリル系の接着剤。混合比率の許容差が大きく、接着箇所の脱脂が不要なのも推すポイントだ。

男の工作には放電・切断・着火が不可欠!

ロマン系工作ツール7選

安全に遊べる"玩具"の製作に使用している工具やパーツを紹介しよう。特に3Dプリンターは、今や機械工作には不可欠。導入を検討してもいいのでは?

text by エメツ

3Dプリンター(熱融解積層方式)

Anycubic Mega S　実勢価格40,000円

プラスチックのフィラメントを溶かし、3Dデータを元に自動で積層して立体物を作る装置。従来の工作で行われていた、切る・削る・付けるの工程を大幅に省略することが可能で、一体成形ゆえに強度が上がるケースもある。また、複雑な形状の部品もある程度量産できるなど、機械工作にとって非常に強力なツールといえる。目的の部品を直接出力するだけでなく、高度な治具を作成して金属や木材の加工に使うなどの応用も可能。民生用の価格帯は25,000〜100,000円あたりだが、2023年2月現在は低価格化が進んでおり、50,000円以下の機種でも十分に高精度な造形が行えるようになった。私が愛用している数世代前の機種「Anycubic Mega S」は40,000円ほどで、材料も1kgあたり2,000〜3,000円と安価だ。積層ゆえの強度の異方性や造形時間などの制約もあるが、使いこなすと大きな武器になることは間違いない。機種選びのポイントとしては、造形するテーブルを温めるベッドヒーターが非搭載の機種は、造形中に出力物が反ってベッドから剥がれるなどのトラブルにつながる恐れがある。必ずベッドヒーター搭載モデルを買おう。

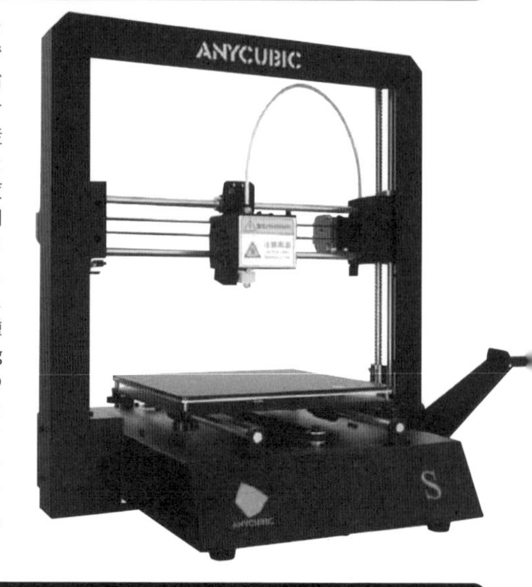

高電圧モジュール

実勢価格800円〜

手軽に空中放電が得られる高電圧発生器。小型かつ安価なのでスタンガンや殺虫器などさまざまな機械に組み込みやすい。また、ガスや油への着火源としても使える。サイズ・形状・仕様にバリエーションがあるため、用途に合ったものを選びたい。大半はリチウムイオン電池での駆動を前提に販売されているが、市販の乾電池でも十分動作する。

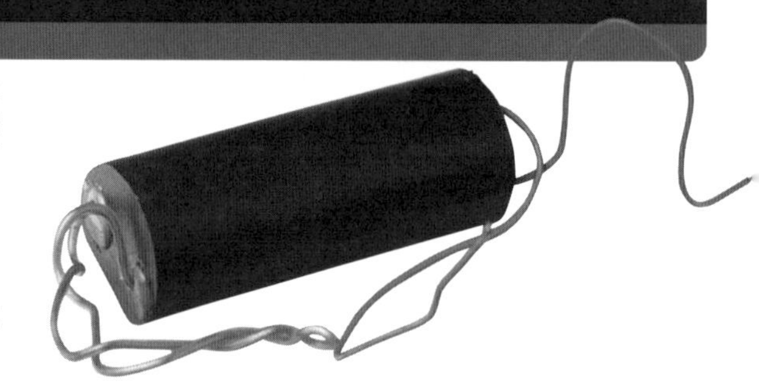

Memo: 入手先

●Amazon　https://www.amazon.co.jp

●AliExpress　https://ja.aliexpress.com/　など

アークモジュール

実勢価格300円〜

主にAliExpressで販売されている、アークライター用の放電装置。高電圧モジュールとは異なり、高温のアーク放電を発生させるため紙や木を焦がすほか、着火に至る芸当もできる。小型なのはメリットだが、電源は乾電池NG。リチウムイオン電池を使わないと、まともに動作しない上に発熱も大きい。かなりピーキー。

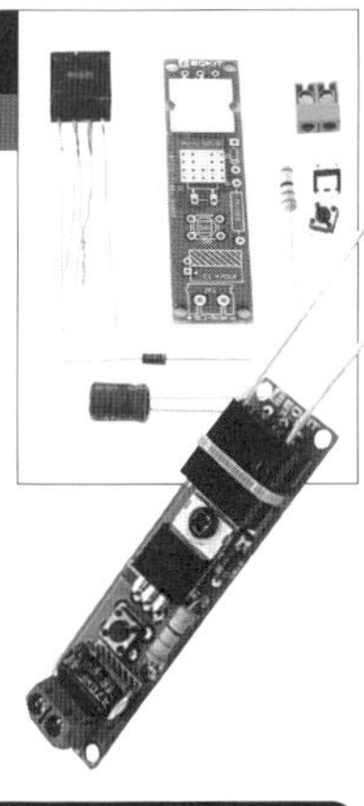

ミゼットカッター（ボルトクリッパー）

実勢価格1,100円〜

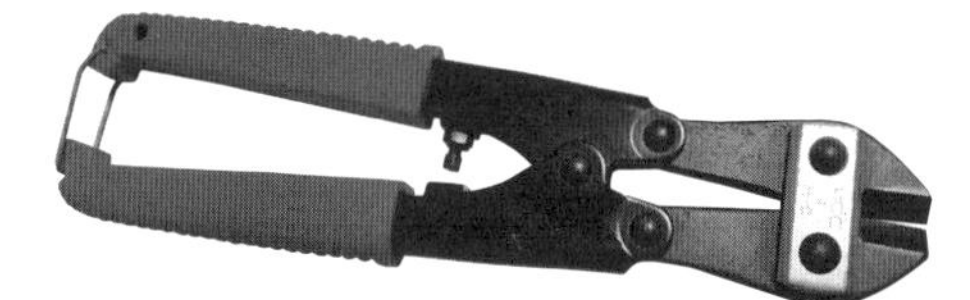

鉄線から丸棒、直径数mm程度のネジまで、ハサミ感覚で切断できる。ニッパーよりもテコが一段多いため、より楽に切ることが可能だ。適切に挟めば大抵のものは切断できるので、厄介そうな素材にはとりあえずこれで切りかかる。鉄板などもむしり切るように加工でき、1本持っておくと非常に便利。

塩ビ管カッター

実勢価格5,860円〜

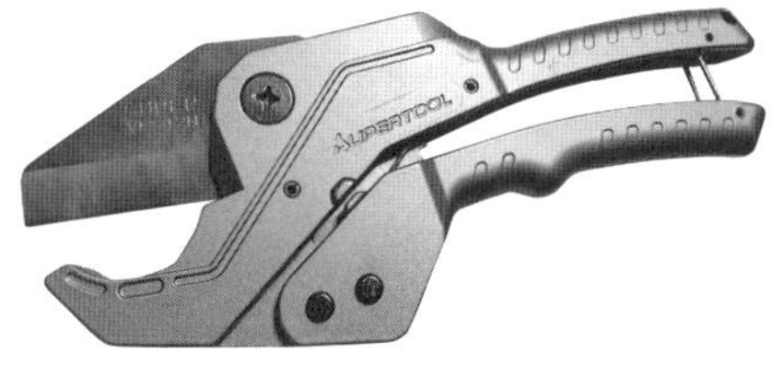

巨大な刃で塩ビ管を切断するカッター。ラチェット機構が付いているタイプを選ぶと軽い力で切断でき、切りくずや騒音も発生しない。切断面も荒れないため、丈夫な塩ビ管を切断するハードルが一気に低くなる。薄肉のVU管だと若干歪んでしまうほか、断面を垂直に切るには多少の慣れが必要だ。

ナイフ

実勢価格2,000円〜

私物の折りたたみナイフ。刃渡り約7cmで、作業場で目立つように派手な黄緑を選んだ。カセットガス缶をバラしたりしたのでコーティングがボロボロになったが、切れ味は研げば戻るので問題ない

カッターナイフではなく、刃渡り5〜8cmほどのポケットナイフを1振り持っておくといろいろと捗る。すき間に挿し込んでこじったり、ハンマーを当てて叩き切ったり、暇な時に投げて遊んだり…と、多様な使い道がある。グリップと刃が一体化した高強度な鞘入り（フィクスドナイフ）と折りたたみナイフがあるが、工作用なら折りたたみの方が圧倒的に便利で強度も十分だ。ネット通販で2,000〜3,000円の安物でもいいので、砥石と一緒に買っておこう。一見便利なノコギリ付きやタクティカルな雰囲気の角ばったナイフは、実はかなり使いにくい。作業目的では適さないので、なるべく緩やかな曲線刃のナイフを選ぼう。

100円ショップのガスボンベ

実勢価格110円

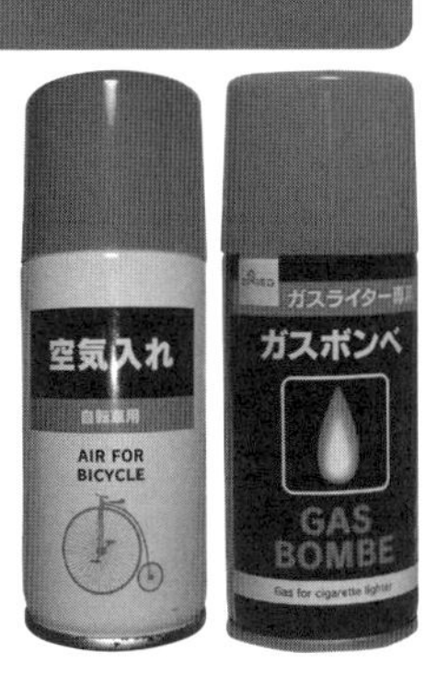

100円ショップなどで入手できる、自転車用の空気入れ。実は中身がLPGで、ロケットなどの圧力源や燃料として使うことができる。100円ショップでは同ボンベを流用したライターガスも売られており、こちらは自転車用より若干低圧のガスが充填されている模様。両者はボンベ内部の構造が違うため、自転車用はノズルを上、ライターガスはノズルを下に向けると生ガスが噴き出すという違いも覚えておきたい。

ギリギリを攻めるにはスレスレを知っておこう

工作・実験者向け法律書籍

64ページからの記事では、工作・実験ガチ勢が知っておくべき銃刀法などをダイジェストで紹介した。それ以外にも知っておくと便利な法律、知らないと損する法律がある。

text by 倫獄

法学入門

有斐閣　宍戸常寿ら編

法律の知識を身に付けるにあたり、法学という学問の全体像をつかんでおきたい。本書は正統派の入門書といえる内容で、法学の基礎を押さえつつ、グローバル化の進展やインターネットの普及など、現代的な課題を踏まえた法の状況まで広く見渡すことができる。キーワードの定義も丁寧に示されており、本書末尾の索引を法律辞書として使うことも可能だ。以降に紹介する書籍を読む前に本書からスタートすれば、法律の専門知識がなくても心配は要らない。

法学六法

信山社　池田真朗ら編

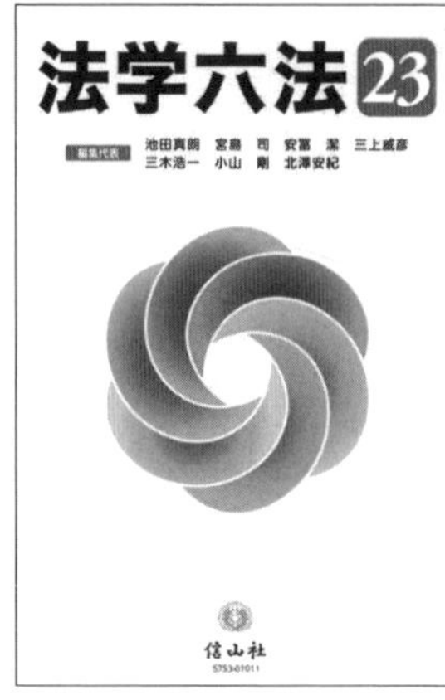

せっかく法律を勉強するなら、六法くらいは持っておきたいもの。とはいえ、カッコつけて六法全書なんて買おう日には、重たい上にかさばるばかりで持て余すのが目に見えている。そこで法学部生には、有斐閣の『ポケット六法』や、三省堂の『デイリー六法』が定番なのだが、これらはポケットとはいいつつまだちょっと重いし高い。そこで、本書が真のイチオシとなる。ポケ六やデイリーより薄く安価なのに、必要な法律はちゃんと収録されている。地味に便利。

国際私法

有斐閣　多田望ら著

工作系怪人の話を聞いていると、意外と国境を跨いだ取引が多いことに驚く。工作の材料・素材を海外から輸入したり、逆に商品を海外の顧客に販売したり、インターネットのおかげで国際取引はかなり身近になった。その反面、これを司る法はかなり複雑。トラブルが起きた際、どちらの国の法律が適用され、どのように解決するべきなのか指針を示してくれるのが国際私法だ。ここで紹介している有斐閣ストゥディアシリーズは、どの書籍も簡潔で分かりやすい。

Memo: 一部書籍は定期的に改版されているので、最新版であるかを確認してから購入しよう。また、Webにも使えるサービスがある。こちらも参考に。
- ●e-gov「法令検索」https://elaws.e-gov.go.jp　●裁判所ウェブサイト「裁判例検索」https://www.courts.go.jp
- ●判例データベース　LEX/DBインターネット　https://lex.lawlibrary.jp

インターネット法

有斐閣　松井茂記ら編

インターネットにおける表現の自由や、インターネットと刑法の関係など、諸問題を分野ごとに解説。法学の研究者からみても豪華な執筆陣で、インターネットを巡る法的な問題を網羅的に取り扱っている良書といえる。情報技術に関する法律は、改正や新しい判例の動きが著しいため、2015年の発売以降は改訂版が出ておらず、一部の情報が古くなっている点が難点だ。

契約法

有斐閣　中田裕康著

契約法といえばコレ！…といわれる信頼の1冊。専門的に法律を学ぶ人間や、弁護士などの実務家にも読まれる本で、記述のレベルは少し高めだが、契約法を巡る比較法・歴史的記述が充実している。契約法は、売買・雇用・請負・委任など、文字通りありとあらゆる「契約」を司る民法の一分野。工作だけでなくさまざまな場面で役に立つだろう。

プレップ租税法

弘文堂　佐藤英明著

租税法の教師・学生・法科大学院生などが会話をしながら、「租税法の街」を歩くというユニークな構成。各種租税の仕組みや考え方を学ぶと、税金に対するイメージは大きく変わるだろう。節税・租税回避・脱税の違いなどを理解しておくと、税金周りのトラブルリスクも大幅に減らすことができる。世間のイメージとは異なり、税金の細かい計算方法を学ぶというような学問ではないことが分かる。

基本講義 債権各論Ⅱ 不法行為法

新世社　潮見佳男著

他人の権利ないし利益を侵害してしまった場合に、真っ先に問題となるのが不法行為法。日頃触れるニュースでは、刑法の方がなじみ深いかもしれないが、刑法に触れるようなトラブルというのは、実際はなかなか発生しない。より身近な損害賠償を伴うようなトラブルに備え、不法行為法の大枠を押さえておきたい。本書は新判例も充実しており、文体・本の厚さ共に読みやすく教科書的存在だ。

逐条解説　製造物責任法

商事法務　消費者庁消費者安全課編

不法行為法は私人間の権利侵害などを問題とするが、仮に工作者が製造を業として行う「製造業者等」に該当するなら、製造物責任法（PL法）が適用されることになる。製造業者は、民法よりも高度の責任を負うことになる。この手の専門的な業法については、逐条解説系の本書が適任となる。また、所管官庁（PL法の場合は消費者庁）の公式サイトを参考にするのもいいだろう。

入門刑事手続法

有斐閣　三井誠・坂巻匡著

コインハイブ事件やWinny事件の例を挙げるまでもなく、捜査機関に不当に目を付けられてしまうリスクは、どんなに気を付けていてもゼロにはできない。そんな時、一般的な刑事手続の流れや基本原則を押さえておくだけで、余計な心配をしなくて済むし、その都度適切な行動を取ることが可能になる。本書は、統計資料や刑事手続において実際に使用される書類が収録されており、刑事手続の一連の流れを把握できる。

Afterword | あとがき

コン、コン、コンプライアンスの隣組？♪

てなわけで、そんなわけで、『アリエナイ理科ノ大事典Ⅲ』いかがだったでしょうか？
アリエナイ理科も気が付けば20年近い月日が経っています。初代『図解 アリエナイ理科ノ教科書』が発行されたのが2004年。
いまだにシリーズが続き、なんならYouTubeなどの動画サイトでいまだに若い世代に、
「科学オモスレー！」を伝えることができているのは、
正直言って驚きです（まぁ、消滅の危機は何度もありましたがｗ）。
過去のアリエナイ理科シリーズを読んで育った皆さんからは、
「随分おとなしい内容になってしまったなぁ」…というお声をいただきます。
当時はネットはまだまだ黎明期であり、スマホも存在していない世界です。
インターネットの利用者は、ビジネスや研究といった用途、
またはそういった世界が好きでわざわざ入り浸っている人たちが大半でした。
それゆえネットには、数多の怪しい情報があふれ、出版物もまだまだ今のコンプライアンスの波を被らず、
それなりに自己責任の上では自由な風潮がありました。
何より出版という世界にまだ微かな希望があり、
多くの若者が憧れを抱いていたため優秀な人財も集まっていたのです。
とはいえ、本を作れば売れる時代は既に終わっていたので、
各社がいろいろな尖った企画を考えて、奇妙奇天烈な本がいろいろ生み出されたという時代でもあります。
まさにそんな本の1つが、アリエナイ理科シリーズで、アングラ科学を教材に、
科学を勉強しようというコンセプトで誕生しました。
しかし、時代の波に飲み込まれ、シリーズを重ねるごとに次第に部数が伸びなくなり、沈黙…。
ところが、幸運なことに2017年末、
たまたまコラボ動画をきっかけにYouTubeの波に乗ることができ、既刊が動き出しました。
そして2018年2月、まさかのリブートで再スタートしたのが現在の事典シリーズなのです。
再スタート時のお客さんは、YouTubeで知って下さった中高生が多いこともあり、
教科書・実験室シリーズの時より多少マイルドにしつつも、過去にあえてすっ飛ばした丁寧な解説、
しっかりとした現代科学へのリンクを意識して、ア理科なりに現代ナイズして作ったものであるといえます。
つまり、内容に関してはかなり慎重に吟味を重ねました。
アリエナイ理科ではシリーズを通して、危ない実験などについての記事がありますが、
実質的害悪を引き起こす蓋然性が明白であるもの、
要するに「明白かつ現在の危険」に関しては一貫して掲載をしないよう自主規制しています。
例えば、爆薬の合成法や爆弾の作り方などは載せていないわけです。
そんな馬鹿な…と思うかもしれませんが、読み返してもらえれば分かるように、全然載っていないのです。
一方、抽出や複雑な合成を必要とするものなどは、そこまでできる人は、
そもそも有害性を知らなければそこまで至らないですし、到達できないこともあり、
「明白かつ現在の危険」ではないとして、普通に掲載していたこともあります。
というか、爆薬の合成や爆弾の作り方なんてもうWikipediaにさえ載っているし、
YouTubeには実際に作り方や使い方まで詳細に解説した動画があり、
実際にそれで事件が起きているのはご存じの通り。
ネットでさまざまな情報が無料で調べられる時代に、
なぜ出版物がそこまで気を遣う必要があるのだろうか…とは思いますが、
それでも、面白さを殺さないことを前提に、いろいろなネタを組み込む努力をしてきました。
しかしながら、こうした作り手側の努力は規制したいだけの老人には通じるわけもなく、
有害図書指定を受け続けることになったわけですが、ここでパラダイムシフトが現れます。鳥取です（笑）。

鳥取県は2020年に条例を改正し、
その中で「ネットを利用して有害図書や有害玩具を鳥取県内で販売することを禁止する規定」
というものを独自に入れ込み、罰則規定を設けたことで、
『アリエナイ医学事典』『アリエナイ工作事典』が各ECサイトで販売中止や成年指定になりました。
その結果、本来届けるべき読者に届かない事態となってしまったのです。
定例記者会見で鳥取県知事がそれらの問題点について質問されると、
「ECサイトが県内の子供たちに売らないようにコントロールすればいい…」と、
ネット社会のリテラシーを持っているとは思えない見解を述べて、あまりのネット音痴っぷりに騒然となりました。
その後、鳥取県から具体的な指定理由が届き、
指定したことに対する正当性を主張するための後付けっぷりに閉口したのですが、
そもそも何冊の書籍を審議対象のために購入したのかを開示請求したところ、なんとわずか10冊だったことが判明。
そのうち9冊が実際に指定されたことからも、審議以前に担当職員が恣意的に選んでいることは明白で、
そのあまりの杜撰な指定っぷりが世に知られることになったわけです。
有害図書指定は、60年前に制定された青少年保護育成条例をもとにした販売を規制する制度であります。
近年はほぼ形骸化しており、識者(笑)として集められたおっちゃんおばちゃんが、
審査委員として「これはけしからん」と指定するだけで、
罰則はあるものの書店に罰金が科されたことなどはありません。もはやキャリアの肥やしでしかないわけです。
この制度の本丸である東京都は「不健全図書」という名称で、毎月せっせと活動しています。
行政が民間の一作家の作品を「有害」や「不健全」と断じ、販売を制限をするのは、表現規制ではないのでしょうか？
ゾーニングすべき本をゾーニングせずに販売する出版社も中にはあり、
一概に全く不要の制度であるとも言えなくはないのですが、とはいえ、
大半の有害図書指定はその本来の目的を見失った、ただの「お気持ち表明」でしかなく、
その理論はめちゃくちゃで恣意的なものです。
役所が選んだよく分からん人が他人の著作物を踏みにじることが正当化され、
そしてその決定や理由は議事録も残されず、
残されたとしても誰の発言かは伏せられていたり(東京都などの場合)、表現規制の火種はあちこちに眠っています。
また、鳥取県がECサイトの販売に影響を与えた結果に対して、「よくやった」と賛同を表明する激ヤバ議員や、
自称識者(大体が性教育反対運動をしてたなどの危険な思想を持ってたりしてまぁまぁヤバいw)が、
物陰から現れてきて「表現の自由」に火をつけようとしている状況です。
本書は本来、科学の面白さを伝え、リテラシーの大事さと、
ちょっとマッドな科学に熱狂的面白さが内包されていることを伝えたい本なのに、
このようなイカれた表現規制と戦うことになろうとは…
……世界は広大ですわ。
この荒波に負けて、我々が消えてしまっても、
この思いだけは誰かに残ってほしいな…ということで、
最後に記したところです。
とはいえ、まだまだ負ける気はございませんので、皆様にもっと熱くて楽しい、
科学スゲーを届けられるよう今後とも邁進していきますので…何卒よしなに!!

薬理凶室

くられ

文科省絶対不認可教科書

アリエナイ理科ノ大事典Ⅲ

The Encyclopedia of Mad-Science

2023年3月25日　第1刷発行
2023年4月3日　第2刷発行

文・監修　薬理凶室

発行人　塩見正孝
編集　ラジオライフ編集部

イラスト　くがほたる　ケイ
怪人キャラクターデザイン
くがほたる　夢路キリコ　くられ

デザイン　ヤマザキミヨコ(ソルト)
DTP　伊草亜希子(ソルト)

発行所　株式会社三才ブックス
〒101-0041
東京都千代田区神田須田町
2-6-5 OS'85ビル3階
TEL　03-3255-7995
FAX　03-5298-3520
URL　http://www.sansaibooks.co.jp/
mail　info@sansaibooks.co.jp
郵便振替口座　00130-2-58044

印刷・製本　図書印刷

ISBN978-4-86673-358-6
C0040